Великая Отечественная: Неизвестная война

Марк Солонин

22 июня,

или Когда началась Великая Отечественная война?

Москва
«ЯУЗА»
«ЭКСМО»
2008

ББК 63.3(0)6
С 60

Оформление серии художника *П. Волкова*

Солонин М.

С 60   22 июня, или Когда началась Великая Отечественная война — М.: Яуза, Эксмо, 2008. — 512 с. (Великая отечественная: Неизвестная война).

ISBN 978-5-699-15196-7

В сенсационной и скандальной книге Марка Солонина по-новому рассматривается начальный период войны между гитлеровской Германией и сталинским Советским Союзом. На основе данных, извлеченных из ранее засекреченных документов и материалов, а также анализа научно-исторической и мемуарной литературы автор опровергает уже устоявшиеся и новые мифы о причинах катастрофических поражений Красной Армии в первые месяцы войны, дает объективную, глубоко аргументированную трактовку хода военных событий. Первостепенное внимание уделено влиянию «человеческого фактора». Книга предназначена историкам и всем, кто интересуется Второй мировой войной.

ББК 63.3(0)6

ISBN 978-5-699-15196-7

К читателю

Моему отцу, Семену Марковичу Солонину, рядовому Великой войны, посвящается

«Правда не побеждает. Правда остается, когда все остальное уже растрачено».

Этими словами заканчивался программный документ чешской оппозиции «Две тысячи слов». Тогда, в июне 1968 года, едва ли кто-то мог предположить, что эта фраза будет точно описывать ситуацию, сложившуюся сегодня на бескрайних просторах бывшей советской империи.

Автору книги, которую вы держите в руках, потребовалось 15 лет и 138 тысяч слов для того, чтобы найти и описать маленький кусочек исторической правды — основные события книги не выходят за временные рамки двух недель лета 1941 года. Теперь, когда книга выходит на встречу с российским читателем, я хочу выразить огромную благодарность тем людям, которые добрым словом, дружеской поддержкой, конструктивной критикой помогали мне в этой работе.

Прежде всего, главному библиографу Самарской областной научной библиотеки А.Н. Завальному, ведущему научному сотруднику ИМЭМО К.Л. Майданику, секретарю Московского отделения Общества историков России Л.А. Наумову, доценту кафедры философии СамГТУ А.С. Степанову.

Огромную роль в написании этой книги сыграли уникальные документы и материалы, введенные в научный оборот Интернет-сайтами «Мехкорпуса Красной Армии» (mechcorps.rkka.ru), «ВВС России» (airforce.ru), «Рабоче-Крестьянская Красная Армия» (rkka.ru), «The Russian Battlefield» (battlefield.ru), ведущим и составителям которых автор выражает свою особую признательность.

Важным этапом работы была публикация первых глав книги газетой «Волжская коммуна», за что автор приносит глубокую благодарность ее главному редактору В.Я. Наганову.

Наконец, считаю необходимым поблагодарить и вас, уважаемый читатель. Сколько бы я и мои коллеги по цеху историков и писателей ни гордились своим «треножником», как бы ни грозились мы «не дорожить любовию народной» — театр не живет без зрителей, книга не существует без читателей. Это тем более верно, когда речь идет о книге отнюдь не для «легкого чтения». В ней нет простых и коротких ответов на те сложнейшие вопросы, над которыми еще предстоит работать поколениям исследователей, и каждый читатель, набравшийся смелости и терпения прочитать эти 138 тысяч слов, по праву должен считаться со-ТРУД-ником автора. Только нашими совместными усилиями трагическая правда о советской истории останется. Даже если все остальное будет растрачено.

Самара, Россия, декабрь 2004 г.

Когда погребают эпоху,
Надгробный псалом не звучит,
Крапиве, чертополоху
Украсить ее предстоит...
А после она выплывает,
Как труп на весенней реке —
Но матери сын не узнает,
И внук отвернется в тоске...

«В сороковом году»,
Анна Ахматова

ПРЕДИСЛОВИЕ

Как появилась эта книга

Я — за мораторий. Честное слово. И если бы такое решение было на государственном уровне принято, я бы подчинился ему самым добросовестным образом.

В самом деле, что мешало принять общее, обязательное для всех решение: всякое публичное обсуждение истории Великой Отечественной войны запретить. На сто лет. До 2045 года.

Никаких книг, никаких статей. В школьном учебнике — краткое уведомление о том, что в стране действует мораторий. И только тогда, когда воспоминания об этом состоявшемся Апокалипсисе перестанут быть кровоточащей раной в сердце народа, когда уйдут последние ветераны, когда прах неизвестных солдат станет, как в песне сказано, «просто землей и травой», — вот тогда рассекречиваем ВСЕ архивы для ВСЕХ желающих в них работать и работаем. Создаем общими усилиями правдивую, на документах основанную, историю Великой войны.

Подлинные документы войны засекретили и стерегли за семью замками как особо важные тайны государства. Даже газеты, центральные советские газеты предвоенного и военного времени, были изъяты из открытых фондов общедоступных библиотек. Речи Молотова и Сталина, тексты межгосударственных договоров, заключенных Со-

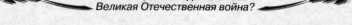

ветским Союзом в 1939—1941 гг., — это тайна. Страшная военная тайна.

Тщательно организованный вакуум достоверной информации на протяжении полувека заполняли стандартные, как матрешки, тексты, в которых старательно переписывались одни и те же, директивно установленные мифы. Военная история как точная наука фактов и документов была практически полностью подменена пропагандистскими заклинаниями. Дело доходило до таких курьезов, как исполнение одним и тем же номенклатурным сановником поочередно обязанностей руководителя Управления спецпропаганды (т.е. главного обманщика) Главного политуправления Советской Армии и... Института военной истории!

Важнейшим вопросом, над «разъяснением» которого трудилась узкая группа безгранично преданных партии людей, был вопрос о том, почему в первые же недели войны Красная Армия была смята, разгромлена и большей частью взята в плен? Почему вермахту удалось дойти до озер Карелии, до калмыцких степей, до Кавказских гор? Почему пожар войны докатился до таких мест, где чужеземных захватчиков не видали со времен «великой смуты» XVII века? Как случилось то, что большая часть всех жертв, всей крови и пота войны ушли только для того, чтобы к осени 1944 года вернуть потерянное в первые несколько недель отступления?

Первым причины «временных неудач» Красной Армии указал сам товарищ Сталин. В своем знаменитом радиообращении к «братьям и сестрам» 3 июля 1941 г., а затем, в более развернутом виде, в докладе на торжественном заседании по случаю 24-й годовщины Октябрьской революции Сталин назвал **три фактора**, которые якобы обусловили успехи вермахта:

— немецкая армия была заблаговременно отмобилизована и придвинута к рубежам СССР, в то время как сохраняющий строгий нейтралитет Советский Союз жил обычной мирной жизнью;

— наши танки и самолеты лучше немецких, но у нас

их пока еще очень мало, гораздо меньше, чем у противника;

— за каждый шаг в глубь советской территории вермахт заплатил гигантскими невосполнимыми потерями. Конкретно, Сталин назвал цифру в 4,5 миллиона убитых и раненых немцев.

Две недели спустя Совинформбюро позволило себе оспорить заявление самого товарища Сталина — случай в истории этого ведомства небывалый. Было заявлено, что потери вермахта к середине ноября 1941 г. составили уже 6 миллионов человек.

Отдадим должное товарищу Сталину. Он врал, но врал с умом. Из его заведомо ложных измышлений вырисовывался образ страны миролюбивой, но с большими потенциальными возможностями. Да, сегодня у нас танков мало — завтра будет много, мы не начинали мобилизацию первыми — но уж теперь мы соберем все для фронта и для победы. Германия же не может позволить себе каждые полгода терять по шесть миллионов солдат, а значит — в самое ближайшее время, «через полгода-год рухнет под тяжестью своих преступлений». Именно такую перспективу обрисовал Сталин, выступая с трибуны Мавзолея на параде 7 ноября 1941 г. И с точки зрения военной пропаганды (которая не имеет права быть правдивой) он сказал то, что надо было сказать людям, уходящим в бой.

После войны и после победы советские «историки» получили задание — ложь усилить, но при этом сделать ее чуть более правдоподобной. Непростое задание — но они справились.

Про то, что вермахт потерял в начале войны 4,5 (или даже 6) миллиона, забыли, замолчали и никогда больше не вспоминали. Логика очень простая — немецкие архивы были к этому времени открыты, материалы, в частности и о потерях личного состава, опубликованы, и продолжать ТАК врать значило выставить себя на посмешище всему свету.

В порядке «компенсации» картину беззащитности Советского Союза усилили заявлением о том, что основная часть танков и самолетов, состоявших на вооружении Красной Армии к началу войны, представляла собой безнадежно устаревший хлам, «не идущий ни в какое сравнение» с техникой противника. Значительно более настойчиво и громко стал подаваться и тезис о «внезапном нападении» (Сталин тему пресловутой «внезапности» старался особенно не выпячивать, делая акцент на слове «вероломное», — а это две большие разницы. Тезис о «вероломстве» характеризует Гитлера как преступника, тезис о «внезапном нападении» выставляет Сталина в качестве слепого, наивного дурачка).

Никита Хрущев, придя к власти, также немного доработал историю начала войны. Он представил Сталина в виде дурака упрямого — Рихард Зорге и Уинстон Черчилль слали ему свои знаменитые «предупреждения», а тот и слушать никого не хотел.

Таким образом, к концу 50-х годов окончательно сформировалась та версия, которую в последующие десятилетия вколачивали в массовое сознание с настойчивостью и непреклонностью парового молота:

во-первых, мы мирные люди, к войне мы не готовились, наше правительство боролось за мир во всем мире и старалось не допустить втягивания СССР в войну;

во-вторых, «история отпустила нам мало времени», поэтому мы ничего (танков, пушек, самолетов, даже винтовок в нужном количестве) не успели сделать, и наша армия вступила в войну почти безоружной (бутылка с зажигательной смесью играла тут ключевую роль, про эту бутылку знают даже те, кто ничего про историю войны не знает);

в-третьих, Сталин не разрешил привести армию в состояние какой-то особой «готовности к войне», и поэтому немецкие бомбы обрушились на «мирно спящие советские аэродромы».

Из этого трехчлена (который на все лады перепевался во всех книжках — от школьного учебника до толстенных монографий) легко и просто вытекал ответ на вопрос о

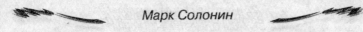
ВИНОВНИКАХ страшной катастрофы. Виноватыми оказались:

— история, которая «отпустила нам мало времени»;

— Гитлер, который месяца за два не предупредил Сталина о своих намерениях;

— и, наконец, излишняя наивность и доверчивость в целом положительного товарища Сталина.

Родной Коммунистической партии в этой схеме была оставлена только одна роль — роль организатора и вдохновителя всех наших побед.

Все ясно, просто, логично. Любая попытка усомниться в достоверности этих мифов расценивалась в диапазоне от «циничного глумления над памятью погибших» до «новой вылазки литературных власовцев».

Признаюсь — я и сам во все это верил. Класса эдак до восьмого. Потом стали появляться некоторые смутные сомнения. С годами они только усиливались.

В самом деле, при товарище Сталине весь советский народ работал. Работали все мужчины. Работали почти все женщины. Декретный отпуск давался на четыре месяца: два до и два после. Потом — от грудного младенца к станку. Подростки —«фэзэушники» тоже работали. Страна работала с раннего утра («нас утро встречает прохладой») и до глубокой ночи. Ну а военные заводы уже задолго до войны работали в три смены, с утра и до утра. Причем, заметьте, никто из сотни миллионов работников не работал мерчендайзером, спичрайтером, имиджмейкером, трейдером, брокером, дилером, шмилером... Все конкретно пахали.

Куда же делся произведенный продукт?

Как это у нас могло оказаться меньше танков-самолетов, нежели в Германии? Что же тогда делали эти круглосуточно дымящие заводы — ситчик для комсомолок? Холодильники и соковыжималки для коммунальных кухонь?

Низкая производительность труда? Не спешите, не спешите, уважаемый читатель, с такими подозрениями. Давайте для начала выслушаем мнение знающих людей.

В 1936 г. авиационные заводы СССР смог посетить

Луи Шарль Бреге, руководитель крупнейшей французской авиастроительной фирмы (выпускающей совместно с фирмой «Дассо» реактивные «Миражи» и по сей день). В отчете о своей поездке в СССР он написал: «*Используя труд вдесятеро большего количества рабочих, чем Франция, советская авиационная промышленность выпускает в 20 раз больше самолетов*». В апреле 1941 г. военно-воздушный атташе Германии Г. Ашенбреннер с группой из десяти инженеров посетил главные авиапредприятия СССР (ЦАГИ, московские заводы № 1, 22, 24, Рыбинский и Пермский моторные заводы). В отчете, представленном Герингу, Ашенбреннер писал:

«*Каждый из этих заводов был гигантским предприятием, где работало до 30 тысяч человек в каждую из трех смен, работа прекрасно организована, все продумано до мелочей, оборудование современное и в хорошем состоянии...*»

А в Германии было тогда в два с половиной раза меньше людей, чем в СССР. Немецкая фрау сидела дома и воспитывала киндеров. Повзрослевшие киндеры пели нацистские марши и ходили строем, оттягивая носок, не после работы, а вместо работы. На втором году мировой войны авиационные заводы Германии работали в одну смену! Сверхдефицитный на войне алюминий расходовался на производство садовых домиков и приставных лесенок для сбора груш. Производственные мощности немецких заводов были загружены изготовлением патефонов и велосипедов, радиоприемников и легковых автомобилей, фильдеперсовых чулочков и бритвенных лезвий. Серийное производство первых боевых танков, самолетов, подводных лодок началось только в 1935—1936 гг. — меньше чем за одну пятилетку до начала мировой войны.

Так когда же немцы умудрились создать то самое пресловутое «многократное превосходство в танках и самолетах»? И из чего они его могли создать?

В Германии нет своих бокситов, своего никеля, марганца, вольфрама, меди, каучука, нефти... Простого угля и железной руды и то не хватало, всю войну немцам прихо-

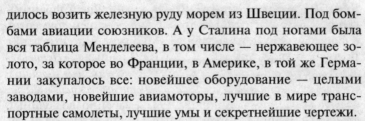

дилось возить железную руду морем из Швеции. Под бомбами авиации союзников. А у Сталина под ногами была вся таблица Менделеева, в том числе — нержавеющее золото, за которое во Франции, в Америке, в той же Германии закупалось все: новейшее оборудование — целыми заводами, новейшие авиамоторы, лучшие в мире транспортные самолеты, лучшие умы и секретнейшие чертежи.

И всего этого не хватило для того, чтобы вооружить Красную Армию хотя бы не хуже новорожденного вермахта?

От размышлений над этими вопросами автора на несколько лет отвлекла учеба в авиационном институте, затем — проектирование лазерной пушки в «почтовом ящике», затем — работа в угольной кочегарке и общественная борьба эпохи гласности и переломки.

За что боролись — то и получили. Да, гораздо меньше, чем хотелось бы, но все-таки в начале 90-х годов в научный оборот было введено большое число документов кануна и начала войны, в открытой печати были опубликованы ранее засекреченные труды советских военных историков. Кроме того, новые времена открытости, свободы печати и Интернета сделали доступными для независимого исследователя и богатейшие залежи работ немецких историков и мемуаристов. И хотя по сей день огромные пласты документального материала все еще скрываются от народа (причем без всякого пристойного объяснения), того, что уже открыто, вполне достаточно, чтобы детально и точно оценить соотношение сил сторон по состоянию на 22 июня 1941 г.

Да, конечно, никакого «технического превосходства вермахта» не было и в помине. Пушку образца Первой мировой войны тащила шестерка лошадей, главным средством передвижения пехоты вермахта была одна пара ног на каждого солдата, и вооружен этот солдат был самой обыкновенной винтовкой (это только в плохом советском кино все немцы в 1941 году ходят со «шмайсерами», а вот по штатному расписанию даже в элитных дивизиях вер-

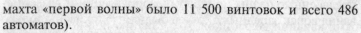

махта «первой волны» было 11 500 винтовок и всего 486 автоматов).

Разумеется, предельно милитаризованная сталинская империя, долгие годы готовившаяся к Большой Войне с предельным напряжением всех ресурсов богатейшей страны мира, вооружила и оснастила свою армию как нельзя лучше. Разумеется, танков и самолетов, зенитных орудий и гусеничных тягачей, аэродромов и аэростатов в Красной Армии было больше, чем в армиях Англии, Франции и Германии.

Разумеется, научно-технический уровень советского военного производства не просто «соответствовал лучшим мировым стандартам», а по целому ряду направлений формировал их. Лучший в мире высотный истребитель-перехватчик (МиГ-3), лучшие в мире авиационные пушки (ВЯ-23), лучшие в мире танки (легкий БТ-7М, средний Т-34, тяжелый КВ), первые в мире реактивные установки залпового огня (БМ-13, «катюша»), новейшие артсистемы, радиолокаторы, ротационные кассетные авиабомбы, огнеметные танки и прочая, прочая, прочая — все это существовало, и не в чертежах, не в экспериментальных образцах, а было запущено в крупную серию.

Разумеется, сосредоточение трехмиллионной группировки вермахта у западных границ СССР было выявлено советской разведкой, причем выявлено с точностью до полка и эшелона. И хотя подлинных документов, раскрывающих оперативные планы немецкого командования, на столе Сталина никогда не было, общая военно-политическая готовность гитлеровской Германии к агрессии на востоке не была секретом ни для высшего государственного руководства СССР, ни для старших командиров Красной Армии.

Имеющиеся документы неопровержимо свидетельствуют о том, что скрытая мобилизация и стратегическое развертывание Вооруженных Сил Советского Союза начались ДО, а не после первых орудийных залпов на границе. Что касается цели этого развертывания, то по этому поводу возможна (и необходима) дискуссия. Последние

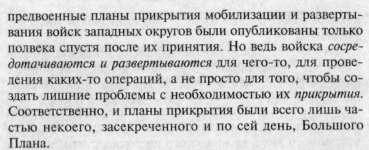

предвоенные планы прикрытия мобилизации и развертывания войск западных округов были опубликованы только полвека спустя после их принятия. Но ведь войска *сосредотачиваются и развертываются* для чего-то, для проведения каких-то операций, а не просто для того, чтобы создать лишние проблемы с необходимостью их *прикрытия*. Соответственно, и планы прикрытия были всего лишь частью некоего, засекреченного и по сей день, Большого Плана.

Какой бы то ни было, Красная Армия готовилась к войне, причем к такой войне, которая должна была начаться в ближайшие недели или даже дни. Самое большее, чего могли в такой ситуации добиться немцы, так это весьма ограниченного во времени и пространстве эффекта тактической внезапности. И не более того.

С чего начнем

Как это часто (или всегда?) бывает в истории науки, новое знание, разрешив старые вопросы, поставило новые, гораздо более сложные. После того как спрятаться за ширму заведомо ложных измышлений о «многократном численном превосходстве вермахта» стало уже невозможно, обсуждение подлинных причин беспримерной в истории военной катастрофы стало еще более актуальным и еще более сложным.

Строго говоря, это обсуждение началось за много лет до окончательного крушения КПСС.

Не настолько уж мы «ленивы и нелюбопытны» (Пушкин), чтобы среди сотен тысяч живых свидетелей драматических событий тех лет не нашлись люди, готовые усомниться в достоверности официозного бреда. Уже во времена хрущевской «оттепели» на свет божий из непроглядной тьмы военной тайны выпорхнули кое-какие цифры, факты, документы, после обнародования которых продолжать прежнее вранье стало совсем уже неприлично. Нельзя не упомянуть, например, двухтомную монографию Дашичева «Банкротство стратегии германского фашизма». Хотя вся она была посвящена немецкой истории и любых сравнений автор предусмотрительно избегал, у имеющего глаза и мозги читателя пропадали последние сомнения по поводу «многократного превосходства вермахта в танках и авиации».

Еще дальше пошли Некрич и Григоренко. С огромным количеством оговорок, извинений и оправданий они все-таки написали черным по белой бумаге, что никакого численного либо технического превосходства над Красной Армией у вермахта не было. Для одного из них это закончилось изгнанием из СССР, для другого — заключением в спецпсихбольницу МВД.

В эпоху «нового мышления» их дело продолжил (скорее всего — сам того не подозревая) Виктор Суворов. Со своим редким даром публициста, с яростной напористостью человека, нашедшего наконец единственную истину, В. Суворов в своей трилогии («Ледокол», «День-М», «Последняя республика») камня на камне не оставил от лживого мифа про тихую, мирную и почти безоружную сталинскую империю.

Увы. Разрушив старые мифы, В. Суворов поспешил заменить их новым. Оказывается, Красная Армия была велика и могуча — но только до трех часов утра 22 июня 1941 г. На следующий день она уже была обескровлена и разоружена внезапным нападением гитлеровцев. Со страниц трилогии Суворова просто льется торжественная песнь Первого Обезоруживающего Удара:

«...*при внезапном ударе советских танкистов перестреляли еще до того, как они добежали до своих танков, а танки сожгли или захватили без экипажей... Внезапный удар по аэродромам ослепляет танковые дивизии... Советские разведывательные самолеты не могут подняться в небо... Нашему циклопу выбили глаз. Наш циклоп слеп. Он машет стальными кулаками и ревет в бессильной ярости...*» Ну и так далее.

Для пущей убедительности Суворов предложил и свой, гораздо более правдоподобный вариант объяснения причины такого конфуза — Красная Армия сама готови-

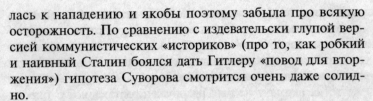

лась к нападению и якобы поэтому забыла про всякую осторожность. По сравнению с издевательски глупой версией коммунистических «историков» (про то, как робкий и наивный Сталин боялся дать Гитлеру «повод для вторжения») гипотеза Суворова смотрится очень даже солидно.

В скобках заметим, что и в этом варианте мифотворчества В. Суворов не был первым. Тот же Григоренко еще в 1967 г. написал про то, как «глупый» нарком обороны Тимошенко послушался еще более «глупого» Сталина и двинул днем 22 июня всю артиллерию на запад. Им бы подождать до темноты — а они ее вывели из лагерей и укрытий днем. Вот тут на нее и налетела вражеская авиация. И уничтожила. Всю. Все **шестьдесят тысяч** орудий и минометов. Каждый немецкий бомбардировщик (а их на всем Восточном фронте было девятьсот), проносясь над землей как мифическая Валькирия из древних скандинавских саг, разом уничтожил по одному советскому артиллерийскому полку. Круто...

Далее, в части 2-й мы подробно, с карандашом в руках, рассмотрим вопрос о том, что могла, что сделала и чего не могла сделать немецкая авиация. Пока же обратимся к простому здравому смыслу и зададим ему пару простых вопросов.

Почему сами «гитлеровские соколы» ничего не знают о своем величайшем свершении?

По истории люфтваффе написаны горы книг. Есть монографии, посвященные боевому применению отдельных типов самолетов, есть монографические исследования боевого пути чуть ли не каждой авиационной эскадры, и все это — с немецкой дотошностью, с точным указанием заводского номера каждого самолета и воинскими званиями всех членов экипажа. А вот про то, как 22 июня 1941 г. они «разоружили» всю Красную Армию, — ни слова. И даже брехливый доктор Геббельс об этом так ничего никому и не сказал!

С другой стороны, что же наши-то «соколы» ничего подобного не учинили? Нет, разумеется, мы говорим не про июнь 1941-го. У нас же тогда не самолеты были, а «безнадежно устаревшие гробы», и летчики «с налетом 6 часов по коробочке». Но в 43, 44, 45-м годах, тогда, когда нумерация советских авиаполков подошла к тысяче, когда мы завоевали абсолютное господство в воздухе, — почему же тогда вермахт не был разоружен, оставлен без танков, без артиллерии, без складов за один день одним могучим ударом с воздуха?

И почему в истории английских ВВС нет ничего подобного? И французских, и американских? Американцы бомбили Германию (территория которой меньше территории наших предвоенных Западного или Киевского военных округов) с весны 1943 г. Американцы высыпали на один объект по нескольку килотонн бомб за один налет. В день высадки в Нормандии (6 июня 1944 г.) каждую дивизию союзников в среднем поддерживали (по подсчетам известного американского историка Тейлора) 260 боевых самолетов — в 10 раз больше, чем приходилось на одну дивизию вермахта 22 июня 1941 г. И что же — даже десять месяцев спустя, весной 1945 года, вермахт еще воевал, причем воевал отнюдь не бутылками с керосином...

Ну а если серьезно, то вести дискуссию по этому поводу глупо. Каждый выпускник средней школы должен знать, что систему из девяти уравнений с десятью неизвестными можно с чистой совестью не решать. Она просто не имеет решения.

Уничтожить (или, по крайней мере, значительно ослабить) одним упреждающим ударом армию, насчитывавшую к началу войны **198 стрелковых, 13 кавалерийских, 61 танковую, 31 моторизованную дивизии, 16 воздушно-десантных и 10 противотанковых бригад,** в доядерную эпоху было абсолютно невозможно. Да и с вооружениями XXI века для решения такой задачи потребовалась бы (с учетом рассредоточенности советского военного потенциала на гигантском ТВД) огромная концентрация ракетно-ядерных сил.

В реальности основным средством поражения, которым располагал вермахт летом 1941 года, была артилле-

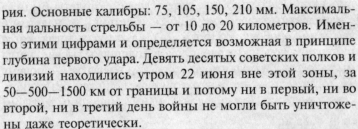

рия. Основные калибры: 75, 105, 150, 210 мм. Максимальная дальность стрельбы — от 10 до 20 километров. Именно этими цифрами и определяется возможная в принципе глубина первого удара. Девять десятых советских полков и дивизий находились утром 22 июня вне этой зоны, за 50—500—1500 км от границы и потому ни в первый, ни во второй, ни в третий день войны не могли быть уничтожены даже теоретически.

Стоит отметить и то, что даже бесноватый фюрер не требовал от своей армии такой сверхэффективности. Плановая продолжительность «блицкрига» в России все-таки измерялась месяцами, а не днями, да и разгромить Красную Армию предполагалось «смелым выдвижением танковых клиньев», а вовсе не одним лихим налетом «юнкерсов».

Тем не менее концепция Суворова очень удачно вписалась в ту «матрицу», которая уже была сформирована в сознании его читателей многолетней коммунистической пропагандой.

Да, при всей внешней несовместимости и версия Суворова, и версия Хрущева—Сталина едины в главном: **ПРИЧИНУ ВОЕННОЙ КАТАСТРОФЫ ОНИ ИЩУТ СРЕДИ ТАНКОВ И САМОЛЕТОВ,** старательно обходя при этом все, что связано с действиями (или бездействием) танкистов, артиллеристов, летчиков, пулеметчиков и их командиров.

Трудно сказать, был ли «ложный след», по которому Виктор Суворов направил толпы своих последователей, результатом добросовестного заблуждения, или мы все-таки имеем дело с преднамеренной литературной мистификацией. Как бы то ни было, но в последние годы в исторической литературе самое широкое хождение получили обе суворовские легенды: и о «первом обезоруживающем ударе вермахта», и о том, что разгром Красной Армии был обусловлен тем, что войска, которые обучались, вооружались и готовились для ведения наступательных операций, 22 июня 1941 г. были вынуждены перейти к обороне.

Многочисленные «суворовцы» уже успели выстроить целую теорию о том, что армия, готовая наступать, и армия, способная успешно обороняться, — это две разные армии, что бывают, оказывается, какие-то особые «наступательные» танки и самолеты и что только в силу однозначно наступательного характера своих планов и вооружений РККА оказалась неспособна к ведению стратегической обороны.

Абсурдность (если только не преднамеренная анекдотичность) теории про Армию, Умеющую Только Наступать, достаточно очевидна и сама по себе не требует многостраничного опровержения. Совсем необязательно заканчивать Академию Генерального штаба для того, чтобы понять, что наступление является гораздо более сложным видом боевых действий, нежели оборона. Сложным именно потому, что наступление предъявляет более высокие требования к системе управления и связи, от которых в этом случае требуется гибкое, быстрое, нешаблонное реагирование на динамично развивающуюся обстановку.

Представить себе командование, способное к организации успешного, стремительного наступления, но при этом не умеющее организовать позиционную оборону на собственной, знакомой до каждой тропинки территории, так же невозможно, как невозможно найти виртуозного джазового пианиста, который не может сыграть по нотам «собачий вальс».

Наконец, так называемая «наступательная» армия, вооруженная лучшими в мире «наступательными» танками, всегда может воспользоваться именно тем способом ведения обороны, который во все века считался наилучшим, — самой перейти в контрнаступление. Тому в истории мы тьму примеров сыщем, но самым ярким, на наш взгляд, является опыт армии обороны Израиля.

Эта армия никогда даже и не пыталась стать в самоубийственную при географических условиях Израиля (минимальная ширина территории в границах резолюции ООН 1947 г. составляет 18 км) позиционную оборону. И в 1967-м, и в 1973 году стратегическая задача обороны стра-

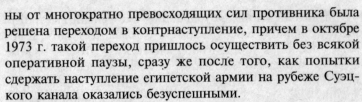

ны от многократно превосходящих сил противника была решена переходом в контрнаступление, причем в октябре 1973 г. такой переход пришлось осуществить без всякой оперативной паузы, сразу же после того, как попытки сдержать наступление египетской армии на рубеже Суэцкого канала оказались безуспешными.

Пыталась ли Красная Армия действовать летом 1941 г. подобным образом?

Безусловно — ДА.

Даже официальная историческая наука уже готова признать, что «*фашистской стратегии блицкрига была противопоставлена не оборона, в том числе и маневренная, с широким применением внезапных и хорошо подготовленных контрударов, а, по существу, стратегия молниеносного разгрома вторгшегося противника*» [3].

Как всегда ярко и образно, выразил эту же мысль В. Суворов:

«*Реакция Красной Армии на германское вторжение — это не реакция ежа, который ощетинился колючками, но реакция огромного крокодила, который, истекая кровью, пытается атаковать*».

Точнее и не скажешь.

На Северо-Западном направлении череда контрударов Красной Армии (под Шауляем, Даугавпилсом, Островом, Великими Луками, Старой Руссой) продолжалась с первых дней войны вплоть до середины августа 1941 года.

На главном, западном стратегическом направлении, на линии Минск — Смоленск — Москва, многократные, практически безостановочные попытки перейти в решительное контрнаступление продолжались все лето, до 10 сентября, когда наконец войска Западного, Резервного и Брянского фронтов по приказу Ставки перешли к обороне.

Подробный разбор всех этих наступательных операций выходит за рамки данной книги.

С другой стороны, конечный результат этих контрударов должен быть известен даже добросовестному школьнику. Ничего, кроме потери сотен кадровых дивизий, десятков тысяч танков и самолетов, все эти попытки перейти в наступление не принесли. Красная Армия оказалась неспособна к наступлению точно так же, как она оказалась неспособна к созданию устойчивой позиционной обороны на таких мощнейших естественных рубежах, какими являются реки Неман, Днепр, Днестр, Южный Буг, Западная Двина.

На этой констатации всю дискуссию с «суворовцами», в принципе, можно закончить, даже не начиная. И тем не менее кропотливый и детальный анализ первых контрударов Красной Армии может подвести нас к важным выводам о подлинных причинах ее разгрома. Вот почему автор решил построить книгу на тщательном разборе **трех наступательных операций**, причем именно тех, по поводу которых можно, не погрешив против истины, сказать, что это были наиболее мощные и наиболее обеспеченные боевой техникой и кадровым командным составом контрудары Красной Армии.

Сенсаций не будет

«Служенье муз не терпит суеты». Тем более не терпит суетливой поспешности военная история. Читателю стоит набраться терпения. Быстрых ответов на сложнейшие вопросы не будет. Не будет и столь популярных в последние годы «сенсационных документов», потрясающих «откровений» бывших сталинских холуев и прочей бульварщины.

Впереди у нас сотни страниц сложного, перенасыщенного цифрами, датами, номерами дивизий и калибрами танковых пушек текста. Раз за разом будем мы останавливаться перед каждым «общеизвестным», «само собой разумеющимся», ставшим привычным, как растоптанные тапочки, утверждением для того, чтобы узнать — а что же на самом деле скрывается за этими устоявшимися мифами?

Часть 1

ЗАТЕРЯННАЯ ВОЙНА

Вторник, 17 июня

В том году день 17 июня пришелся на вторник. Обычный летний рабочий день. Заголовки центральных газет дышали безмятежностью, весьма близкой к скуке. Передовица в «Известиях» под названием: «О колхозном ширпотребе и местной инициативе». Далее идут статьи «Итоги реализации нового займа» и «Профсоюзно-комсомольский кросс начался». Некоторое оживление обнаруживалось только на последней странице. Там, где был опубликован страстный призыв Главконсерва: «Возвращайте порожние стеклянные банки и бутылки!»

На фоне этой мирной благодати особенно контрастно выглядели заголовки второй полосы номера, посвященной событиям заграничной жизни: «Война в Европе», «Война в Сирии» (уважаемый читатель, вы помните — кто и с кем воевал в Сирии в июне 1941 года?), «Война в Африке», «Бомбардировки Кипра и Гибралтара», «Военные мероприятия Соединенных Штатов». Каждый читатель «Известий» мог, таким образом, наглядно оценить плоды мудрой, неизменно миролюбивой внешней политики Советского Союза.

И только несколько десятков человек во всей огромной стране знали, что первый из большой серии могучих сталинских ударов, запланированных на лето 1941 года, уже начался. В тот самый день 17 июня, когда командир 1-го механизированного корпуса генерал-майор Чернявский получил от начальника штаба Ленинградского военного округа генерал-майора Никишева приказ поднять по боевой тревоге 1-ю танковую дивизию.

· Кстати, автор совсем не уверен в том, что он правиль-

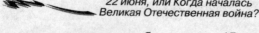

но указал название штаба, которым 17 июня 1941 года руководил генерал-майор Никишев. Был ли это все еще штаб Ленинградского военного округа или уже штаб Северного фронта? Правильный ответ на этот вопрос имеет огромное диагностическое значение.

Фронты в Советском Союзе никогда не создавались в мирное время (развернутый с конца 30-х годов Дальневосточный фронт может служить только примером «исключения, подтверждающего правило», — граница с оккупированным Японией Китаем непрерывно вспыхивала то большими, то малыми вооруженными конфликтами). Развертывание фронтов у западных границ СССР **всегда предшествовало скорому началу боевых действий.**

11 сентября 1939 г. на базе Белорусского и Киевского особых военных округов были сформированы два фронта — Белорусский и Украинский. Через шесть дней началось вторжение в Польшу, закончившееся в конце сентября 1939 г. «воссоединением» с Советским Союзом 51% территории довоенной Польши. (В скобках заметим, что между Польшей и СССР в 1932 г. был заключен Договор о ненападении, и с этого момента Советский Союз никогда не оспаривал законность и «справедливость» восточных границ Польши.)

Война закончилась — и 14 ноября приказом наркома обороны № 0177 фронты были вновь преобразованы в военные округа с прежними названиями [1, с. 328].

9 июня 1940 г. на базе управления Киевского округа был создан Южный фронт, в состав которого были включены части и соединения как Киевского, так и Одесского округов. Через девятнадцать дней, в 14.00 28 июня, войска Южного фронта перешли границу с Румынией и к исходу дня 1 июля 1940 г. заняли всю Бессарабию и Северную Буковину. После чего 10 июля 1940 г. Южный фронт был расформирован [1, с. 218].

А вот Финляндию товарищ Сталин сначала оценил гораздо ниже Польши или Румынии, поэтому к началу первой советско-финской войны (30 ноября 1939 г.) фронтов не создавал. А кто же из нас не ошибался? Но как только

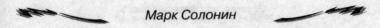

выяснилось, что «сокрушительный удар по финляндской козявке» (именно таким слогом изъяснялась в номере от 1 декабря 1939 года газета с хорошим названием «Правда») затягивается на неопределенный срок, ошибку быстро исправили.

7 января 1940 г. действующие на Карельском перешейке войска были объединены в **Северо-Западный фронт**. После трехнедельной передышки и значительного наращивания сил 1 февраля 1940 г. войска фронта перешли в решительное наступление, завершившееся прорывом «линии Маннергейма» и штурмом Выборга. Затем, после того как 12 марта в Москве был подписан мирный договор, Северо-Западный фронт был расформирован (приказ наркома обороны № 0013 от 26 марта 1940 г.).

Доподлинно известно, что летом 1941 года три фронта — Северо-Западный, Западный и Юго-Западный — были развернуты ДО ТОГО, как началось вторжение гитлеровских войск на советскую территорию, вторжение, в реальность которого товарищ Сталин не сразу поверил даже тогда, когда оно фактически началось.

Уже 19 июня 1941 года нарком обороны СССР маршал Тимошенко отдал приказ о выведении к 22—23 июня штабов этих трех фронтов на полевые командные пункты (соответственно в Паневежисе, станции Обус-Лесна и в Тарнополе), причем строительство самих полевых КП началось по приказу Тимошенко от 27 мая 41 г. [2, с.180; 1, с. 330].

Примечательно, что уже 19 июня понятия «фронт» и «округ» в этих документах совершенно четко разделялись. Так, в шифротелеграмме, которую Г.К. Жуков отправил 19 июня 1941 г. командующему войсками Юго-Западного фронта, указывалось:

«Народный комиссар обороны приказал: к 22.06 1941 г. управлению выйти в Тарнополь, оставив в Киеве подчиненное Вам управление **округа**... *Выделение и переброску* **управления фронта** *сохранить в строжайшей тайне...»* (выделено автором).

Текст этой телеграммы был приведен в самом что ни

на есть официальном труде отечественных военных историков: монографии «1941 год — уроки и выводы», выпущенной в 1992 году Генеральным штабом тогда еще Объединенных вооруженных сил СНГ [3]. Впрочем, еще в старые советские времена в прошедшей все виды цензуры книге воспоминаний маршала Баграмяна (перед войной — заместителя начальника штаба Киевского округа) сообщалось, что на командный пункт в Тарнополь они выехали 21 июня, имея приказ прибыть на место назначения к утру 22 июня [110].

Полностью оценить эту сенсационную информацию стало возможно только после того, как в 1996 году «Военно-исторический журнал» (печатный орган Министерства обороны) опубликовал ранее совершенно секретные (с грифом «Особой важности», выполненные в двух экземплярах каждый) планы действий войск западных округов по прикрытию мобилизации и оперативного развертывания Красной Армии [ВИЖ, 1996, № 2, 3, 4, 5, 6].

Так вот, в этих документах **выведение штабов на командные пункты в Паневежисе, Обус-Лесна и Тарнополе планировалось провести в день М-3, т.е. на третий день мобилизации.** Из чего следует, что В. Суворов не только не переоценил, а скорее всего недооценил намерения и настойчивость товарища Сталина. Есть серьезные основания предположить, что полномасштабное оперативное развертывание Красной Армии для вторжения в Европу фактически началось **19 или 20 июня 1941 г.**

В исторической и мемуарной литературе рассыпано множество упоминаний о весьма примечательных событиях, произошедших в эти дни.

19 июня в авиационные части Прибалтийского Особого военного округа (ПрибОВО) поступил приказ о переходе в состояние повышенной боевой готовности и рассредоточении самолетов по оперативным аэродромам [2, стр. 175]. 18 июня начштаба ПрибОВО генерал-лейтенант Кленов отдал следующее распоряжение: «*...частям зоны ПВО и средствам ПВО войсковых соединений принять готовность № 2... части ПВО, находящиеся в лагерях, немед-*

*ленно вернуть в пункты постояннной дислокации... срок го-
товности — к 18-00 **19 июня**»* [ВИЖ, 1989, № 5].

19 июня штаб ВВС Западного фронта по указанию
командующего фронтом генерала армии Д.Г. Павлова был
выделен из состава штаба ВВС Западного Особого военного округа (ЗапОВО) и направлен из Минска на запад, в
район Слонима [4].

Контр-адмирал А.Г. Головко, в те дни командующий
Северным флотом, в своей книге воспоминаний «Вместе
с флотом» пишет, что именно **19** июня им была получена
*«директива от Главного морского штаба — готовить к вы-
ходу в море подводные лодки».*

20 июня командующий Краснознаменным Балтфло-
том вице-адмирал Трибуц доложил о том, что «*части флота с 19.6.41 приведены в боевую готовность по плану № 2»*
[ВИЖ, 1989, № 5]. Жаль только, что даже в 1989 году «Военно-исторический журнал» не дал никаких пояснений
по поводу того, что это за «план № 2»...

Генерал-полковник П.П. Полубояров, бывший перед
войной начальником автобронетанкового управления
войск ПрибОВО, пишет, что «*16 июня 1941 г. командование 12-го МК (механизированного корпуса) получило директиву о приведении соединений в боевую готовность... 18
июня командир корпуса поднял соединения и части по боевой
тревоге и приказал вывести их в запланированные районы.
В течение 19 и 20 июня это было сделано...*

*16 июня распоряжением штаба округа приводился в бое-
вую готовность и 3-й МК, который в такие же сроки сосре-
доточился в указанном районе»* [ВИЖ, 1989, № 5].

18 июня командующий 8-й армией генерал-майор
Собенников получил приказ командующего войсками
ПрибОВО о выводе войск армии на указанные им участки
прикрытия государственной границы. На следующий
день, **19 июня,** вышла директива штаба ПрибОВО, в которой, в частности, говорилось:

*«...минные поля установить по плану оборонительного
строительства, обратив внимание на полную секретность
для противника...»* [ВИЖ, 1989, № 5].

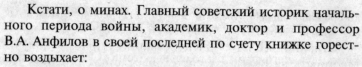

Кстати, о минах. Главный советский историк начального периода войны, академик, доктор и профессор В.А. Анфилов в своей последней по счету книжке горестно воздыхает:

*«...у нас не было налажено производство противотанковых мин. К 22 июня во всех приграничных округах имелось **всего лишь** (подчеркнуто мной. — М.С.) 494 тысячи противотанковых мин...»* [40, с. 218]

Забота о «полной секретности для противника» дошла до того, что даже начальник управления политпропаганды ПрибОВО товарищ Рябчий вечером 21 июня распорядился:

«...отделам политпропаганды корпусов и дивизий письменных директив в части не давать, задачи политработы ставить устно через своих представителей...» [61]

Конспирация, конспирация и еще раз конспирация.... Неужто нельзя было доверить бумаге такие задачи, как «быть готовыми защитить мирный созидательный труд советских людей», «земли чужой мы не хотим ни пяди»?

Генерал-майор С. Иовлев (в те дни — командир героической 64-й стрелковой дивизии) в своих воспоминаниях пишет: *«...части 64-й стрелковой дивизии в начале лета 1941 г. стояли в лагерях в Дорогобуже... 15 июня 1941 года командующий Западным Особым военным округом генерал армии Д.Г. Павлов приказал дивизиям нашего корпуса подготовиться к передислокации в полном составе. Погрузку требовалось начать **18 июня**. Станция назначения нам не сообщалась, о ней знали только органы военных сообщений...»* [ВИЖ, 1960, № 9]

Да, конечно, советские нормы секретности сильно отличались от общечеловеческих. Но чтобы командир дивизии в генеральском звании, как зэк на пересылке, не знал, куда везут его и вверенные ему полки «в полном составе»?!

Полковник Новичков, бывший в начале войны начальником штаба 62-й стрелковой дивизии 5-й армии КОВО, сообщает, что *«части дивизии выступили из лагеря в Киверцы (около 80 км от границы. — М.С.) и, совершив два ночных перехода, к утру **19 июня** вышли в полосу обороны, одна-*

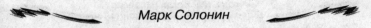

ко оборонительный рубеж не заняли, а сосредоточились в лесах вблизи него» [ВИЖ, 1989, № 5].

Странно все это. Очень странно. Почему ночью? Местность на Волыни лесисто-болотистая, в ночной темени легко и пушку в болоте утопить, и людей без толку намочить. Да и ночи в июне самые короткие, далеко за 5—6 часов не уйдешь. И зачем тогда строили бетонные доты на новой границе, деньги народные два года в землю зарывали, если после выхода к границе 62-я дивизия *«оборонительный рубеж не заняла»*, а зачем-то спряталась в лесу?

Ходят слухи (размножающиеся делением в бумажных трудах советских историков), что Сталин изо всех сил старался «оттянуть» нападение Гитлера на Советский Союз. Так ведь для того, чтобы «оттянуть» получше, надо было не прятать дивизии по лесам, не бродить по болотам в ночь глухую, а ярким солнечным июньским днем вызвать в Киверцы фотокоров центральных газет и приказать им снять марширующие колонны, да еще и под таким ракурсом, чтобы казались они на снимках несметным воинством. И на первую газетную полосу — под общей рубрикой «Граница на замке». И при постановке минных полей заботиться надо было бы не о *полной секретности для противника*, а о том, чтобы сам факт минирования в тот же день стал известен всей немецкой агентуре.

«Имея дело с опасным врагом, следует, наверное, показывать ему прежде всего свою готовность к отпору. Если бы мы продемонстрировали Гитлеру нашу подлинную мощь, он, возможно, воздержался бы от войны с СССР в тот момент», — пишет в своих мемуарах [45] генерал армии С.П. Иванов, многоопытный штабист, один из главных отечественных историков начального периода войны. Именно так, как советует профессионал столь высокого уровня, и надо было бы действовать.

Если Сталин думал о том, как «оттянуть», а не о том, **как бы не спугнуть...**

Да, много странных событий происходило в те дни, когда газеты писали про ширпотреб и стеклотару, но мы вернемся к тому вопросу, с которого и начали эту главу, — когда же был сформирован Северный фронт?

Указанная в большинстве книжек дата 24 июня 1941 г. является явной дезинформацией. Вечером 22 июня нарком обороны Тимошенко и начальник Генерального штаба РККА Жуков в тексте своей известной Директивы № 3 (мы еще не один раз вернемся к обсуждению этого важнейшего документа) в пункте 3-а ставят задачи *«армиям Северного фронта»* [5, с. 353].

Но не могли же они (и готовившие эту директиву многоопытные штабисты Ватутин и Василевский) отдавать приказы пустому месту!

Накануне, в субботу 21 июня, на заседании Политбюро ЦК ВКП(б) было решено *«поручить т. Мерецкову общее руководство Северным фронтом»*, а также принято решение о назначении членом Военного совета **Северного фронта** секретаря Ленинградского горкома товарища Кузнецова [6, с. 358].

Точная дата и номер документа об образовании Северного фронта автору неизвестны.

Точно так же у автора нет и документального подтверждения (кроме опубликованных еще в 1987 г. воспоминаний командира 1-й танковой дивизии В.И. Баранова) того важнейшего обстоятельства, что в приказе, который 17 июня получил командир 1-го мехкорпуса, были использованы слова «боевой», «боевая тревога» и т.п. Зато доподлинно известно, как этот приказ был выполнен.

В соответствии с приказом предстояло погрузить в железнодорожные эшелоны и отправить в район новой дислокации 1-ю танковую дивизию. А в дивизии числилось: 370 танков, 53 пушечных бронеавтомобиля, без малого сто орудий и минометов (в том числе новейшие, на тот момент — лучшие в мире 152-мм пушки-гаубицы МЛ-20 весом по семь тонн каждая), сотни гусеничных тягачей, полторы тысячи автомобилей разного назначения. А также тысячи людей, сотни тонн горючего и боеприпасов [7, 8]

Трудно сказать, сколько времени заняла бы такая масштабная работа в наше время. Надо полагать, только на

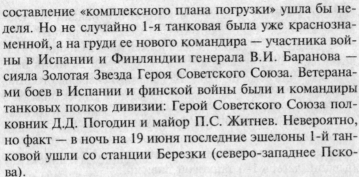

составление «комплексного плана погрузки» ушла бы неделя. Но не случайно 1-я танковая была уже краснознаменной, а на груди ее нового командира — участника войны в Испании и Финляндии генерала В.И. Баранова — сияла Золотая Звезда Героя Советского Союза. Ветеранами боев в Испании и финской войны были и командиры танковых полков дивизии: Герой Советского Союза полковник Д.Д. Погодин и майор П.С. Житнев. Невероятно, но факт — в ночь на 19 июня последние эшелоны 1-й танковой ушли со станции Березки (северо-западнее Пскова).

Слово «элитный» было в те времена не в ходу, но именно оно как нельзя лучше подходит к описанию 1-й танковой дивизии, да и всего 1-го мехкорпуса в целом. Корпус был сформирован летом 1940 года на базе танковых бригад, отличившихся во время финской войны: 13-й краснознаменной, 20-й краснознаменной тяжелой танковой им. С.М. Кирова и 1-й легкотанковой. Управление корпуса было сформировано на базе управления 20-й краснознаменной танковой бригады — именно это соединение в феврале 1940 г. прорывало «линию Маннергейма» на самом страшном ее участке — в районе «высоты 65,5», проложив дорогу наступающей советской пехоте через 45 (сорок пять) рядов заминированных проволочных заграждений [8].

Указом Президиума Верховного Совета СССР в апреле 1940 года 20-я танковая бригада была награждена орденом Боевого Красного Знамени, 613 человек получили ордена и медали, 21 танкист был удостоен звания Героя Советского Союза. Столь же велики были и заслуги 13-й краснознаменной бригады, за успешное руководство которой комбриг В.И. Баранов был 21 марта 1940 г. удостоен звания Героя Советского Союза [8].

Однозначно преступный и подлый характер той войны отнюдь не умаляет значение уникального опыта прорыва укрепленной оборонительной полосы в тяжелейших природных условиях, который приобрели на Карельском перешейке советские танкисты. А было их (танкистов) там совсем немало — уже к началу боевых действий группировка советских войск насчитывала 2289 танков, и в дальнейшем это число непрерывно росло [1, с. 153].

Наглядной иллюстрацией богатого боевого опыта советских танкистов могла служить картина того, как 1-я танковая покинула место своей постоянной дислокации в поселке Струги Красные под Псковом.

Генерал-полковник И.М. Голушко (в те дни — только что окончивший Киевское танковое училище лейтенант) описывает в своих мемуарах, что он увидел, приехав в бывший лагерь 1-й танковой дивизии:

«...кроме старшины, представившегося начальником танкового парка, здесь никого уже не было... Оставшиеся танки — 20 единиц БТ-5 и БТ-7 — считались на консервации. Осмотрел я их и только ахнул: одни без коробок передач, другие без аккумуляторов, у некоторых сняты пулеметы...

*На вопрос, что все это значит, старшина ответил, что полк, **поднятый по тревоге*** (подчеркнуто мной. — М.С.), *забрал все, что можно было поставить на ход...»* [9]

Вот это и называется — на войне как на войне. По понятиям мирного времени двадцать брошенных, разукомплектованных танков — это преступление. Но командование 1-го мехкорпуса уже 17 июня 1941 г. знало, что мирное время для него и для вверенных ему дивизий закончилось. А это значит, что надо вырываться из тесной «ловушки» давно разведанного противником лагеря, не теряя ни одной лишней минуты. А все неисправные танки ободрать как липку на запчасти для тех, что пойдут в бой. Для порядка и присмотра оставили при них бравого старшину — и вперед!

Кстати, а куда это — «вперед»? **Куда 17 июня 1941 года двинулась первая и по номеру, и по уровню подготовки танковая дивизия Красной Армии?**

Даже правила строжайшей советской сверхсекретности не могли скрыть от бойцов и командиров 1-й тд тот удивительный факт, что солнце вставало справа по ходу движения эшелонов, а садилось — слева. Другими слова-

ми, поезда мчались куда угодно, но только не к западной границе. Холмы и перелески Псковщины сначала сменились вековым сосновым лесом, а затем лес стал редеть, все чаще разрываясь озерами, болотами, а то и вовсе безлюдной каменистой пустошью.

Утром 22 июня головные эшелоны лязгнули в последний раз тормозами и замерли. Конечная остановка. Поезд дальше не идет. Некуда идти — рельсовый путь обрывается в заполярной тундре. Приехали: станция Алакуртти Кировской железной дороги. Мы в Лапландии — стране Санта-Клауса.

260 километров до Мурманска, 60 километров до финской границы, полторы тысячи верст до ближайшей точки фронта начавшейся в тот день войны с Германией.

«Сотрясая землю грохотом танковых колонн...»

«Но близок час освобождения и расплаты! Красная Армия идет, сотрясая землю грохотом танковых колонн, закрывая небо крыльями своих самолетов...»

Сразу же оговоримся — эти слова живой классик советской литературы А.Н. Толстой изрек совсем в другое время и по другому поводу. В тот день (18 сентября 1939 г.) не подлежащее обжалованию «освобождение» с лязгом и грохотом надвигалось на Восточную Польшу. А ранним утром 23 июня 1941 года огромные многокилометровые колонны танков, артиллерийских гусеничных тягачей и автомашин 1-го и 10-го мехкорпусов двинулись совсем в другом направлении.

Здесь, пожалуй, настало время прервать изложение событий июня 1941 г. для того, чтобы пояснить читателю — что же обозначают эти слова: «механизированный корпус»?

Вторая мировая война в значительной степени может быть названа танковой войной. Именно мощные, оперативно самостоятельные танковые соединения стали в ту эпоху главным инструментом в проведении крупных на-

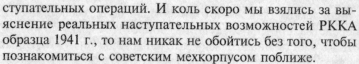

ступательных операций. И коль скоро мы взялись за выяснение реальных наступательных возможностей РККА образца 1941 г., то нам никак не обойтись без того, чтобы познакомиться с советским мехкорпусом поближе.

Механизированные корпуса Красной Армии имели единую структуру, утвержденную последний раз в феврале 1941 года. В состав мехкорпуса входили:

— две танковые дивизии;

— одна моторизованная дивизия;

— отдельный мотоциклетный полк;

— многочисленные спецподразделения (отдельный батальон связи, отдельный мотоинженерный батальон, корпусная авиаэскадрилья и т.д.).

В свою очередь, каждая дивизия имела в своем составе четыре полка. В танковой дивизии было два танковых полка, мотострелковый полк и механизированный гаубичный артиллерийский полк (12 гаубиц калибра 122 мм и 12 гаубиц калибра 152 мм).

В моторизованной дивизии было два мотострелковых полка, танковый полк, оснащенный легкими танками, и пушечный артиллерийский полк. Кроме того, в каждой дивизии были свой батальон связи, разведывательный батальон, понтонно-мостовой батальон, зенитно-артиллерийский дивизион, многочисленные инженерные службы. В составе моторизованной дивизии (на случай встречи с танками противника) был и свой отдельный истребительно-противотанковый дивизион (30 пушек калибра 45 мм).

Как видно, разрабатывая именно такую структуру, советское командование стремилось к тому, чтобы и каждая дивизия, и весь корпус в целом обладали максимальной оперативной самостоятельностью. В руках командира корпуса должен был быть и свой танковый таран — четыре танковых полка танковых дивизий, вооруженные главным образом средними и тяжелыми танками, и своя собственная артиллерийская группа — три артполка на механической (тракторной) тяге, — способная взломать на участке прорыва оборону противника, и своя механизированная «конная лава» — четыре мотострелковых полка,

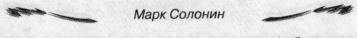

полк легких танков, мотоциклетный полк, и собственные средства противовоздушной обороны, связи, разведки. Даже собственная разведывательная авиация — корпусная авиаэскадрилья, на вооружении которой было 15 самолетов У-2 и Р-5 (У-2, как известно, взлетали и садились на любой лесной поляне, и уничтожить их «внезапным ударом по аэродромам утром 22 июня» было невозможно в принципе). Один только В. Суворов знает, как можно выбить глаз такому «циклопу»...

Основу вооружения мехкорпуса составляли **1031 танк.** Распределялись они следующим образом: в моторизованной дивизии по штату должно было быть 264 легких скоростных танка БТ-7, каждой из двух танковых дивизий полагалось 63 тяжелых танка КВ, 210 средних Т-34, 26 БТ и 76 легких (в том числе и огнеметных) танков Т-26. Всего 375 танков. Кроме того, на вооружении разведывательных подразделений корпуса было 17 плавающих танкеток Т37 и Т38.

Кроме того, на вооружении мехкорпуса был и такой (отсутствующий в вермахте) тип бронетехники, как колесные пушечные бронеавтомобили: 18 в моторизованной дивизии и по 56 в каждой из двух танковых дивизий. Вооружены эти бронемашины (БА-10) были 45-мм пушкой 20К, т.е. по мощности вооружения превосходили немецкие танки PZ-I, PZ-II, PZ-38(t), составлявшие в общей сложности 56% парка танковых групп вермахта. Всего же (с учетом легких пулеметных машин БА-20) в мехкорпусе было **268 бронеавтомобилей**.

В феврале 1941 г. было принято решение сформировать ДВАДЦАТЬ ДЕВЯТЬ таких мехкорпусов, что означало развертывание танковых войск численностью в тридцать тысяч танков: в два раза больше, чем в армиях Германии, Англии, Италии и США, вместе взятых.

В вермахте в это время готовились сформировать для вторжения в Советский Союз ЧЕТЫРЕ танковые группы. Немецкая танковая группа не имела ни стандартного состава, ни определенной штатной численности танков.

Так, самая слабая, 4-я танковая группа Гёпнера имела

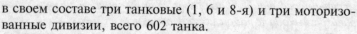

в своем составе три танковые (1, 6 и 8-я) и три моторизованные дивизии, всего 602 танка.

Самая крупная, 2-я танковая группа Гудериана включала в себя пять танковых (3, 4, 10, 17, 18-я), три моторизованные, одну кавалерийскую дивизии и отдельный моторизованный полк «Великая Германия», имея на вооружении 994 танка.

Всего в составе четырех танковых групп 22 июня 1941 г. числилось **3266 танков,** т.е. в среднем **по 817 танков** в каждой группе [10, 11].

Правды ради надо отметить, что, уступая советскому мехкорпусу в количестве танков, танковая группа вермахта значительно (в 2—3 раза) превосходила его по численности личного состава. Так, при полной укомплектованности танковая группа Гудериана должна была насчитывать более 110 тыс. человек личного состава, в то время как штатная численность мехкорпуса РККА составляла всего 36 080 человек.

Это кажущееся противоречие имеет простое объяснение. Готовясь к войне с СССР, Гитлер распорядился в два раза увеличить число танковых дивизий, с 10 до 20. Сделано это было методом простого деления, путем сокращения числа танковых полков в дивизии с двух до одного. В результате в немецкой танковой дивизии на один танковый полк приходилось два пехотных, причем основная масса этой пехоты передвигалась вовсе не на бронетранспортерах (как в старом советском кино), а на разномастных трофейных грузовиках. Начальник штаба сухопутных сил вермахта Гальдер в своем знаменитом дневнике отмечает (запись от 22 мая 1941 г.), что у Гудериана в 17-й тд насчитывается 240 разных типов автомашин [12]. Как обслуживать в полевых условиях такой передвижной музей автотехники?

В моторизованной дивизии вермахта танков не было. Ни одного. Г. Гот пишет, что моторизованные дивизии его танковой группы были созданы на базе обычных пехотных дивизий, а машины получили *«только в последние*

*месяцы перед началом войны, а 18-я дивизия — за несколько
дней до выхода в район сосредоточения»* [13].

Фактически танковая группа вермахта представляла
собой крупное соединение мотопехоты, усиленной несколькими (от 3 до 5) танковыми полками. Продолжая
линию «зоологических» сравнений, начатую в свое время В. Суворовым, можно сказать, что танковая группа
вермахта была могучим и тяжелым буйволом, а мехкорпус Красной Армии — гибким и стремительным леопар-
дом.

В живой природе исход схватки четырех буйволов с
двумя дюжинами леопардов был бы предрешен. Не со-
мневалось в возможностях своих «леопардов» и высшее
командование РККА, строившее самые смелые планы Великого Похода.

*«...Танковые корпуса, поддержанные массовой авиацией,
врываются в оборонительную полосу противника, ломают
его систему ПТО, бьют попутно артиллерию и идут в оперативную глубину... Особенно эффективным будет использование мехкорпусов концентрически, когда своим сокрушаю-
щим ударом эти мехкорпуса сведут клещи для последующего
удара по противнику... При таких действиях мы считаем,
что пара танковых корпусов в направлении главного удара
должна будет нанести уничтожающий удар в течение пары
часов и охватить всю тактическую глубину порядка 30—35
км. Это требует массированного применения танков и
авиации; и это при новых типах танков возможно»* — так, с
чувством законной гордости, докладывал начальник Главного автобронетанкового управления РККА генерал армии Павлов на известном совещании высшего комсостава
Красной Армии в декабре 1940 г.

*«...Темп дальнейшего наступления после преодоления
тактической глубины будет больше и дойдет до 15 км в
час... Мы считаем, что глубина выхода в тыл противника
на 60 км — не предел. Надо всегда за счет ускорения и орга-
низованности иметь в виду сразу же в первый день преодолеть вторую полосу сопротивления и выйти на всю оперативную глубину...»* [14]

Гладко было на бумаге, да забыли про овраги... К несчастью, даже у Гитлера, хотя и считался он «бесноватым ефрейтором», хватило ума не ждать, а напасть самому. Напасть раньше, чем Сталин укомплектует до последней гайки все свои двадцать девять мехкорпусов. В результате воевать пришлось отнюдь не таким мехкорпусам, какие описаны выше.

Полностью укомплектовать до штатной численности все 29 мехкорпусов к июню 41-го года не удалось. Об этом — как о ярчайшем и убедительнейшем доказательстве нашей «неготовности к войне» — всегда талдычили историки из ведомства спецпропаганды, забывая пояснить читателям, к какой же именно войне готовилась (да только не успела приготовиться) «неизменно миролюбивая» сталинская империя, создававшая бронированную орду, число орудий в которой должно было превысить число сабель в войске хана Батыя.

«Мы не рассчитали объективных возможностей нашей танковой промышленности, — горько сетует в своих мемуарах Великий Маршал Победы, — *для полного укомплектования мехкорпусов требовалось 16 600 танков только новых типов... такого количества танков в течение одного года практически при любых условиях взять было неоткуда»* [15].

Ну как же мог бывший начальник Генерального штаба забыть утвержденную им самим 22 февраля 1941 г. программу развертывания мехкорпусов?

Все мехкорпуса были разделены на 19 «боевых», 7 «сокращенных» и 4 «сокращенных второй очереди». Всего к концу 1941 г. планировалось иметь в составе мехкорпусов и двух отдельных танковых дивизий 18 804 танка, в том числе — 16 655 танков в «боевых» мехкорпусах [16, с. 677].

Другими словами, среднее количество танков (877) в 19 «боевых» мехкорпусах должно было равняться среднему числу танков в каждой из 4 танковых групп вермахта.

С точки зрения количественных показателей эта программа успешно выполнялась. Уже к 22 февраля 1941 года в составе мехкорпусов числилось 14 684 танка. Заплани-

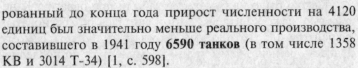

рованный до конца года прирост численности на 4120 единиц был значительно меньше реального производства, составившего в 1941 году **6590 танков** (в том числе 1358 КВ и 3014 Т-34) [1, с. 598].

Для сравнения отметим, что немцы (на которых якобы «работала вся Европа») в 1941 году произвели только **3094** танка всех типов, включая 678 легких чешских PZ 38(t).

В следующем, 1942 г. танковая промышленность СССР произвела уже 24 718 танков, в том числе 2553 тяжелых КВ и 12 527 средних Т-34 [1, с. 598]. Итого: 3911 КВ и 15 541 Т-34 за два года.

Причем этот объем производства был обеспечен в таких условиях, которые в феврале 1941 г. Жуков со Сталиным могли увидеть только в кошмарном сне: два важнейших предприятия (крупнейший в мире танковый завод № 183 и единственный в стране производитель танковых дизелей завод № 75) пришлось под бомбами перевозить из Харькова на Урал, а два огромных ленинградских завода (№ 185 им. Кирова и № 174 им. Ворошилова) оказались в кольце блокады. Нет никаких разумных оснований сомневаться в том, что в нормальных условиях советская промышленность тем более смогла бы обеспечить к концу 1942 г. (как это было запланировано) полное укомплектование и перевооружение новыми танками всех 29 мехкорпусов, для оснащения которых требовалось «всего» 3654 танка КВ и 12 180 танков Т-3.

Покончив со спорами и прогнозами, перейдем к оценке того, что было в натуре. К началу боевых действий в составе 20 мехкорпусов, развернутых в пяти западных приграничных округах, числилось **11 029** танков [3]. Еще **более двух тысяч** танков было в составе трех мехкорпусов (5, 7, 21-го) и отдельной 57-й тд, которые уже в первые две недели войны были введены в бой под Шепетовкой, Лепелем и Даугавпилсом. Таким образом, Жукову и иже с ним пришлось начинать войну, довольствуясь всего лишь ЧЕТЫРЕХКРАТНЫМ численным превосходством в танках. Это если считать сверхскромно, т.е. не принимая во внимание танки, находившиеся на вооружении кавалерийских дивизий и войск внутренних округов. Всего же, по состоянию на 1 июня 1941 г., в Красной Армии было **19 540 танков** (опять же не считая легкие плавающие Т-37, Т-38, Т-40 и танкетки Т-27), не считая **3258** пушечных бронеавтомобилей [1, с. 601].

Распределены имевшиеся в наличии танки по мехкорпусам были крайне неравномерно. Были корпуса (1, 5, 6-й), укомплектованные практически полностью, были корпуса (17 и 20-й), в которых не набиралось и сотни танков. Столь же разнородным был и состав танкового парка. В большей части мехкорпусов новых танков (Т-34, КВ) не было вовсе, некоторые (10, 19, 18-й) были вооружены крайне изношенными БТ-2 и БТ-5, выпуска 1932—1934 гг., или даже легкими танкетками Т-37 и Т-38. И в то же самое время были мехкорпуса, оснащенные сотнями новейших танков.

На первый взгляд понять внутреннюю логику такого формирования трудно. По крайней мере, никакой связи между порядковым номером и степенью укомплектованности не обнаруживается. Так, 9-й мехкорпус Рокоссовского, формирование которого началось еще в 1940 г., имел на вооружении всего 316 (по другим данным — 285) танков, а развернутый весной 1941 г. 22-й мехкорпус к началу войны имел уже 712 танков [3].

Но стоит только нанести на карту приграничных районов СССР **места дислокации** мехкорпусов, как замысел предстоящей «Грозы» откроется нам во всем своем блеске.

Семь самых мощных мехкорпусов Красной Армии, превосходящих по числу и (или) качеству танков любую танковую группу вермахта, были расположены накануне войны следующим, очень логичным образом.

Главный удар должны были наносить войска Юго-Западного фронта на Краков — Катовице. Вот почему на самой вершине «львовского выступа» развернулись три мехкорпуса (4, 8, 15-й), насчитывающие 2627 танков, в том

числе 721 КВ и Т-3. Всего же в составе войск Юго-Западного фронта было восемь (!!!) мехкорпусов.

Вспомогательный удар на Люблин и Варшаву должны были нанести войска левого крыла Западного фронта — и в лесах у Белостока, рядом с лентой Варшавского шоссе, мы находим 6-й мехкорпус (1131 танк, в том числе 452 новых КВ и Т-34). И еще три других мехкорпуса затаились в глухих местах тесного «белостокского выступа».

Во второй эшелон Юго-Западного и Западного фронтов, в район Шепетовки и Орши, выдвигались другие два «богатыря» — 5МК (1070 танков) и 7МК (959 танков).

Перед войсками Южного (Одесский округ) и Северо-Западного (Прибалтийский округ) фронтов ставились гораздо более скромные задачи: прочно прикрыть фланги ударных группировок и не допустить вторжения противника на территорию округов. Вот почему в их составе мы находим всего по два корпуса, укомплектованные наполовину от штата, причем старыми танками.

Все просто, ясно и совершенно логично. Некоторой загадкой выглядит только местоположение именно того мехкорпуса, с рассказа о котором мы и начали эту часть книги.

«И пошел, командою взметен...»

Первый по номеру, «возрасту» и укомплектованности мехкорпус перед войной находился в составе Северного фронта (Ленинградского округа). Почему и зачем? Хотя Ленинградский округ и входит традиционно в перечень «западных приграничных округов СССР» — какая же это «западная граница»? С запада округ граничил с советской Прибалтикой, а до границ Восточной Пруссии от Ленинграда аж 720 км. Приграничным же Ленинградский округ был только по отношению к четырехмиллионной Финляндии.

Ленинградский военный округ превращался во фронт с названием «Северный». На первый взгляд и это довольно странно — логичнее было бы его назвать «ленинградским», «балтийским», на худой конец — «карельским». Но в империи Сталина случайности случались крайне редко.

«В середине июня 1941 г. группа руководящих работников округа, возглавляемая командующим округа генерал-лейтенантом М.М. Поповым, отправилась в полевую поездку под Мурманск и Кандалакшу», — вспоминает один из участников этой поездки, главный маршал авиации (в те дни — командующий ВВС округа) А.А. Новиков [39]. Мурманск — это не просто север, это уже заполярный север. Далее товарищ маршал с чувством глубокого возмущения описывает, как Попов и другие советские генералы наблюдают за столбами пыли, которые подняли над лесными дорогами выдвигающиеся к границе финские войска. Другими словами, «полевая поездка» командования округа (фронта) проходила в непосредственной близости от финской границы. Разглядывание «лесных дорог» на сопредельной территории (на военном языке это называется «рекогносцировка») так увлекло командующего, что в Ленинград генерал-лейтенант Попов вернулся только 23 июня, и весь первый день советско-германской войны фронтом (округом) командовал прибывший из Москвы в качестве представителя Ставки К.А. Мерецков [18].

Конечно, можно предположить, что поездка генерала Попова в Мурманск была связана с подготовкой войск округа к отражению будущего гитлеровского вторжения. Увы, это не так. Наступления немцев в Заполярье никто не ожидал. О чем весьма красноречиво свидетельствуют воспоминания подполковника Х. Райзена, командира бомбардировочной группы II/ KG30, о первом налете на Мурманск 22 июня 1941 года:

«... мы не встретили ни истребительного, ни зенитного противодействия. Даже самолеты, осуществлявшие штурмовку на малой высоте, не были обстреляны... вражеской авиации буквально не существовало, немецкие машины действовали над советской территорией совершенно без помех...» [19]

Да и странная какая-то хронология событий получается: генерал Попов до начала боевых действий уезжает в

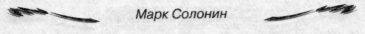

Мурманск, чтобы готовить город к «обороне от немцев», но сразу же покидает его, как только немецкое нападение становится свершившимся фактом...

Можно и про переброску 1-й танковой дивизии написать, что ее целью было «укрепление обороны Мурманска». Можно. Бумага все стерпит. Но зачем же держать советских генералов за полных дураков? Если они хотели перевезти танковую дивизию к Мурманску — так и везли бы, Кировская железная дорога как раз до Мурманска и доведена. **Какая была нужда за 260 км до места назначения сворачивать налево и выгружать дивизию в безлюдной и бездорожной лесотундре?**

Да и как могла дивизия, оснащенная легкими танками БТ, укрепить оборону Советского Заполярья? Обратимся еще раз к воспоминаниям командира 1-й тд генерала В.И. Баранова:

«...действия танкистов усложняла сильно пересеченная местность. Бездорожье, скалы и крутые сопки, покрытые лесом, лощины и поляны, заросшие кустарником и усеянные валунами, озера, горные речки, топкие болота... О применении танков хотя бы в составе батальона не могло быть и речи. Бои велись мелкими группами, взводами и даже машинами из засад...» [7]

На такой «противотанковой местности» быстроходный БТ неизбежно терял свое главное качество — подвижность. А других особых достоинств за этой боевой машиной с противопульным бронированием и легкой 45-мм пушкой никогда и не числилось. Так неужели танковую дивизию везли за тридевять земель только для того, чтобы разодрать ее там на мелкие группы и «действовать отдельными машинами из засад»? Для «укрепления обороны» гораздо проще и эффективнее было бы в тех же самых эшелонах перебросить в Заполярье десяток тяжелых артиллерийских полков РГК, да и поставить в засады не легкие танки, вооруженные «сорокапяткой» (осколочный снаряд которой весил 1,4 кг), а тяжелые гаубицы калибра 152 или, еще лучше, — 203 мм. Вот они бы и встретили

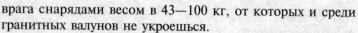

врага снарядами весом в 43—100 кг, от которых и среди гранитных валунов не укроешься.

И тем не менее 1-я танковая приехала именно в Алакуртти (и именно в те дни, когда советские генералы разглядывали в бинокли лесные финские дороги) не случайно, и совсем не по дурости, а в соответствии с **изумительно красивым Планом.** К обсуждению этого плана мы подойдем чуть позднее, а сейчас снова обратимся к событиям 17 июня 1941 г.

Именно в этот день, когда 1-я тд начала погрузку в эшелоны, уходящие в Заполярье, командный состав 10-го МК убыл на штабные учения. Провести эти учения руководство округа решило на севере Карельского перешейка, в районе Выборга, рядом с финской границей. В 9 часов утра 21 июня что-то изменилось, учения были неожиданно прерваны, а всем командирам было приказано немедленно вернуться в свои части [17].

В два часа ночи 22 июня 1941 г. (в то самое время, когда эшелоны с 1-й танковой дивизией приближались к станции выгрузки) на командный пункт 21-й тд 10-го мехкорпуса, в поселок Черная Речка под Ленинградом, прибыл сам генерал-лейтенант П.С. Пшенников — командующий 23-й, самой крупной из трех армий Северного фронта. Генерал-лейтенант лично поставил командиру 21-й тд полковнику Бунину задачу готовить дивизию к выступлению.

В 12.00 22 июня в дивизии объявлена боевая тревога с выходом частей в свои районы сбора по тревоге [17]. На следующий день, **в 6 часов утра 23 июня** в 21-й танковой дивизии получен боевой приказ штаба 10-го МК о выступлении в район Иля-Носкуа (ныне г. Светогорск Ленинградской области), **в нескольких километрах от финской границы.**

В распоряжении автора не было текста «Журнала боевых действий» других дивизий 10-го МК (24-й танковой и 198-й моторизованной), но, судя по тому, что они вышли из района постоянной дислокации в Пушкине и Ораниенбауме в то же самое время, что и 21-я тд, и двинулись в

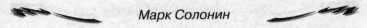

том же направлении, можно предположить, что 22 июня 41 г. и они получили аналогичные приказы от командования корпуса и 23-й армии.

Самое время познакомиться теперь поближе и с этим мехкорпусом.

10-й мехкорпус (командир — генерал-майор И.Г. Лазарев) был оснащен и подготовлен к ведению боевых действий значительно хуже 1-го МК. В разных источниках приводятся разные цифры укомплектованности 10-го МК танками: от 469 до 818 единиц [3, 8]. Такая неразбериха в цифрах, по всей вероятности, связана с тем, что на вооружение корпуса было принято множество танков Т-26 и БТ ранних выпусков, которые перед началом войны ускоренно списывались в преддверии поступления новой техники.

В большей степени это замечание относилось к 24-й танковой дивизии 10-го мехкорпуса, сформированной на базе 11-го запасного танкового полка и принявшей от него сильно изношенную учебную материальную часть: 139 БТ-2 и 142 БТ-5 (всего 281 танк выпуска 1932—1934 годов). Когда 24-я тд начала выдвижение в исходный для наступления район, из 281 имеющегося в наличии танка 49 были оставлены в месте постоянной дислокации как неисправные. После чего из вышедших в поход 232 танков до лесного массива в районе Светогорска дошло только 177 танков.

Во всех отношениях лучше обстояли дела в другой танковой дивизии 10-го МК. 21-я танковая дивизия была сформирована на базе 40-й краснознаменной танковой бригады, заслужившей свой орден за мужество и мастерство, проявленные в боях на Карельском перешейке. К началу войны 21-я тд имела по списку 217 легких танков Т-26 [8]. И марш эта дивизия выполнила гораздо организованнее. В журнале боевых действий 21-й танковой читаем: «*...на марше имели место отставания отдельных танков и машин, которые службой замыкания дивизии быстро восстанавливались и направлялись по маршруту*» [17].

Что касается третьей дивизии 10-го МК — 198-й мото-

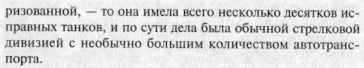

ризованной, — то она имела всего несколько десятков исправных танков, и по сути дела была обычной стрелковой дивизией с необычно большим количеством автотранспорта.

Все познается в сравнении. К этому золотому правилу, так старательно забытому коммунистическими «историками», мы будем обращаться еще не один раз. Разумеется, в сравнении с 1-м МК (1039 танков и 4730 автомашин самого разного назначения, от бензоцистерн до рефрижераторов и душевых кабин, новейшие гусеничные тягачи и новейшие гаубицы в артполках) 10-й МК выглядит просто безоружным. Но воевать-то собирались не со своим соседом по округу, а с каким-то другим противником...

В тот же самый день и час, когда огромные грохочущие и изрядно дымящие колонны танков, броневиков, гусеничных тягачей 10-го мехкорпуса двинулись через Ленинград на Выборг, утром 23 июня 1941 г., по Ленинградскому шоссе из Пскова в Гатчину (Красногвардейск) двинулась и главная ударная сила Северного фронта: две дивизии (3-я танковая и 163-я моторизованная) из состава 1-го МК.

«Мчались танки, ветер поднимая, наступала грозная броня...»

Только в каком-то странном направлении мчались. **Не на войну — а от войны. Или все-таки на войну, но на другую?**

А в это время на самых дальних (пока еще — дальних) западных подступах к Ленинграду назревала большая беда.

С первых же часов войны в Прибалтике, в полосе обороны Северо-Западного фронта, ход боевых действий отчетливо приобретал характер небывалого разгрома.

Вот как описывают советские военные историки события тех дней в монографии «1941 год — уроки и выводы»: «*...последствия первых ударов противника оказались для войск Северо-Западного фронта катастрофическими. Войска армий прикрытия начали беспорядочный отход... Потеряв управление, командование фронта не смогло принять*

решительных мер по восстановлению положения и предотвращению отхода 8-й и 11-й армий...» [3]

Стоит отметить, что на противника «беспорядочный отход» войск Северо-Западного фронта произвел впечатление заранее запланированного отступления! Начальник штаба сухопутных войск Германии Ф. Гальдер записывает 23 июня 1941 г. в своем знаменитом «Военном дневнике»:

«...об организованном отходе до сих пор как будто говорить не приходится. Исключение составляет, возможно, район перед фронтом группы армий «Север», где, видимо, действительно заранее был запланирован и подготовлен отход за реку Западная Двина. Причины такой подготовки пока установить нельзя...» [12] Да, не хватало у немецких генералов фантазии на то, чтобы представить себе наши реалии...

Вернемся, однако, к описанию этих событий, данному российскими историками:

«...26 июня положение отходивших войск резко ухудшилось. 11-я армия потеряла до 75% техники и до 60% личного состава. Ее командующий генерал-лейтенант В.И. Морозов упрекал командующего фронтом генерал-полковника Ф.И. Кузнецова в бездействии... в Военном совете фронта посчитали, что он не мог докладывать в такой грубой форме, при этом Ф.И. Кузнецов сделал ошибочный вывод, что штаб армии вместе с В.И. Морозовым попал в плен и работает под диктовку врага... Среди командования возникли раздоры. Член Военного совета корпусной комиссар П.А. Дибров, например, докладывал, что начальник штаба генерал-лейтенант П.С. Кленов вечно болеет, работа штаба не организована, а командующий фронтом нервничает...» [3]

Пока в штабе Северо-Западного фронта искали «крайнего», 26 июня 1941 г. в районе Даугавпилса **сдался в плен начальник Оперативного управления штаба Северо-Западного фронта** генерал-майор Трухин (в дальнейшем Трухин активно сотрудничал с немцами, возглавил штаб власовской «армии» и закончил жизнь на виселице 1 августа 1946 года) [20, с. 164].

Для правильного понимания дальнейших событий

очень важно отметить, что Верховное командование в Москве трезво оценивало ситуацию и не питало никаких иллюзий по поводу того, что разрозненные остатки неуправляемого Северо-Западного фронта смогут сдержать наступление немецких войск.

Уже 24 июня (т.е. на третий день войны!) было принято решение о создании оборонительной полосы на рубеже реки Луга — 550 км к западу от границы, 90 км до улиц Ленинграда [21]. Вместе с тем, 25 июня Ставка приняла решение о проведении контрудара против 56-го танкового корпуса вермахта, прорвавшегося к Даугавпилсу. В стремлении хоть как-то задержать наступление немцев на естественном оборонительном рубеже реки Западная Двина командование РККА привлекло к участию в этом контрударе совершенно неукомплектованный 21-й мехкорпус (плановый срок завершения формирования этого корпуса был назначен на 1942 г.) и даже 5-й воздушно-десантный (!) корпус, не имевший для борьбы с танками ни соответствующего вооружения, ни должной подготовки. Другими словами, брешь в разваливающемся фронте обороны пытались заткнуть всем, что было под руками.

И вот в этой-то обстановке самый мощный на северо-западном ТВД 1-й мехкорпус (который даже после отправки 1-й тд в Лапландию еще имел **в шесть раз больше танков**, чем 21-й мехкорпус Лелюшенко!), разбивая дороги гусеницами сотен танков, уходил на север, в Гатчину, т.е. в прямо противоположном от линии фронта направлении!

К слову говоря, сами немцы были весьма обескуражены необъяснимым для них исчезновением «псковской танковой группы». Сперва им показалось, что 1-й МК ушел от Пскова на юг. Гальдер 22 июня 1941 г. отмечает в своем дневнике:

«...русская моторизованная псковская группа... обнаружена в 300 км южнее предполагавшегося ранее района ее сосредоточения...»

Затем — следующая версия (запись от 24 июня):

«...из всех известных нам оперативных резервов против-

ника в настоящее время неясно пока лишь местонахождение псковской танковой группы. Возможно, она переброшена в район между Шяуляем и Западной Двиной...»

На следующий день, 25 июня, Гальдеру доложили, что «1-й танковый корпус противника переброшен из района Пскова через Западную Двину в район южнее Риги» [12].

Не будем слишком строги в оценке работы немецкой военной разведки. Им просто в голову не могло прийти, где на самом деле надо искать 1-й мехкорпус. Да и не было у них разведывательных самолетов с таким радиусом действия, который бы позволил зафиксировать передвижения танковых частей Северного фронта. Вот если бы был у них разведывательный спутник, то с его «борта» открылось бы поистине фантастическое зрелище.

От границы Восточной Пруссии к Западной Двине двумя длинными колоннами в северо-восточном направлении двигались два немецких танковых корпуса из состава 4-й танковой группы: 41-й под командованием Рейнгардта и 56-й под командованием Манштейна. Далее на огромном трехсоткилометровом пространстве шла обычная мирная (если смотреть на нее из космоса) жизнь. А еще дальше к востоку, **в том же самом северо-западном направлении**, в таких же клубах пыли и дыма двигались два советских мехкорпуса: 1-й МК — от Пскова к Ленинграду, 10-й МК — от Ленинграда к Выборгу.

И что совсем уже удивительно — марширующие советские и воюющие немецкие дивизии двигались почти с одинаковой скоростью!

Корпус Манштейна прошел 255 км от границы до Даугавпилса (Двинска) за четыре дня. Средний темп продвижения — 64 км в день.

Корпус Рейнгардта прошел от границы до городка Крустпилса на Западной Двине за пять дней. Средний темп продвижения — 53 км в день.

А танковые дивизии 10-го мехкорпуса вышли в указанный им район сосредоточения северо-восточнее Выборга, в 150 км от Ленинграда только к концу дня 24 июня. Двое суток на марш от Пскова до Гатчины (200 км по

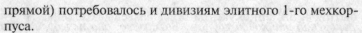

прямой) потребовалось и дивизиям элитного 1-го мехкорпуса.

Строго говоря, темп продвижения советских танковых дивизий был все же в полтора раза выше.

Но немцы ведь не просто маршировали, а (как принято считать) еще и «преодолевали ожесточенное сопротивление Красной Армии».

Неспособность механизированных частей к организации форсированного марша была первым неприятным сюрпризом, с которым столкнулось командование Северного фронта. Низкие темпы отнюдь не были связаны с особой тихоходностью советских танков (БТ и по сей день может считаться самым быстроходным танком в истории), а с безобразной организацией службы регулирования движения и эвакуации неисправных машин. В специально посвященном этому вопросу приказе командира 1-го мехкорпуса от 25 июня 1941 года [8] отмечалось, что машины следовали в колоннах стихийно, перегоняя друг друга, останавливаясь по желанию шоферов на незапланированных стоянках, создавая пробки. Сбор отставших и ремонт неисправных машин отсутствовал.

Не многим лучше обстояли дела и в 10-м мехкорпусе. Протяженность маршрута выдвижения 24-й танковой дивизии составила 160 километров, которые она преодолела за 49 часов! Средняя скорость марша — 3,5 км/час (если помните, Д. Павлов предполагал, что мехкорпуса будут не просто маршировать, а наступать с темпом в 15 км/час!). В 21-й танковой дивизии танки израсходовали в ходе двухдневного марша по 14—15 моточасов, что явно свидетельствует о том, что даже в этой наиболее подготовленной и лучше оснащенной дивизии половина «марша» состояла из стояния в пробках и заторах.

Как бы то ни было, к 25—26 июня все части и соединения 1-го и 10-го мехкорпусов развернулись в указанных им районах на огромном пространстве от Гатчины до Заполярья, привели в порядок после многодневного марша людей и технику, выслали к финской границе, а как стало сейчас известно из воспоминаний живых участников со-

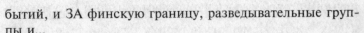

бытий, и ЗА финскую границу, разведывательные группы и...

И ничего не произошло. **Сухопутные** (подчеркнем это слово жирной чертой) силы Северного фронта (14, 7, 23-я армии в составе пятнадцати стрелковых, двух моторизованных, четырех танковых дивизий и отдельной стрелковой бригады) **застыли** в томительном и необъяснимом бездействии.

На рассвете 25 июня 1941 года...

В то время как войска Северного фронта (Ленинградского ВО) совершали эти загадочные перегруппировки, боевые действия в Прибалтике продолжали развиваться все в том же, т.е. катастрофическом направлении. Только в районе Даугавпилса отчаянно смелый удар танкистов 21-го мехкорпуса Лелюшенко на пару дней затормозил продвижение врага. На всех остальных участках немцы почти беспрепятственно переправлялись через Западную Двину, выходя на «финишную прямую» Режица — Псков — Ленинград.

Единственным резервом, которым могло немедленно воспользоваться советское командование, были очень мощные силы авиации Ленинградского округа. Мосты и переправы через Западную Двину находились в зоне досягаемости 2, 44, 58-го (район Старой Руссы), 201, 202, 205-го (район Гатчины) бомбардировочных авиаполков [23]. Понимало ли советское военное командование ту огромную роль, которую может сыграть авиация в удержании стратегически важного водного рубежа? Еще как понимало! Несколько дней спустя, когда в Белоруссии, в полосе разгромленного Западного фронта, немцы начали переправляться через Березину, сам нарком обороны Тимошенко отдал приказ, в соответствии с которым к разрушению переправ через Березину привлекли буквально все, что могло летать. От легких бомбардировщиков Су-2 до тяжелых и неповоротливых, как речная баржа, ТБ-3.

Приказ Тимошенко требовал бомбить непрерывно, с малых высот. Немецкие историки назвали те дни «воздушным Верденом». Наша авиация несла страшные потери. Полки дальних бомбардировщиков ДБ-3, для действия с малых высот никак не пригодные, таяли, как свеча на ветру. Гибли летчики и штурманы дальней авиации — профессионалы с уникальным для ВВС Красной Армии уровнем подготовки. Такой ценой заплатила Ставка за возможность выиграть несколько дней для переброски в Белоруссию резервов из внутренних округов. И, заметим, никто из позднейших историков и военных специалистов никогда не критиковал это жестокое, но оправданное обстановкой решение наркома...

Вернемся, однако, в Прибалтику. Могли ли ВВС Северного фронта нанести ощутимый удар по переправам на Западной Двине (Даугаве)? Накануне войны в составе шести вышеупомянутых бомбардировочных авиаполков был 201 СБ в исправном состоянии. Кроме того, к участию в массированном авиаударе можно было привлечь и три бомбардировочных авиаполка (35, 50, 53-й) из состава 4-й авиадивизии (район г. Тарту в Эстонии), оперативно подчиненной с началом боевых действий Северному фронту. Это еще 119 исправных бомбардировщиков [23].

Расстояние в 400—450 км от аэродромов, на которых базировались эти части, до Западной Двины позволяло использовать «устаревшие» бомбардировщики СБ с максимальной бомбовой нагрузкой. Более того, в отличие от той трагической ситуации, что сложилась в небе над Березиной, бомбардировщики можно было прикрыть на всем протяжении маршрута до цели и обратно новейшими истребителями МиГ-3 из состава 7, 159 и 153-го истребительных полков. Этих новейших было — по мнению советских историков — совсем мало: всего лишь 162 МиГа в исправном состоянии. Это действительно меньше, чем хотелось бы, — но в полтора раза больше численности единственной на всем северо-западном ТВД истребительной эскад-

ры люфтваффе JG 54 (98 исправных «Мессершмиттов» Bf-109 F по состоянию на 24 июня 1941 г.) [24].

Если и этого окажется недостаточно, то в составе Северного фронта были еще 10, 137 и 72-й бомбардировочные авиаполки в районе Мурманска и Петрозаводска, которые можно было бы достаточно быстро перебазировать на юг, к Ленинграду.

Может быть, и это не так много, как хочется, но в составе 1-го воздушного флота люфтваффе, прокладывавшего дорогу немецким дивизиям группы армий «Север», было всего 210 исправных бомбардировщиков (по состоянию на утро 24 июня 1941 г.) [24]. Примечательно, что в сводке штаба Северо-Западного фронта № 3, составленной в 12 часов дня 22 июня, было сказано, что «*противник еще не вводил в действие значительных сил ВВС, ограничиваясь действием отдельных групп и одиночных самолетов*» [61]. Оценка вполне объяснимая, если принять во внимание, что реальное число исправных боевых самолетов всех типов (330 единиц) в составе 1-го воздушного флота люфтваффе оказалось ровно **в десять раз меньшим того, которое ожидало увидеть на этом направлении высшее руководство РККА.** По крайней мере, именно такой вывод можно сделать из материалов рассекреченной только в 1993 г. знаменитой оперативно-стратегической «игры», проведенной Генштабом в январе 1941 г. [108].

Следующий вопрос — способно ли было командование ВВС Северного фронта к организации такого широкомасштабного авиационного наступления?

Критерий истины — практика. Практика показала — еще как способно!

На рассвете 25 июня 1941 года все вышеперечисленные авиационные соединения, а также крупные силы авиации Северного и Балтийского флотов нанесли мощный внезапный удар по врагу.

Вот как описывает эти события главный маршал авиации СССР А.А. Новиков:

«*...рано утром 25 июня я был на узле связи, размещавшемся в полуподвальном помещении здания штаба округа.*

Последние приготовления, уточнение данных, короткие переговоры с командирами авиасоединений, и на аэродромах заревели моторы. Воздушная армада из 263 бомбардировщиков и 224 истребителей и штурмовиков устремилась на врага... Налет длился несколько часов, одна группа сменяла другую... Впервые в истории наших ВВС к одновременным действиям привлекалось такое количество боевой техники, причем на всем фронте: от Выборга до Мурманска... Эта первая в истории советской авиации многодневная операция убедила нас...» [39] Ну и так далее.

Только удар этот пришелся вовсе не по немцам! Воздушная армада устремилась на... Финляндию. Сотни тонн бомб обрушились на мосты, дороги, заводы и железнодорожные станции, города и аэродромы по всей территории страны, «от Выборга до Мурманска», как без тени смущения пишет товарищ маршал. *«Состоявшиеся воздушные налеты против нашей страны, бомбардировки незащищенных городов, убийства мирных жителей — все это яснее, чем какие-либо дипломатические оценки, показало, каково отношение Советского Союза к Финляндии»*, — заявил депутатам парламента премьер-министр Финляндии Юкко Рангель [26]. Вечером 25 июня финский парламент объявил, что Финляндия находится в состоянии войны с СССР.

Предоставим финским историкам право и дальше дискутировать по поводу того, стало ли нападение с воздуха причиной вступления Финляндии в войну или оно было просто использовано в качестве благовидного предлога финским руководством, мечтавшим об отмщении за трагедию «зимней войны» 1939/40 г. Мы же постараемся сопоставить то, что произошло на рассвете 25 июня на советско-финской границе, с тем, что началось ранним утром 22 июня того же года на другой границе, советско-германской.

Читателя, которого оскорбляет любое сравнение Сталина с Гитлером, можно сразу утешить: различий будет больше, чем совпадений. Абсолютно тождественными были только те подлые приемы, которыми воспользовались оба тирана, и те «гнилые отмазки», которыми попытались заморочить мировую общественность советские и фашистские пропагандисты.

Так же как и Германия, Советский Союз не предъявлял своей будущей жертве никаких претензий по части несоблюдения ею мирных договоров и до последнего часа поддерживал с ней нормальные дипломатические отношения. Будущую жертву агрессии пытались убаюкать лживыми проявлениями дружбы и взаимопонимания. Так, всего **за три дня до начала массированных бомбардировок** (вечером 22 июня 1941 г.) посол СССР в Хельсинки Павел Орлов заявил о том, что советское правительство будет **уважать нейтралитет Финляндии!** [26] И только после того как агрессия стала свершившимся фактом, нацистские и коммунистические брехуны затянули песню про «вынужденный, упреждающий удар».

На этом все сходство и заканчивается. Дальше начинаются одни только различия.

В первой волне авианалетов на советские аэродромы в Прибалтике на рассвете 22 июня 1941 года приняло участие всего лишь 76 бомбардировщиков и 90 истребителей люфтваффе [25, с. 270]. Финляндию бомбили гораздо основательнее. Оно и понятно — было чем бомбить (см. выше состав авиации Северного фронта). Немецкая авиация перебазировалась на приграничные аэродромы за несколько недель (или даже дней) до начала боевых действий. Летчики люфтваффе действовали над новой, малознакомой территорией. Сталинские соколы летели по знакомым до мелочей маршрутам — за время первой (зима 1939/40 г.) финской войны советская авиация выполнила более 80 тысяч боевых самолето-вылетов. Немцам предстояло сокрушить авиацию противника, многократно превосходящего их в численности. Советские ВВС могли действовать, практически не обращая внимания на противодействие нескольких десятков финских истребителей.

Совершенно различными оказались и политические последствия 22 июня и 25 июня. Вероломное нападение на СССР было квалифицировано международным Нюрнбергским трибуналом как тягчайшее преступление гитлеровского режима. Советский Союз участвовал в работе Нюрнбергского трибунала — но отнюдь не в качестве одного из обвиняемых... Немецкие историки проделали в послевоенные годы огромную работу по раскрытию механизма подготовки и развязывания мировой бойни. Их советские «коллеги» действовали гораздо ловчее.

В большинстве популярных военно-исторических книжек (к числу этих «книжек» придется отнести и вузовские учебники по истории СССР и КПСС) нет даже малейшего упоминания про полыхавшие огнем пожаров финские города. В тех же, весьма малочисленных, работах, в которых упоминается история с июньскими бомбардировками Финляндии, этим атакам советской авиации дается совершенно удивительное толкование. Оказывается, то был имеющий сугубо оборонительные цели «удар по аэродромам врага». Оказывается, 22 бомбардировщика финской авиации (самыми лучшими из которых были английские «Бленхеймы» — аналог нашего «безнадежно устаревшего» СБ) создали такую угрозу Ленинграду, что только упреждающий удар мог спасти город. Одних новейших МиГов в количестве 162 машины было недостаточно для отражения возможных будущих налетов. Открываем, например, солидную монографию М.Н. Кожевникова [27] и читаем в ней дословно следующее:

«...в целях ослабления авиационной группировки врага и срыва готовившегося налета на Ленинград Ставка приказала подготовить и провести массированные удары по аэродромам Финляндии и Северной Норвегии, где базировались авиачасти 5-го воздушного флота Германии и финская авиация...»

Вот это класс! Вот это работа мастера! Всего одна маленькая буква «и»— и все становится с ног на голову.

На аэродромах оккупированной немцами весной 1940 г. Норвегии были немецкие авиачасти, в том числе и вышеупомянутая бомбардировочная группа II/ KG30. Они действительно, с первого дня войны, бомбили город и порт Мурманск, Кировскую железную дорогу.

На финских аэродромах ни одной эскадрильи люфтваффе не было, а защищать город Ленина от немецкой авиации надо было уже в других местах — на юго-западных подступах к нему. На финских аэродромах базировалась финская авиация, которая вплоть до 1945 г. имела приказ Маннергейма не совершать никаких полетов над Ленинградом [152]. Приказ этот строго соблюдался даже тогда, когда линия фронта начавшейся 25 июня 1941 г. второй советско-финской войны проходила в нескольких минутах полета тихоходного бомбардировщика до Дворцовой площади. Но и до начала этой войны финская авиация, в силу своей малочисленности и технической отсталости, серьезных проблем для Красной Армии не создавала. Вот почему финские аэродромы не были ни единственным, ни даже самым главным объектом для ударов советской авиации.

В плане прикрытия отмобилизования и развертывания войск Ленинградского ВО задачи авиации округа (фронта) были сформулированы предельно ясно:

«...п.6. Активными действиями авиации завоевать господство в воздухе и мощными ударами по основным ж/д узлам, мостам, перегонам и группировкам войск нарушить и задержать сосредоточение и развертывание войск противника...» [ВИЖ, 1996, № 6].

Другими словами, уничтожение финской авиации было предусмотрено, но **только как одна из составных частей** совсем не оборонительных планов — ибо «задержать развертывание сил противника» можно только в одном случае — если противник начинает развертывание уже после вашего нападения.

А товарищ Кожевников при помощи союза «и» легко и просто свалил все в одну кучу. Финскую и немецкую авиации, финские и занятые немцами норвежские аэродромы, абсолютно законные в условиях начавшейся войны СССР с Германией налеты советской авиации на аэродромы люфтваффе в Северной Норвегии (если только такие налеты вообще были) с массированной бомбировкой страны, нейтралитет которой сталинское правительство обязалось соблюдать.

Недоверчивый читатель уже чувствует подвох. Сейчас автор опять сошлется на какие-то «источники», из которых следует, что немецкой авиации в Финляндии не было. А что это за «источники», и можно ли этим источникам верить?

Вопрос действительно серьезный. Речь идет о войне и мире. Поэтому сошлемся на такой «источник», подделать который нельзя.

«Двадцать второго июня, ровно в четыре часа, Киев бомбили, и нам объявили...» Так все и было, как поется в этой бесхитростной песне. Киев бомбили, и Минск, и Каунас, и Ригу, и Севастополь, и Одессу... **А почему же не бомбили Ленинград?** Да разве можно сравнить военное, экономическое, политическое значение всех этих городов с одним только Ленинградом?

Товарищ Сталин, выступая 17 апреля 1940 г. на совещании высшего комсостава РККА [140], говорил, что в Ленинграде сосредоточена третья часть военной промышленности СССР. В этом ему можно поверить. Свою промышленность он знал лучше многих наркомов, которых стрелял раз в два года. Кроме того, Ленинград — это еще и важнейший железнодорожный узел, и база военно-морского флота, и главная судоверфь страны. Как же немцы могли забыть о нем?

А они о нем и не забывали. Потому-то танковые корпуса Манштейна и Рейнгардта, не считаясь с потерями, рвались через Западную Двину к Пскову, потому-то Гитлер и снял с московского направления и повернул в августе 41-го года на Ленинград еще один, 39-й танковый корпус, что значение города на Неве для немецкого командования было вполне очевидно. И когда вслед за наступающим вермахтом на новгородские и псковские аэродромы смогли перебазироваться авиагруппы 1-го воздушного флота люфтваффе, они начали остервенело бомбить Ленинград.

Так что, уважаемый читатель, если вы хотите доподлинно узнать, базировалась ли 25 июня на финских аэро-

дромах немецкая авиация, то просто спросите у старых ленинградцев — бомбили ли их город в ИЮНЕ 1941 года?

Вернемся снова к мемуарам главного маршала авиации:

«...к отпору врагу готовились и наземные войска округа. Все тогда были твердо уверены, что войскам округа придется действовать лишь на советско-финской границе — от Баренцева моря до Финского залива. Никто в те дни даже не предполагал, что события очень скоро обернутся совсем иначе, чем мы планировали перед войной...»

Вот так. Если бы не досадная помеха со стороны Гитлера, то советские войска снова начали бы «действовать» на всем протяжении финской границы, от Балтийского до Баренцева моря. Мемуары А.А. Новикова были опубликованы в 1970 году. Задолго до «Ледокола»... Не будем придираться к словам маршала. Человеку свойственно ошибаться. Скажешь, бывало, правду, а потом гоняешься за этим воробьем... Давайте лучше посмотрим, что писали в те дни центральные советские газеты, каждое слово в которых проверялось дюжиной явных и тайных цензоров.

24 июня «Известия» сообщили (правда, пока еще со ссылкой на «шведские источники») о том, что *«среди подавляющего большинства населения Финляндии царит недовольство правящим режимом»*. Вот так вот. Третий день идет война, «последствия первых ударов противника оказались катастрофическими», а «Известия» озабочены недовольством заграничных «братьев по классу»...

28 июня, когда все подготовительные мероприятия были завершены, ставший уже привычным по предыдущим «освободительным походам» угрожающий рык раздался совершенно отчетливо:

«...дряхлый, забрызганный кровью Маннергейм вытащен из нафталина и поставлен во главе финских фашистов... холопы германского фашизма получат по заслугам...»

Вся эта риторика буквально дословно повторяла заголовки «Правды» от 26—29 ноября 1939 г., когда эта достойнейшая газета изъяснялась таким языком:

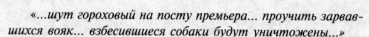
«...*шут гороховый на посту премьера... проучить зарвав-шихся вояк... взбесившиеся собаки будут уничтожены...*»

29 июня 1941 г. в «Известиях» появляется большая статья «На границе». Через каждую строчку в ней повторялась мысль о том, что «освободительный поход» в Финляндию будет вскорости продолжен:

«...*мы снова приехали в места, памятные по тем боевым дням, когда белофинские части в смятении отходили под сокрушительными ударами...*

...на большой поляне среди высокого соснового бора стояли участники недавних походов...

...их спокойная уверенность в победе основана на опыте суровых боев на Карельском перешейке.

Для многих молодых бойцов это уже третья кампания...

...Я участвовал в боях с белофиннами. Сейчас, как и в те дни, у меня и у всех людей моего подразделения только одно желание, одна мысль...»

Одним словом — «принимай нас, Суоми-красавица...»

Один из самых ярких, запоминающихся эпизодов в трилогии В. Суворова — это та глава в книге «Последняя республика», где он рассказывает про то, как моделировал «зимнюю войну» 1939/40 г. на английском суперкомпьютере. Помните, задал В. Суворов машине такие исходные данные, как снег в полтора метра, температура под минус 35, железобетонные доты с многометровым перекрытием, — и она, испуганно поморгав лампочками, ответила, что без атомной бомбы «линию Маннергейма» прорвать нельзя. Лучше и не пробуйте.

Жаль, очень жаль, что не воспользовался Суворов моментом и не спросил супермашину, что она думает-понимает про июньское (1941 г.) наступление Красной Армии на финском фронте: толщина снежного покрова — ноль целых, толщина несуществующего бетона на отсутствующих дотах — хрен десятых, температура ласкового северного лета — плюс 20.

У наступающих трехкратное превосходство в артиллерии, абсолютное господство в воздухе.

В ближнем оперативном тылу Красной Армии —

огромный город с мощной ремонтной, производственной, госпитальной базой. Северный фронт располагал по меньшей мере восьмикратным численным превосходством в танках над вероятным противником. По меньшей мере. Так как, кроме 1-го и 10-го механизированных (танковых) корпусов, каждая из пятнадцати стрелковых дивизий округа имела свой разведбат, вооруженный легкими плавающими танками — как нельзя лучше подходящими для боевых действий среди озер Карелии. Только этих танков в составе ЛенВО по состоянию на 1 июня 1941 г. насчитывалось 180 единиц [1, с. 475, 482, 597]. Примем во внимание и то, что большую часть из 86 финских танков составляли трофейные советские Т-26 и БТ, захваченные во время «зимней войны». Их техническое состояние не вызывает сомнения, если учесть полное отсутствие запчастей, да и то состояние, в котором они были захвачены.

Так чем же, если не атомной бомбой, могли остановить финны триумфальный марш Красной Армии на Гельсингфорс?

Ситуация на Северном фронте, где малочисленный и выжидающий противник не смог помешать войскам Ленинградского округа провести мобилизацию и развертывание сил в плановых объемах и сроках, была в известном смысле уникальной. **В то время как на западной границе наступление вермахта 22 июня 1941 г. прервало плановый ход мобилизации и развертывания Красной Армии, Северный фронт продолжал действовать строго по предвоенным планам.** Раскрученный 17 июня 1941 г. маховик не смогли остановить ни гитлеровское вторжение, ни даже прорыв немцев за Западную Двину. Не обращая внимания на эти «досадные помехи», командование Северного фронта продолжало шаг за шагом разыгрывать отработанный сценарий вторжения в Финляндию. Вот почему боевые действия на фронте начавшейся 25 июня 1941 г. второй советско-финской войны **могут служить своего рода моделью несостоявшейся «Грозы».**

Некоторые авторы писали, и многие читатели согла-

сились с ними в том, что летом 1941 г. Красная Армия
(если бы немцы ее не опередили) могла дойти до Берлина.
От Выборга до Хельсинки гораздо ближе. И противник
несравненно слабее. И первый удар нанесла Красная Армия.

Но дойти — не удалось. А ведь как все было красиво
задумано...

«Когда нас в бой пошлет товарищ Сталин...»

Для того чтобы оценить по достоинству красоту Пла-
на, нам потребуется карта — не карта сражений Великой
Отечественной, а карта железных и автомобильных дорог
Скандинавии.

План войны привязан к дорогам. Так это было во времена Ксеркса и Батыя, так же все осталось и в веке двадцатом. Более того, зависимость армий XX столетия от
материально-технического обеспечения (боеприпасы, горючее) еще более повысила значимость транспортных
коммуникаций при планировании и проведении операций.

Финляндия может считаться «малой страной» только
по численности населения. По площади занимаемой территории Финляндия превосходит Австрию, Венгрию, Бе-
льгию, Данию и Голландию, вместе взятые.

Так же как и в России, заселена и освоена эта территория крайне неравномерно. Густая сеть железных дорог
на юге страны становится все более разреженной в центре, пока не превращается в одну-единственную нитку, которая в северной точке Ботнического залива, у города Кеми, раздваивается: одна ветка уходит на запад в Норвегию, связывая финские дороги с незамерзающими
норвежскими портами; другая уходит на восток, к границе
с Советской Карелией. Там же, через Рованиеми, Кемиярви и Салла, проходит единственная в этом районе
«сквозная» автомобильная дорога, связывающая западную
(морскую) и восточную (советскую) границы. Еще дальше, к северу от Рованиеми, через сотни километров забо-

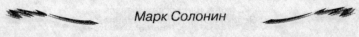

ложенной тайги и тундры идет автомобильная дорога к Петсамо — самому северному городу Финляндии. Петсамо — это крупнейшие в Европе никелевые рудники, это броневая сталь и жаропрочные сплавы для авиационных моторов, это важнейшая статья экспорта довоенной Финляндии. Правда, сегодня это российский город Печенга.

А теперь **нанесем на эту карту район выгрузки 1-й танковой дивизии** (вы еще помните, с чего все начиналось?) — и простой, как все гениальное, замысел вторжения в Финляндию откроется вам во всей красе.

Всего один удар мощным танковым кулаком (а по численности танков дивизия Баранова почти в два раза превосходила танковый корпус Манштейна!) от Алакуртти на Кемиярви, и 1-я танковая вырывается из лесной чащобы на твердую автомобильную дорогу. Силы финской армии в этом регионе были слишком малы для того, чтобы остановить советскую танковую лавину: в районе Кусамо находилась только одна 6-я пехотная дивизия, а за 200 км от полосы предполагаемого наступления, в Сумосисалми, еще одна финская дивизия, причем общая численность этих двух дивизий, сведенных в 3-й корпус под командованием генерал-майора Х. Сииласвуо, составляла к концу июня всего 10 тысяч человек (в полтора раза меньше штатной численности советской стрелковой дивизии) [28].

Далее, продвигаясь по шоссе через Рованиеми, 1-я танковая выходит к Ботническому заливу, перерезает железную дорогу в Кеми — и вся оперативная обстановка меняется на глазах. Петсамо, отрезанный от всего мира, можно спокойно переименовывать в Печенгу — для этого в районе Мурманска развернута 14-я армия (14, 52, 104,122-я стрелковые дивизии). Финский никель навсегда потерян для германской промышленности, а финская армия наглухо отрезана от немецких войск, уже находящихся или еще могущих быть в будущем переброшенными в Норвегию.

Разумеется, каким бы слабым ни был противник, наступление на глубину в 300 км никогда не будет «легкой

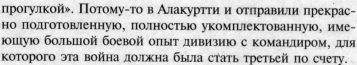

прогулкой». Потому-то в Алакуртти и отправили прекрасно подготовленную, полностью укомплектованную, имеющую большой боевой опыт дивизию с командиром, для которого эта война должна была стать третьей по счету.

Правды ради отметим, что в теории существовала и возможность «прямого морского сообщения» между Германией и Финляндией через финские порты в Ботническом заливе. При этом стратегическое значение железнодорожной ветки через Кеми в Норвегию как будто бы снижалось. Но все предвоенные планы исходили из того, что Краснознаменный Балтийский флот имеет достаточно сил и средств (включая базу на финском полуострове Ханко) для того, чтобы намертво закрыть Финский и Ботнический заливы для немецкого флота.

Для «яростного похода» по шоссе через Рованиеми к Ботническому заливу скоростной БТ, способный, сбросив гусеницы, разогнаться до 60—70 км/час, был лучшим из имеющихся на тот момент инструментом войны. Появление советской танковой дивизии в Алакуртти настолько явно раскрывало содержание и цель Плана, что с этой переброской тянули аж до 17 июня, а затем — произвели ее в экстренном порядке, побросав в псковском военном лагере десятки танков. И все для того, чтобы танковая армада появилась на финской границе в «самый последний момент».

Отработка этого мудрого и комплексного (безо всяких кавычек) плана началась уже осенью 1940 г., т.е. через полгода после заключения в марте 1940-го мирного договора с Финляндией. 18 сентября Тимошенко (нарком обороны) и Мерецков (начальник Генштаба РККА) подписали документ № 103203 — «*Соображения по развертыванию вооруженных сил Красной Армии на случай войны с Финляндией*».

Сразу же отметим, что среди этих «соображений» нет ни одного слова о Германии! Без всякой связи с возможным использованием финской территории немецкой армией советское командование ставит такие задачи: «*...вторгнуться в центральную Финляндию, разгромить*

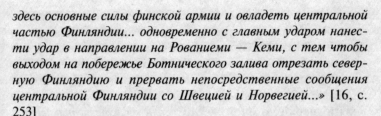

здесь основные силы финской армии и овладеть центральной частью Финляндии... одновременно с главным ударом нанести удар в направлении на Рованиеми — Кеми, с тем чтобы выходом на побережье Ботнического залива отрезать северную Финляндию и прервать непосредственные сообщения центральной Финляндии со Швецией и Норвегией...» [16, с. 253]

Главный удар предполагалось нанести по двум направлениям: через Савонлинна на Миккели и через Лаперанта на Хейнола. И что примечательно — в июне 1941 г. именно в центре предполагаемой полосы главного удара, напротив г. Иматра был сосредоточен 10-й МК. А для наступления через Рованиеми на Кеми планировалось развернуть 21-ю армию в районе Алакуртти — т.е. точно там, где 22 июня 1941 г. выгружали 1-ю танковую дивизию...

Полтора месяца спустя после подписания «соображений» на встречу с Гитлером в Берлин отправился глава советского правительства Молотов. Переговоры продолжались два дня: 12 и 13 ноября 1940 г. Из стенограммы переговоров следует, что обсуждение «финского вопроса» заняло добрую половину всего времени! Правда, обсуждение это проходило в форме диалога двух глухих. Молотов, с монотонностью заевшей грампластинки, повторял один и тот же набор аргументов: вся Финляндия по секретному протоколу передана в сферу интересов Советского Союза, поэтому СССР вправе приступить к «окончательному решению» в любое удобное для него время. Гитлер же, все более и более срываясь в истерику, отвечал на это, что он не потерпит никакой новой войны в районе Балтики, так как эта новая война даст англичанам и повод, и возможность для вмешательства, а Германия нуждается в бесперебойных поставках железной руды из Швеции [69, с. 41—47, 63—71]. На этот раз высокие договаривающиеся паханы ни о чем конкретно не договорились и разъехались с чувством глубокого недоверия друг к другу.

Затем наступило 25 ноября 1940 г. В этот день Молотов передал послу Германии графу Шуленбургу проект соглашения об условиях создания пакта четырех держав, т.е.

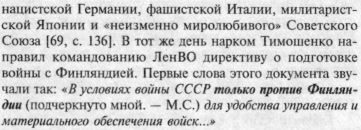

нацистской Германии, фашистской Италии, милитарист-
ской Японии и «неизменно миролюбивого» Советского
Союза [69, с. 136]. В тот же день нарком Тимошенко направил командованию ЛенВО директиву о подготовке
войны с Финляндией. Первые слова этого документа звучали так: «*В условиях войны СССР только против Финляндии* (подчеркнуто мной. — М.С.) *для удобства управления и
материального обеспечения войск...*»

Далее в директиве ставилась задача «*разгромить вооруженные силы Финляндии, овладеть ее территорией... и выйти к Ботническому заливу на 45-й день операции*». Хельсинки собирались занять на «*25-й день операции*». Деталь-
ную разработку всех составляющих плана операции
требовалось завершить к 15 февраля 1941 г. [16, с.
418—423]. Стоит особо отметить два момента: и в этом документе нет никакой увязки предстоящей войны против
Финляндии с возможным использованием ее территории
войсками гитлеровской Германии, а также крайне решительные цели войны. Никаких «передвижек границы» подальше от города Ленина — только полная оккупация
Финляндии и «выход к Ботническому заливу»!

Работа закипела. Уже в марте 1941 года заместитель
наркома обороны генерал армии Мерецков провел с
командованием ЛенВО многодневную оперативную игру,
в ходе которой отрабатывались исключительно наступательные темы. Документальные подтверждения этого были
опубликованы совсем недавно, но еще в старые добрые
времена официальная «История ордена Ленина Ленинградского военного округа» рассказывала, как «*поучитель-
но проходили полевые поездки на Карельском перешейке и
Кольском полуострове, в ходе которых изучался характер
современной наступательной операции*». Ну а Петсамо советские генералы и вовсе считали почти что Печенгой.
Тогдашний начальник штаба 14-й (мурманской) армии
Л.С. Сквирский вспоминает, что в феврале 1941 г., узнав о
том, что с Финляндией ведутся переговоры о дележе акций никелевых рудников, он очень удивился: «Зачем по-
купать, если мы вскоре и без того возвратим себе рудни-

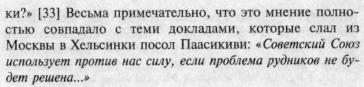

ки?» [33] Весьма примечательно, что это мнение полностью совпадало с теми докладами, которые слал из Москвы в Хельсинки посол Паасикиви: «*Советский Союз использует против нас силу, если проблема рудников не будет решена...*»

То, что Советский Союз собирался выступить в роли вероломного агрессора, неудивительно.

Разве вторжение в Польшу (сентябрь 1939 г.) или оккупация Прибалтики (июнь 1940 г.) были чем-то иным, а не актом агрессии против государств, суверенитет которых сталинское руководство обязалось соблюдать? Странно и удивительно другое. Полностью отмобилизованные к концу июня 1941 года войска ЛенВО (Северного фронта) были уже выведены в районы развертывания, советская авиация продолжала начатые на рассвете 25 июня яростные бомбардировки Финляндии, а наземная операция все никак не начиналась. Почему?

До сих пор наше повествование базировалось на твердом основании фактов и документов.

В этом эпизоде мы переходим на зыбкую почву догадок и гипотез. Читатель имеет полное право пропустить окончание этой главы за «отсутствием улик», но, по мнению автора, в конце июня 1941 года для приведения плана разгрома финской армии в действие не хватало одного-единственного условия. Одного-единственного, без которого в армии ничего не происходит.

Не было ПРИКАЗА.

А приказа не было потому, что некому его было отдать: товарищ Сталин ушел с работы, а с товарищем Мерецковым уже работали люди с «горячим сердцем и чистыми руками».

Война войной, а «органы» работали. Набравшая обороты и почти уже никем не управляемая машина террора и беззакония продолжала захватывать в свои жернова все новые и новые жертвы.

На второй день войны, 23 июня 1941 г., волна арестов докатилась до самой вершины военного руководства: был арестован генерал армии, заместитель наркома обороны, в

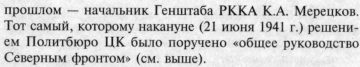

прошлом — начальник Генштаба РККА К.А. Мерецков. Тот самый, которому накануне (21 июня 1941 г.) решением Политбюро ЦК было поручено «общее руководство Северным фронтом» (см. выше).

Но Кирилл Афанасьевич Мерецков — не чужой человек в Ленинградском округе. С 1939 г. он был командующим ЛенВО, затем, во время первой финской войны, Мерецков возглавил 7-ю армию, ставшую главной ударной силой Красной Армии в боях на Карельском перешейке.

А теперь переведем все эти обстоятельства на язык протокола. Получается, что командование Северного фронта состояло в июне 1941 г. из выдвиженцев, сослуживцев и просто друзей «разоблаченного врага народа». Смерть дышала им в затылок. И не та славная смерть на поле боя, к которой должен быть готов каждый полководец, а страшная гибель в пыточной камере или расстрельном подвале. И неминуемая в этом случае расправа с родными и близкими — вдобавок.

Можно ли осуждать генералов Попова и Никишева (командующего и начальника штаба Северного фронта) за то, что в такой ситуации они не стали проявлять личную инициативу, тем более в таком деликатном вопросе, как переход границы сопредельного государства?

У них был приказ — ввести в действие план прикрытия. Они его выполнили — в полном объеме, точно и в срок. Как и положено по уставу.

У них не было приказа — отказаться от предвоенного плана вторжения в Финляндию и срочно перебросить все механизированные соединения навстречу наступающим на Ленинград немцам, — и они не отвели ни одного танка с финской границы.

Бомбардировка Финляндии была предусмотрена заранее (в плане прикрытия были «поименно» названы 17 объектов первоочередных бомбовых ударов) — и они ее успешно провели.

А вот по поводу перехода границы уже на этапе сосредоточения и развертывания войск в п. 8 плана прикрытия было сказано довольно расплывчато:

«...при благоприятных условиях... по указанию главного командования быть готовым к нанесению стремительных ударов по противнику...» [ВИЖ, 1996, № 6]

Вероятнее всего, Попов просто ждал, когда большое начальство само решит — сложились ли уже *«благоприятные условия»*, или надо еще погодить.

Да только большое начальство в это время было занято совсем другими делами.

Начальник Генерального штаба Г.К. Жуков первые дни войны провел на Западной Украине, пытаясь организовать наступление войск огромного Юго-Западного фронта (в том, что из этого вышло, мы будем подробно разбираться в части 3), а его первому заместителю, начальнику Оперативного управления Генштаба Ватутину, поручено было спасать положение на Северо-Западном фронте.

Ответственного за северный участок фронта Мерецкова в этот момент избивали резиновыми дубинками и обливали следовательской мочой. Новый представитель Ставки на Северо-Западном направлении был назначен только 10 июля. За неимением ничего лучшего, Сталин поручил это дело маршалу Ворошилову. Правда, скоро выяснилось, что главком Ворошилов — это гораздо хуже, чем ничего, но это будет потом.

Нарком обороны маршал Тимошенко, заместитель наркома обороны маршал Буденный, бывший (и будущий) начальник Генштаба маршал Шапошников собрались в конце июня в штабе Западного фронта под Могилевом, и думать про какие-то иматры, рованиеми и прочие суомисалми им было совершенно некогда. 27—28 июня танковые группы Гота и Гудериана, соединившись восточнее Минска, замкнули кольцо окружения вокруг 3, 10 и 4-й армий Западного фронта. Шестисоттысячная группировка советских войск была разгромлена и большей частью взята в плен. 1 июля 1941 года немецкие танки вышли к Березине. Это означало, что третья часть пути от границы до Москвы была уже пройдена, и пройдена всего за восемь дней!

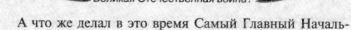

А что же делал в это время Самый Главный Начальник?

А самый главный, хотя и не получил даже обычного среднего образования, **все уже понял.** Может быть, потому так быстро и так правильно понял, что его «университетами» была подпольная работа в подрывной организации, однажды уже удачно развалившей русскую армию прямо во время мировой войны. Сталин конкретно знал, как рушатся империи и исчезают многомиллионные армии. Поэтому всего семь дней потребовалось ему для того, чтобы понять — в чем причина неслыханного разгрома. Открывшаяся в этот момент истина оказалась непомерно тяжелой даже для этого человека с опытом сибирской ссылки, кровавой бойни Гражданской войны и смертельно опасных «разборок» с Троцким в 20-е годы.

В ночь с 28 на 29 июня Сталин уехал на дачу, где и провел в состоянии полной прострации **два дня — 29 и 30 июня,** не отвечая на телефонные звонки и ни с кем не встречаясь.

Последствия этого трудно понять современному россиянину, которого приучили к тому, что Первый Президент суверенной России по нескольку месяцев «работал на даче с документами».

Вот только сталинские порядки очень сильно отличались от ельцинских. Сталин вникал во все и командовал всем. С его подписью выходили решения о замене направляющих лопаток центробежного нагнетателя авиамотора АМ-35 или об исключении из состава возимого ЗИПа танка Т-34 *брезента и одного домкрата*. Без его согласия не решались вопросы балетных постановок в Большом театре и замены в песне слов *и летели наземь самураи* на слова *и летела наземь вражья стая* (после подписания 13 апреля 1941 г. договора о нейтралитете с Японией). Вот почему двухдневное отсутствие Сталина в Кремле не могло не парализовать работу всего высшего эшелона власти.

Хотите — верьте, хотите — нет, но приказ на переход границы с Финляндией поступил в 10-й мехкорпус 23-й

армии Северного фронта именно после того, как соратники «лучшего друга физкультурников» уговорили его вернуться на рабочее место.

В полночь с 1 на 2 июля 1941 г. 21-я танковая дивизия получила боевой приказ:

«...в 6.00 перейти границу в районе Энсо и провести боевую разведку... установить силы, состав и группировку противника. Путем захвата контрольных пленных установить нумерацию частей противника...

...по овладении ст. Иматра — станцию взорвать и огнеметными танками зажечь лес. В случае успешного действия и захвата рубежей Якола—Иматра — удерживать их до подхода нашей пехоты...» [17]

Разгром

Читаешь текст этого приказа и думаешь: как быстро, как неотвратимо меняются времена и нравы! Вот раньше — какая была лепота:

Мы на горе всем буржуям мировой пожар раздуем...

Я хату покинул, ушел воевать, чтоб землю в Гренаде крестьянам отдать...

Это — стихи. А вот и текст боевого приказа № 01 от 15 сентября 1939 года: *«Армии Белорусского фронта переходят в наступление с задачей содействовать восставшим рабочим и крестьянам Белоруссии и Польши в свержении ига помещиков и капиталистов...»* [1, с. 113]

И что же? Не прошло и двух лет — и на тебе: ни мирового пожара, ни восставших из ада рабочих и крестьян. Все просто и прозаично: станцию на сопредельной территории — взорвать, лес — зажечь...

Правда, ни того, ни другого сделано не было. В «Журнале боевых действий 21-й танковой дивизии» читаем, что *«разведотряд полностью свою задачу не выполнил, до Иматры не дошел, лес противника не зажег, лишь установил, что этот участок обороняется незначительными силами противника...»*

Оцените, уважаемый читатель, насколько командиры

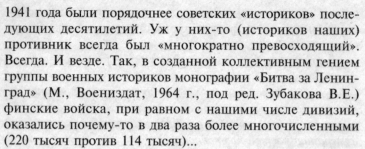
1941 года были порядочнее советских «историков» последующих десятилетий. Уж у них-то (историков наших) противник всегда был «многократно превосходящий». Всегда. И везде. Так, в созданной коллективным гением группы военных историков монографии «Битва за Ленинград» (М., Воениздат, 1964 г., под ред. Зубакова В.Е.) финские войска, при равном с нашими числе дивизий, оказались почему-то в два раза более многочисленными (220 тысяч против 114 тысяч)...

Вечером первого дня наступления, в 23.30 2 июня 41-го года в штаб 21-й тд прибыл начальник автобронетанкового управления штаба 23-й армии генерал-майор Лавринович и поставил новую (а фактически — прежнюю) боевую задачу:

«...*с 6.00 3.7 начать наступление на Иматру с задачей — овладеть Иматрой и перешейками между озерами Ималан-Ярви, Саймаа, удерживая последний до подхода стрелковых частей*». Наступление танковой дивизии должны были поддержать огнем четыре артиллерийских дивизиона 115-й стрелковой дивизии.

К полудню **3 июля** части заняли исходное положение для наступления. Тут же произошел и первый сбой во взаимодействии: «*Артиллерия задержалась с подготовкой и начала ее только в 13.00, выпустив за час 50—55 снарядов...*» Другими словами, каждое орудие сделало за час один-два выстрела. Надо полагать, такой «огневой шквал» скорее предупредил «белофиннов», нежели подавил их оборону. В 14.00 два полка (мотострелковый и танковый) 21-й танковой дивизии перешли границу и начали наступление. Дабы избежать обвинений в предвзятости, приведем ПОЛНОСТЬЮ все описание этого наступления, как оно изложено в «Журнале боевых действий»:

«*...С переходом госграницы противник сначала оказывал слабое сопротивление, и наши части быстро продвигались вперед. К 18.00 3.7 передовые роты вышли на северные скаты высоты 107,5, где были встречены организованным огнем противника и отошли несколько назад...*

К 22.00 3.7 положение стабилизировалось на рубеже:

лесная тропа юго-восточнее высоты 107,5, два домика севернее Якола, высота 39,5. 4-я рота 2-го батальона мотострелкового полка встретила сильное сопротивление противника, перешедшего в атаку, и к 22.00 3.7 с боем отошла за нашу госграницу, потеряв три танка сгоревшими и один подбитым. Решением командира дивизии дальнейшее наступление было остановлено и послано боевое донесение в штаб 23-й армии на разрешение выйти из боя. Этого разрешения мы ждали до 2.00. 4 июля в 2.25 прибыл начштаба 10-го МК полковник Заев с приказом дивизии выйти из боя и сосредоточиться в районе Яски. В 2 ч. 30 мин противник, скрытно обойдя фланги наших частей, перешел в контрнаступление по всему участку дивизии. Контрнаступление началось сильным автоматно-пулеметным огнем при поддержке минометов и артиллерии. В такой обстановке командир дивизии смело (так в тексте. — М.С.) *принимает решение на выход из боя. Выход из боя был проведен по следующему плану...*

К 4.00 4 июля части организованно вышли из боя. Противник три раза переходил в атаку, но всегда терпел поражение и с большими потерями отбрасывался...»

Вот и все.

Лесная тропа, два домика. Вот и весь маршрут Освободительного Похода-2. В шесть часов вечера 3 июля танковая дивизия неуклюже потыкалась в финскую оборону, к 4 часам утра 4 июля «смело вышла из боя», преследуемая не в меру разгорячившимися финскими парнями. Наконец, в 20.00 5 июля поступил *«приказ об отправке дивизии ж.д. и автотранспортом в район Черная Речка»*, т.е. в район предвоенной дислокации корпуса.

Этим все и закончилось. **Превратить Финляндию в нищее российское Нечерноземье и на этот раз не удалось.** Вероятно, если бы весь бензин, израсходованный на перегруппировку 10-го МК от Ленинграда к Иматре и назад, просто вылили на сопредельную территорию — эффект был бы большим. По крайней мере, уж лес бы точно подожгли...

Дальше начался разгром.

Точнее говоря, разгром мехкорпуса (правда, пока еще

в виде раздергивания единого броневого «ядра» на мелкие «дробинки») начался еще раньше.

Как только 10-й МК оказался в «зоне досягаемости» командования 23-й армии, оно (командование) повело себя как завмаг, на склад которого завезли редкий «дефицит». Все уставы, все наставления, вся предвоенная теория о МАССИРОВАННОМ использовании танков в составе крупных механизированных соединений, все уроки немецкого «блица» на Западе, многократно изученные на штабных учениях, — все было немедленно похерено и забыто.

Десять бронеавтомобилей в «распоряжение штаба армии», пять танков «для действий совместно со 115-й стрелковой дивизией», танковый батальон в составе 24 машин «в распоряжение командира 43-й сд», танковая рота в составе 10 машин «в распоряжение командира 19-го стрелкового корпуса», 15 танков в состав истребительных отрядов (т.е. полувоенных формирований из работников НКВД и местных жителей).

Кроме совершенно очевидного снижения ударной мощи мехкорпуса, в таком использовании танков есть и еще один, менее очевидный, момент.

Танк (любой танк — немецкий, советский, английский) той эпохи был очень капризным, малонадежным и малоресурсным техническим устройством. Достаточно сказать, что межремонтный моторесурс для танка БТ-7 был установлен в 200 часов, для Т-26 — в 150 часов. Минимально необходимые для боевого применения танков условия эксплуатации можно было создать только в рамках крупного соединения с мощной собственной ремонтной и эвакуационной базой. А о каком техническом обслуживании, о каком ремонте можно говорить применительно к оснащению и возможностям истребительного отряда НКВД или даже стрелковой дивизии, большая часть бойцов которой до призыва в армию не видела ни рельсов, ни паровоза? В результате после первого же незначительного отказа 10-тонную дорогостоящую махину просто бросали в чистом поле.

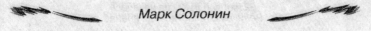

Дальше — больше. Общее наступление финской «Карельской армии» на Онежско-Ладожском перешейке началось только 10 июля 1941 г. Но за несколько дней до начала полномасштабных боевых действий финское командование, видимо, решило провести разведку боем на сортавальском направлении. В штабе 23-й армии это вызвало большой переполох.

Уже вечером 2 июля в штаб 21-й тд, наряду с приказом начать наступление на Иматру, поступило распоряжение отправить 41-й танковый полк этой дивизии железной дорогой на сортавальское направление, в район станции Элисенваара, при этом на погрузку танкового полка в эшелон было отпущено... 30 минут! Единственное, что облегчило выполнение погрузки в столь нереальные сроки, так это то, что после всех предшествующих «перегруппировок» в 41-м танковом полку, еще не сделавшем ни одного выстрела по противнику, остался всего 41 танк. Вот в таком составе он и был отправлен в Элисенваару. На следующий день, 4 июля, на сортавальское направление перебросили целиком уже всю 198-ю мотострелковую дивизию из состава 10-го МК. После этого про наступление 10-го мехкорпуса на Иматру можно было окончательно забыть.

Стоит отметить, что такое истерическое состояние, в которое пришло командование 23-й армии после первых же сообщений о переходе границы передовыми финскими отрядами, очень наглядно свидетельствует о том, что к **«отражению натиска врага» на Северном фронте никто и никогда не готовился.** В войсках даже не было топографических карт собственной территории. Красноречивое подтверждение этому мы находим в воспоминаниях Голушко:

«...перед командиром батальона лежала схема-карта, предназначавшаяся, наверно, для туристов либо автолюбителей... ничего иного в распоряжении комбата не было. Подразделение давно ушло из района, для которого имелась военная топографическая карта...» [9] Этот эпизод с «давно ушедшим» из района запланированных боевых действий подразделением происходит во время отступления к Кек-

стольму (Приозерску), т.е. не далее чем в 60 км от советско-финской границы!

В тот же злополучный день, 4 июля 1941 г., командующий 23-й армией генерал-лейтенант Пшенников распорядился создать не предусмотренную никакими уставами «Армейскую танковую группу», для укомплектования которой был окончательно разукомплектован 10-й мехкорпус: из 21-й тд забрали 54 танка, из 24-й тд — 102 танка (правда, главным образом — устаревшие БТ-2) [8].

Такая активность, проявленная командованием 23-й армии 4 июля, имела простое объяснение. Именно в этот день из Генерального штаба РККА поступило, наконец, распоряжение о выведении 10-го МК из состава 23-й армии и передислокации этого мехкорпуса на юго-западные подступы к Ленинграду, на немецкий фронт [8]. Вопреки широко распространенным слухам о том, что «при Сталине в стране был порядок», генерал-лейтенант не позволил генералу армии Жукову «отныкать» у него (Пшенникова) мехкорпус целиком и «заначил» без малого половину танков 10-го мехкорпуса.

В ходе многодневного обратного марша от финской границы к оборонительной линии на реке Луге (более 250 км) часть оставшихся в корпусе танков вышла из строя. В результате 9 июля было решено свести 90 наиболее исправных танков в один сводный танковый полк, а остальные 98 танков распределили по стрелковым подразделениям. На этом история 10-го МК практически и закончилась...

Еще раньше, 29 июня 1941 года, начальник Генштаба Г.К. Жуков приказал вывести 1-й МК из состава Северного фронта и передать его в распоряжение командования Северо-Западного фронта [5]. Огромные танковые колонны снова двинулись в путь — на этот раз точно назад, от Гатчины к Острову. 163-я моторизованная дивизия ушла еще дальше на запад, к латвийскому городу Резекне (160 км от Пскова), где она и была 3 июля смята и разгромлена немецкими танками из корпуса Манштейна.

После того как главные ударные силы Северного

фронта ушли с финской границы на запад, а авиация фронта покинула небо Карелии, будучи, наконец, перенацелена на борьбу с наступающими на Псков и Ленинград немецкими дивизиями, **10 июля 1941 года** началось наступление финской армии на Онежско-Ладожском перешейке.

Как известно, товарищ Сталин очень низко оценивал наступательные возможности финской армии. Так, выступая 17 апреля 1940 г. на совещании начальствующего состава РККА, великий вождь и учитель сказал дословно следующее:

«...финская армия очень пассивна в обороне... Дурачки, сидят в дотах и не выходят, считают, что с дотами не справятся, сидят и чай попивают... А наступление финнов гроша ломаного не стоит. Вот за 3 месяца боев помните ли вы хоть один случай серьезного массового наступления со стороны финской армии?» [140]

Трудно понять, кого товарищ Сталин хотел обдурить — себя или своих слушателей, — когда он высмеивал финскую армию за то, что она не бросилась в контрнаступление против десятикратно превосходящего противника. Но летом 1941 года, когда силы сторон были примерно равны, финны и сами не стали чаек попивать, и другим не дали.

Под испытанным руководством *«дряхлого, вытащенного из нафталина Маннергейма»* (старого генерала царской армии, 30 лет верой и правдой служившего Российской империи, участника русско-японской и Первой мировой войн) финские войска заняли весь Онежско-Ладожский перешеек и в начале сентября вышли на рубеж соединяющей эти два озера реки Свирь. 30 сентября финны овладели Петрозаводском — столицей Карело-Финской (да, именно так, с прицелом на лучшее будущее, переименовали ее 31 марта 1940 г.) автономной «республики». Финны также решили «не отставать» в переименованиях, и Петрозаводск стал Ээнислинной...

Наступление финнов на Карельском перешейке началось еще позже, только 31 июля 1941 г.

Пять дней спустя Пшенников был снят с поста командарма, но и это уже не помогло. Не помогли и железобетонные доты Сортавальского, Кексгольмского и Выборгского укрепрайонов. К концу лета финская армия вышла на рубеж старой границы, существовавшей на Карельском перешейке до «зимней войны» 1939 г. При этом в районе Выборга были окружены и разгромлены 43-я, 115-я и 123-я стрелковые дивизии 23-й армии, а командир 43-й сд генерал-майор В.В. Кирпичников оказался в финском плену (28 июня 1950 г. он был расстрелян за то, что «*потерял управление войсками, выдал финнам секретные данные о советских войсках, клеветал на советский строй и восхвалял финскую армию*», в июне 1957 г. — реабилитирован посмертно) [20, с.116, ВИЖ, 1992, №12].

Несмотря на то что темп наступления противника был весьма низким (ни особенности местности, ни техническая оснащенность пехотной финской армии не позволяли ей резать фронт танковыми «клиньями» по немецкому образцу), **в плену у финнов оказалось 64 188 человек** [31, 32].

Это — численность пяти стрелковых дивизий Красной Армии.

Тяжелая техника и вооружение 23-й армии были потеряны практически полностью. Так, выпущенный в 1993 году Генеральным штабом (теперь уже Российской армии) статистический сборник «Гриф секретности снят» сообщает, что до 10 октября 1941 г. советские войска в Карелии и на Кольском полуострове потеряли 546 танков [35]. Эта цифра даже превышает суммарное количество танков, оставшихся в распоряжении командования Северного фронта после передислокации 10-го мехкорпуса и 1-й танковой дивизии 1-го мехкорпуса на немецкий фронт. Возможное объяснение этой арифметической «нестыковки» заключается в том, что в тылу Северного фронта работал (и отправлял в войска новые танки КВ) огромный Кировский завод в Ленинграде.

Несколько отвлекаясь от основной темы, заметим, что всего в трех стратегических операциях, происходивших на северном фланге войны (Прибалтийской, Карельской и

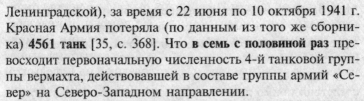

Ленинградской), за время с 22 июня по 10 октября 1941 г. Красная Армия потеряла (по данным из того же сборника) **4561 танк** [35, с. 368]. Что **в семь с половиной раз** превосходит первоначальную численность 4-й танковой группы вермахта, действовавшей в составе группы армий «Север» на Северо-Западном направлении.

В конце августа 1941 г. Кейтель направил Маннергейму письмо, в котором он предложил финнам совместно с вермахтом взять штурмом Ленинград. Одновременно финнам предлагалось продолжить наступление южнее реки Свирь с целью соединения с немцами, наступающими на Тихвин. Но на эти предложения президент Финляндии Рюти и главнокомандующий Маннергейм ответили 28 августа категорическим отказом. После этого, 4 сентября 1941 г., в ставку Маннергейма был послан в качестве «главноуговаривающего» начальник главного штаба вооруженных сил Германии генерал Йодль, — но результат был тем же самым [34]. Финны забрали то, что они считали своим, — и дальше не сделали ни шагу.

Принято говорить, что «история не знает сослагательного наклонения». Зря говорят. Анализ нереализовавшихся альтернатив очень часто позволяет точнее и глубже понять суть того, что произошло в действительности.

В реальной истории финская армия вернулась на линию границы 1939 г. (а на Онежско-Ладожском перешейке — и за эту линию) в результате кровопролитной войны. А все могло бы быть совсем не так. Так вот, что мог получить и что бы потерял Советский Союз, если бы он сам, широким «жестом доброй воли», вернул Финляндии эти захваченные в ходе «зимней войны» территории?

Экономическая значимость этих районов совсем невелика — леса и клюквы в России и без того хватает.

Обсуждать такие категории, как «авторитет на мировой арене» или «общественное мнение», мы не будем. Нет предмета для обсуждения. Авторитет был такой, что СССР к тому времени уже исключили из Лиги Наций — причем именно из-за агрессии против Финляндии. Единственным союзником Союза во всем мире была братская

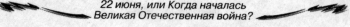

Монголия (давно уже превращенная в советский протекторат). Что же до «общественного мнения», то оно в сталинской империи отличалось исключительной покладистостью.

Обсуждать можно только военно-политические последствия такого решения. В реальности социал-демократическая Финляндия пошла на противоестественный союз с фашистской Германией, что называется, «не от хорошей жизни». И не сразу. Так, еще 10 июня 1941 г. Маннергейм заявил прибывшему в Хельсинки полковнику германского Генштаба Бушенхагену, что Финляндия желает остаться в стороне от советско-германской войны. 22 июня 1941 г., после того как война между Германией и СССР стала свершившимся фактом, МИД Финляндии официально заявил, что Финляндия намерена остаться на позициях нейтралитета. Более того, по требованию финской стороны Риббентроп вынужден был публично дезавуировать заведомо ложные измышления Гитлера, который в своем радиовыступлении 22 июня бросил фразу о том, что «финские и немецкие солдаты стоят плечом к плечу». К 24 июня 1941 г. о своем признании нейтрального статуса Финляндии заявили СССР, Англия, Швеция и, что очень важно, Германия!

С вероятностью, близкой к 100%, можно предположить, что если бы Советский Союз (возможно, при посредничестве своих новых, неожиданных союзников — США и Британской империи) предложил Финляндии некое компромиссное решение территориального вопроса, то новой советско-финской войны можно было избежать. Результаты такого поворота событий были бы гигантскими.

Во-первых, в Прибалтику можно было бы перебросить (причем перебросить заблаговременно, не дожидаясь разгрома Северо-Западного фронта) огромные силы: два мехкорпуса, пятнадцать стрелковых дивизий, многочисленные авиационные и артиллерийские части Ленинградского ВО.

В целом группировка советских войск в Прибалтике могла бы быть увеличена почти в два раза.

В дальнейшем, в июле-августе 41-го года, на немецкий фронт (а не на фронт никому не нужной финской войны) могли быть отправлены те резервы, которые в реальной истории пришлось отправить в Карелию. А именно: 88, 265, 272, 291, 314-я стрелковые дивизии, 3-я ленинградская дивизия народного ополчения, множество отдельных полков НКВД и морской пехоты [30]. Смогли бы немцы в этом случае дойти до пригородов Ленинграда?

Во-вторых, при любом развитии оборонительной операции на юго-западных подступах к Ленинграду, даже при столь катастрофическом, которое имело место в действительности, **блокада Ленинграда была бы абсолютно невозможна.**

Ленинград расположен НЕ на полуострове. Его в принципе нельзя блокировать «с одной стороны». Имея Финляндию в качестве — нет, не союзника, а всего лишь нейтрального соседа, Ленинград можно было бы снабжать сколь угодно долго по железной дороге через Петрозаводск — Сортавалу. Даже если бы немцы смогли пройти еще 250 км по лесам и болотам от Тихвина до Петрозаводска (чего в реальной истории им сделать не удалось), то и в этом случае удушить Ленинград голодом было бы невозможно: главный союзник СССР — богатая и крайне щедрая в тот момент Америка — заплатила бы финнам за поставки продовольствия для Ленинграда. В крайнем случае — привезла бы через порты нейтральной Финляндии и Швеции свои продукты.

Конечно, морская дорога в условиях войны крайне ненадежна — но ведь довезли же до Мурманска морскими конвоями союзников более 5 миллионов тонн всякого добра. А для того чтобы спасти от голодной смерти два миллиона ленинградцев, с лихвой хватило бы и одного миллиона тонн тушонки (или столь памятного ветеранам американского яичного порошка).

В-третьих, при наличии бесперебойного железнодорожного сообщения с «большой землей», мощнейшие

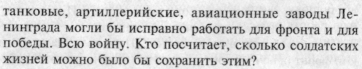

танковые, артиллерийские, авиационные заводы Ленинграда могли бы исправно работать для фронта и для победы. Всю войну. Кто посчитает, сколько солдатских жизней можно было бы сохранить этим?

Да, дорого, очень дорого обошлась советскому народу сталинская авантюра с «освобождением финских братьев от ига капитала»...

Первый маршал

Как вы, вероятно, уже догадались, запланированный поход 1-й танковой дивизии к берегам Ботнического залива так и не состоялся. Помешали немцы. 29 июня 1941 г. с территории оккупированной Норвегии перешел в наступление на Мурманск отдельный горно-егерский корпус вермахта под командованием генерала Эдварда Дитля.

Это было элитное соединение вермахта, специально подготовленное и оснащенное для боевых действий на Крайнем Севере. Весной 1940 г. именно горные егеря Дитля сыграли решающую роль в боях с англичанами при вторжении в Норвегию. Несмотря на сравнительную малочисленность (две дивизии, 28 тысяч человек личного состава), корпус Дитля должен был решить задачу стратегической важности: захватом Мурманска и заполярного участка Кировской железной дороги лишить Советский Союз доступа к незамерзающим портам.

Два дня спустя, 1 июля 1941 г., перешел в наступление на Кандалакшу 36-й армейский корпус в составе 169-й пехотной дивизии и дивизии СС «Норд». Задачей этого соединения вермахта был выход к железной дороге с целью отрезать обороняющие Мурманск части 14-й армии и Северного флота от остальной страны.

План войны привязан к дорогам — особенно если речь идет о боевых действиях в заполярной лесотундре. Именно поэтому район развертывания 36-го немецкого корпуса оказался как раз на линии дороги Рованиеми — Салла (вдоль которой должна была ворваться в Финляндию 1-я танковая дивизия 1-го мехкорпуса). За

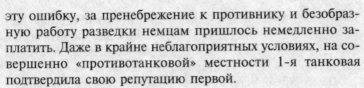

эту ошибку, за пренебрежение к противнику и безобразную работу разведки немцам пришлось немедленно заплатить. Даже в крайне неблагоприятных условиях, на совершенно «противотанковой» местности 1-я танковая подтвердила свою репутацию первой.

В изложении современного финского историка (весьма, кстати сказать, сочувственно относящегося к бывшим союзникам Финляндии) эти события выглядят так:

«...*действовавшая на южном фланге дивизия СС «Норд» оказалась неспособной наступать вследствие совершенно недостаточного уровня боевой выучки и значительной слабости руководства со стороны офицеров СС. После первых боев дивизия была даже обращена в бегство, устремилась назад и не могла поддержать 169-ю пехотную дивизию...*»

Крепко, видимо, «приложились» к ним танкисты генерала Баранова, если эсэсовцы как-то разом потеряли и свою «*боевую выучку*», и традиционную немецкую привычку слушаться командиров...

Развить успех не удалось. На календаре был уже июль 41-го, и начальник Генерального штаба Жуков потребовал немедленно загрузить 1-ю тд в железнодорожные эшелоны и отправить ее туда, откуда она и приехала — на южные подступы к Ленинграду. (В скобках заметим, что этот приказ, поступивший в штаб 14-й армии уже 4 июля — в самом начале сражения за Мурманск, — лишний раз подтверждает наше предположение о том, что предвоенная передислокация дивизии Баранова в Заполярье была связана с чем угодно, но только не с планами **отражения немецкого вторжения.)**

И в этом случае взаимоотношения советских генералов немедленно перешли в «неуставную форму». Командующий 14-й армией генерал-лейтенант В.А. Фролов отнюдь не поспешил выполнять распоряжение Генштаба, и 1-я танковая продолжала сражаться в Заполярье до середины июля.

Не будем спешить с оценками. У каждого генерала была своя правда. Жуков, отвечавший за оборону всей страны, прекрасно понимал, какие катастрофические по-

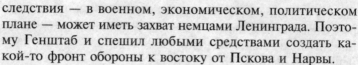

следствия — в военном, экономическом, политическом плане — может иметь захват немцами Ленинграда. Поэтому Генштаб и спешил любыми средствами создать какой-то фронт обороны к востоку от Пскова и Нарвы.

А у генерала Фролова была своя правда. Он нисколько не сомневался в том, что второго такого случая не будет, и полноценную танковую дивизию к нему на Кольский полуостров Ставка больше никогда не пришлет, — поэтому и спешил максимально использовать благоприятное стечение обстоятельств.

С позиции знаний сегодняшнего дня этот драматический спор разрешить еще труднее. В июле 1941 г. Жуков, конечно, не мог предположить, что «англо-американские империалисты» пришлют в помощь Сталину 17 миллионов тонн военных грузов. А в действительности на протяжении трех долгих лет войны потребности Красной Армии и оборонной промышленности по таким важнейшим позициям, как авиационный бензин, взрывчатка, алюминий, автомобили и авторезина, поезда, локомотивы и рельсы, средства связи, антибиотики, покрывались главным образом за счет помощи от злейших врагов коммунизма. В связи с таким невероятным поворотом событий оборона Мурманска и железной дороги к нему превращалась в стратегическую задачу не меньшего значения, нежели оборона Ленинграда и Москвы, нефтепромыслов Баку и Грозного.

Не будет лишним отметить и то, что летом 1941 г. именно 14-я армия генерала Фролова оказалась **единственной армией** на всем фронте от Черного до Баренцева моря, которая **выполнила поставленную ей задачу.**

Наступление противника было остановлено в приграничной полосе, прорваться к Мурманску и Кировской железной дороге немцам не позволили, при этом элитный корпус Дитля понес огромные (более 50%) потери в личном составе. В середине октября 1941 г. остатки 2-й и 3-й горно-егерских дивизий вермахта были отведены с Кольского полуострова в тыл для переформирования.

Увы, об этом сегодня практически никто не вспоми-

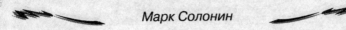

нает, а сам В.А. Фролов даже не был удостоен звания Героя Советского Союза — совершенно необычная ситуация для полководца Великой Отечественной в звании генерал-полковника.

Вернемся, однако, от высот большой стратегии к трагическим событиям июля 1941 г.

Неразбериха в управлении завершилась тем, что фактически ни один из вариантов использования 1-й тд как крупного ударного соединения не был реализован. Командование якобы «наступательной» Красной Армии не решилось на организацию контрнаступления, и 1-ю танковую, так же как и весь 10-й мехкорпус 23-й армии, «раздергали по частям».

Мотострелковый полк и один танковый батальон из состава 1-го танкового полка остались воевать на Кандалакшском направлении в составе 14-й армии. Кроме того, выделенные в распоряжение командира 42-го стрелкового корпуса 14-й армии полсотни танков в августе 1941 г. свели в отдельный танковый батальон, успешно сражавшийся с немцами до 1943 года [8].

Тем временем Ставка снова потребовала (Директива № 00329 от 14 июля) *«танковую дивизию из района Кандалакши немедленно перебросить под Ленинград»* [5]. И вот наконец, **17 июля 41-го**, ровно через месяц после того, как «мирным» июньским утром дивизия была поднята по боевой тревоге, эшелоны с 1-й танковой двинулись назад, на юг — к Ленинграду.

Но и на этот раз дойти до фронта войны с Германией им было не суждено.

10 июля 1941 г. Ставка (т.е. товарищ Сталин) создала Главное командование Северо-Западного направления, которое возглавил маршал Советского Союза, член Политбюро ВКП (б), зампред Совнаркома, один из пяти членов Государственного комитета обороны (высшего органа государственной власти того периода) Клим Ворошилов.

Товарищ Ворошилов всю жизнь боролся с помещиками и капиталистами. Но в его вражде к миру капитала не

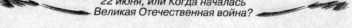

было, как говорят американцы, «ничего личного». Это была ненависть по приказу. По приказу же она могла в любой момент смениться крепкой боевой дружбой.

В августе 1939 г. нарком Ворошилов ведет переговоры с английским лордом, сэром Реджинальдом Драксом, адмиралом английского флота, и французским генералом Думенком о военном союзе против Гитлера. В сентябре того же 1939 г. нарком Ворошилов совместно с гитлеровским генералом Кёстрингом обсуждает вопросы взаимодействия вермахта и Красной Армии в деле разгрома и оккупации Польши.

К концу Второй мировой войны Ворошилов и вовсе превращается во что-то вроде высокопоставленного «военного дипломата». Сталин везет его с собой в Тегеран на встречу с Рузвельтом и Черчиллем, поручает ему вести переговоры о заключении мира с Венгрией и Румынией, принимать в Москве французскую военную делегацию с генералом де Голлем во главе и т. п.

Но вот к «белофинским маннергеймовским бандам» товарищ Ворошилов питал настоящую, неподдельную ненависть. Звонкие, увесистые оплеухи, которые финская армия навешала зимой 1939/40 г. «первому красному офицеру», продолжали гореть на щеках Ворошилова. К тому же дело тогда вовсе не ограничилось одними только метафорическими «оплеухами». После того как Красная Армия понесла в войне с «финляндской козявкой» потери большие, чем потери вермахта при оккупации половины Европы, Сталин 8 мая 1940 г. выгнал Ворошилова с поста наркома. И не просто выгнал — а дал подписать на прощание совершенно секретный «Акт о приеме наркомата обороны СССР тов. Тимошенко от тов. Ворошилова» [42].

В этом удивительном документе было перечислено два десятка направлений работы оборонного ведомства, по каждому из которых констатировались «исключительная запущенность» и подмена дела «бумажными отчетами». Правда, Ворошилову оставили и звание, и членство, но бумага о том, что он разваливал оборону страны так тщательно и всесторонне, как не смог бы развалить ее и враже-

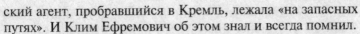

ский агент, пробравшийся в Кремль, лежала «на запасных путях». И Клим Ефремович об этом знал и всегда помнил.

Желание «проучить зарвавшихся финских вояк» и восстановить тем самым свою репутацию умудренного опытом полководца привели в 20-х числах июля 1941 г. маршала Ворошилова в Карелию. Оценить по достоинству этот визит можно, только если вспомнить, что происходило в эти дни на юго-западных подступах к Ленинграду.

К концу июня 1941 г. группа армий «Север» форсировала Западную Двину на всем протяжении от Даугавпилса до Риги. Вырвавшись на оперативный простор, немцы 6 июля, после двухдневного ожесточенного боя с 3-й танковой дивизией 1-го МК, заняли город Остров. 9 июля, практически без боя, на плечах панически бегущих 118-й и 111-й дивизий, немцы вошли в Псков. 10 июля Г.К. Жуков от имени Ставки шлет командованию Северо-Западного фронта (уже 4 июля прежний командующий был отстранен и в командование фронтом вступил генерал-майор П.П. Собенников) следующую директиву: «...командиры, не выполняющие Ваши приказы и как предатели бросающие позиции, до сих пор не наказаны... как следствие бездеятельности командиров части Северо-Западного фронта все время катятся назад... Командующему, члену Военного совета, прокурору и начальнику 3-го управления фронта немедленно выехать в передовые части и на месте расправиться с трусами и предателями, на месте организовать активные действия по истреблению немцев, гнать и уничтожать их...» [5, с. 62]

Увы, расправиться со всеми трусами и предателями не удалось — в середине июля 1941 г. бои шли уже в ста километрах от Ленинграда. На удержание фронта по реке Луге были брошены дивизии народного ополчения. Плохо вооруженные, почти необученные, набранные из никогда не державших в руках оружия студентов и преподавателей ленинградских вузов, ополченцы гибли на лужском рубеже. Гибли будущие, так навсегда и оставшиеся неизвестными ученые, поэты, художники, погибала твор-

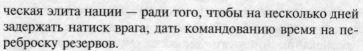

ческая элита нации — ради того, чтобы на несколько дней задержать натиск врага, дать командованию время на переброску резервов.

Обеспокоенный этим практически первым с начала войны срывом в реализации своих планов, Гитлер лично прибыл 21 июля в штаб группы армий «Север» и потребовал от Лееба скорейшего взятия Ленинграда.

Именно в этот день **Ворошилов своей властью остановил идущие к Ленинграду эшелоны** и приказал выгрузить главные из оставшихся сил 1-й тд (а именно: 2-й танковый полк в составе 4 КВ, 13 Т-28, 29 БТ-7, 57 БТ-5, 32 Т-26 и 19 бронемашин) в лесах у Ведлозера, в 70—80 км к западу от Петрозаводска [8]. Совместно с двумя мотострелковыми полками НКВД они должны были контратаковать и разгромить финнов.

Абсурдность этого решения заключена даже не в том, что на весах войны Ленинград и Петрозаводск имели разный вес.

К несчастью, маршал Ворошилов так и не понял, что дивизия легких танков — это не волшебная «палочка-выручалочка», а инструмент. Инструмент, пригодный только для вполне определенной работы. Той самой, которую в войнах прошлого столетия выполняла казачья конная лава: гнать и рубить бегущих, захватывать штабы и склады, жечь обозы в тылу парализованного страхом врага. Другими словами, решать те же задачи, которые в июне 1941 г. выполнили дивизии 4-й и 3-й танковых групп вермахта на северо-западном направлении.

В скобках заметим, что и вооружены они были ничуть не лучше: из 1544 танков, с которыми начали восточный поход 4-я и 3-я танковые группы, 1237 (80%) составляли легкие танки PZ-I, PZ-II, трофейные чешские PZ-38(t) с противопульным бронированием и гораздо более слабым (в сравнении с нашими Т-26 и БТ) вооружением.

А на местности с такими названиями, как Машозеро, Крошнозеро, Куккозеро, Ведлозеро, среди дремучего хвойного леса, болот и озер Карелии, танковая дивизия Баранова была обречена. Отчаянно сражающиеся финны

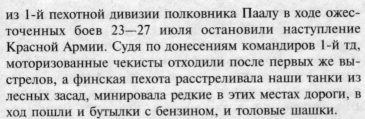

из 1-й пехотной дивизии полковника Паалу в ходе ожесточенных боев 23—27 июля остановили наступление Красной Армии. Судя по донесениям командиров 1-й тд, моторизованные чекисты отходили после первых же выстрелов, а финская пехота расстреливала наши танки из лесных засад, минировала редкие в этих местах дороги, в ход пошли и бутылки с бензином, и толовые шашки.

Сам главком Ворошилов не стал, разумеется, дожидаться окончательных результатов своего командования. Он вскоре вернулся в Ленинград, где и отдал один из самых знаменитых своих приказов — об изготовлении нескольких десятков тысяч стальных наконечников для копий, которыми первый маршал собирался переколоть фрицев, когда они ворвутся в город Ленина...

10 августа командование Петрозаводской оперативной группы, усиленной 272-й стрелковой дивизией из резерва Ставки, попыталось было вновь организовать наступление — но результат был прежним. Использовать танки массированно, ударными группами советское командование так и не смогло. Отдельными взводами и ротами танковый полк раскидали на огромном пространстве восточной Карелии. Имели место случаи использования 50-тонных КВ для доставки донесений, в качестве курьерского мотоцикла. Множество танков из-за отсутствия в лесной глухомани бензина, солярки и запчастей пришлось зарывать в землю и использовать в качестве неподвижных огневых точек, а то и просто бросать. В конце месяца немногие уцелевшие в этом лесном побоище танкисты пешком, с остатками частей 7-й армии, отошли к Петрозаводску [8].

Вот так и закончился первый из длинной череды несостоявшихся контрударов Красной Армии лета 1941 г. Сегодня трагедию второй советско-финской войны мало кто помнит. Только увязшие в карельских болотах танки да пожелтевшие похоронки — много, много похоронок, десятки тысяч — остаются немыми свидетелями той ненужной, затерянной в темных водах советской истории войны.

Разумеется, нельзя отрицать того, что немецкое наступление в Прибалтике и стремительный выход 4-й танковой группы вермахта на юго-западные подступы к Ленинграду смешали все планы советского командования. Вторжение в Финляндию **пришлось остановить в самом его начале**, на разбеге. С другой стороны, судя по тому, КАК началось советское наступление, каких «успехов» добились 1-й и 10-й мехкорпуса за то время, которого вермахту хватило на рывок от границы до Пскова, достаточно трудно поверить в то, что ТАКАЯ армия могла гнать и громить немцев, форсировать полноводные Вислу и Одер, покорять Европу...

Вот здесь, уважаемый читатель, вы вправе возмутиться. Что за разговор такой: «трудно поверить»? Что это у нас — театральная рецензия или исследование по военной истории?

Критика признана справедливой. В следующих частях нашего повествования речь пойдет уже о направлениях главного удара, о тех попытках наступления, развитию которого никто (кроме противника) не мешал.

Часть 2

ТРЯСИНА

Замысел

Вечером 22 июня 1941 г., а если говорить совсем точно, то в 21 час 15 минут, нарком обороны Тимошенко утвердил и направил для исполнения командованию западных округов (фронтов) Директиву № 3.

В этом документе давалась краткая оценка группировки и планов противника: «...*противник наносит главные удары из сувалкского выступа на Алитус и из района Замостье на фронт Владимир-Волынский, Радзехов, вспомогательные удары в направлениях Тильзит — Шяуляй и Седлец — Волковыск...*» — и ставились ближайшие задачи на 23—24 июня: «*концентрическими сосредоточенными ударами войск Северо-Западного и Западного фронтов окружить и уничтожить сувалкскую группировку противника и к исходу 24 июня овладеть районом Сувалки; мощными концентрическими ударами механизированных корпусов, всей авиацией Юго-Западного фронта и других войск 5-й и 6-й армий окружить и уничтожить группировку противника, наступающую в направлении Владимир-Волынский, Броды. К исходу 24 июня овладеть районом Люблин*» [5].

В скобках заметим, что уже один этот документ позволяет сделать обоснованный вывод о том, чего стоит многолетнее бахвальство славных «чекистов» о том, что документы немецкого командования ложились на стол Сталина на полчаса раньше, чем на стол Гитлера.

За шесть месяцев, прошедших с момента подписания Гитлером плана «Барбаросса», советское военное руководство так и не узнало, что самый мощный удар вермахт будет наносить силами 2-й танковой группы Гудериана по линии Брест — Слуцк — Минск. Это направление не упомянуто в Директиве № 3 даже как вспомогательное. А то, что наше командование расценило как *«вспомогательный удар в направлении Тильзит — Шяуляй»*, было в действительности началом наступления главных сил группы армий «Север» на Ленинград.

В действительности совместные действия Северо-Западного и Западного фронтов так и не состоялись. Главные ударные силы Северо-Западного фронта: 12-й мехкорпус генерал-майора Шестопалова и 3-й (без 5-й танковой дивизии) мехкорпус генерал-майора Куркина были перенацелены не на юго-запад, в направление Каунас — Сувалки (как это было предписано Директивой № 3), а на северо-запад, в направление Шяуляй, где 24 июня и произошло крупное танковое сражение с главными силами 4-й танковой группы вермахта. Что же касается 5-й тд (3-го МК), то она уже утром 23 июня была разгромлена в районе Алитуса и в дальнейших боевых действиях фронта практически не участвовала.

Таким образом, двухсторонний удар по сувалкской группировке немцев превратился в наступление правого крыла одного только Западного фронта. Обстоятельства и причины разгрома, которым закончилось это наступление, мы и рассмотрим в этой части нашего повествования.

К тому времени, когда Директива № 3 была получена и расшифрована в штабе Западного фронта, военная ситуация качественно изменилась.

Немцы форсировали Неман. Точнее говоря, не форсировали, а переехали его по трем невзорванным мостам у Алитуса и Меркине. *«Вслед за отходившими подразделениями советских войск,* — так пишет главный наш спец по начальному периоду войны товарищ Анфилов, — *по мостам через Неман проскочили и немецкие танки».* Проскочили в количестве трех (7, 20, 12-й) танковых дивизий. К исходу дня 22 июня 1941 г. передовые части 3-й танковой группы вермахта продвинулись в глубь советской территории на 60—70 км и устремились к Вильнюсу. Но каким бы сильным ни был наступательный порыв немцев, каким бы слабым ни было сопротивление войск 11-й армии Северо-Западного фронта — дороги и мосты имеют вполне определенную пропускную способность, а танки в колоннах движутся с интервалами в несколько десятков метров. В результате, когда утром 24 июня 7-я танковая дивизия вермахта заняла Вильнюс, а 20-я и 12-я танковые дивизии подходили к Ошмянам, арьергард танковой группы — 19-я танковая и 14-я моторизованная дивизии еще только переправлялись через Неман [13]. Таким образом, то, что военные историки обычно называют «немецким танковым клином», в те дни представляло собой несколько «стальных нитей», растянувшихся на 100—120 км вдоль дорог западной Литвы. При этом немецкая пехота, ходившая в прямом смысле этого слова пешком, со своими конными обозами и артиллерией на «лошадиной тяге», еще только начинала наводить понтонные переправы через Неман.

Устав требует, чтобы подчиненный любого ранга и звания, при безусловном выполнении поставленной ему вышестоящим командиром задачи, проявлял разумную инициативу в выборе наиболее эффективных путей и методов выполнения приказа. Именно так действовал командующий Западным фронтом, Герой Советского Союза, кавалер трех орденов Ленина и двух орденов Красной Звезды, генерал армии Д.Г. Павлов. В 23 ч 40 мин 22 июня он приказал своему заместителю генерал-лейтенанту Болдину (к этому времени уже прибывшему из Минска в Белосток, в штаб самой мощной, 10-й армии Западного фронта) организовать ударную группу **в составе 6-го мехкорпуса, 11-го мехкорпуса, 6-го кавалерийского корпуса** и *«нанести удар в общем направлении Белосток — Липск, южнее Гродно с задачей уничтожить противника на левом* (т.е. западном. — М.С.) *берегу р. Неман... к исходу 24.6.41 г. овладеть Меркине».*

Как видно, Павлов (отойдя от прямого следования «букве» Директивы № 3) повернул острие наступления с северо-западного направления (от Гродно на Сувалки) прямо на север, вдоль западного берега Немана, от Гродно на Меркине. Замысел операции был гениально прост. Стремительный (два дня во времени и 80—90 км в пространстве) удар во фланг и тыл наступающей на запад пехоты противника, захват мостов и переправ через Неман — и мышеловка, в которую сама загнала себя 3-я танковая группа вермахта, захлопывается. Отрезанные от всех линий снабжения, лишенные поддержки собственной пехоты, немецкие танковые дивизии, прорвавшиеся к Вильнюсу, окружаются и уничтожаются.

В скобках заметим, что одиннадцать месяцев спустя, в мае 1942 года, в точности такая же по замыслу операция была проведена немцами. Тогда, в ходе ставшей печально знаменитой Харьковской наступательной операции, советские войска форсировали Северский Донец и вышли к пригородам Харькова. А в это время немецкая танковая армия Клейста форсировала ту же самую реку в районе города Изюм (в 100 км южнее Харькова) и, продвигаясь на север вдоль восточного, практически никем не обороняемого берега Северского Донца, перерезала коммуникации советских войск, оказавшихся в конечном итоге в «котле» на западном берегу Донца.

Результатом стало окружение и разгром пяти советских армий, при этом более 200 тысяч бойцов и командиров Красной Армии оказалось в немецком плену. Задуманная Павловым операция не могла завершиться столь масштабным успехом — просто потому, что в составе немецкой 3-й танковой группы не было ни 200, ни даже 100 тысяч человек. Но во всем остальном наступление ударной группы Западного фронта было, что называется, «обречено на успех».

Обреченные на успех

Благодаря предусмотрительно вырисованной в сентябре 1939 г. «линии разграничения государственных интересов СССР и Германии на территории бывшего Польского государства» [70] белостокская группировка советских войск, еще не сделав ни одного выстрела, уже нависала над флангом и тылом немецких войск, зажатых

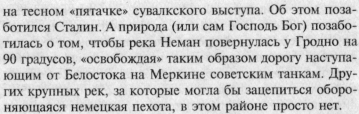

на тесном «пятачке» сувалкского выступа. Об этом позаботился Сталин. А природа (или сам Господь Бог) позаботилась о том, чтобы река Неман повернулась у Гродно на 90 градусов, «освобождая» таким образом дорогу наступающим от Белостока на Меркине советским танкам. Других крупных рек, за которые могла бы зацепиться обороняющаяся немецкая пехота, в этом районе просто нет.

Благодаря тому, что Павлов отказался от наступления на занятый немцами в 39-м году город Сувалки и решил окружить и уничтожить сувалкскую группировку противника **на советской территории**, немцы были лишены возможности опереться на заранее подготовленную в инженерном смысле противотанковую оборону. Понятно, что на местности, которую немцы заняли день-два назад, у них еще не было и не могло быть ни минных полей, ни противотанковых рвов, ни железобетонных дотов.

В состав ударной группировки генерала Болдина (по принятой в РККА военной терминологии это была «конно-механизированная группа», сокращенно — КМГ) было включено: **четыре танковые**, **две механизированные** дивизии, а также соответствующий по численности одной «расчетной дивизии» **кавалерийский корпус**, имевшие на вооружении как минимум **1310 танков и 370 пушечных бронеавтомобилей,** всего 1680 единиц бронетехники [78], более шести тысяч автомобилей и трехсот тракторов. Кроме того, 23 июня в группу Болдину для артиллерийской поддержки наступления был включен 124-й гаубичный полк резерва Главного командования в составе 48 тяжелых орудий.

Еще раз подчеркнем, что это минимальные из встречающихся в литературе цифры. Если же верить данным монографии «1941 год — уроки и выводы» (выпущенной в 1992 году Генштабом Объединенных вооруженных сил СНГ), то число танков в дивизиях КМГ Болдина составляло **1597 единиц** [3], что более чем в полтора раза превышает численность самой крупной танковой группы вермахта!

Весьма показательно и сравнение состава КМГ Болдина с численностью советских танковых армий завершающего периода Великой Отечественной. Так, накануне крупнейшей Висло-Одерской операции в январе 45-го года в 4-й танковой армии Лелюшенко числилось всего 680 танков и самоходных орудий, во 2-й Гвардейской танковой армии накануне штурма Берлина, 15 апреля 1945 г., числилось 685 единиц бронетехники, включая броневики и САУ, в 5-й Гвардейской танковой армии перед началом Восточно-Прусской операции (январь 45-го года) было всего 590 танков и самоходок [22].

Как видим, ни одна из советских танковых армий, завершивших в 1945 году «разгром фашистского зверя в его логове», не имела и половины того количества бронетехники, которое было предоставлено в распоряжение генерала Болдина в июне 1941 года!

Вся это гигантская стальная армада должна была обрушиться на пять пехотных дивизий вермахта: 162 пд и 256 пд из состава 20-го армейского корпуса и 8 пд, 28 пд и 161 пд из состава 8-го армейского корпуса. Причем реально к утру 24 июня в районе запланированного контрудара КМГ Болдина находились только **две пехотные дивизии** 20-го АК, а три дивизии 8-го АК уже форсировали реку Неман и наступали в полосе от Гродно до Друскининкая в общем направлении на г. Лиду, продвигаясь на восток тремя почти параллельными маршрутами [61, 78]. Таким образом, КМГ при своем наступлении на север от Гродно на Меркине имела уникальную возможность уничтожать противника по частям рядом последовательных ударов во фланг и тыл.

Другими словами, в те первые дни войны сложится ситуация, **в точности соответствующая** (хотя нас всегда уверяли в противном) предвоенным расчетам советского командования: «*...по своим возможностям — по вооружению, живой силе, ударной мощи — танковый корпус соответствует пяти пехотным немецким дивизиям. А раз так, то мы вправе и обязаны возлагать на танковый корпус задачи по уничтожению 1—2 танковых дивизий или 4—5 пехотных дивизий. Я почему говорю 4—5 с такой уверенностью?*

Только потому, что танковый корпус в своем размахе никогда не будет драться одновременно с этими пятью развернувшимися и направившими против него огневые средства дивизиями. По-видимому, он эти 5 дивизий будет уничтожать рядом ударов одну за другой...» [14]

Это — выдержки из доклада *«Использование механизированных соединений в современной наступательной операции»,* с которым генерал армии Павлов (в то время начальник Главного автобронетанкового управления РККА, т.е. «главный танкист» Красной Армии) выступал на известном декабрьском (1940 г.) совещании высшего командного состава РККА.

Еще раз напомним, что по численности танков и личного состава КМГ Болдина примерно в полтора раза превосходила полностью укомплектованный по штатам военного времени мехкорпус (или «танковый корпус», как его называет в своем докладе Павлов), а по артиллерии — в два раза.

Так обстояло дело с количеством. Теперь постараемся оценить качество.

Главной ударной силой КМГ, да и всего Западного фронта в целом, был 6-й мехкорпус генерал-майора М.Г. Хацкилевича. Как известно, большая часть мехкорпусов Красной Армии до начала войны не успела получить даже половины положенной по штату техники. Тем более впечатляюще выглядит на этом фоне ситуация в 6-м мехкорпусе, который уже в середине июня имел танков больше, чем было запланировано на конец 1941 года! Об особом, элитном статусе 6-го МК свидетельствует и наличие на его вооружении значительного числа новейших на тот момент — безусловно лучших в мире — танков Т-34 и КВ. В большинстве источников приводится цифра **352 танка новых типов (114 КВ и 238 Т-34)**. Если эти цифры верны, то 6-й МК занимал «второе место» среди всех мехкорпусов РККА, уступая по этому показателю только 4-му МК Власова, в котором числилось 416 танков новых типов. Если же верить данным монографии «1941 год — уроки и выводы», то в составе 6-го МК к началу войны было

452 новейших танка, что выводит этот мехкорпус на бесспорное «первое место» во всей Красной Армии!

Для такого разнобоя в цифрах (приводимых авторами со ссылками на фонды рассекреченных военных архивов) есть очень простое объяснение. Отчетность в Красной Армии — как и в тысячах других учреждений — велась по состоянию на первое число каждого месяца. Меньшие цифры, вероятно, взяты именно из отчетов на 1 июня 1941 г. Но ведь первого июня круглосуточная работа советских военных заводов отнюдь не прекратилась, а отгрузка новейших танков с заводов в войска продолжалась и до 22 июня, и во все последующие дни. Тем более показательно, что из 138 танков Т-34, переданных промышленностью в войска с 1 по 22 июня 41-го года, в Белосток (т.е. в 6-й мехкорпус) было отправлено 114 [8].

Не будем, однако, забывать и о том, что мехкорпус — это не только танки. Для обеспечения слаженной боевой работы танковых, мотострелковых и артиллерийских подразделений, бесперебойного снабжения их боеприпасами и горючим требовались многие тысячи автомобилей и тракторов (артиллерийских тягачей). Если говорить точно, то по штату в мехкорпусе полагалось иметь 352 трактора и 5165 автомобилей.

С этой «матчастью» в Красной Армии были тогда большие проблемы. Машин нигде не хватало. Довести укомплектованность частей и соединений до штатной предполагалось только после проведения открытой мобилизации, посредством передачи в армию из народного хозяйства 300 тысяч автомобилей и 50 тысяч тракторов. В результате «нештатной ситуации», случившейся 22 июня 41-го года, большая часть мехкорпусов вступила в войну, имея значительный (до 50—60%) некомплект транспортных средств. Но и в этом вопросе 6-й МК был в лидерах. В корпусе было 294 трактора (почетное «второе место» среди всех мехкорпусов РККА), а по числу автомашин и мотоциклов (4779 и 1042 соответственно) 6-й МК превосходил любой другой мехкорпус. Эти данные взяты из книг современных историков [1, 3]. Сам же командир корпуса гене-

рал-майор Хацкилевич на декабрьском (1940 г.) совещании командного состава РККА приводил гораздо большие цифры: «...*мы подсчитали на наших учениях (даже когда выбрасывали по 2500 машин из боевого состава, брали самое необходимое для жизни и боя), и то у нас в прорыв идет 6800 машин, почти 7000...*»

Все это (да и сам факт выступления командира корпуса на совещании высшего комсостава, в присутствии наркома обороны и командующих округов) весьма красноречиво свидетельствует о роли и месте 6-го МК в предвоенных планах советского командования.

Кстати, о месте. С лета 1940 г. и до начала войны этот один из самых мощных мехкорпусов РККА затаился в дебрях заповедных лесов восточнее Белостока. Затаился так тщательно, что хваленая немецкая авиаразведка даже не смогла установить сам факт его присутствия. Утренняя сводка штаба 9-й армии (группа армий «Центр») от 23 июня 1941 г. дословно гласит: «...*несмотря на усиленную разведку, в районе Белостока пока еще не обнаружено крупных сил кавалерии и танков...*»

Разумеется, район дислокации 6-го мехкорпуса был выбран не случайно. Даже на современных картах автомобильных дорог из Белостока (теперь это снова Польша) можно выехать только в одну сторону — на запад, по шоссе на Варшаву. Дорог на восток, в глубь Белоруссии (а следовательно — и причин ожидать здесь наступление главных сил противника), как не было в 41-м году, так нет и сейчас. Более того, из рассекреченного только в конце 80-х годов военно-исторического труда бывшего начальника штаба 4-й армии Л.М. Сандалова «Боевые действия войск 4-й армии Западного фронта в начальный период Великой Отечественной войны» [79] становится известно, что «*в марте-апреле 1941 г. в ходе окружной оперативной игры на картах в Минске прорабатывалась фронтовая наступательная операция с территории Западной Белоруссии в направлении Белосток — Варшава... На последнюю неделю июня штаб округа подготавливал игру со штабом 4-й армии также на наступательную операцию...*» Да и к чему же еще

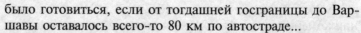

было готовиться, если от тогдашней госграницы до Варшавы оставалось всего-то 80 км по автостраде...

Значительно хуже был укомплектован 11-й МК, но и в нем числился 31 танк новых типов (3 КВ и 28 Т-34). Таким образом, всего на вооружении КМГ Болдина было **не менее 383** новейших дизельных танков с мощным вооружением (длинноствольная 76-мм пушка пробивала лобовую броню любых немецких танков на дистанции в 1000 — 1200 м) и надежной бронезащитой.

Что могла противопоставить этому немецкая пехота? Почти ничего. Основным вооружением противотанкового дивизиона пехотной дивизии вермахта была 37-мм пушка, способная пробивать броню в 30—35 мм на дистанции в 500 метров. Для борьбы с легкими советскими танками БТ или Т-26 этого было вполне достаточно. Но после первых же встреч с нашими новыми танками немецкие солдаты дали своей противотанковой пушке прозвище «дверная колотушка» (смысл этого черного юмора в том, что она могла только постучать по броне советской «тридцатьчетверки»). Наклонный 45-мм броневой лист нашего Т-34 немецкая 37-мм пушка не пробивала даже при стрельбе с предельно малой дистанции в 200 метров. Ну а про возможность борьбы с тяжелым танком КВ (лобовая броня 90 мм, бортовая —75 мм) не приходится и говорить. Это 50-тонное стальное чудовище могло утюжить боевые порядки немецкой пехоты практически беспрепятственно, как на учебном полигоне.

Только летом 1940 г. немцы запустили в производство 50-мм противотанковую пушку, которая и поступила на вооружение вермахта в количестве 2 (две) штуки на пехотный полк, да и то еще не в каждой дивизии эти пушки были! Да, странно как-то на этом фоне смотрятся бесконечные причитания партийных пропагандистов о том, как «на Германию работала промышленность всей покоренной Европы», а Сталин очень верил Гитлеру и занимался сугубо «мирным созидательным трудом»...

Мало того что военно-политическое руководство фашистской Германии не предоставило своей армии ника-

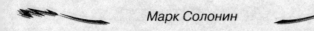

ких средств борьбы с новыми советскими танками. Оно еще и ухитрилось не заметить сам факт их появления на вооружении РККА! Только после начала боевых действий, 25 июня 1941 г., в дневнике Ф. Гальдера (начальника штаба сухопутных войск) появляется следующая запись: «*...получены некоторые данные о новом типе русского тяжелого танка: вес — 52 тонны, бортовая броня — 8 см... 88-мм зенитная пушка, видимо, пробивает его бортовую броню (точно еще неизвестно)...получены сведения о появлении еще одного танка, вооруженного 75-мм пушкой и тремя пулеметами...*» [12]

В мемуарах Гота и Гудериана первые сообщения о «сверхтяжелом русском танке» (т.е. КВ) относятся только к концу июня — началу июля 1941 г.

Обсуждение вопроса о том, как военная разведка крайне агрессивного государства могла на протяжении полутора лет не замечать появления новых типов танков в серийном производстве у главного потенциального противника Германии, выходит за пределы нашей книги. Это — тема для отдельного разговора. Постарались все — и Гитлер, категорически запретивший после подписания Договора о дружбе и границе (28 сентября 1939 г.) ведение разведывательной деятельности против СССР [19], и загадочный руководитель абвера адмирал Канарис (агент английской разведки по совместительству), и многие другие.

Для нашего же расследования достаточно отметить тот факт, что немецкие пехотные дивизии не только не получили средств борьбы с новыми советскими танками, но и само появление из чащи белорусских лесов огромных 50-тонных бронированных монстров должно было стать для них **страшной неожиданностью.**

Все познается в сравнении.

Каждый добросовестный школьник должен знать, что добиться успеха в Курской битве немцы надеялись, в частности, и за счет внезапного массированного применения новых тяжелых танков «тигр» и «пантера». Этот тезис неизменно присутствует в любом тексте, посвященном битве на Курской дуге, которую советские историки называли (и по сей день еще называют) «крупнейшим танковым сражением Второй мировой войны». Более того, из мемуаров немецких генералов выясняется, что и германское командование возлагало на применение новых танков огромные надежды.

Правда, вопрос о «внезапности» к лету 1943 г. был уже практически снят. Гитлер сам «наступил на горло собственной песне», приказав, несмотря на все возражения Гудериана, отправить роту первых серийных «тигров» под Ленинград. В сентябре 1942 г., в заболоченных лесах, «тигры» были введены в бой и понесли большие потери, частью увязнув в трясине [65]. Таким образом, новая техника была необратимо рассекречена.

Что же касается «массовости», то в составе всей танковой группировки немецких войск на Курской дуге (16 танковых и 6 моторизованных дивизий, три отдельных танковых батальона и отдельная танковая бригада) насчитывалось всего 147 «тигров» и 200 «пантер».

Итого **347** танков «новых типов» из общего количества 2361 танк.

Такими-то силами немецкое командование планировало окружить и уничтожить советские войска в составе пятнадцати общевойсковых и трех танковых армий (а также четырнадцати отдельных корпусов) на фронте в 550 км [ВИЖ, 1993, №7].

Перед КМГ Болдина, в составе которой было полторы тысячи танков и бронемашин, в том числе **383** танка «новых типов» (Т-34 и КВ), стояла задача совсем другого, гораздо более скромного масштаба: нанести короткий (два-три дня во времени и 80—90 км в пространстве) удар по пехоте противника, а затем отойти в резерв командующего фронтом.

Эффект внезапности — важнейшее на войне условие успеха — усиливался еще и тем, что своевременно выявить факт сосредоточения в районе Белостока мощной ударной группировки немецкая разведка также не смогла. Только вечером 23 июня, в донесении отдела разведки и контрразведки штаба 9-й армии вермахта, отмечено «*появ-*

ление в районе южнее Гродно 1-й и 2-й мотомехбригад» [61].

Что сие означает? Никаких «мехбригад» в составе Западного фронта не было, среди шести танковых и моторизованных дивизий КМГ Болдина не было ни одной с номерами 1 или 2. Ясно только то, что в конце концов немцы не могли не увидеть движения огромных танковых колонн, но произошло это уже буквально за считаные часы до начала контрнаступления советских войск.

Но «разгром немецко-фашистских войск под Гродно и Вильнюсом» так и не состоялся.

Без свидетелей

По большому счету, вообще ничего не состоялось. *«...Вследствие разбросанности соединений, неустойчивости управления, мощного воздействия авиации противника сосредоточить контрударную группировку в назначенное время не удалось. Конечные цели контрудара (уничтожить сувалкинскую группировку противника и овладеть Сувалками) не были достигнуты, имелись большие потери...»*

Вот дословно все, что сказано о ходе и результате контрудара КМГ Болдина в самом солидном историческом исследовании последнего десятилетия — в многократно упомянутой выше монографии «1941 год — уроки и выводы».

За фразой о «больших потерях» скрывается тот факт, что все три соединения, принявшие участие в контрударе КМГ Болдина (6-й и 11-й МК, 6-й КК), были полностью разгромлены, вся боевая техника брошена в лесах и на дорогах, большая часть личного состава оказалась в плену или погибла, немногие уцелевшие в течение нескольких недель и месяцев выбирались мелкими группами из окружения и вышли к своим уже тогда, когда линия фронта откатилась к Ржеву и Вязьме.

В предыдущих основополагающих трудах советских историков (12-томной «Истории Второй мировой войны» и 6-томной «Истории Великой Отечественной войны») и вовсе не было ничего, кроме невнятной констатации того

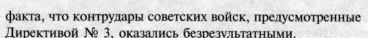

факта, что контрудары советских войск, предусмотренные Директивой № 3, оказались безрезультатными.

В опубликованных в последние годы документах начала войны невозможно найти ничего более внятного, чем тексты таких вот приказов, которые летели из штаба Западного фронта: «*...почему мехкорпус* (имеется в виду 6-й МК) *не наступает, кто виноват? Немедля активизируйте действия, не паникуйте, а управляйте. Надо бить врага организованно, а не бежать без управления... Почему вы не даете задачу на атаку мехкорпусов...*» [40]

В широко известных, ставших уже классикой военно-исторических трудах немецких генералов (Типпельскирха, Бутлара, Блюментрита) о контрударе советских войск в районе Гродно — ни слова.

В мемуарах Г. Гота («Танковые операции») мы не находим никаких упоминаний о наступлении Красной Армии в районе Гродно. Похоже, командующий 3-й танковой группы вермахта так никогда и не узнал о том, что во фланг и тыл его войск нацеливалась огромная танковая группировка противника.

В хрестоматийно известном «Военном дневнике» Ф. Гальдера некое упоминание о действиях группы Болдина появляется только в записях от 25 июня 1941 г.: «*...русские, окруженные в районе Белостока, ведут атаки, пытаясь прорваться из окружения на север в направлении Гродно... довольно серьезные осложнения на фронте 8-го армейского корпуса, где крупные массы русской кавалерии атакуют западный фланг корпуса...*»

Но уже вечером того же дня (запись 18.00) Гальдер с удовлетворением констатирует: «*...положение южнее Гродно стабилизировалось. Атаки противника отбиты...*»

В дальнейшем к описанию этих событий Гальдер нигде не возвращается, да и описание это выглядит достаточно странно — все же главной ударной силой КМГ были отнюдь не «крупные массы кавалерии», а два мехкорпуса. А вот про «серьезные осложнения» на фронте 20-го армейского корпуса, который должен был первым встре-

титься с наступающими советскими танками, Гальдер вообще ничего не говорит...

Если бы мы писали фантастический роман, то сейчас самое время было бы рассказать о том, как из мрачной бездны белорусских болот поднялось НЕЧТО и поглотило без следа огромную бронированную армаду. Но жанр этой книги — документальное историческое расследование, и списать разгром на «нечистую силу» нам никак не удастся.

Да и пропала КМГ Болдина отнюдь не бесследно.

По рассказам местных жителей, собранным энтузиастами из минского поискового объединения «Батьковщина», *«в конце июня 1941 г. район шоссе Волковыск — Слоним был завален брошенными танками, сгоревшими автомашинами, разбитыми пушками так, что прямое и объездное движение на транспорте было невозможно... Колонны пленных достигали 10 км в длину...»* [8]

Фраза о многокилометровых колоннах пленных может показаться кому-то обычным преувеличением людей, ставших очевидцами гигантской катастрофы. Увы. Даже по данным вполне консервативного (в хорошем смысле этого слова) исследования современных российских военных историков («Гриф секретности снят»), безвозвратные потери Западного фронта за первые 17 дней войны составили 341 тысячу человек, из которых не менее 60%, т.е. порядка **200 тысяч человек, оказалось в плену.** Стоит отметить, что эти цифры вполне совпадают с давно известными немецкими сводками, в соответствии с которыми в ходе сражения в районе Минск — Белосток вермахт захватил 288 тысяч пленных [ВИЖ, 1989, № 9].

Пролить свет на причины разгрома КМГ могли бы мемуары советских генералов — да только мало кому удалось их написать.

Командир 6-го кавкорпуса генерал-майор И.С. Никитин попал в плен и был расстрелян немцами в концлагере в апреле 1942 года [20, 124].

Командир 36-й кавдивизии 6-го кавкорпуса, генерал-майор Е.С. Зыбин попал в плен, где активно сотрудничал с фашистами. По приговору Военной коллегии Верховного суда СССР расстрелян 25 августа 1946 года. Он не реабилитирован и по сей день [20, 124].

Командир 6-го мехкорпуса Хацкилевич погиб 25 июня. Обстоятельства его гибели по сей день неизвестны. Несколько дней спустя у местечка Клепачи Слонимского района была подбита бронемашина, на которой офицеры штаба 6-го мехкорпуса пытались вывезти тело погибшего командира. При этом был смертельно ранен начальник артиллерии корпуса генерал-майор А.С. Митрофанов [8].

Командир 4-й танковой дивизии 6-го мехкорпуса генерал-майор А.Г. Потатурчев попал в плен, после освобождения из концлагеря в Дахау был арестован органами НКВД и умер в тюрьме в июле 1947 года. Посмертно реабилитирован в 1953 году [20, 124].

Командир 29-й моторизованной дивизии 6-го мехкорпуса генерал-майор И.П. Бикжанов попал в плен, после освобождения до декабря 1945 г. «проходил спецпроверку в органах НКВД». В апреле 1950 году уволен в отставку «по болезни». Дожил до 93 лет, но мемуаров не печатал [20, 124].

Смогли выйти из окружения после разгрома КМГ, но вскоре погибли в боях командир 7-й танковой дивизии 6-го мехкорпуса генерал-майор С.В. Борзилов и командир 29-й танковой дивизии 11-го мехкорпуса полковник Н.П. Студнев [8].

Попали в плен и погибли в гитлеровских концлагерях заместитель командира 11-го мехкорпуса и начальник артиллерии 11-го мехкорпуса генерал-майоры П.Г. Макаров и Н.М. Старостин [20, 124].

Командир 204-й моторизованной дивизии 11-го мехкорпуса полковник А.М. Пиров пропал без вести [8].

Ну а судьба высшего командования Западного фронта была еще более трагична.

Командующий Западным фронтом, герой обороны Мадрида и прорыва «линии Маннергейма» генерал армии Павлов 4 июля был арестован и 22 июля 41-го года, ровно

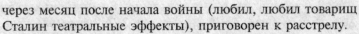

через месяц после начала войны (любил, любил товарищ Сталин театральные эффекты), приговорен к расстрелу.

По тому же «делу», за «трусость, бездействие и паникерство, создавшие возможность прорыва фронта противником» [67, 81], были расстреляны:

— начальник штаба фронта В.Е. Климовских;

— начальник связи фронта А.Т. Григорьев;

— начальник артиллерии фронта Н.А. Клич;

— командующий 4-й армией Западного фронта А.А. Коробков;

— заместитель командующего ВВС фронта Таюрский.

Командующий ВВС Западного фронта, Герой Советского Союза, ветеран боев в Испании генерал-майор И.И. Копец застрелился сам, в первый день войны, 22 июня 1941 г.

Внимательный читатель наверняка уже заметил отсутствие в этом скорбном списке расстрелянных генералов одной фамилии.

А ведь это действительно очень странно. И по воинскому званию (генерал-лейтенант), и по занимаемой должности (зам. командующего фронтом) И.В. Болдин стоял выше всех репрессированных, за исключением самого Павлова, конечно. И если все командование фронта было повинно в «преступном бездействии и развале управления войсками», то как же смог остаться безнаказанным руководитель главной ударной группировки Западного фронта?

Оправдаться неопытностью Болдин никак не мог. В его послужном списке было уже два «освободительных похода» — в Польшу (сентябрь 1939 г.) и в Бессарабию (июнь 1940 г.).

Причем во время вторжения в Польшу в сентябре 1939 г. комкор Болдин командовал конно-механизированной группой Белорусского фронта, которая вела наступление по линии Слоним — Волковыск и после ожесточенного боя 20 — 21 сентября штурмом взяла г. Гродно. Так что для Болдина начало войны складывалось как в песне: «По дорогам знакомым за любимым наркомом мы коней боевых поведем...»

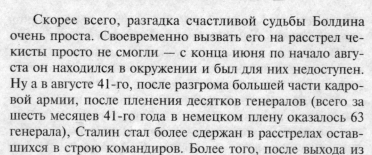

Скорее всего, разгадка счастливой судьбы Болдина очень проста. Своевременно вызвать его на расстрел чекисты просто не смогли — с конца июня по начало августа он находился в окружении и был для них недоступен. Ну а в августе 41-го, после разгрома большей части кадровой армии, после пленения десятков генералов (всего за шесть месяцев 41-го года в немецком плену оказалось 63 генерала), Сталин стал более сдержан в расстрелах оставшихся в строю командиров. Более того, после выхода из окружения Болдин был отмечен добрым словом в приказе Верховного, повышен в звании и назначен командующим 50-й армией.

Тяжелейший психический стресс не прошел бесследно. Главный мотив мемуаров Болдина — тупой и бездушный солдафон Павлов все испортил: «...*Отойдя от аппарата, я подумал: как далек Павлов от действительности! У нас было мало сил, чтобы контратаковать противника... Но что делать? Приказ есть приказ! Много лет спустя, уже после войны, мне стало известно, что Павлов давал моей несуществующей* (по чьей вине «несуществующей»? — М.С.) *ударной группе одно боевое распоряжение за другим.*

Зачем понадобилось Павлову издавать эти распоряжения? Кому он направлял их? (Похоже, Болдин так и не понял, что задача, которую он с позором провалил, была поставлена именно перед ним.) *Возможно, они служили только для того, чтобы создавать перед Москвой видимость, будто на Западном фронте предпринимаются какие-то меры для противодействия наступающему врагу...*»

Но и это еще «цветочки». В очень серьезном документе, в докладной записке, поданной в ходе реабилитации Павлова и его «подельников» в июле 1957 года, Болдин (к тому времени уже генерал-полковник) написал дословно следующее:

«...*Павлов виноват в том, что просил Сталина о назначении на должность командующего войсками округа, зная о том, что с начала войны он будет командующим войсками фронта. Павлов, имея слабую оперативную подготовку, не мог быть командующим войсками фронта... Начальник*

штаба фронта Климовских виноват в том, что попал под влияние Павлова и превратился в порученца Павлова...» [81, с. 194]

О том, кто же обладал «неслабой оперативной подготовкой», Болдин скромно промолчал.

Многое становится понятней, если вспомнить о том, что до назначения на должность заместителя командующего Западным особым военным округом Болдин был командующим войсками Одесского военного округа. Согласитесь, быть первым руководителем в Одессе и стать замом в Минске — это две большие разницы...

Вообще-то, самым старшим по званию и должности полководцем, руководившим контрударом конно-механизированной группы Западного фронта, был не Болдин, а Кулик. Кулик — это не птица, а большой человек. Крупный такой военачальник...

«...в глубине кабинета открылась дверь, и в нее ввалился маршал Кулик — солидной величины человек. Его лицо было буро-красным и довольно внушительным по своему размеру... Речь его состояла из каких-то совершенно не связанных между собой и бессмысленных в отдельности фраз. Это была чистейшей воды ахинея, бред полупьяного. Самое страшное, что перед командирами стоял не только маршал, но и заместитель наркома обороны СССР...» [163]

24 июня 1941 года маршал Кулик прибыл в штаб КМГ Болдина в качестве полномочного представителя Ставки на Западном фронте.

«...маршал Кулик приказал всем снять знаки различия, выбросить документы, затем переодеться в крестьянскую одежду и сам переоделся... Предлагал бросить оружие, а мне лично ордена и документы. Однако, кроме его адъютанта, никто документов и оружия не бросил...»

Вот так, коротко и ясно, выглядит в донесении начальника 3-го отдела (т.е. контрразведки) 10-й армии руководящая роль заместителя наркома обороны в боевых действиях Западного фронта [ВИЖ, 1993, №12]. За все это Григория Ивановича только поругали. Даже маршальские звезды, выброшенные им в кустах, вернули.

2 сентября 1941 г. Кулика назначили командующим отдельной 54-й армией, которой было поручено деблокировать Ленинград. 12 сентября в помощь Кулику прислали еще одного маршала — Клима Ворошилова. Четыре дня спустя Ставка напомнила Кулику, что «*новые дивизии и бригада даются Вам не для взятия станции Мга, а для развития успеха после взятия станции. Наличных сил вполне достаточно, чтобы станцию Мга взять не один раз, а дважды*» [5, с. 194].

Еще через четыре дня (24 сентября 1941 г.) в штаб 54-й армии пришла Директива Ставки № 002288: «*В третий раз Ставка ВГК приказывает Вам принять все меры к незамедлительному занятию Синявино и соединению с ленинградскими войсками. Личная ответственность за выполнение этого возлагается на Маршала Кулика...*» Впрочем, личная ответственность свелась лишь к тому, что 26 сентября 41-го года Сталин приказал «*командующего 54-й армией маршала Кулика отозвать в распоряжение Ставки*».

На этом биография полководца Кулика еще не закончилась. 8 ноября 1941 г. он был командирован для укрепления обороны Керчи — последнего оставшегося в наших руках клочка земли Крыма. Прибыв на Кубань в качестве полномочного представителя Ставки (и отметившись, будем справедливы, двухчасовым визитом в Керчь), Кулик серьезно занялся вопросами продовольственного снабжения. Самого себя. Самые скоропортящиеся деликатесы были отправлены молодой, четвертой по счету, жене «красного маршала» военно-транспортным самолетом, все остальное (в том числе 50 кг сала, 200 бутылок коньяка, 40 ящиков мандаринов, 20 кг икры паюсной) было загружено в спецвагон и отправлено в Москву [81, с. 238].

В феврале 1942 г. за это мародерство в зоне боевых действий Кулика отдали первый раз под суд и примерно наказали: понизили в воинском звании с маршала до генерал-майора, сняли с поста замнаркома и вывели из ЦК. В партии коммунистов — борцов за всеобщее равенство и братство — пока еще оставили.

Весной 1943 года Кулик опять всплыл. За неведомые заслуги его повысили в звании и даже дали покомандо-

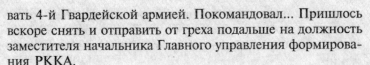

вать 4-й Гвардейской армией. Покомандовал... Пришлось вскоре снять и отправить от греха подальше на должность заместителя начальника Главного управления формирования РККА.

В апреле 1945 г. за развал боевой подготовки в запасных воинских частях и «бытовое разложение» (т.е. за систематическое пьянство и б...) сняли и с этой работы, снова понизили в звании до генерал-майора. Но все еще не стреляли.

Второй, последний и окончательный приговор был приведен в исполнение только 24 августа 1950 г. После того как Военная коллегия Верховного суда установила, что в пьяных разговорах товарищ Кулик частенько поругивал ту партию, которая вознесла и столько лет держала это ничтожество на вершинах власти. Вот такого товарищ Сталин никому не прощал. Даже своим выдвиженцам.

Невероятно, но и на этом удивительная биография Кулика все еще не заканчивается! В апреле 1956 г. его реабилитировали, а в 1957 году, не без ведома старого его товарища, всесильного тогда министра обороны СССР Жукова, даже «восстановили» в звании Маршала Советского Союза!

Кавычки при слове «восстановили» стоят не случайно. На момент второго ареста Кулик был генерал-майором, так что правильнее было бы говорить об уникальном, единственном в своем роде случае посмертного (!) повышения в звании, да еще на целых четыре ступени...

Строго говоря, уже одно только наличие присутствия таких военачальников, как Кулик и Болдин, могло обречь войска на небывалый разгром. В поисках других причин обратимся (за неимением лучших источников) к воспоминаниям немногих уцелевших.

Анатомия катастрофы

Болдин — незаурядный мемуарист. У него прекрасная, цепкая память, сохраняющая даже самые малозначимые подробности. Вот, описывая свой первый день на войне, он вспоминает и удушливую жару, и то, что вода

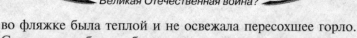
во фляжке была теплой и не освежала пересохшее горло. Самым подробным образом, на десятках страниц описывает Болдин историю своих блужданий по лесам в окружении.

А вот о главном — о подготовке, проведении и результатах контрудара — говорится очень кратко и скупо.

Итак, **первый день** войны, вечер 22 июня.

«...Командующий 10-й армией склоняется над картой, тяжко вздыхает, потом говорит:

— С чем воевать? Почти вся наша авиация и зенитная артиллерия разбиты. Боеприпасов мало. На исходе горючее для танков... Уже в первые часы нападения авиация противника произвела налеты на наши склады с горючим. Они и до сих пор горят. На железнодорожных магистралях цистерны с горючим тоже уничтожены...

...на КП прибыл командир 6-го кавалерийского корпуса генерал-майор И.С. Никитин. Вид у него озабоченный.

— Как дела? — спрашиваю кавалериста.

— Плохи, товарищ генерал. Шестая дивизия разгромлена...

— Остатки дивизии где?

— Приказал сосредоточить в лесу северо-восточнее Белостока».

Без лишних комментариев сравним этот абзац с отрывком из воспоминаний начальника штаба 94-го кавполка той самой «разгромленной» 6-й кавдивизии В.А. Гречаниченко [83].

«...Примерно в 10 часов 22 июня мы вошли в соприкосновение с противником. Завязалась перестрелка. Попытка немцев с ходу прорваться к Ломже была отбита. Правее оборону держал 48 кавалерийский полк. В 23 часа 30 минут 22 июня по приказу командира корпуса генерал-майора И.С. Никитина части дивизии двумя колоннами форсированным маршем направились к Белостоку... К 17 часам 23 июня дивизия сконцентрировалась в лесном массиве в 2 километрах севернее Белостока...»

Второй день войны, 23 июня 1941 г.: *«...к рассвету штабы 6-го механизированного и 6-го кавалерийского корпу-*

сов обосновались на новом месте в лесу в пятнадцати километрах северо-восточное Белостока. Этот живописный лесной уголок стал и моим командным пунктом...» Так точно. И в протоколе допроса Павлова есть подтверждение того, что все штабы, и без того уже находившиеся далеко от места боев (расстояние от Белостока до тогдашней границы составляет 100 км), ушли еще дальше:

«...во второй день части 10-й армии, кроме штаба армии, остались на своих местах. Штаб армии сменил командный пункт, отойдя восточнее Белостока в район Валпы...» [67]

Чем же занимались наши генералы, собравшиеся в живописном лесном уголке?

«Время уходит, а мне так и не удается выполнить приказ Павлова о создании ударной конно-механизированной группы. Самое неприятное (так в тексте. — М.С.) *в том, что я не знаю, где находится 11-й мехкорпус генерала Д.К. Мостовенко. У нас нет связи ни с ним, ни с 3-й армией, в которую он входит...»*

Потрясающее признание. Как заместитель командующего округом мог не знать района дислокации мехкорпуса? Мехкорпус — это не иголка в стоге сена. Их во всем округе было всего лишь шесть, а если не брать в расчет 17-й и 20-й МК, формирование которых только начиналось, то реально боеспособных мехкорпусов было ровно четыре.

Придется напомнить, что штаб 11-го мехкорпуса и 204-я мотодивизия дислоцировались в Волковыске (85 км восточнее Белостока), 29-я танковая дивизия — в Гродно (75 км северо-восточнее Белостока), а 33-я танковая дивизия — в районе местечка Индура (18 км южнее Гродно).

Другими словами, от «живописного лесного уголка в 15 км северо-восточнее Белостока», в котором затаились Болдин с Никитиным, до дивизий 11-го мехкорпуса было примерно 60—70 километров. Но преодолеть это расстояние так и не удалось.

Вплоть до окончательного разгрома, произошедшего 26—27 июня, Болдин не только ни разу не был в располо-

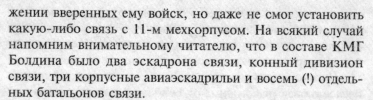

жении вверенных ему войск, но даже не смог установить
какую-либо связь с 11-м мехкорпусом. На всякий случай
напомним внимательному читателю, что в составе КМГ
Болдина было два эскадрона связи, конный дивизион
связи, три корпусные авиаэскадрильи и восемь (!) отдельных батальонов связи.

Для самых дотошных можно указать и их номера: 4, 7,
124, 185-й обс в составе 6-го мехкорпуса и 29, 33, 583-й и
456-й обс в составе 11-го мехкорпуса [8].

*«...В довершение бед на рассвете вражеские бомбарди-
ровщики застигли на марше 36-ю кавалерийскую дивизию*
(ту самую, командир которой перешел на службу к немцам) *и растрепали ее. Так что о контрударе теперь не может быть и речи... я сидел в палатке, обуреваемый мрачными мыслями... »* [80]

Разумеется, Болдин нигде ни словом не обмолвился о
том, какие конкретно силы и средства были включены в
состав конно-механизированной группы, в какой группировке и с какими силами наступал противник, так что
фраза о том, что «растрепанность» одной кавдивизии сделала контрудар советских войск «совершенно невозможным», не казалась читателям такой абсурдной, какой она
является на самом деле.

А внимательный читатель наверняка уже заметил
очень странную хронологию событий: по версии Болдина,
22 июня была «разгромлена» 6-я кавдивизия, на рассвете
23 июня «растрепана» 36-я, других кавалерийских частей в
составе КМГ просто не было, и вдруг после этого, 25
июня начальник штаба сухопутных войск вермахта отмечает в своем дневнике, что в районе Гродно *«крупные массы русской кавалерии атакуют западный фланг 8-го корпуса»*?!?

Да, трудно полководцу водить войска, если он сидит в
живописном лесу, за десятки километров от поля боя, за-
менив разведку слухами и мрачными мыслями...

«...позвонил Хацкилевич, находившийся в частях.

*— Товарищ генерал, — донесся его взволнованный
голос, — кончаются горючее и боеприпасы.*

— Слышишь меня, товарищ Хацкилевич, — надрывал я голос, стараясь перекричать страшный гул летавших над нами вражеских самолетов. — Держись! Немедленно приму все меры для оказания помощи.

Никакой связи со штабом фронта у нас нет. Поэтому я тут же после разговора с Хацкилевичем послал в Минск самолетом письмо, в котором просил срочно организовать переброску горючего и боеприпасов по воздуху...» [80]

Многоточие не должно смущать читателя. Мы ничего не упустили. Именно этим — посылкой письма в Минск — и ограничились «все меры», принятые первым заместителем командующего фронтом.

Третий день войны.

«...фактически находимся в тылу у противника. Со многими частями 10-й армии потеряна связь, мало боеприпасов и полностью отсутствует горючее... из Минска по-прежнему никаких сведений... Противник все наседает. Мы ведем бой в окружении. А сил у нас все меньше. Танкисты заняли оборону в десятикилометровой полосе. В трех километрах за ними наш командный пункт...»

И наконец, **пятый день** войны.

«На пятые сутки войны, не имея боеприпасов, войска вынуждены были отступить и разрозненными группами разбрелись по лесам» [80].

«Разрозненными группами разбрелись по лесам» — признаться, не каждый советский генерал в своих мемуарах оказался способен на такую откровенность.

Вот, собственно, и все, что можно узнать об обстоятельствах разгрома из воспоминаний Болдина.

Перед нами стандартный набор предписанных советской исторической науке «обстоятельств непреодолимой силы»: не было связи, не было горючего, кончились боеприпасы.

Почему нет связи — вражеские диверсанты все провода перерезали.

Куда делось горючее — немецкая авиация все склады разбомбила.

Почему снаряды не подвезли — так письмо же до Минска не долетело...

Ненужные, мешающие усвоению единственно верной истины подробности — сколько было проводов, сколько было диверсантов, какой запас хода на одной заправке был у советских танков, сколько снарядов входит в один возимый боекомплект, какими силами немецкая авиация могла разбомбить «все склады» и сколько этих самых складов было в одном только ЗапОВО — отброшены за ненадобностью. Отброшена за ненадобностью и та простая и бесспорная истина, что Вооруженные Силы как раз и создаются для того, чтобы действовать в условиях противодействия противника.

Что же это за армия такая, если она способна воевать только тогда, когда противник ей не мешает?

Пожалуй, самое интересное и ценное в мемуарах Болдина — **это то, чего в них нет**.

А для того чтобы увидеть то, чего нет, откроем мемуары другого генерала, который в эти же самые дни июня 41-го руководил действиями крупного мотомеханизированного соединения.

Итак, Г. Гудериан, «Воспоминания солдата»:

«*...22 июня в 6 час 50 мин я переправился на штурмовой лодке через Буг... двигаясь по следам танков 18-й танковой дивизии, я доехал до моста через реку Лесна... при моем приближении русские стали разбегаться в разные стороны... в течение всей первой половины дня 22 июня я сопровождал 18-ю тд...*

...23 июня в 4 час 10 мин я оставил свой командный пункт и направился в 12-й армейский корпус, из этого корпуса я поехал в 47-й танковый корпус, в деревню Бильдейки в 23 км восточнее Брест-Литовска. Затем я направился в 17-ю танковую дивизию, в которую и прибыл в 8 часов... Потом я поехал в Пружаны (70 км на северо-восток от границы. — М.С.), *куда был переброшен командный пункт танковой группы...*

...24 июня в 8 час 25 мин я оставил свой командный пункт и поехал по направлению к Слониму (это еще на 80

км в глубь советской территории. — М.С.)... *по дороге я наткнулся на русскую пехоту, державшую под огнем шоссе... я вынужден был вмешаться и огнем пулемета из командирского танка заставил противника покинуть свои позиции...*

...в 11 час 30 мин я прибыл на командный пункт 17-й танковой дивизии, расположенный на западной окраине Слонима (т.е. уже в глубоком тылу 10-й армии и КМГ Болдина. — М.С.), *где, кроме командира дивизии, я встретил командира 47-го корпуса...»* [65]

«Где, кроме командира дивизии, я встретил командира танкового корпуса...»

И происходит эта встреча трех генералов на полевом КП, в сотне метров от линии огня. Вот и вся разгадка того, **почему Красная Армия на собственной территории оказалась «без связи», а немецкая армия на нашей территории — со связью.**

Партийные историки десятки лет объясняли нам, что связь на войне обеспечивается проводами и радиостанциями (которых в 41-м году якобы не было). А Гудериан просто и доходчиво показывает, что **проблема связи и управления войсками решается не проводами, а людьми!**

Командиру передовой 17-й танковой дивизии вермахта никуда не надо было звонить. Его непосредственный начальник — командир 47-го танкового корпуса — вместе с ним на одном командном пункте лично руководит боем, а самый среди них главный начальник — командующий танковой группы — по нескольку раз за день, под огнем противника на танке прорывается в каждую из своих дивизий. И если бы Гудериан предложил им засесть на пару дней в «живописном лесном уголке» и посылать оттуда «письма самолетом в Берлин», то в лучшем случае они бы восприняли это как шутку — глупую и неуместную на войне.

И это вовсе не злобное брюзжание дилетанта. Генерал-полковник Сандалов в своей книге воспоминаний [82] приводит такое высказывание члена Военного совета 4-й армии:

«...вновь заговорил Шлыков: огромным злом является от-

рыв крупных штабов от войск. Это приводит к потере
управления боем... штаб фронта находится где-то в районе
Минска, более чем за триста километров от передовых
войск. Штабы армий, чтобы не потерять связь (??? —
М.С.) *с ним, тоже располагаются в глубине, местами более*
чем на пятьдесят километров от линии фронта... А куда
это, к черту, годится!..» Золотые слова. Правда, из дальнейшего текста воспоминаний Сандалова следует, что уже
через несколько часов после этого разговора штаб армии в
очередной раз перебазировался на восток. Ну а штаб Павлова уже 26 июня оказался под Могилевом — в 500 км от
границы!

Что же касается проводов, то с ними на Западном
фронте было не так уж и плохо. Согласно докладной записке начальника штаба фронта генерал-майора Климовских от 19 июня 1941 г., в распоряжении службы связи
округа было 117 000 изоляторов, 78 000 крюков и 261 тон-
на проводов [2, с. 44].

В качестве иллюстрации к вопросу о реальной технической оснащенности Красной Армии можно привести
следующие данные из докладной записки НКО и Генштаба РККА в Политбюро. На начало января 1941 г. в Вооруженных силах СССР численность: [16, док. 272]

— фронтовых радиостанций (РАТ) 40 штук (т.е. 8 на
    каждый из пяти будущих фронтов);
— армейских (2А, РАФ, 11АК) 845 штук (т.е. полсотни
    на одну армию);
— корпусных и дивизионных (3А, РСБ, 4А) 768 штук;
— полковых (5 АК) 5909 штук (примерно 4 штуки на
    полк);

Таким было количество в январе 1941 г. Но заводы
продолжали работать, и к лету число радиостанций в войсках должно было стать еще большим. Теперь пара слов о
качестве. Самая маломощная из вышеупомянутых радиостанций (5АК) имела радиус действия 25 км при телефонной связи и 50 км — при телеграфной связи «морзянкой».

В большой статье с красноречивым названием «Истоки поражения в Белоруссии» [78] автор с горестным воз-

дыханием сообщает читателям, что обеспеченность войск ЗапОВО средствами радиосвязи была очень, очень низкой: «*полковыми радиостанциями — на 41%, батальонными — на 58%, ротными — на 70%*».

Как это принято у нас, мешающие правильному воспитательному процессу факты — а сколько это в штуках на один полк или стрелковую роту — пропущены. Постараемся восполнить это досадное упущение. По штатному расписанию стрелковой дивизии от апреля 1941 г. в одном гаубичном артполку должно было быть **37 радиостанций** (на 36 гаубиц), в артиллерийском полку — **25 радиостанций** (на 24 пушки), **3 радиостанции** в стрелковом полку и по **5 радиостанций** в каждом стрелковом батальоне. Оцените и это словосочетание: «ротная радиостанция». Разве не говорит оно о высочайшем (для первой половины XX века) уровне технической оснащенности сталинской армии?

К слову говоря, в распоряжение танковых групп вермахта было выделено всего по одной роте диверсантов из состава пресловутого полка особого назначения «Бранденбург». В составе роты было 2 офицера, 220 унтер-офицеров и рядовых, в том числе 20—30 человек со знанием русского языка [ВИЖ, 1989, № 5]. И такими-то силами немцы, как утверждает Болдин, уже ранним утром 22 июня 1941 г. «*на протяжении пятидесяти километров повалили все телеграфные и телефонные столбы*» — и это только в полосе одной 3-й армии!

На этом закроем (пока) книжку Болдина. Мы не станем обсуждать его полководческий талант, мы не смеем упрекнуть его в отсутствии личного мужества, но выступать в качестве свидетеля разгрома конно-механизированной группы Западного фронта генерал Болдин не может. Его там (на месте разгрома) просто не было.

К сожалению, и от реальных свидетелей трудно добиться внятного изложения если даже и не причин, то хотя бы обстоятельств катастрофы.

Возьмем воспоминания В.А. Гречаниченко (начштаба 94-го кавполка 6-й кавдивизии). Они полны живых, непридуманных картин страшного разгрома. Вот как описывает он то, что Болдин кратко обозначил словами «на пятые сутки войны, не имея боеприпасов, войска разрозненными группами разбрелись по лесам»: «*...Мимо сплошным потоком двигались автомашины, трактора* (как видно, не все горючее сгорело на разбомбленных немцами складах. — М.С.)*, повозки, переполненные народом. Мы пытались останавливать военных, ехавших и шедших вместе с беженцами. Но никто ничего не желал слушать. Иногда в ответ на наши требования раздавались выстрелы* (т.е. боеприпасы тоже еще оставались — для стрельбы по своим. — М.С.)*. Все уже утверждали, что занят Слоним, что впереди высадились немецкие десанты, заслоны прорвавшихся танков, что обороняться здесь не имеет никакого смысла. 28 июня, как только взошло солнце, вражеская авиация начала повальную обработку берегов Роси и района Волковыска. По существу, в этот день окончательно перестали существовать как воинские формирования соединения и части 10-й армии. Все перемешалось и валом катилось на восток...*

...когда наша небольшая группа во второй половине дня 30 июня вышла к старой границе, здесь царил такой же хаос, как и на берегах Роси. Все перелески были забиты машинами, повозками, госпиталями, беженцами, разрозненными подразделениями и группами наших войск...» [83]

Но вот узнать, как и почему дошла наша армия до такого состояния, из мемуаров Гречаниченко трудно. Из его описания видно, как в первые дни войны его полк безостановочно и хаотично движется по лесным дорогам; в тексте мелькают названия безвестных польско-белорусских местечек: Сокулка, Крынки, Берестовицы, Сидра...

Первое соприкосновение с противником происходит только вечером 24-го:

«*...в 21 час 24 июня эскадрон вошел в соприкосновение с противником в долине реки Бебжа южнее Сидры. Командир полка для поддержки головного отряда ввел в бой артиллерию. Противник не выдержал натиска и отошел за реку...*» Здесь нет преувеличения. Именно в этот день, 24 июня, в дневнике Гальдера и появляется запись о «*довольно серьез-*

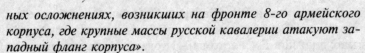

ных осложнениях, возникших на фронте 8-го армейского корпуса, где крупные массы русской кавалерии атакуют западный фланг корпуса».

Кстати. Об использовании кавалерии, да еще и среди белорусских болот, наши партийные «историки» рассуждали с горестным покачиванием головы, как о примере вопиющей отсталости Красной Армии и ее полной неготовности к ведению современной войны. Да вот незадача: в составе самой мощной, 2-й танковой группы вермахта, руководимой совсем даже не «отсталым» Гудерианом, тоже была кавалерийская дивизия! Причем поставил ее Гудериан почему-то на свой правый (южный то есть) фланг, в самую трясину болот Полесья.

Уж как только не «боролись» с этой дивизией советские историки и мемуаристы! Болдин в своих воспоминаниях дошел до того, что поменял седла на парашюты и сообщил читателям о наличии в составе немецкой группы армий «Центр» не кавалерийской, а... «десантной» дивизии!

А ведь ларчик-то открывается очень просто.

Ни Гудериан, ни Павлов не собирались атаковать конной лавой по болоту. Лошадь в кавдивизиях Второй мировой войны выполняла роль **транспортного средства**, повышающего подвижность соединения (в сравнении с обычной пехотой) во много раз. А непосредственно в бой и немецкие, и советские кавалеристы шли, как правило, в пешем строю.

Конечно, никакая лошадь не может соревноваться с мотором в способности к непрерывному, многочасовому и многодневному движению. Поэтому, после того как друг Рузвельт подарил товарищу Сталину сотни тысяч трехосных «Студебекеров» с их фантастической надежностью и проходимостью, эра кавалерии в Красной Армии закончилась.

Хотя и не вдруг и не сразу. Так, еще в июле 1944 г. в составе 1-го Украинского фронта для наступления на Львов — Сандомир были созданы две конно-механизированные группы под командованием генерал-лейтенантов

С.В. Соколова и В.К. Баранова, и даже в освобождении Праги в мае 1945 г. приняли участие девять (!) кавалерийских дивизий. Ну а летом 1941 года ни у нас, ни у немцев еще не было достаточного количества автомашин повышенной проходимости, способных перемещать стрелковые подразделения по извилистым лесным дорогам вслед за наступающими танками, и наличие крупных сил кавалерии было **одним из значимых преимуществ** Красной Армии.

На практике эта очевидная «теория» выглядела так:

«...моторизованным соединениям предстояло в этот день продвигаться по холмистой песчаной местности, покрытой густым девственным лесом. Движение по ней (особенно автомашин французского производства) было почти невозможно... Машины все время застревали и останавливали всю следующую за ними колонну, так как возможность объезда на лесных дорогах полностью исключалась... Пехотинцы и артиллеристы вынуждены были все время вытаскивать застрявшие машины... Для командования было настоящим мучением видеть, как задыхаются его «подвижные» войска...»

Так, командующий 3-й танковой группы вермахта Г. Гот описывает в своих мемуарах события 23 июня 1941 г. За весь этот день, практически не вступая в бой, его моторизованные дивизии прошли не более 50—60 км.

«Расстояние в 75 километров мы прошли без привалов. В порядок маршевые колонны приводили себя на ходу. Было не до передыху. Уже к 17 часам 23 июня дивизия сконцентрировалась в лесном массиве в 2 километрах севернее Белостока... День клонился уже к вечеру, когда мы получили приказ двигаться далее в направлении Сокулки. Марш-бросок на 35 километров совершили быстро...»

А это — строки из воспоминаний Гречаниченко. Нетрудно убедиться, что в лесной глухомани Западной Белоруссии советская кавалерия по своей подвижности, как минимум, не уступала немецкой мотопехоте.

К тому же «конармейские наши клинки» давно уже перестали служить главным оружием красной кавалерии.

Некоторое представление о структуре и вооружении кавкорпуса Красной Армии образца 1941 г. можно получить, например, из мемуаров легендарного полководца Великой Отечественной генерала П.А. Белова (в первые месяцы войны он командовал 2-м кавкорпусом, развернутым на Южном фронте, в Молдавии):

«...Для управления войсками имелся небольшой подвижный штаб, передвигавшийся верхом или на автомашинах, авиазвено связи, дивизион связи и комендантский эскадрон. Тыловых учреждений в корпусе не было.

Каждая из двух кавалерийских дивизий состояла из четырех кавалерийских полков, танкового полка, артиллерийского дивизиона и 76-мм зенитно-артиллерийского дивизиона, эскадрона связи и саперного эскадрона с инженерно-переправочным парком.

В кавалерийском полку... имелись пулеметный эскадрон с 16 пулеметами на тачанках, батарея 76-мм облегченных полковых пушек и спецподразделения.

В танковом полку насчитывалось около 50 танков БТ и 10 бронеавтомобилей.

В конно-артиллерийском дивизионе была батарея 120-мм гаубиц и три батареи 76-мм пушек.

ПВО корпуса составляли хорошо обученные 76-мм зенитные дивизионы кавалерийских дивизий и взводы счетверенных пулеметов в полках...»

Согласитесь, на фоне этих фактов как-то совсем по-другому начинают восприниматься стенания наших профессиональных плакальщиков по поводу «неготовности Красной Армии к войне»...

Стоит отметить и то, что 6-я кавдивизия, в составе которой воевал полк Гречаниченко, в сентябре 1939-го входила в состав КМГ комкора Болдина и 22 сентября приняла из рук немцев «освобожденный» Белосток, а вторая дивизия корпуса (36-я кавалерийская) также участвовала в «освободительном походе» в этих же местах: 19 сентября 36-я кавдивизия вместе с другими частями 3-й и 11-й армий штурмом взяла Вильно (Вильнюс).

А уж сколько наркомов и маршалов начинало свою

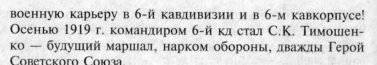

военную карьеру в 6-й кавдивизии и в 6-м кавкорпусе! Осенью 1919 г. командиром 6-й кд стал С.К. Тимошенко — будущий маршал, нарком обороны, дважды Герой Советского Союза.

В следующем, 1920 году помощником начштаба 6-й кд становится К.А. Мерецков — будущий маршал, Герой Советского Союза, начальник Генерального штаба РККА и заместитель наркома обороны в 1940—1941 гг.

В середине 30-х годов 6-м кавкорпусом командует Г.К. Жуков — будущий маршал, начальник Генерального штаба (после Мерецкого), четырежды Герой Советского Союза, а после смерти Сталина — министр обороны СССР.

Осенью 1939 г. 6-й кавкорпус ведет в бой еще один будущий маршал — А.И. Еременко. Начальником штаба артиллерийского полка в той же 6-й кавдивизии служил и будущий маршал К.С. Москаленко.

Даже с учетом «особой роли» Первой конной в формировании высшего командного состава РККА нельзя назвать 6-й кавкорпус иначе, как элитным соединением красной кавалерии. Остается только добавить, что начало войны с Германией этот незаурядный кавкорпус встретил в старинном польском городе Ломжа — т.е. прямо на границе с Германией!

Повторение — мать внушения. Коммунистические историки-пропагандисты столько тысяч раз рассказывали нам про то, как «накопивший двухлетний опыт ведения современной войны» вермахт обрушился на «плохо подготовленные советские войска», что в конце концов эта весьма спорная (точнее говоря — вздорная) гипотеза превратилась в непререкаемую аксиому. Но давайте попробуем воспользоваться головой и зададим ей простой вопрос: когда и где мог вермахт набраться этого самого «двухлетнего опыта ведения войны»?

Три недели боев в Польше, три-четыре недели активных боевых действий во Франции, неделя в Югославии. Вот и все. Даже чисто арифметически это **два месяца, а не два года!**

За исключением майских боев во Франции, вермахт имел дело с плохо вооруженным, малочисленным противником. Где же тут было набраться опыта танковой войны, войны машин и моторов? Менее ли значимым был опыт Халхин-Гола и трех месяцев финской войны? Да, у вермахта были еще ожесточенные бои при высадке в Норвегию, на Крите, в ливийской пустыне — но это все «бои местного значения», в которых приняло участие всего три-четыре дивизии.

Разумеется, кадровые дивизии вермахта были обучены и подготовлены в лучших традициях прусской военщины. Но много ли их было — кадровых?

До начала Второй мировой войны Германия успела подготовить только **35 кадровых** пехотных дивизий. На их базе были сформированы так называемые «пехотные дивизии первой волны» — элита вермахта. 22 июня 1941 г. в составе групп армий «Север», «Центр», «Юг» таких дивизий было всего 24 — **одна пятая от общего количества** пехотных дивизий!

Теперь от этих общих соображений вернемся к трагической истории разгрома 6-й кавдивизии. Как мы уже знаем, дивизия эта — одна из лучших и старейших во всей Красной Армии. А какая подготовка, какой «двухлетний опыт ведения войны» мог быть у противостоящих ей немецких пехотных дивизий с номерами 162 и 256? Обе созданы уже в ходе войны, обе после Французской кампании отведены на восток, где и простояли в бездействии до 22 июня 1941 г. Да что уж говорить про немецкую пехоту, если даже в самой мощной танковой группе Гудериана из пяти танковых дивизий две (17-я и 18-я) были «новорожденными». Первая из них была создана в октябре 1940 г. (т.е. уже после завершения боев в Польше и во Франции) на базе 27-й ПЕХОТНОЙ дивизии, вторая — в том же месяце на базе 4-й и 14-й ПЕХОТНЫХ дивизий. В Балканской кампании эти дивизии не участвовали, так что 22 июня 41-го года стало для них первым днем войны...

Вернемся, однако, к мемуарам Гречаниченко.

«...25 июня немецкая артиллерия открыла массирован-

ный огонь на всю глубину боевого порядка полка. В воздухе на небольшой высоте непрерывно барражировала вражеская авиация... Уже в первые часы все наше тяжелое вооружение было выведено из строя, радиостанция разбита, связь полностью парализована. Полк нес тяжелые потери, был плотно прижат к земле, лишен возможности вести какие-либо активные действия. Погиб подполковник Н.Г. Петросянц. Я принял на себя командование полком, а точнее — его остатками...»

Стоит отметить, что есть и несколько другие описания этих событий:

«...6-я кавалерийская дивизия с утра 25 июня в исходном районе для наступления (Маковляны, кол. Степановка) подверглась сильной бомбардировке с воздуха, продолжавшейся до 12 часов дня. Кавалеристы были рассеяны и в беспорядке начали отходить в леса...» [8]

К концу дня 25 июня от всей 6-й кавдивизии остался отряд в 300 человек, который под командованием автора мемуаров и старшего лейтенанта (оцените воинское звание командира, принявшего на себя командование остатками полка!) Я. Гавронского из соседнего, 48-го кавполка начинает безостановочный отход, практически не имея какого-либо соприкосновения с противником.

Вот и весь «краткий курс» истории разгрома 6-й кавдивизии.

Сильным и мужественным мужчинам свойственно быть добрыми и терпимыми к слабостям других людей. В.А. Гречаниченко — человек исключительного мужества. Именно ему командующий 3-й армией В.И. Кузнецов доверил 2 июля 1941 г. возглавить отряд прикрытия прорыва группы войск Западного фронта. Самому Владимиру Алексеевичу выйти из окружения не удалось, он стал партизаном и освобождение Белоруссии встретил в должности комиссара 1-й Белорусской кавалерийской партизанской бригады.

Автор этой книги на звание мужественного мужчины не претендует. И у него, как у специалиста, знакомого с историей Второй мировой войны в ее конкретно-цифро-

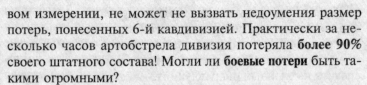

вом измерении, не может не вызвать недоумения размер потерь, понесенных 6-й кавдивизией. Практически за несколько часов артобстрела дивизия потеряла **более 90%** своего штатного состава! Могли ли **боевые потери** быть такими огромными?

Вскоре после окончания войны, в 1946 году Воениздат выпустил книгу генерал-полковника Ф.А. Самсонова «Артиллерийское наступление». Обобщая опыт боевых действий, автор приходит к средним «нормам» в 150—200 орудий на 1 км фронта наступления и 50 тысяч снарядов калибра «выше среднего» (122 мм) для подавления обороны пехотной дивизии. Это — в среднем. Фактически на завершающем этапе войны создавались гораздо большие плотности.

Одним из самых выдающихся примеров роли артиллерии при прорыве вражеской обороны является Висло-Одерская операция Красной Армии (январь 1945 г.). Утром 12 января передний край обороны немецких войск был сметен массированным артогнем. Генерал Д.Д. Лелюшенко в своих воспоминаниях пишет: «...*лес был буквально как косой срезан осколками снарядов... многие пленные были взяты в траншеях в невменяемом состоянии, просто полусумасшедшими... большинство солдат 574-го полка вермахта было убито или ранено...*» [22]

Но для достижения такого результата советское командование создало в полосе прорыва чудовищную артиллерийскую плотность — **420 орудий на километр** фронта! На каждом метре обороны немецких войск разорвалось (в среднем) по 15 снарядов крупного калибра. В полосе наступления 5-й ударной армии за один час было израсходовано 23 килотонны боеприпасов — это мощность «хиросимской» атомной бомбы [107, с. 96].

Ничего подобного в полосе наступления 20-го и 8-го корпусов вермахта в июне 41-го года не было и быть не могло. Полностью укомплектованная по штатам военного времени немецкая пехотная дивизия могла иметь на вооружении всего 74 пушки и гаубицы калибров 75—105 мм. В среднем на одну дивизию 20-го и 8-го корпусов прихо-

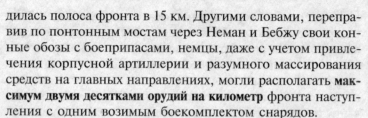

дилась полоса фронта в 15 км. Другими словами, переправив по понтонным мостам через Неман и Бебжу свои конные обозы с боеприпасами, немцы, даже с учетом привлечения корпусной артиллерии и разумного массирования средств на главных направлениях, могли располагать **максимум двумя десятками орудий на километр** фронта наступления с одним возимым боекомплектом снарядов.

Если бы такими огневыми средствами можно было уничтожать по одной дивизии за один день, то Вторая мировая не продолжалась бы шесть лет. Она бы закончилась за месяц — по причине полного взаимного истребления сторон...

Политдонесение политотдела

Столь же противоречивую и маловразумительную информацию имеем мы и об очень коротком боевом пути 11-го мехкорпуса. Тем не менее то немногое, что известно автору, позволяет предположить, что именно 11-й МК — «слабое звено» в составе КМГ Болдина — доставил немцам наибольшее беспокойство.

Любые упоминания об 11-м МК в традиционной советской историографии сопровождаются горестными причитаниями: «*укомплектован на 23% танками устаревших марок... укомплектованность автотранспортом и тракторными тягачами составляла 15—20% от штатных норм... укомплектованность офицерами-танкистами составляла 45—55% от штата...*» Ну и так далее.

Все это — чистая правда. Вообще. Перейдем к конкретным подробностям. Прежде всего, заменим все эти «проценты неизвестно от чего» абсолютными величинами.

Главное вооружение мехкорпуса — танки. В исторической литературе встречаются самые разные цифры: от 237 единиц [ВИЖ, 1989, № 4] до 414 («1941 год — уроки и выводы»). Автор предлагает взять за основу цифру **331** — именно такое количество танков указано в документе, составленном непосредственными участниками событий.

Речь идет про опубликованное в ВИЖ (1989, № 9) «Политдонесение политотдела 11-го мехкорпуса Военному совету Западного фронта от 15 июля 1941 г.».

Обратите особое внимание, уважаемый читатель, на дату подписания документа. 15 июля 1941 года Павлов и его «подельники» уже арестованы, но суд еще не состоялся. Оставшиеся на свободе командиры, имевшие прямое отношение к катастрофическому разгрому войск Красной Армии, чувствуют за своей спиной отчетливое дуновение лубянских подвалов. Это мы сегодня знаем, что поражение спишут на «внезапность нападения» и «устаревшие танки». Люди, на памяти которых был 1937 год, могли и должны были ожидать самого худшего, и это не могло не сказаться на духе и интонациях вышеупомянутого «политдонесения», в котором нет ни капли «политики», зато есть длинный перечень «уважительных причин». Не нам судить комиссаров 1941 года, но принять во внимание эти обстоятельства для историка просто необходимо.

Танки в 11-м МК действительно были самыми устаревшими: 242 танка Т-26, 18 огнеметных (не сказано на каком, но, возможно, на еще более древнем шасси), 44 танка БТ старой модификации (БТ-5). Новых танков — всего ничего: 24 средних Т-34 и 3 тяжелых КВ. К тому же *«до 10—15% танков в поход не были взяты, так как они находились в ремонте».*

Итого: порядка **280 боеготовых танков**, из них почти все — легкие и устаревшие.

Может ли воевать танковое соединение, вооруженное таким «хламом»?

Генерал Болдин в своих мемуарах отвечает на этот вопрос, как всегда, ярко, коротко и образно: *«Да и что можно требовать от Т-26? По воробьям из них стрелять...»* [80]

Имеем ли мы право не верить генералу, герою войны? Нет, не имеем. Мы видели Т-26 на картинке в журнале, а Болдин его видел на поле боя. Поэтому не будем (пока) умничать, а лучше продолжим чтение его (Болдина) мемуаров:

*«...к вечеру 27 июня вышли на опушку леса. Видим неда-
леко три танка БТ-7... Увидев нас, танкисты поднялись.
Старший доложил, что боеприпасов у каждой машины по
комплекту, а горючего нет..»* И вот в этот самый момент:
*«...проселочная дорога закурилась пылью, и на ней показалась
вражеская колонна из 28 танков. Каждая минута дорога.
Приказал танкистам открыть огонь. Наш удар оказался
для гитлеровцев настолько неожиданным, что, пока они
пришли в себя и открыли ответный огонь, мы уничтожили
двенадцать* (!!! — М.С.) *вражеских машин...»*

Бдительный читатель, надеюсь, уже заметил подвох:
БТ-7, это совсем не Т-26.

Да, танки разные, но пушка — одна и та же. И танк
Т-26, и танки БТ-5 и БТ-7, и пушечные бронеавтомобили
БА-10 были вооружены одной и той же пушкой калибра
45 мм (в танковом варианте она называлась «20К образца
1932/38 года»). Более того, когда в 1933 году на Харьков-
ском заводе № 183 им. Коминтерна (именно так называл-
ся самый мощный танковый завод мира!) под пушку
20К разработали удачную конструкцию цилиндрической
башни, то такой же башней в Ленинграде, на заводе
№ 174, стали комплектовать самую массовую модифика-
цию танков Т-26.

Можно ли верить Болдину, который рассказывает об
уничтожении 12 немецких танков за несколько минут огнем «антиворобьиных» пушек 20К? Безусловно, можно.

Во-первых, потому, что он видел это своими глазами.

Во-вторых, потому, что это вполне соответствует тактико-техническим характеристикам наших пушек.

От «опушки леса» до «проселочной дороги» в лесных
районах Западной Белоруссии едва ли было более 500
метров. На такой дистанции стандартный бронебойный
снаряд БР-240, выпущенный из пушки 20К, пробивал с
вероятностью 80% броневой лист толщиной в 38 мм [93].
В июне 1941 года НИ ОДИН немецкий танк (включая так
называемый «тяжелый танк» PZ-IV самой последней серии F) не имел бортовой брони толще 30 мм, и, таким образом, фланговый огонь советских «сорокапяток» был гу-

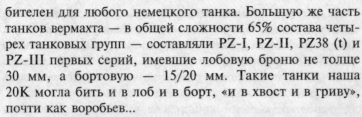

бителен для любого немецкого танка. Большую же часть танков вермахта — в общей сложности 65% состава четырех танковых групп — составляли PZ-I, PZ-II, PZ38 (t) и PZ-III первых серий, имевшие лобовую броню не толще 30 мм, а бортовую — 15/20 мм. Такие танки наша 20К могла бить и в лоб и в борт, «и в хвост и в гриву», почти как воробьев...

Все познается в сравнении. Ума не приложу, почему советские «историки» столько лет игнорировали это простейшее, очевидное правило? Разумеется, 11-й МК был слабым и «недоделанным» — по сравнению, например, с 6-м мехкорпусом, в котором было 352 новейших КВ и Т-34, сотни БТ последней модификации и шесть тысяч автомашин.

Но воевать-то предстояло с немцами, а не со своими соседями по округу! Вот с немцами, с их оснащенностью, с их вооружением, с их возможностями и надо сравнивать боевую мощь 11-го мехкорпуса.

В составе войск пяти западных военных округов было 20 мехкорпусов. Если исключить из этого перечня 17-й и 20-й МК, в которых было всего 63 и 94 танка соответственно (в Красной Армии про 94 танка говорили «всего 94»), то остается **18 мехкорпусов.**

В составе сил вторжения вермахта было **17 танковых дивизий**. Вот с ними-то можно и нужно сравнивать наши мехкорпуса, в частности — 11-й МК.

Выше мы уже отмечали, что немецкие танковые дивизии и корпуса не имели строго определенного состава. Поэтому возьмем для сравнения **самую крупную** танковую дивизию вермахта, какая только была на всем Восточном фронте. Это 7-я танковая под командованием генерал-майора фон Функа. Такое сравнение тем более уместно, что 7-я тд входила в состав той самой 3-й танковой группы вермахта, во фланг и тыл которой должна была бы нанести удар КМГ Болдина.

Главное вооружение танковой дивизии — танки. Их в 7-й тд вермахта было **265 единиц.**

А в нашем «неукомплектованном» 11-м МК — **331**

танк. Почему-то принято (среди советских пропагандистов) считать, что у немцев ничего никогда не ломалось, и число боеготовых танков всегда равнялось общему их числу. Даже если принять это абсурдное допущение, то и тогда 11-й МК превосходил самую крупную танковую дивизию вермахта по количеству боеготовых танков.

Теперь от количества перейдем к качеству. На вооружении 7-й тд вермахта было [10]:

— 53 танка PZ-II;

— 167 чешских танков PZ-38(t);

— 30 танков PZ-IV;

— 15 «командирских» танков с пулеметным вооружением, из них 7 на базе PZ 38(t).

Подробный сравнительный анализ тактико-технических характеристик советских и немецких танков начала войны приведен в части 3 (там, где речь пойдет о встречном танковом сражении на Западной Украине). Пока же ограничимся только кратким указанием на то, что так называемый «тяжелый» немецкий танк PZ-IV воистину «не шел ни в какое сравнение» с нашим Т-34 и уж тем более — с монстром КВ.

Что же касается PZ-II и PZ-38(t), то это такой же хлам, как и наш устаревший Т-26. Маломощный бензиновый двигатель, узкие гусеницы, черепашья скорость (максимальная скорость по пересеченной местности у PZ-38(t) — всего 15 км/час, у Т-26 чуть больше — 18 км/час), тонкая противопульная броня. Разница только в том, что в отличие от сварных советских танков, броневые листы башни чешского PZ-38(t) были собраны на заклепках, головки которых при попадании вражеского снаряда отрывались и смертельно калечили экипаж. Именно танки PZ-38(t) понесли в Восточном походе самые большие потери — до начала 1942 г. не «дотянул» ни один из тех 820 чешских танков, которые в июне 1941 г. перешли границу СССР.

Создается впечатление, что 11-й МК и 7-я танковая дивизия вермахта обладали примерно равными (если не принимать во внимание наличие в 11-м МК трех десятков

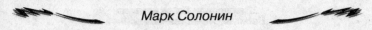

новейших танков) боевыми возможностями. Нет, это поспешный и ошибочный по сути своей вывод.

11-й мехкорпус был значительно сильнее.

«Танк — это повозка для пушки». В этом афоризме, авторство которого приписывается выдающемуся советскому конструктору артсистем Грабину, есть, конечно, доля преувеличения. Но совсем небольшая. Все параметры танка, какими бы важными они ни были сами по себе, вторичны по отношению к главному — вооружению. Танк создан не для езды и не для укрытия, а для уничтожения. Уничтожения огневых средств и живой силы, командных пунктов и узлов связи в тылу противника, разгрома транспортных колонн и складов в оперативной глубине его обороны.

Так вот, для выполнения этих основных задач танковых войск 11-й МК был вооружен гораздо лучше, нежели 7-я тд вермахта. Под нашу танковую пушку 20К был разработан осколочно-фугасный снаряд весом 1,4 кг. Это, конечно, очень легкий снарядик (в пять раз легче, чем у стандартной «трехдюймовки»), но все же какие-то цели на поле боя (пулеметное гнездо, минометная батарея, бревенчатый блиндаж) он мог поразить. А пушек 20К в составе 11-го мехкорпуса было: 286 на танках БТ и Т-26 и еще 141 на пушечных бронеавтомобилях [78]. Всего **427 стволов.**

А на вооружении танков 7-й немецкой тд всего **167 танковых пушек** фирмы «Шкода» А-7 (немецкое обозначение KwK-38). Это 37-мм пушка, и вес немецкого 37-мм осколочного снаряда (610 г) был в два раза меньше, чем у соответствующего снаряда советской 20К, что и обуславливало значительно меньшее поражающее действие по пехоте и укрытиям противника.

Что же касается легких немецких танкеток PZ-II, то снарядик установленной на них 20-мм пушки вообще не годился для борьбы с пехотой и артиллерией. Такой калибр — это калибр авиационных и самых легких зенитных орудий. Кстати, испытания советских авиапушек показали, что осколочно-фугасное действие 20-мм снарядов столь мало, что поразить незащищенную живую силу противника можно только при прямом попадании такого «снаряда» в человека [84].

Разумеется, серьезная «работа» по огневому подавлению противника должна была быть возложена не на легкие танки, а на входившую в состав танковых частей артиллерию. И вот тут-то главным образом и проявляется разница между советским мехКОРПУСОМ (пусть даже и недоукомплектованным) и немецкой ДИВИЗИЕЙ.

На вооружении артиллерийских полков (множественное число) 11-го МК, не считая зенитной и противотанковой артиллерии, было [78]:
— 16 гаубиц калибра 152 мм;
— 36 гаубиц калибра 122 мм;
— 21 пушка калибра 76 мм.

А на вооружении одного-единственного артиллерийского полка немецкой танковой дивизии, полностью укомплектованной по штату осени 1940 г., могло быть только:
— 12 гаубиц калибра 150 мм;
— 24 гаубицы калибра 105 мм;
— 4 пушки калибра 150 мм (или 105 мм).

Общий вывод очевиден — недоукомплектованный 11-й МК по своей огневой мощи значительно превосходил самую крупную танковую дивизию немцев.

Наконец, в составе любого советского мехкорпуса было больше людей, нежели в любой немецкой танковой дивизии. Что и неудивительно: в корпусе три дивизии и множество отдельных корпусных частей. Конкретнее, в 11-м мехкорпусе по состоянию на 1 июня 1941 г. несло службу 21 605 человек личного состава, а максимальная штатная численность немецкой танковой дивизии была в полтора раза меньше. Причем 21 605 человек было в 11-м МК по состоянию на 1 июня 1941 г.

К 22 июня людей могло стать больше, так как в стране полным ходом шла скрытая мобилизация резервистов (всего на «большие учебные сборы» до начала войны успели призвать 768 тыс. человек).

Единственное, в чем 11-й МК уступал 7-й тд противника, так это в количестве автомашин, т.е. в способности мотопехоты, артиллерии и тыловых служб двигаться вслед за наступающим «танковым клином». 15% от штатной численности — это «только» 775 автомашин. Не густо. В два раза меньше, чем в полностью укомплектованной по штатным нормам танковой дивизии вермахта. И если бы 11-й мехкорпус действительно перешел в наступление от Гродно на Меркине — Алитус (70—90 км), как это было предписано приказом Павлова, то не обеспеченная транспортом «мотопехота» неизбежно отстала бы...

Но в действительности никакого *тактического прорыва и превращения его в прорыв оперативный* не было и в помине, гнаться за немцами не пришлось — они сами подошли к Гродно, и свой первый и последний бой 11-й МК принял практически в районе довоенной дислокации.

В такой ситуации нехватка автомашин не могла быть столь фатальной. Более того, из вышеупомянутого «политдонесения» мы узнаем, что на рассвете 22 июня командование корпуса приняло абсолютно верное решение:

«...по боевой тревоге все части вывели весь личный состав, имеющий вооружение и могущий драться, что составило 50—60 проц. всего состава, а остальной состав был оставлен в районе дислокации частей... Ввиду необеспеченности автотранспортом 204-я мсд 1-й эшелон из района Волковыск (82 км по шоссе до Гродно. — М.С.) перебросила на автомашинах, а последующие перебрасывались комбинированным маршем. Через 7 часов (29-я тд через 3 часа и 33-я тд — через 4 часа) после объявления боевой тревоги части корпуса заняли район сосредоточения...»

В дальнейшем мы увидим, что именно так — по принципу «лучше меньше, да лучше» — действовали Рокоссовский (9-й МК), Фекленко (19-й МК), Лелюшенко (2-й МК), свернувшие свои неукомплектованные корпуса фактически в одну полноценную танковую дивизию.

Таким образом, выясняется, что советские историки были совершенно правы. Никакого «мехкорпуса» в районе Гродно не было. Под названием «11-й мехкорпус» к 10 часам утра 22 июня 1941 г. южнее Гродно сосредоточилась **дивизия легких танков,** по всем цифровым параметрам **превосходящая самую крупную танковую дивизию вермахта.**

Самая крупная 7-я танковая дивизия вермахта наделала много бед. Очень подробно, истинно «по-немецки» написанные мемуары командующего 3-й танковой группой Г. Гота [13] позволяют в деталях проследить боевой путь 7-й тд в первые дни и недели войны.

К полудню 22 июня захвачены мосты через Неман у Алитуса (45 км от границы), рано утром 23 июня в *«исключительно тяжелом танковом бою»* разгромлена подошедшая к Алитусу 5-я советская танковая дивизия (3-й мехкорпус), в полдень 23 июня *«танковый полк 7-й тд вышел на дорогу Лида — Вильнюс* (75 км восточнее Алитуса. — М.С.), *колесные машины дивизии остались далеко позади»* (но что примечательно — автор мемуаров вовсе не делает из этого вывод о том, что дивизия потеряла всякую боеспособность и пригодна только для охоты на воробьев), рано утром 24 июня *«7-я тд после небольшого боя овладела городом Вильнюс... танковый полк дивизии продолжал продвигаться на Михалишки»* (Михалишки — это уже Белоруссия, и уже 180 км к востоку от границы), далее *«7-я тд, следовавшая в голове 39-го корпуса... почти без боя вышла 26 июня к автостраде Минск — Москва в районе Смолевичи»* (это уже 30 км к востоку от Минска). Таким образом, за **пять дней дивизия прошла 350 км** по лесным дорогам Литвы и Белоруссии.

Затем 7-я тд, потерпев неудачу при попытке форсировать Березину у города Борисова, ушла на северо-восток, через Лепель к Витебску. 5 июля в районе Бешенковичей (175 км от Минска) 7-я тд «наткнулась» на подошедший из Московского военного округа полнокомплектный 7-й МК (это тот самый мехкорпус, в составе которого воевал и попал в плен сын Сталина). Разгромив и отбросив к югу советский мехкорпус, 7-я и 20-я тд форсировали Западную Двину между Бешенковичами и Уллой, к 10 июля полностью овладели Витебском, после чего их дороги

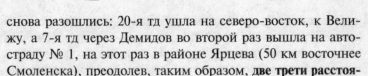

снова разошлись: 20-я тд ушла на северо-восток, к Вели-жу, а 7-я тд через Демидов во второй раз вышла на авто-страду № 1, на этот раз в районе Ярцева (50 км восточнее Смоленска), преодолев, таким образом, **две трети расстоя-ния от границы до Москвы**.

Три месяца спустя, 6 октября 1941 г., именно 7-я тан-ковая в районе Вязьмы в третий раз вышла на автостраду № 1, замкнув таким образом кольцо окружения самого большого за всю войну «вяземского котла». Затем, в ходе кровопролитного московского сражения, 7-я тд прошла еще 245 км на восток, до Яхромы (45 км к северу от МКАД). Только там, у канала Волга — Москва, она была (если верить знаменитому сообщению Совинформбюро от 13 декабря 1941 г.) разбита войсками 1-й ударной ар-мии. Правда, по немецким данным, 7-я танковая воевала на Восточном и Западном фронтах еще до 1943 г.

Вывод — дивизия легких танков, оказывается, **может воевать**, может наступать, может вести успешный бой и с пехотой, и с танками противника, может форсировать полноводные реки и брать штурмом большие города. Из-вините за назойливость, но автор считает полезным еще раз напомнить, что весь этот путь 7-я тд вермахта прошла на легких чешских танках и трофейных грузовиках, кото-рые на наших «дорогах» из средства передвижения мото-пехоты превращались в предмет для толкания.

Уже за первые три недели войны 7-я тд прошла 700 км (считая по прямой) от границы до Ярцева, т.е. чуть боль-ше расстояния от Гродно до Берлина. Дошел ли до Берли-на 11-й мехкорпус?

И ведь что странно — коммунистические историки неизменно **считали естественным, неизбежным и единст-венно возможным и то и другое**: и то, что 7-я немецкая тан-ковая дивизия уже 15 июля была у Ярцева, и то, что пре-восходящий ее по всем параметрам 11-й МК закончил свое существование за три дня боев у Гродно.

Уважаемый читатель, я полностью разделяю ваше воз-мущение тем, как написана эта глава. Длинное предисло-

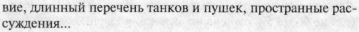

вие, длинный перечень танков и пушек, пространные рассуждения...

Где же обещанное «детальное описание» контрударов?

Нету его. Одно из трех: или автор поленился хорошо поискать, или документы не сохранились, или никакого контрудара 11-го мехкорпуса, по большому счету, и не было. За неимением чего-то большего, вернемся к «политдонесению политотдела». Весь ход боевых действий 11-го МК описан в нем дословно так:

«...с момента налета немецких самолетов на Волковыск в 4.00 22.6 связи со штабом 3-й армии и штабом округа не было, и части корпуса выступили самостоятельно в район Гродно, Сокулка, Индур согласно разработанному плану прикрытия... (Многоточием мы заменили частности, к боевым действиям корпуса не относящиеся. — М.С.) *В связи с отходом стрелковых частей 4-й ск вся тяжесть боевых действий легла на части 11 мк, как по прикрытию отхода частей 4-й ск, так и задержке продвижения немцев; мотострелковый полк 29-й тд по приказу командарма-3 находился в его резерве по борьбе с авиадесантами в районе Гродно, и дивизия вела бой без пехоты и артиллерии, неся особенно большие потери от противотанковой артиллерии противника. В течение 22-го и 23.6 части корпуса вели бой на фронте Конюхи, Новый Двор, Домброво. Под давлением противника к 24.6 части корпуса отошли на фронт Гродно (Фолеш), Кузница, Сокулка, удерживая фронт западнее шоссе Гродно и ж/д Гродно — Белосток* (30—70 км от границы. — М.С.). *В связи с быстрым отходом на восток от Гродно частей, действовавших севернее реки Неман, противник пытался форсировать реку Неман с выходом частям корпуса в тыл. Но все попытки немцев форсировать реку Неман были отбиты. Для удержания продвижения противника приказом армии было выброшено 26.6 два мотобатальона 204 мд через Лунно на рубеж реки Котры. 1-й стрелковый батальон по приказу командира корпуса был выброшен для удержания моста у Луна (30 км к юго-востоку от Гродно). Понесенные большие потери за время боев с 22-го до 26.6 как личного состава, так и матчасти делали корпус малобоеспособным.*

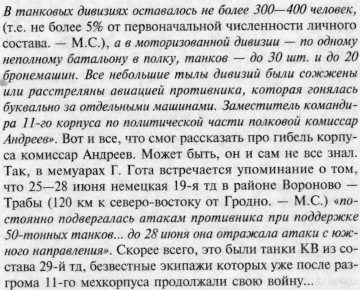

В танковых дивизиях оставалось не более 300—400 человек, (т.е. не более 5% от первоначальной численности личного состава. — М.С.), *а в моторизованной дивизии — по одному неполному батальону в полку, танков — до 30 шт. и до 20 бронемашин. Все небольшие тылы дивизий были сожжены или расстреляны авиацией противника, которая гонялась буквально за отдельными машинами. Заместитель команди-ра 11-го корпуса по политической части полковой комиссар Андреев».* Вот и все, что смог рассказать про гибель корпу-са комиссар Андреев. Может быть, он и сам не все знал. Так, в мемуарах Г. Гота встречается упоминание о том, что 25—28 июня немецкая 19-я тд в районе Вороново — Трабы (120 км к северо-востоку от Гродно. — М.С.) *«по-стоянно подвергалась атакам противника при поддержке 50-тонных танков... до 28 июня она отражала атаки с юж-ного направления».* Скорее всего, это были танки КВ из со-става 29-й тд, безвестные экипажи которых уже после раз-грома 11-го мехкорпуса продолжали свою войну...

Прежде всего, обратим внимание на то, чего в «полит-донесении» нет.

Во-первых, в нем нет даже малейшего подтверждения бредовых видений В. Суворова о том, как *«советских тан-кистов перестреляли еще до того, как они добежали до сво-их танков, а танки сожгли или захватили без экипажей».* В момент пресловутого «внезапного нападения» команди-ры 11-го МК, даже не имея связи (!) с вышестоящими штабами, просто достали из сейфов «красные пакеты» с планами прикрытия и, как можно судить по документу, практически без потерь вышли в предназначенные им районы развертывания.

Во-вторых, в тексте нет никаких внятных сведений о противнике, в боях с которым корпус за 4 дня потерял 9/10 личного состава и техники. Но и в этом аспекте ко-миссар Андреев оказался гораздо порядочнее позднейших историков и мемуаристов, которые наполнили свои маку-латурные книжки описаниями каких-то «встречных боев с тяжелыми немецкими танками», якобы имевшими место быть у Гродно.

В-третьих, командование 11-го МК, похоже, ничего не знало ни про существование КМГ Болдина, ни про то, что в нескольких десятках километров к югу от Гродно должен был действовать огромный и могучий 6-й мехкорпус.

Теперь про то, что в «политдонесении» есть.

Плохо скрытые претензии к пехоте 4-го СК, которая открыла фронт и тем самым вынудила 11-й мехкорпус заниматься несвойственным ему делом по «прикрытию отхода» и «задержке продвижения немцев», скорее всего, справедливы. В протоколе допроса Павлова читаем:

«...во второй половине дня 22 июня Кузнецов (командующий 3-й армией) *с дрожью в голосе заявил, что от 56-й стрелковой дивизии* (одна из трех дивизий 4-го СК) *остался только номер...»* [67]

В донесении отдела разведки штаба 9-й немецкой армии (23 июня, 17 ч 40 мин) к числу *«разбитых или не представляющих никакой боевой мощи соединений»* отнесены уже две из трех дивизий 4-го СК: 56-я и 85-я [ВИЖ, 1989, №7].

Наконец, 29 июня 1941 г. сдался в плен и сам командир 4-го стрелкового корпуса генерал-майор Егоров (в плену активно сотрудничал с немцами, расстрелян по приговору Верховного суда 15 июня 1950 г., не реабилитирован по сей день) [20, 124].

То, что 11-й мехкорпус понес *особенно большие потери от противотанковой артиллерии противника*, также подтверждается немецкими документами. В вышеупомянутом донесении разведотдела штаба 9-й армии вермахта читаем:

«...на участке Гродно контратаковали сильные танковые группы (29-я танковая дивизия и другие части)... 22 июня подбито 180 танков, из них только 8-я пехотная дивизия в боях за Гродно уничтожила 80 танков».

Так как ни одно соединение 6-го мехкорпуса в боях 22 июня не участвовало, то это сообщение может относиться только к боевым действиям 11-го МК. Теоретически такие потери возможны. 8-я пехотная — это кадровая диви-

зия вермахта «первой волны», воевала она с первых дней Второй мировой, и стоявшие на ее вооружении 37-мм противотанковые пушки могли пробивать броню наших легких танков на дистанции в полтора километра. Теоретически.

Другое дело, всегда ли можно верить таким донесениям о потерях противника?

Все познается в сравнении. Одним из самых ярких, навсегда вошедших в историю эпизодов сражений в Белоруссии были бои на северных подступах к Минску, где на пути 39-го танкового корпуса вермахта встали 100-я и 64-я стрелковые дивизии 13-й армии. Трое суток, в обстановке общего развала и хаоса, они сдерживали натиск врага. За мужество и массовый героизм, проявленные в этих боях, дивизии первыми в Красной Армии получили звание гвардейских (они стали, соответственно, 1-й и 7-й гвардейскими дивизиями). Так вот, в докладе о боевых действиях дивизии, который подписал 30 июня командир 100-й сд генерал-майор Руссиянов, было сказано, что дивизия уничтожила 101 (сто один) танк из состава 7-й немецкой танковой дивизии.

Да, той самой, которая, по мнению Гота, *«почти без боя вышла 26 июня к автостраде Минск — Москва в районе Смолевичей».* Скорее всего, Руссиянов допустил неточность, а в действительности и его дивизия, и соседние 161-я и 64-я сд, вели бой с 20-й тд вермахта (про которую Гот пишет, что она *«была вынуждена с тяжелыми боями прорываться через линию укреплений».*

Для справки: перед началом войны в 20-й тд числилось 229 танков, в том числе 121 чешский PZ-38(t), 31 немецкий PZ-II, и даже 44 допотопные танкетки PZ-I с пулеметным вооружением и двигателем 60 л.с. (вообще надо признать, что в танковой группе Гота был собран отборный хлам).

Что было написано в докладах командиров 64-й и 161-й дивизий, автор, к сожалению, не знает, но в мемуарах генерала армии С.П. Иванова (в те дни — замначштаба 13-й армии) упомянуты десятки немецких танков, якобы уничтоженных бойцами 64-й дивизии [45]. Тем не менее ни 20-я, ни 7-я тд вермахта после июньских боев у Минска не исчезли, и говорить об их разгроме было еще очень и очень рано. Вот почему автор считает, что и к донесениям командиров немецких пехотных дивизий о том, как они за один день уничтожили 180 советских танков, надо подходить с разумным скептицизмом. Танки 11-го мехкорпуса были, конечно, потеряны, но не факт, что немецкие артиллеристы имеют право занести это на свой счет.

Завершая такое, очень невнятное, описание боевых действий 11-го мехкорпуса, отметим только два бесспорных факта:

— противнику пришлось заметить удар 11-го МК;

— попытка перейти в наступление закончилась полным разгромом корпуса, потерей всей техники, большей части рядового и командного состава. 14 июля 41-го года южнее Бобруйска из окружения вышла лишь группа в несколько сот человек во главе с командиром 11-го МК генерал-майором Мостовенко.

Доклад С.В. Борзилова

К счастью для историков, чуть лучше освещен боевой путь 6-го мехкорпуса. В недрах «архивного ГУЛАГа» уцелел и в конце 80-х годов стал общедоступным документ — доклад командира 7-й танковой дивизии (6-го МК) генерал-майора С.В. Борзилова в Главное автобронетанковое управление РККА от 4 августа 1941 г. [ВИЖ, 1988, № 11].

Об авторе этого документа необходимо сказать отдельно хотя бы несколько слов. Семен Васильевич Борзилов к моменту начала советско-германской войны мог по праву считаться одним из наиболее опытных и прославленных танковых командиров Красной Армии. Во время финской войны комбриг Борзилов командовал той самой 20-й тяжелой танковой бригадой, которая прорвала «линию Маннергейма» в районе «высоты 65,5» (см. часть 1). Командование Красной Армии высоко оценило роль 20-й

танковой бригады и ее командира. Звания Героя Советского Союза были удостоены 21 танкист, в том числе и сам Борзилов.

К несомненной заслуге командира 20-й ттб следует отнести и очень малые потери, понесенные личным составом вверенной ему части. За три месяца боев в тяжелейших природно-климатических условиях его бригада потеряла 169 человек убитыми и 338 ранеными [8]. Всего ничего — в сравнении с тем, что общие потери Красной Армии в той позорной сталинской авантюре превысили 330 тысяч человек [35].

Доклад Борзилова, несмотря на малый объем, содержит столько ценнейшей информации, что его стоит процитировать очень подробно:

«...на 22 июня 1941 года дивизия была укомплектована в личном составе: рядовым на 98 проц., младшим начсоставом на 60 проц. и командным составом на 80 проц. Материальной частью: тяжелые танки — 51, средние танки — 150, БТ-5/7 — 125, Т-26 — 42 единицы... (Таким образом, в одной только дивизии Борзилова было двести новейших танков Т-34 и КВ с противоснарядным бронированием. — М.С.) *...части дивизии находились в основном районе дислокации м. Хоро — Новоселки — Жолтки и готовились к учению на 23 июня 1941 года, которое должно было проводиться штабом армии...* (Еще одно свидетельство того, что в конце июня 1941 г. в Западном особом военном округе, уже официально преобразованном решением Политбюро ЦК от 21 июня 1941 г. в Западный фронт, готовились к крупной «игре». Из других документов известно, что незадолго до начала этой «игры» в танки мехкорпусов Западного ОВО были загружены снаряды, усилена охрана парков и складов. Было приказано «все делать без шумихи, никому об этом не говорить, учебу продолжать по плану». — М.С.) *22 июня в 2 часа был получен пароль через делегата связи о боевой тревоге со вскрытием «красного пакета».* (Еще одно подтверждение того, что боевая тревога на Западном фронте была объявлена ДО «внезапного нападения». То же самое время получения приказа о вскрытии

«красного пакета» с оперативным планом — 2 часа ночи 22 июня — содержится и в воспоминаниях командира 86-й сд 10-й армии Западного фронта полковника Заши-балова. — М.С.) *...Через 10 минут частям дивизии была объявлена боевая тревога, и в 4 часа 30 мин части дивизии сосредоточились на сборном пункте по боевой тревоге... в 22 часа 22 июня дивизия получила приказ о переходе в новый район сосредоточения — ст. Валпа и последующую задачу: уничтожить танковую дивизию, прорвавшуюся в район Бе-лостока... Дивизия, выполняя приказ, столкнулась с создан-ными на всех дорогах пробками из-за беспорядочного от-ступления тылов армии из Белостока. Дивизия, находясь на марше и в районе сосредоточения с 4 до 9 часов и с 11 до 14 часов 23 июня, все время находилась под ударами авиации противника. За период марша и нахождения в районе сосре-доточения до 14 часов дивизия имела потери: подбито тан-ков — 63, разбиты все тылы полков* [8]. (Сопоставимые по-тери понесла и 4-я танковая дивизия 6-го МК. В одном из немногих уцелевших донесений ее командира Потатурче-ва сказано, что к 18.00 24 июня дивизия сосредоточилась в районе Лебежаны — Новая Мышь, имея потери до 20—26%, главным образом за счет легких танков; тяжелые танки КВ, как указано в донесении, выдерживали даже прямые попадания авиабомб. — М.С.) [8] *...Танковой ди-визии противника не оказалось в районе Бельска, благодаря чему дивизия не была использована...* (В переводе с русского на русский это означает, что весь первый день войны ди-визия просто бездействовала. На второй день она была направлена командующим 10-й армией Голубевым, вслед-ствие панических донесений его подчиненных, на юг к Бельску, т.е. в прямо противоположном от Гродно на-правлении. Никаких танковых частей противника в поло-се 10-й армии просто не было, потому и найти их Борзи-лов не смог. Это, однако, не помешало Болдину даже в его послевоенных мемуарах упомянуть «большое количе-ство танков», атаковавших южный фланг 10-й армии. — М.С.) *24—25 июня дивизия, выполняя приказ командира кор-пуса и маршала т. Кулика, наносила удар с рубежа Старое*

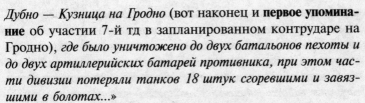

Дубно — Кузница на Гродно (вот наконец и **первое упоминание** об участии 7-й тд в запланированном контрударе на Гродно), *где было уничтожено до двух батальонов пехоты и до двух артиллерийских батарей противника, при этом части дивизии потеряли танков 18 штук сгоревшими и завязшими в болотах...»*

(На этом и **заканчивается** описание контрудара 6-го мехкорпуса. Дальше начинается описание разгрома).

«...К исходу дня 25 июня был получен приказ командира корпуса на отход за р.Свислочь... (Этот приказ, вероятно последний в своей жизни, Хацкилевич отдал, выполняя распоряжение командующего Западным фронтом Павлова, который 25 июня в 16 часов 45 минут приказал: «Немедленно прервите бой и форсированным маршем, следуя ночью и днем, сосредоточьтесь в Слониме. О начале движения утром 26-го и об окончании марша донесите. Радируйте о состоянии горючего и боеприпасов». В свою очередь, Павлов принял такое решение на основании директивы Ставки и ее представителя в штабе Западного фронта маршала Шапошникова, об отводе всех войск фронта на линию реки Щары, т.е. на 100—150 км на восток. Правду сказать, из дальнейшего становится очевидно, что приказ об отходе лишь «узаконил» начавшееся беспорядочное бегство. — М.С.) *По предварительным данным, 4-я тд 6-го мехкорпуса в ночь на 26 июня отошла за р.Свислочь, в результате чего был открыт фланг 36-й кавалерийской дивизии... В 21 час 26 июня части 36-й кд и 29-й мотострелковой дивизии (6-го мехкорпуса) беспорядочно начали отход. Мною были приняты меры для восстановления положения, но это успеха не имело.*

Я отдал приказ прикрывать отходящие части (здесь, как видим, Борзилов дословно повторяет политдонесение 11-го мехкорпуса. — М.С.), *29-й мсд и 36-й кд и в районе м.Кринки сделал вторую попытку задержать отходящие части, где удалось задержать 128-й мсп* (это не вражеский, это наш полк из состава 6-го мехкорпуса все пытается задержать Борзилов. — М.С.), *и в ночь на 27 июня перепра-*

вился через р. Свислочь восточнее м. Кринки, что стало нача-
лом **общего беспорядочного отступления...**

29 июня в 11 часов с остатками матчасти (3 машины) и
отрядом пехоты и конницы подошел в леса восточнее Слони-
ма, где вел бой 29 и 30 июня. 30 июня в 22 часа двинулся с
отрядом в леса и далее в Пинские болота по маршруту Го-
мель — Вязьма...

...материальная часть вся оставлена на территории,
занятой противником, от Белостока до Слонима. Оставля-
емая матчасть приводилась в негодность. Материальная
часть оставлена по причине отсутствия ГСМ и ремфон-
да...»

Да уж... Переведем дыхание и попытаемся для начала
подвести самые простые, т.е. арифметические итоги.

К началу боевых действий в 7-й тд было **368 танков**.
Пресловутое «внезапное нападение» никакого ущерба дивизии Борзилова не нанесло. Еще до начала первых авианалетов дивизия покинула место постоянной дислокации
и никаких ощутимых потерь 22 июня не понесла. В ходе
наступательного боя 24—25 июня дивизия **потеряла только
18 танков**, да и то не все они были подбиты немецкой
противотанковой артиллерией — несколько машин, как
пишет комдив, просто увязли в болотах.

Борзилов в своем докладе не уточняет, какие именно
танки были потеряны. Тем не менее, зная возможности
противотанковой артиллерии немецких пехотных дивизий, можно с высокой достоверностью предположить, что
основная ударная сила дивизии — новейшие танки Т-34 и
КВ — остались в строю (на 90-мм броне тяжелого танка
КВ снаряды **любых** немецких противотанковых пушек
могли оставить только более или менее заметные вмятины).

Даже с учетом того, что 63 танка были потеряны на
марше, к утру 26 июня — т.е к началу разгрома — в 7-й
танковой должно было оставаться ни много ни мало **287
танков. Ни одна** из семнадцати танковых дивизий вермахта не имела 22 июня 1941 г. в своем составе такого количества танков (в среднем на одну дивизию приходилось

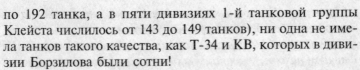

по 192 танка, а в пяти дивизиях 1-й танковой группы Клейста числилось от 143 до 149 танков), ни одна не имела танков такого качества, как Т-34 и КВ, которых в дивизии Борзилова были сотни!

И уже через три дня отступления, практически без соприкосновения с противником (да и не могла немецкая пехота при всем желании догнать отступающую моторизованную армию), от всей 7-й танковой дивизии остается «отряд пехоты с тремя танками».

Что это — фантастика? Или просто история панического бегства деморализованной толпы, сметавшей на своем пути даже тех, кто пытался ее остановить?

Впрочем, в докладе Борзилова указаны и две объективные (на первый взгляд) причины разгрома дивизии и потери всей матчасти — **отсутствие ГСМ и беспрерывные удары авиации противника.**

В мемуарах Болдина, как помните, названы и причины, по которым его войска остались без горючего: немецкая авиация сожгла все склады и разбомбила все железнодорожные эшелоны с топливом.

Казалось бы — о чем тут еще спорить? Нет горючего — нет и боеспособного мехкорпуса. Но не будем спешить с выводами, а лучше зададим себе два простых вопроса.

Сколько складов с ГСМ на территории Белоруссии было в распоряжении танковых групп Гота и Гудериана в июне 1941 г.? Логичный ответ: если немецкая же авиация разбомбила все склады, то ни одного. Есть и правильный ответ — до одной трети всего потребляемого бензина немцы взяли со «сгоревших складов» Западного фронта! [40]

Сколько эшелонов с горючим поступило в расположение немецких танковых дивизий в июне 1941 г.? Даже не открывая ни одного справочника, можно дать точный ответ — ни одного. Дело в том, что немецкие вагоны по нашей широкой колее не ходят, а «перешивка» на узкую европейскую колею в июне 41-го года еще и не начиналась.

И тем не менее уже к концу июня 2-я танковая группа вермахта вышла к Бобруйску (500 км от района исходного

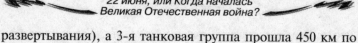

развертывания), а 3-я танковая группа прошла 450 км по маршруту Сувалки — Вильнюс — Минск — Борисов. При этом ни Гот, ни Гудериан ни единым словом не упоминают в своих мемуарах о каких-либо проблемах с обеспечением частей горючим! И это при том, что запас хода немецких танков был в полтора-два раза меньше, чем у наших Т-34 и БТ.

А удивляться тут совершенно нечему. Танки в глубокой наступательной операции **заправляются не на «складах» и уж тем более — не из железнодорожных цистерн.**

«...Я оглашу очень маленькую справку. Всего, чтобы боевые машины обеспечить на 500 км марша, нужно для заправки 1200 т горючего. Исходя из этой нормы, на сутки боевой работы при марше в 125 км, обеспечение боевых машин на сутки потребует 300 т...

...во всяком случае горючего должно браться столько, чтобы полностью обеспечить выполнение двух-, четырехдневной работы и поставленной задачи... Кроме полной заправки в машинах, мы рекомендуем на каждую машину в бидонах и бачках брать не менее ползаправки...

...нечего стесняться и брать на верх танка бидоны и бочонки. Если мы раньше боялись, что бидоны с бензином при попадании зажигательных пуль будут загораться, то теперь дизельное топливо не горит, и зажечь его невозможно никакой зажигательной пулей... Это дает нам право положить некоторую толику дизельного топлива в танки и иметь возможность наиболее продуктивно питать себя горючим...» [14]

Это — не запоздалые советы дилетанта. Это — цитата из многократно упомянутого нами доклада Павлова на декабрьском (1940 г.) совещании. Цифра в 1200 тонн не покажется нам такой огромной, если вспомнить, что по штату мехкорпусу полагалось иметь в своем составе 5165 автомашин разного назначения, в том числе — по 139 топливных автоцистерн в каждой из двух танковых дивизий.

Павлов предлагал брать при вводе мехкорпуса в прорыв горючее в расчете на 2—3 полные заправки танков.

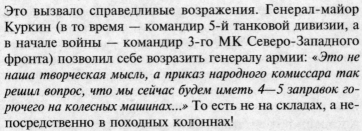

Это вызвало справедливые возражения. Генерал-майор Куркин (в то время — командир 5-й танковой дивизии, а в начале войны — командир 3-го МК Северо-Западного фронта) позволил себе возразить генералу армии: *«Это не наша творческая мысль, а приказ народного комиссара так решил вопрос, что мы сейчас будем иметь 4—5 заправок горючего на колесных машинах...»* То есть не на складах, а непосредственно в походных колоннах!

А теперь переведем эти самые «заправки» в более понятные каждому километры.

Самый устаревший из имевшихся в дивизии Борзилова танк Т-26 имел запас хода на одной заправке равный 170 км. Самый мощный и современный КВ — те же самые 180 км (тяжело таскать 50 тонн стали). Скоростные БТ и средние Т-34 имели запас хода примерно по 300 километров.

Уточним: это минимальные цифры, и относятся они к движению танков по пересеченной местности. При движении по дорогам запас хода возрастает в полтора-два раза.

Таким образом, даже две «заправки» — это уже 350—500 км пути. А на пяти заправках корпус Куркина по хорошим европейским дорогам мог дойти до Парижа (всего-то 1600 км от Каунаса).

Вернемся, однако, от планов Великого Похода к трагической реальности. По замыслу командования 6-й МК должен был нанести удар от Белостока на Гродно с выходом к исходу дня 24 июня в район переправ через Неман у Меркине — Друскининкай. Это 120 км по прямой. Даже с учетом боевого маневрирования эту **задачу можно было выполнить, вообще нигде ни разу не заправляясь**, только за счет того горючего, что было в баках танков.

Фактически 7-я танковая дивизия, беспорядочно кружась по маршруту Белосток — Валпа — Сокулка — Волковыск — Слоним, прошла никак не более **250 км**. Главным образом — по дорогам, а вовсе не по лесам и болотам. Бросить при этом всю технику *«по причине отсутствия ГСМ»* можно было бы только при одновре-

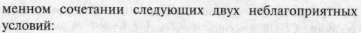

менном сочетании следующих двух неблагоприятных
условий:

— до 10 часов вечера 22 июня (т.е. до начала марша)
танки все еще не были заправлены горючим «под пробку»
и вышли на марш с полупустыми баками;

— топлива в округе, 10-й армии и в мехкорпусе просто
не было, или все его запасы на окружных складах и в тылах дивизии уничтожила вездесущая немецкая авиация.

Могут ли соответствовать действительности такие
предположения?

Начнем с первого. В соответствии с «Планом действий войск по прикрытию отмобилизования, сосредоточения и развертывания войск округа», утвержденным Павловым в начале июня 1941 г., *«потребность в горючем обеспечивается за счет: двух заправок, хранящихся в частях
(одна в баках машин, вторая в таре), трех заправок для боевых машин и шести заправок для транспортных, хранящихся на окружных складах»* [ВИЖ, 1996, № 3].

Конечно, не все приказы исполняются точно и в срок,
бывают и случаи преступного разгильдяйства, но едва ли
это могло относиться к Борзилову, бригада которого еще
в финскую войну была отмечена за образцовую организацию службы материально-технического обеспечения [8].

Теперь о наличии горючего на окружных складах. Из
уже упомянутого «Плана прикрытия...» мы узнаем, что в
районе несостоявшегося контрудара КМГ Болдина, в треугольнике Белосток — Гродно — Волковыск, находилось
12 (двенадцать) стационарных складов горючего.

Конкретно: № 920, 923, 924, 922, 1019, 1018, 1040, 1044
в полосе 10-й армии и 919, 929, 1020, 1033 в районе дислокации 11-го мехкорпуса (Гродно — Мосты — Волковыск).

Расстояния между этими складами не превышали 60—
80 км. Даже для ветхой «полуторки» это не более двух часов езды.

Но, может быть, склады-то были, а бензина на них и
не было?

Еще в самые что ни на есть «застойные годы» «Воен-

но-исторический журнал», издаваемый Министерством обороны СССР, сообщал читателям, что:

«...*к 29 июня на территории Белоруссии, занятой противником, осталось более 60 окружных складов, в том числе... 25 складов горючего... Общие потери к этому времени составили: боеприпасов — свыше 2000 вагонов (30% всех запасов фронта), горючего — более 50 000 т (50% запасов)...*» [ВИЖ, 1966, № 8]

Известный психологический парадокс заключается в том, что стакан со 100 мл жидкости одни люди называют «наполовину пустым», а другие — «наполовину полным». Коммунистические же «историки» (в отличие от просто людей) всегда говорили и писали о потерянных «50% запаса горючего», но никогда не обращали внимание доверчивых читателей на то, что даже 29 июня в распоряжении войск Западного фронта все еще оставалась половина предвоенных запасов горючего, т.е. порядка 50 000 тонн бензина и солярки.

Что, по меньшей мере, **в десять раз превышало потребность** в горючем для четырех полностью укомплектованных мехкорпусов **на 500 км марша** (см. выше).

Но четырех полностью укомплектованных мехкорпусов (т.е. 4000 танков) в округе не было даже и 22 июня. По разным источникам, количество танков, находившихся в составе войск ЗапОВО к началу войны, не превышало 2500 единиц. К 29 июня 1941 г. число «потребителей» топлива в округе катастрофически уменьшилось. Как же им могло не хватить 50 000 тонн горючего?

Но если проблемы с горючим еще можно как-то объяснить многодневными хаотичными маршами по дорогам, запруженным беженцами и беглецами, то как же КМГ Болдина, так и не вступившая в бой с главными силами противника, могла остаться без боеприпасов?

Минимальный боекомплект танка БТ — 132 снаряда, 147 снарядов в танке Т-26, 116 снарядов в КВ, 77 снарядов в «тридцатьчетверке».

Совокупный боезапас танков 6-го мехкорпуса составлял порядка **105 тысяч снарядов**.

Это — минимум, и это **только в танках.** А еще в корпусе было 229 пушечных бронеавтомобилей и 335 «стволов» пушек, гаубиц и минометов различных калибров [78]. Если бы все это на самом деле обрушилось в течение двух дней на две пехотные дивизии вермахта, то вряд ли они смогли бы после этого куда-то наступать. С темпом 20 — 30 км в день.

Впрочем, если бы даже ста тысяч снарядов не хватило для того, чтобы, по крайней мере, затормозить продвижение 30 тысяч немецких солдат, то можно было и добавить.

«На окружных складах было накоплено около 6700 вагонов боеприпасов различных видов».

Это строка из уже упомянутого исследования «Тыл Западного фронта» [ВИЖ, 1966, № 8]. Современные военные историки уточняют, что это совсем не так много, как может показаться дилетантам, — всего лишь 85% от нормы, установленной Генеральным штабом [3].

Установленной на первые **два месяца** боевых действий. Как же этого могло не хватить на пять дней?

Вот тут, прижатые к стенке, коммунистические «историки» привычно вытаскивают свою любимую, свою универсальную, волшебную «палочку-выручалочку».

Огонь с неба

Авиация. Всемогущая немецкая авиация. Это она уничтожила тысячи советских танков, сожгла все автоцистерны, разбомбила 6700 вагонов с боеприпасами, разрушила 60 окружных складов с горючим и снарядами, «растрепала» 36-ю и разгромила 6-ю кавдивизии, да при этом еще и успевала «расстреливать буквально каждую нашу машину» (так сказал в своем последнем слове на суде командующий 4-й армией генерал Коробков) и своим страшным гулом мешала Болдину отдавать приказы по телефону и прочая, прочая, прочая...

Всякий раз, когда нашим военным «историкам» приходится объяснять очередной разгром, развал, очередную потерю людей и техники, невыполнение приказов и срыв

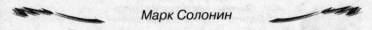
всех планов, появляется она — «несокрушимая и легендарная» немецкая авиация.

Из всех мифов о начале войны этот — одновременно и самый абсурдный, и самый укорененный. Любая Марьиванна с кафедры новейшей истории, не умеющая отличить патрон от понтона и танк от трака, рассказывает своим студентам про то, что «немецкая авиация с первых дней войны захватила господство в воздухе», с той же нерассуждающей уверенностью, с какой она объясняет своим внукам про то, что надо слушаться маму с папой.

Спорить со всеобщим заблуждением трудно, но — попробуем.

Для начала послушаем людей, знающих войну и военную авиацию не понаслышке.

«...25 июня советские войска в составе 11-го и 6-го механизированных корпусов нанесли по противнику контрудар в районе Гродно. Из Могилева позвонили, чтобы наша дивизия всем составом приняла участие в этой операции. Вечером от прибывшего к нам представителя штаба фронта узнаю: кроме нас, контрудар поддерживают полки 12-й бомбардировочной и 43-й истребительной дивизий, а также 3-й корпус дальнебомбардировочной авиации, которым командовал полковник Н.С. Скрипко (ныне маршал авиации). На этом участке фронта авиаторы совершили тогда 780 самолето-вылетов, уничтожили около 30 танков, 16 орудий и до 60 автомашин с живой силой. Успех воодушевил нас...» [49]

Чем главным образом примечательно это свидетельство? Даже не тем, что, оказывается, не одна только немецкая авиация висела в воздухе над районом несостоявшегося контрудара КМГ Болдина, а своей последней фразой.

Уничтожение 30 танков и 60 автомашин в результате 780 самолето-вылетов оценивается автором мемуаров как крупный, воодушевляющий успех! При этом не будем забывать, что и цифры-то эти взяты «с воздуха», т.е. из отчетов самих летчиков, а вовсе не из журналов боевых потерь немецких дивизий. Степень достоверности этих отчетов хорошо известна историкам авиации. Реальные потери противника были, конечно же, раза в два меньше.

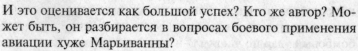

И это оценивается как большой успех? Кто же автор? Может быть, он разбирается в вопросах боевого применения авиации хуже Марьиванны?

Герой Советского Союза, командир 13-й бомбардировочной авиадивизии (13-й БАД) генерал-майор Ф.П. Полынин еще до начала Второй мировой войны стал известен всему авиационному миру. Правда, в соответствии с принятыми тогда в Советском Союзе нормами сверхсекретности, Полынина знали заочно и без фамилии, просто как командира «того самого» бомбардировочного соединения, которое 23 февраля 1938 г. разбомбило японскую авиабазу на острове Тайвань.

Беспримерный рейд протяженностью в 800 км над захваченной японцами территорией Китая был организован и проведен Полыниным так, что японская ПВО не только не смогла оказать какое-то противодействие, но даже не обнаружила сам факт пролета 28 советских бомбардировщиков.

После войны в Китае, в которой Полынин с перерывами участвовал аж с 1933 года, он становится командующим ВВС 13-й армии во время финской войны. В ходе той войны советская военная авиация (численность которой на ТВД к февралю 1940 г. превысила 3200 самолетов) выполнила 84 тысячи боевых вылетов. Эта цифра сопоставима с показателями применения авиации в крупнейших сражениях Великой Отечественной войны (Курская битва — 118 тысяч вылетов с 5 июля по 23 августа 1943 г. и Сталинградская битва — 114 тысяч вылетов с июля 42-го по февраль 43-го года) [60].

Начавшаяся 22 июня 1941 г. война была для Полынина третьей по счету, и едва ли кто-то из командиров немецких бомбардировочных авиагрупп имел к этому дню больший, чем у него, боевой опыт.

Теперь прочитаем страницы воспоминаний маршала авиации (в те дни — командира вышеупомянутого 3-го дальнебомбардировочного авиакорпуса) Н.С. Скрипко. [50].

Уже в 10 часов утра 22 июня его корпус получил при-

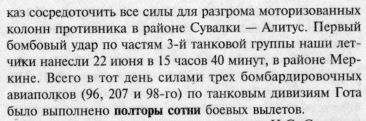

каз сосредоточить все силы для разгрома моторизованных колонн противника в районе Сувалки — Алитус. Первый бомбовый удар по частям 3-й танковой группы наши летчики нанесли 22 июня в 15 часов 40 минут, в районе Меркине. Всего в тот день силами трех бомбардировочных авиаполков (96, 207 и 98-го) по танковым дивизиям Гота было выполнено **полторы сотни** боевых вылетов.

24 июня, как пишет в своих мемуарах Н.С. Скрипко, *«боевая задача 3-го авиакорпуса оставалась прежней — уничтожать немецкие танки и моторизованные части группы Гота, наступавшей непосредственно на Минск».* В тот день его летчики выполнили **170** самолето-вылетов. 26 июня, когда немецкие танки вышли уже к северным окраинам Минска, летчики 3-го авиакорпуса выполнили **254** боевых вылета, поддерживая обороняющие Минск стрелковые дивизии. Именно в этот день, 26 июня 1941 г., атакуя колонну войск 3-й танковой группы на шоссе Молодечно — Минск в районе местечка Радошковичи, совершил свой бессмертный подвиг капитан Николай Францевич Гастелло — командир 4-й эскадрильи 207-го авиаполка, ветеран боев в Финляндии и на Халхин-Голе.

Как видим, советская авиация отнюдь не бездействовала. Ежедневно по моторизованным колоннам 3-й танковой группы Г. Гота наносились удары **сотнями самолето-вылетов**, но она (танковая группа вермахта) никуда при этом не исчезала, а продолжала практически безостановочно двигаться вперед. Более того, в мемуарах Гота нет почти никаких следов этих бомбежек, кроме одной-единственной фразы в записи от 24 июня: *«в последующие дни действия авиации противника активизировались».* Вот и все. На плохие дороги, пыль, лесные пожары, проливные июльские дожди Гот жалуется гораздо чаще и пространнее.

Воспитанный советскими писателями читатель все уже понял. Самолеты-то наши были «безнадежно устаревшими гробами», летчики — «с налетом шесть часов» (один только Полынин, наверное, летать умел, да и тот не летал, а командовал) — вот почему на Г. Гота удары советской авиации большого впечатления не произвели.

Правды ради надо отметить, что и люди с большими звездами поначалу имели схожее мнение об эффективности действий советской авиации в первые дни войны. Так, Ставка в Директиве № 00285 от 11 июля 1941 г. отмечала, что «*наша авиация действовала, главным образом, по механизированным и танковым войскам немцев. В бой с танками вступали сотни самолетов, но должного эффекта достигнуто не было, потому что борьба авиации против танков была плохо организована*» [5, с. 63]. Подписана эта Директива была начальником генштаба Жуковым.

В данном конкретном случае генерал армии Жуков ошибся. Причиной отсутствия «должного эффекта» была не только и не столько «плохая организованность». В чем и пришлось убедиться уже через полтора месяца.

28 августа 1941 г. Верховный главнокомандующий И. Сталин лично распорядился (приказ № 0077) «*с целью срыва операции танковой группировки противника на брянском направлении провести в течение 28 — 31 августа операцию силами ВВС фронтов и авиации резерва ГК... всего в операции должно участвовать 450 боевых самолетов...*» [5, с.146].

Операция «танковой группировки противника» — это тот самый поворот 2-й танковой группы Гудериана с московского на киевское направление, о целесообразности которого спорили в своих послевоенных мемуарах все уцелевшие немецкие генералы.

Указание товарища Сталина было перевыполнено. В воздушной операции (одной из самых крупных за весь начальный период войны) приняло участие **464 боевых самолета** (230 бомбардировщиков, 55 штурмовиков, 179 истребителей) [27].

За ходом операции по разгрому «подлеца Гудериана» (именно так выражался в те дни командующий Брянским фронтом, любимец Сталина генерал-лейтенант Еременко) Ставка следила с неотступным вниманием. Руководить действиями авиации было поручено заместителю коман-

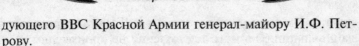

дующего ВВС Красной Армии генерал-майору И.Ф. Петрову.

4 сентября 1941 г. Сталин шлет на Брянский фронт следующую телеграмму:

«Брянск. Еременко для Петрова. Авиация действует хорошо... Желаю успеха. Привет всем летчикам. И. Сталин» [27].

На следующий день, 5 сентября, сталинский привет был дополнен решением Ставки по передаче в распоряжение группы Петрова еще двух штурмовых авиаполков и двух полков истребителей. Задача — прежняя: *«разгромить и изничтожить Гудериана до основания»* [5, с. 164].

Всего за 6 дней операции советская авиация выполнила тогда около **4000 самолето-вылетов** [27].

Результат?

Разгромить и изничтожить до основания не удалось, 2-я танковая группа разбила войска Брянского фронта, затем — правого крыла Юго-Западного фронта и, пройдя с боями 300 км, замкнула 15—17 сентября кольцо окружения «киевского котла». Более того, «подлец Гудериан» на семнадцати страницах своих мемуаров, посвященных прорыву 2-й танковой группы вермахта в тыл Юго-Западного фронта, уделил действиям нашей авиации ровно **три слова**:

«...29 августа крупные силы противника при поддержке авиации предприняли с юга и запада наступление против 24-го танкового корпуса. Корпус вынужден был приостановить наступление 3-й танковой и 10-й мотодивизии...» [65]

«Как же так? — недоуменно воскликнет читатель, представляющий войну по газетным статьям «к юбилею», в которых летчики «Н-ского полка» снова и снова щелкают немецкие танки как семечки. — Четыре тысячи самолето-вылетов без заметного результата? Быть того не может!»

А все очень просто. Просто именно такой была **реальная эффективность авиационных вооружений той эпохи.** Уже в следующем, 1942 году по мере накопления опыта ведения боевых действий, эта самая «эффективность» была конкретизирована в цифрах.

Оперативное управление Главного штаба ВВС КА в 1942 г. установило в ориентировочных расчетах «норм боевых возможностей» штурмовика Ил-2, что для поражения одного легкого танка необходимо высылать 4—5 самолетов Ил-2, а для поражения одного среднего танка типа PZ-IV, PZ-III или StuG-III потребуется уже **12—15** самолето-вылетов! [86, 87] Другими словами, для уничтожения немецких танковых групп летом 1941 года требовались не сотни и даже не тысячи, а **десятки тысяч** «хорошо организованных» самолето-вылетов. Причем речь в нормативах шла о специализированном штурмовике Ил-2, а вовсе не о «горизонтальных» (как их тогда называли) бомбовозах СБ или ДБ.

Даже выпускнику кулинарного техникума должно быть понятно, что для уничтожения танка в него надо сначала попасть, а попав — пробить его броню, да так пробить, чтобы «заброневое воздействие» оказалось достаточным для поражения экипажа и механизмов. Чем и как мог это сделать боевой самолет 1941 года?

Начнем с задачи номер один — с прицеливания.

Противотанковую пушку видел каждый. Если и не на поле боя, так хотя бы в парке культуры и отдыха. Длинный-предлинный ствол (это чтобы снаряд разогнался в нем до скорости в три скорости звука) опирается на массивную стальную станину. Для большей устойчивости все сооружение снабжено двумя длинными «лапами», которые перед стрельбой упирают в землю. Наводчик артиллерийского расчета ничего другого не делает, кроме как наводит ствол на цель с помощью оптического прицела и винтов, которые так и называются — микрометрические.

А вот — на пьедестале у въезда в город Самару стоит штурмовик Ил-2. В пилотской кабине размещается один человек. Кроме прицеливания, у него в бою много других дел: ноги на педалях разворота, правая рука на ручке управления высотой и креном, левая рука управляет двигателем, непонятно уже чем летчик выставляет нужный

шаг винта, меняет режим работы нагнетателя, управляет створками радиатора, следит за обстановкой в воздухе, отдает приказы подчиненным (если он командир звена) и уворачивается от огня зениток.

Две скорострельные пушки ВЯ-23 находятся не на массивной станине, а на испытывающем сложную изгибно-крутильную деформацию крыле, прицеливание производится «всем корпусом», по прицельным меткам на лобовом стекле.

Можно ли в таких условиях хоть куда-то попасть? Можно. Но только очень-очень редко. Так, при полигонных испытаниях (т.е. в отсутствие противодействия противника) в НИП авиационных вооружений ВВС *«три летчика 245-го шап, имевшие боевой опыт, смогли добиться всего 9 попаданий в танк при общем расходе боеприпасов в 300 снарядов к пушкам ШВАК и 1290 патронов к пулеметам ШКАС».*

Попасть в танк — это еще только начало. Надо пробить его броневую защиту. С этим проблем еще больше. Экспериментально было установлено, что наилучшие условия для прицеливания создавались при пологом пикировании под углом 30 градусов к горизонту с высоты 500—700 метров. При таких условиях снаряды даже в случае попадания в броню танка почти всегда давали рикошет.

«...из 62 попаданий в немецкие средние танки, полученных при полигонных стрельбах с воздуха, было только одно сквозное пробитие (в броне толщиной 10 мм), одно застревание сердечника, 27 попаданий в ходовую часть, не наносящие существенных повреждений, остальные попадания снарядов дали либо вмятины, либо рикошеты...»

Самые лучшие (т.е. минимально результативные) показатели были получены при полигонном обстреле **легких** немецких танков.

«...из 53 попаданий, полученных при выполнении 15 самолето-вылетов, только в 16 случаях было получено сквозное пробитие брони, в 10 случаях были получены вмятины в броне и рикошеты, остальные попадания пришлись в ходовую

*часть. При этом попадания 23-мм бронебойного снаряда в
ходовую часть танка повреждений ему не наносили...»*

Но и при обстреле легких танков «*все 16 сквозных про-
боин в броне танков пришлись на атаки под углом планирования 5—10 , высота подхода 100 м, дистанция открытия
огня 300—400 м*» [85, 86, 87].

А при таких условиях время ведения огня сокращается
до одной-двух секунд, что было практически неприемле-
мо для летчиков средней квалификации.

**Чем же тогда летчики люфтваффе перебили тысячу тан-
ков 6-го и 11-го мехкорпусов?** Может быть, это только у
нас были такие плохие самолеты и слабые пушки, а уж у
немцев-то все было иначе?

Совершенно верно. Авиационные пушки немцев обладали совсем другими параметрами. На фоне нашей
23-мм пушки Волкова—Ярцева основная в июне 1941 г.
немецкая авиапушка MG-FF смотрится как ушастый «За-
порожец» на фоне «шестисотого» «мерса».

Наша ВЯ-23 изначально разрабатывалась как средство
борьбы с защищенными наземными целями. Весьма тяжелое (по авиационным меркам) 66-килограммовое орудие разгоняло снаряд весом в **200 г** до скорости **900 метров
в секунду**.

Состоявшая на вооружении немецких истребителей и
штурмовиков пушка швейцарской фирмы «Эрликон»
MG-FF была гораздо меньше и в три раза легче. Но за все
хорошее приходится платить. Низкий вес «эрликона» был
обусловлен малой дульной энергией (и эта пушка, и при-
шедшая ей на смену «маузер» MG-151, представляли собой крупнокалиберный пулемет, 13-мм патрон которого
должен был разгонять 20-мм снаряд). Бронебойный снаряд «эрликона» весил всего **115 г** и имел начальную скорость всего лишь **585 метров в секунду**, то есть обладал ки-
нетической энергией (а именно за счет нее и происходит
пробитие брони) в **четыре раза меньшей**, чем снаряд
ВЯ-23.

«Дьявольское» орудие, разработанное Волковым и Яр-
цевым, настолько опередило свое время, что уже после

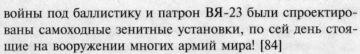

войны под баллистику и патрон ВЯ-23 были спроектированы самоходные зенитные установки, по сей день стоящие на вооружении многих армий мира! [84]

Разумеется, вооружение боевых самолетов Второй мировой не ограничивалось одними только легкими малокалиберными пушками. Были еще и бомбы различных калибров (наиболее распространенными были осколочно-фугасные весом 100—250 кг). Разумеется, прямого попадания такой бомбы было достаточно, чтобы вывести из строя легкий или даже средний танк (тяжелый КВ, как было отмечено в донесении командира 4-й тд Потатурчева, выдерживал даже прямое попадание). Да только как, кидая неуправляемую бомбу, можно добиться этого самого «прямого попадания», если в такую точечную и подвижную мишень, которой является танк, почти невозможно попасть даже из пушки? Точность бомбометания с обычных «горизонтальных» (как их называли в отличие от пикирующих) бомбардировщиков очень сильно зависела от высоты полета, условий видимости, квалификации экипажа. В любом случае, попадание в круг диаметром 200—300 метров считалось отличным результатом, доступным далеко не всем даже в спокойной обстановке учебного полигона. В бою, под огнем зениток противника, все становилось гораздо сложнее. Достаточно сказать, что многочисленные попытки разрушения мостов усилиями как советских, так и немецких бомбардировщиков чаще всего оказывались безрезультатными. Но ведь даже самый маленький железнодорожный мост гораздо больше самого большого танка. Причем мост, в отличие от танка, стоит на месте и никуда не движется.

Значительно более высокую точность бомбометания обеспечивали пикирующие бомбардировщики. Безусловно, самым удачным самолетом в этом классе был немецкий «Юнкерс» Ju-87, этот знаменитый символ блицкрига, без которого не обходится ни один фото-кино-телесюжет о начале войны. Пилотируемый опытным и физически выносливым летчиком (перегрузка на выходе из пикирования доходила до 5—6 единиц), Ju-87 мог обеспечить точность бомбометания плюс-минус 30 метров.

Это великолепный — для борьбы с пехотой, артиллерией, автомобильными колоннами противника — показатель. Но для поражения среднего танка, а тем более тяжелого советского КВ с его 90-мм броней, недостаточно было уложить бомбу в 30 метрах от цели. Нужно именно прямое попадание, добиться которого даже пикирующий «Юнкерс» мог только по редкой случайности. Что и подтверждается докладами самих немецких летчиков:

*«...в течение 4 октября Ju-87 совершили **202 боевых вылета** в районе Брянск — Спас-Деменск, уничтожив **22 танка**, 450 автомобилей и 3 хранилища топлива... 7 октября Ju-87 из StG2 группами по 25—30 самолетов беспрерывно атаковали окруженные войска... в течение одного дня они уничтожили около **20 танков**, 34 орудия и около 650 автомобилей...»*

Достоверность этих цифр такая же, как и у всех прочих военных сводок (приписки в отчетах люфтваффе цвели буйным махровым цветом), но стоит обратить внимание на соотношение «уничтоженных в отчете» танков и автомобилей.

Вторая мировая была танковой войной. И обе стороны, разумеется, старались как-то повысить «противотанковые возможности» своей боевой авиации.

К началу Курской битвы в Советском Союзе было развернуто серийное производство и отработана тактика применения ПТАБов: крохотных (весом в 1,5 кг) противотанковых авиабомб с кумулятивным зарядом, способным прожигать 60-мм броню (разработана в ЦКБ-22 под руководством И.А. Ларионова). Штурмовик Ил-2 брал в полет 192 ПТАБа в 4-х кассетах (по 48 штук в каждой). При сбрасывании с высоты 200 м общая площадь поражения занимала полосу 15x190 метров, в которой теоретически обеспечивалось гарантированное уничтожение любой бронетехники вермахта [87].

Немцы пошли совершенно другим путем. Они сняли с пикирующего «Юнкерса» все бомбодержатели и подвеси-

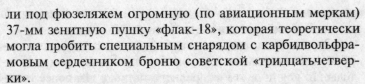

ли под фюзеляжем огромную (по авиационным меркам) 37-мм зенитную пушку «флак-18», которая теоретически могла пробить специальным снарядом с карбидвольфрамовым сердечником броню советской «тридцатьчетверки».

В первые дни грандиозного сражения под Орлом и Курском обе стороны отчитались о невероятном успехе в применении новых вооружений.

7 июля стянутые к «курской дуге» все три эскадры пикировщиков (StG1, StG2, StG77) выполнили 946 боевых вылетов, уничтожив при этом 44 советских танка, 20 орудий и 50 автомашин.

8 июля, выполнив **889 вылетов**, немецкие штурмовики уничтожили **88 танков**, 5 орудий и 40 автомашин. Таким образом, эта рекордная за всю войну эффективность применения противотанковой авиации дошла до уровня советских стандартов в **10 вылетов на один уничтоженный танк.**

Массовое и тактически внезапное применение ПТАБов дало (судя по отчетам дало!) еще более потрясающий результат. Летчики-штурмовики 3-го и 9-го авиакорпусов к исходу дня 6 июля доложили об уничтожении или повреждении ПТАБами до 90 единиц бронетехники противника. Утром 7 июля на Обоянском направлении 1-й штурмовой авиакорпус двумя группами по 46 и 33 самолета нанес удар по очень крупному (до 350 единиц) скоплению танков противника.

Дешифровка фотоснимков поля боя показала наличие **200 (!!!)** подбитых немецких танков и САУ.

По другим отчетам, танковая дивизия СС «Мертвая голова» якобы потеряла от ударов с воздуха 270 единиц бронетехники (танков, САУ и бронетранспортеров). Правда, всего в этой дивизии накануне Курской битвы числилось 130 танков, в том числе — 15 «тигров».

Уменьшив цифры в отчетах в четыре-пять раз (в противном случае нам придется признать, что в танковом сражении под Прохоровкой с обеих сторон участвовали только призраки танков), мы приходим к выводу, что ре-

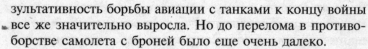

зультативность борьбы авиации с танками к концу войны все же значительно выросла. Но до перелома в противоборстве самолета с броней было еще очень далеко.

Опомнившись от первого шока, немецкие танкисты перешли к действиям в рассредоточенных походных и боевых порядках, что сразу же снизило эффективность применения ПТАБов.

А немецкое «чудо-оружие» (пикирующий самолет с зенитной пушкой на борту) требовало пилота с исключительно высокой летной (выходить из пикирования надо было на высоте в 400—500 м, т.е. за две-три секунды до столкновения с землей) и стрелковой подготовкой. Не приходится удивляться тому, что в целом потери советских средних танков распределились за всю войну следующим образом: **от огня артиллерии противника — 88%, от мин — 8% и от авиации — только 4%!** [84, с.110]

Потребовался кардинальный переворот в технике вооружений, связанный с появлением вертолета и управляемой ракеты, прежде чем авиация стала самым опасным противником танков. Но это уже совсем другая история других войн другой эпохи...

А в июне 1941 года единственным способом повышения эффективности воздушных атак против танков могло быть **только огромное массирование сил**. Примером такого массирования и являются описанные Полыниным события 26 июня, когда против 3-й танковой группы вермахта было брошено сразу пять авиадивизий! И достигнутый в тот день результат — 30 уничтоженных немецких танков — по праву мог считаться крупной удачей. Также огромным успехом, отмеченным приветствием самого Сталина, мог считаться доклад командующего Брянским фронтом Еременко об уничтожении «*100 танков, более 800 автомашин, 290 повозок, 20 бронемашин*» в ходе вышеупомянутой крупнейшей операции ВВС Красной Армии [27]. Скорее всего, за строкой этого доклада все-таки стояло уничтожение нескольких десятков танков и автомашин группы Гудериана...

Покончив с этим вынужденно пространным отступле-

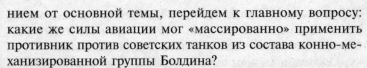

нием от основной темы, перейдем к главному вопросу: какие же силы авиации мог «массированно» применить противник против советских танков из состава конно-механизированной группы Болдина?

Знаменитая немецкая пунктуальность значительно облегчила жизнь будущим историкам. Состав, дислокация, техническое состояние ВВС Германии расписаны буквально по дням [24, 36, 38].

Итак, на левом (северном) фланге группы армий «Центр», в полосе от Вильнюса до Гродно, наступление 3-й танковой группы и 9-й армии вермахта с воздуха поддерживал 8-й авиакорпус люфтваффе под командованием генерала В. Рихтгофена. Скажем сразу — это было одно из самых лучших, самых опытных и знаменитых соединений люфтваффе. Входившие в состав 8-го корпуса авиагруппы воевали с первых часов Второй мировой войны, пройдя через польскую и французскую кампании, «битву за Британию» и сражение за Крит. На Восточный фронт их перебросили из зоны боев над Средиземным морем буквально за считаные дни до начала вторжения.

Это — правда. Точнее говоря, одна часть правды.

Другая, о которой советские «историки» всегда забывали, заключается в том, что многомесячные непрерывные боевые действия приводили к совершенно неизбежным последствиям в части количества и технического состояния самолетов.

В конкретных цифрах это выглядело так. Бомбардировочная авиация 8-го АК состояла из трех авиагрупп «горизонтальных» бомбардировщиков (I/ KG2, III/ KG2, III/ KG3). При штатной численности авиагруппы люфтваффе в 40 самолетов, к утру 24 июня 1941 г. в этих трех группах в исправном состоянии находилось соответственно 21, 23 и 18 самолетов. С учетом четырех командирских машин всего в этот день 8-й авиакорпус мог поднять в воздух **66 бомбардировщиков**. Причем это были устаревшие и уже снятые с производства самолеты «Дорнье» — Do-17Z.

Главную ударную силу 8-го авиакорпуса люфтваффе составляли четыре группы пикирующих Ju-87 (II/ StG1,

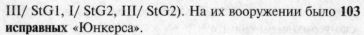

III/ StG1, I/ StG2, III/ StG2). На их вооружении было **103 исправных** «Юнкерса».

Так много их было утром 22 июня. Через два дня, к утру 24 июня в составе четырех групп пикировщиков было соответственно 28, 24, 19 и 20 боеготовых самолетов. Всего, с учетом штабных машин, 96 самолетов [24, 36]. К концу дня 24 июня их осталось еще меньше. По крайней мере, 9 штук из состава StG1 были в тот день сбиты истребителями дивизии Захарова (43-я ИАД) над Минском [63].

Вообще, тихоходный и слабо бронированный «лаптежник» часто становился легкой добычей истребителей (особенно на выходе из пикирования, когда и летчик, и воздушный стрелок находились в полуобморочном состоянии). Так, командира группы III/ StG1 гауптмана Г. Малке трижды сбивали за линией фронта в расположении советских войск. Дважды он сам выбирался обратно, а в третий раз, 8 июля 1941 г., его вывезла из-за линии фронта специальная поисковая группа. Уже 23 июня 41-го года над шоссе Каунас — Вильнюс был сбит в воздушном бою командир группы I/ StG2 Хичхольм. Ну а имена десятков рядовых летчиков история просто не сохранила...

Для того чтобы читатель мог по достоинству оценить это «многократное численное превосходство немецкой авиации», отметим, что на вооружении советских бомбардировочных дивизий, принявших участие в описанной Полыниным операции, по состоянию на 1 июня 41-го года числилось **453 бомбардировщика** в исправном состоянии. И это — без устаревших тяжелых ТБ-3. Стоит также отметить, что максимальный вес бомбовой нагрузки немецкого Do-17Z составлял 1000 кг, нашего «устаревшего» СБ — 1600 кг, а нового ДБ-3ф — 2500 кг.

Недоверчивый читатель уже подумал, наверное, о том, что попавший в полосу действий КМГ Болдина (и, следовательно, на страницы нашего повествования) 8-й АК люфтваффе был самым малочисленным и слабым. Отнюдь. Соединение пикирующих бомбардировщиков, вхо-

дивших в его состав, было самым крупным на всем советско-германском фронте.

В составе 2-го авиакорпуса (южный фланг группы армий «Центр») было только три группы пикировщиков (94 исправных «Юнкерса» на утро 22 июня, 88 — к 24 июня 1941 г.) [24, 36].

И это — все. В полосе наступления групп армий «Север» и «Юг» (Прибалтика, Украина, Молдавия) в первые дни войны вообще не было ни одного пикирующего Ju-87.

Мало того что силы немецкой авиации, действовавшие на стыке Западного и Северо-Западного фронтов Красной Армии, были **ничтожно малы для того, чтобы перемолоть два советских мехкорпуса за три дня**. Не факт, что они вообще были в крупном масштабе привлечены к борьбе с конно-механизированной группой Болдина.

Перед ними стояли совсем другие задачи.

Главной задачей пикировщиков была огневая поддержка наступления танковых групп.

Эта тактика показала свою высокую эффективность при вторжении во Францию, именно на этом взаимодействии и строились все оперативные планы лета 1941 года. Более того, такая тактика была единственно возможной в ситуации, когда две трети немецких танков были вооружены малокалиберными пушечками (или вовсе не имели артиллерийского вооружения). Без огневой поддержки со стороны авиации им просто нечем было бы пробивать оборонительные полосы противника. Именно поэтому те два авиационных корпуса (2-й и 8-й), в составе которых были пикировщики Ju-87, действовали точно в полосах наступления двух «особо сильных танковых соединений» (так они были названы в плане «Барбаросса»), т.е. танковых групп Гота и Гудериана.

Но и на решении этой главной своей задачи командование люфтваффе не могло сконцентрироваться в полной мере, так как в первые дни войны с СССР у него была еще одна, наипервейшая и наиглавнейшая задача: подав-

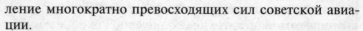
ление многократно превосходящих сил советской авиации.

Все познается в сравнении. При наступлении на Западе в мае 1940 года немцы сосредоточили на фронте в 300 км (от Роттердама до Саарбрюккена) **27** истребительных авиагрупп, в составе которых было, по разным данным, порядка **1250—1350** «Мессершмиттов» [57].

Противостоящие им истребительные силы союзников (французская, голландская, бельгийская авиация, десять эскадрилий английских ВВС, переброшенных на север Франции) насчитывали самое большее **700—750 самолетов** [57]. Другими словами, на стороне люфтваффе было почти двойное численное превосходство, дополненное техническим превосходством Ме-109 над большей частью истребителей союзников.

В такой ситуации бомбардировочные силы люфтваффе (**49** авиагрупп, **1985** самолетов всех типов, т.е. почти **7 самолетов на километр** фронта вторжения) могли заниматься своим «прямым делом». Впрочем, и 7 бомбардировщиков на километр — это совсем мало. Предвоенная советская наука предполагала, что в полосе наступления армии должна быть создана плотность в 15—20 самолетов на километр фронта [14]. 22 июня 1941 г. немцы развернули против Советского Союза **22** истребительные авиагруппы (66 эскадрилий), в составе которых было всего **1036 самолетов.** Им противостояли советские ВВС, которые только в составе авиации западных округов имели **64** истребительных авиаполка (320 эскадрилий), имеющих на вооружении порядка **4200 самолетов** [23]. Еще **763** истребителя было в составе авиации флотов. И это еще только вершина айсберга!

За спиной передовой группировки советской авиации были огромные резервы самолетов, авиачастей, летчиков. Достаточно сказать, что уже на четвертый день войны (25 июня) ВВС Западного фронта получили две авиадивизии (т.е. порядка 400—500 самолетов), переброшенные из внутренних округов. К семнадцатому дню войны (9 июля) ВВС все того же Западного фронта получили для воспол-

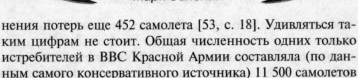

нения потерь еще 452 самолета [53, с. 18]. Удивляться таким цифрам не стоит. Общая численность одних только истребителей в ВВС Красной Армии составляла (по данным самого консервативного источника) 11 500 самолетов [35, с. 359].

Если в подобной ситуации у немцев и был хоть какой-то шанс на завоевание превосходства в воздухе, то он заключался в том, чтобы сконцентрировать все силы авиации — в том числе и бомбардировочной, и штурмовой — на разрушении наземной инфраструктуры советских ВВС.

Да только что это были за силы? На фронте от Балтики до Черного моря (а это более полутора тысяч километров по прямой) у немцев было **35** авиагрупп, на вооружении которых числилось всего (т.е. с учетом и неисправных самолетов) **917 «горизонтальных» и 306 пикирующих** бомбардировщиков. **Менее одного самолета** на километр фронта!

И вот эти хилые силы еще и приходилось дробить, отвлекать от поддержки наземных войск (от борьбы с КМГ Болдина, в частности), переключая их на самоубийственные — какими они могли бы стать при наличии организованного сопротивления — налеты на аэродромы советской истребительной авиации.

Характерный пример: в приказе № 3, подписанном Г. Готом вечером 23 июня, по поводу взаимодействия с авиацией сказано только следующее:

«...8-й авиакорпус передислоцирует временные аэродромы вперед в район Варена и продолжает производить налеты на предполагаемые дальше на восток авиационные части противника» [ВИЖ, 1989, № 7]. Короче говоря — на огневую поддержку с воздуха не надейтесь...

Нет, автор вовсе не собирается обвинять в прямом обмане тех участников несостоявшегося контрудара, которые пишут о том, что немецкие самолеты «гонялись буквально за отдельными машинами». Какая-то часть самолето-вылетов, которые смогли выполнить в первые дни войны полторы сотни бомбардировщиков 8-го авиакорпуса люфтваффе, была направлена и против КМГ Болдина. Какие-то потери техники были вызваны именно этими налетами, за какими-то машинами отдельные обнаглевшие от безнаказанности пилоты люфтваффе действительно гонялись. И на людей, которым трескучая советская пропаганда обещала, что наша авиация будет быстрее всех, выше всех и круче всех, такое зрелище производило исключительно гнетущее впечатление.

Реальные же «достижения» люфтваффе были гораздо более скромными. По крайней мере, так об этом писали в своих отчетах те командиры, которым не было нужды искать оправдания и «объективные причины».

«Потери от авиационных бомбардировок и пулеметного обстрела с воздуха, несмотря на низкие высоты и абсолютное господство авиации противника, оказались очень незначительными» [83]. Это строка из доклада помощника начальника оперативного отдела штаба 2-го стрелкового корпуса капитана Гарана. Это тот самый корпус (100-я и 161-я стрелковые дивизии), который хоть на несколько дней, но остановил немецкие танки на северных подступах к Минску.

Разумеется, можно найти и другие примеры. Разумеется, каждый волен верить или не верить в те мифы, которые он выбирает. Говорят, вера приносит облегчение. По крайней мере, вера в то, что катастрофический разгром Красной Армии можно **списать на действия хилых сил немецкой авиации,** очень упрощала и сейчас еще упрощает задачу всем фальсификаторам истории Великой войны.

Эта глава уже была закончена, когда автору попался на глаза такой вот отрывок из статьи об истории создания и боевого применения Ju-87:

«...на четвертый день войны против СССР пикировщики из состава StG2 бомбили сосредоточение 60 советских танков в 80 км к югу от Гродно...»

Советские танки к югу от Гродно — это как раз и есть наш 6-й мехкорпус, и дата точно соответствует времени

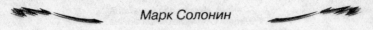

неудавшегося контрудара КМГ Болдина. Продолжим чтение:

«...*позже выяснилось, что удалось вывести из строя только один танк...*»

Глупость или измена?

Военная неудача — а страшная военная катастрофа тем более — неизбежно влечет за собой поиски шпионов и подозрения в измене. Эта версия не столь уж безумна, как может показаться на первый взгляд. По крайней мере, начальник Генерального штаба РККА генерал армии Г.К. Жуков был в те дни настроен очень серьезно. 19 августа 1941 г. (день в день за полвека до путча ГКЧП) он отправил Сталину такой доклад: «...*Я считаю, что противник очень хорошо знает всю систему нашей обороны, всю оперативно-стратегическую группировку наших сил и знает ближайшие наши возможности. Видимо, у нас среди очень крупных работников, близко соприкасающихся с общей обстановкой, противник имеет своих людей...*» [5, с. 361] Правды ради надо отметить и то, что во всех своих послевоенных «воспоминаниях и размышлениях» Георгий Константинович об этой своей докладной записке ни разу не вспоминает.

Что же до мнения автора этой книги, то не лежит моя душа к теории «заговора темных сил».

Не лежит — и все тут. Внутренний голос подсказывает, что любая «агентура врага» просто отдыхает рядом с результатами того растления народа и армии, которым двадцать лет беспрепятственно занимался сталинский режим.

И тем не менее, наступив на горло собственной песне, автор считает необходимым обратить внимание читателя на то, что даже в очень короткой (фактически — две недели) истории боевых действий войск Западного Особого военного округа есть такие факты, которые не укладываются в самые широкие рамки безграничного разгильдяйства.

Спорить о том, ожидало ли командование Западного фронта скорого начала военных действий, мы не будем. Спорить про это глупо и скучно. Просто в порядке иллюстрации приведем еще один факт из тысячи ему подобных.

«...Вывод, который я для себя сделал, можно было сформулировать в четырех словах — «со дня на день»... Командующий ВВС округа генерал И.И. Копец выслушал мой доклад с тем вниманием, которое свидетельствовало о его давнем и полном ко мне доверии. Поэтому мы тут же отправились с ним на доклад к командующему округом...» [55] Так описывает Г.Н. Захаров результаты разведывательного полета, который он (генерал-майор, командир авиадивизии) лично выполнил в один из последних предвоенных дней.

Что же делает командование округа (фронта) в такой ситуации? **Отзывает зенитную артиллерию** армий первого эшелона на окружной сбор [78]. В частности, зенитный дивизион 86-й сд (10-я армия) находился к началу войны на полигоне в 130 км от расположения дивизии, а зенитные дивизионы 6-го мехкорпуса и всей 4-й армии — на окружном полигоне в районе села Крупки, в 120 километрах восточнее Минска [8].

Это тем более странно, что в соседнем, Киевском ОВО отдавались прямо противоположные приказы. Так, 20 июня генерал-лейтенант Музыченко, командующий 6-й армией КОВО, приказал: *«...штабам корпусов, дивизий, полков находиться на месте. Из района дислокации никуда не убывать... зенитные дивизионы срочно отозвать из Львовского лагерного сбора к своим соединениям, по прибытии поставить задачу — прикрыть с воздуха расположение дивизий...»* [61]

Заметим, что опыт немецкого наступления на Западе (в мае 1940 г.) тщательно изучался советским военным руководством. Информацию черпали сразу из двух рук — в Москве сидели и немецкий, и французский (вишистский) военные атташе. То, что «немецкий стандарт» предполагает массированный авиационный удар в первые же часы наступления, Павлов прекрасно знал. По крайней мере,

об этом много говорилось на том декабрьском (1940 г.) совещании высшего комсостава, на котором Павлов был одним из главных докладчиков.

Известный советский генерал и историк С.П. Иванов дает очень интересное объяснение таким действиям нашего командования:

«...Сталин стремился самим состоянием и поведением войск приграничных округов дать понять Гитлеру, что у нас царит спокойствие, если не беспечность (а зачем он к этому стремился??? — М.С.). *Причем делалось это... что называется, в самом натуральном виде. Например, зенитные части находились на сборах... В итоге мы, вместо того чтобы умелыми дезинформационными действиями ввести агрессора в заблуждение относительно боевой готовности наших войск, реально снизили ее до крайне низкой степени»* [45].

Далее. В 16 часов 21 июня — в то время, когда рев тысяч моторов выдвигающихся к Бугу немецких войск стал уже слышен невооруженным ухом, — командир 10-й САД (развернутой в районе Брест — Кобрин) получает новую шифровку из штаба округа: приказ 20 июня о приведении частей в полную боевую готовность и запрещении отпусков **отменить!** Полковник Белов пишет, что он даже не стал доводить такое распоряжение до своих подчиненных, но зачем-то же такой приказ был отдан! И, как можно судить по другим воспоминаниям, в некоторых частях это загадочное распоряжение было выполнено.

Так, подполковник П. Цупко в своих мемуарах пишет, что в том самом 13-м БАП (9-й САД, район Белосток — Волковыск), где *«с рассвета до темна эскадрильи замаскированных самолетов с подвешенными бомбами и вооружением, с экипажами стояли наготове»*, наконец-то был объявлен выходной:

«...на воскресенье 22 июня в 13-м авиаполку объявили выходной. Все обрадовались: три месяца не отдыхали... Вечером в субботу, оставив за старшего начальника оператора штаба капитана Власова, командование авиаполка, многие летчики и техники уехали к семьям в Рось... Весь авиагарнизон остался на попечении внутренней службы, которую воз-

главил *дежурный по лагерному сбору младший лейтенант* (!!! — М.С.) *Усенко...*» [64]

Ну и для полного «комплекта», в этом полку 9-й САД накануне войны «*зенитная батарея была снята с позиции и уехала на учения*». Закончился весь этот трагифарс тем, что 13-й БАП, оснащенный новейшими пикирующими Ар-2 и Пе-2, был в первый же день разгромлен, и, как пишет Цупко, «*почти все летчики нашего авиаполка, измученные, в грязном, рваном обмундировании, появились в начале июля в Москве...*»

В мемуарах П.И. Цупко встречается еще один очень странный эпизод. Эпизод этот не только не подтверждается, а прямо противоречит всем другим известным автору источникам. Но коль скоро славный Политиздат дважды (в 1982 и 1987 гг.) выпустил книгу Цупко, то не грех и нам упомянуть эту историю.

Итак, утром 22 июня экипаж все того же младшего лейтенанта Усенко вылетел на разведку в район Гродно — Августов. Самое позднее, через два-три часа (т.е. не позднее полудня) Ар-2 возвращался на базовый аэродром 9-й САД у Белостока. Самолет Усенко уже было приземлился, когда «*от ангара отделились и побежали развернутой цепью к самолету солдаты в серо-зеленой форме. По другую сторону ангара Константин вдруг разглядел шесть трехмоторных транспортных Ю-52, еще дальше — до десятка Ме-110... У самолетов сновали серо-зеленые фигурки...*»

Короче говоря, немцы деловито обживали аэродром, находящийся всего в нескольких верстах от штаба 9-й САД, штаба 10-й армии Западного фронта, Белостокского областного управления НКВД и прочая. В середине дня 22 июня все эти уважаемые организации вроде как еще никуда не «перебазировались». Немецкая же пехота заняла Белосток только 24 июня.

Еще более удивительное свидетельство мы находим в воспоминаниях С.Ф. Долгушина.

Генерал-лейтенант авиации, Герой Советского Союза, начальник кафедры тактики в ВВИА им. Жуковского

встретил войну младшим лейтенантом в 122-м ИАП (11-й САД). Сергей Федорович вспоминает:

«...накануне войны служил на аэродроме, расположенном в 17 км от границы. Каждый день нам приходилось дежурить... В субботу, 21 июня 1941 г. прилетел к нам командующий округом генерал армии Павлов, командующий ВВС округа генерал Копец... нас с Макаровым послали на воздушную разведку. На немецком аэродроме до этого дня было всего 30 самолетов. Это мы проверяли неоднократно (!!! — М.С.), но в этот день оказалось, что туда было переброшено еще более 200 немецких самолетов...»

Не будем отвлекаться на обсуждение сенсационного свидетельства о том, что, оказывается, не только немецкие, но и советские самолеты-разведчики постоянно вторгались в воздушное пространство противника. Важнее другое — какое же решение приняли генералы, получив такое сообщение о резком увеличении вражеской группировки?

*«...часов в 18 поступил приказ командующего **снять с самолетов** (самолетов истребительного авиаполка, базирующегося в 17 км от границы. — М.С.) **оружие и боеприпасы**. Приказ есть приказ — оружие мы сняли. Но ящики с боеприпасами оставили. 22 июня в 2 часа 30 минут объявили тревогу (время точно совпадает со множеством других свидетельств. — М.С.), и пришлось нам вместо того, чтобы взлетать и прикрывать аэродром, в срочном порядке опять ставить пушки и пулеметы на самолеты. Наше звено первым установило пушки, и тут появилось 15 вражеских самолетов...»* [141, 142]

Что это было?

Нелепое стечение обстоятельств?

Дьявольская игра Сталина, который все старался убаюкать Гитлера, прежде чем всадить ему топор в спину, да в конце концов и обыграл самого себя?

Заговор?

Как известно, весной 1941 г. начало раскручиваться грандиозное дело «об антисоветском заговоре в руководстве ВВС Красной Армии». Были арестованы: начальник

Управления ВВС РККА П.В. Рычагов, начальник управления ПВО Г.М. Штерн, помощник начальника Генштаба по авиации Я.В. Смушкевич (дважды Герой Советского Союза!), начальник штаба ВВС П.С. Володин, командующий ВВС Московского военного округа П.И. Пумпур, начальник Военно-воздушной академии Ф.К. Арженухин, начальник управления вооружений ВВС И. Сакриер, командующий ВВС Дальневосточного фронта Гусев, начальник ГРУ (в прошлом — командующий ДБА) И.И. Проскуров...

Затем подошла очередь для наркома вооружений Б. Ванникова, зам. начальника Главного артиллерийского управления Г. Савченко, командующего ПрибОВО генерал-полковника А. Локтионова.

В первые дни войны были арестованы заместитель наркома обороны генерал армии К.А. Мерецков и командующий ВВС Юго-Западного фронта генерал-лейтенант Е.С. Птухин.

Много неясного и в обстоятельствах самоубийства Героя Советского Союза, командующего ВВС Западного фронта генерал-майора И. Копеца. В общепринятую версию причин самоубийства не вписывается самое в таком вопросе главное — личность погибшего. Иван Копец, 34-летний генерал авиации, не был «бывшим летчиком-истребителем». До последнего дня он оставался летающим летчиком. Маршал Скрипко в своих мемуарах с некоторым даже неодобрением отмечает, что командующий авиацией округа большую часть времени проводил на аэродромах, на которые Копец не приезжал на «ЗИСе», а прилетал на истребителе И-16. Да и звание Героя Советского Союза командир эскадрильи Копец получил за личное мужество и мастерство, проявленные в небе Мадрида.

Для человека с такой биографией и таким характером гораздо естественнее было бы свести счеты с жизнью в воздухе, в кабине боевого самолета, прихватив с собой нескольких врагов. Все становится на свои места, если только предположить, что причиной самоубийства был вовсе не шок от неудачного (о чем утром первого дня никто еще

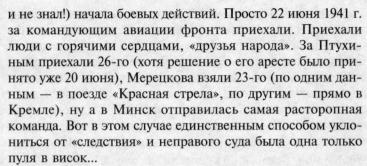

и не знал!) начала боевых действий. Просто 22 июня 1941 г. за командующим авиации фронта приехали. Приехали люди с горячими сердцами, «друзья народа». За Птухиным приехали 26-го (хотя решение о его аресте было принято уже 20 июня), Мерецкова взяли 23-го (по одним данным — в поезде «Красная стрела», по другим — прямо в Кремле), ну а в Минск отправилась самая расторопная команда. Вот в этом случае единственным способом уклониться от «следствия» и неправого суда была одна только пуля в висок...

Скорее всего, именно с «делом Мерецкова» — а не с фактом разгрома Западного фронта — был связан и арест командующего Западным фронтом генерала армии Д.Г. Павлова. 30 июня 1941 г. его сняли с должности командующего, вызвали в Москву, «пропесочили» как следует, но после этого, все в том же звании генерала армии, отправили воевать на тот же самый Западный фронт. Есть сведения о том, что Павлова назначили заместителем командующего фронта по автобронетанковым войскам [45]. Не такое уж и большое понижение в должности — если принять во внимание, что новым командующим фронтом был назначен сам нарком обороны, маршал Тимошенко. Арестовали же Павлова 4 июля, прямо на дороге у города Довска (за 30—40 км от линии фронта, которая проходила тогда у Рогачева). Из протоколов допросов совершенно однозначно следует, что «заговорщические связи с Уборевичем и Мерецковым» интересовали следствие гораздо больше, нежели выяснение подлинных причин разгрома Западного фронта. На суде Павлов отказался от выбитого из него самооговора и был приговорен к расстрелу всего лишь за *бездействие власти, нераспорядительность и развал управления войсками*. Но раскручивалось-то, судя по напору «следователей», совсем другое дело — дело о заговоре высшего командного состава РККА.

Для понимания обстановки в руководстве армии весьма примечателен и такой факт. На суде, отказавшись от необоснованных обвинений, Павлов в то же время признал, что у него с Мерецковым в январе 1940 г., на финском фронте, был разговор о том, что «*в случае нападения Германии на СССР и победы германской армии хуже нам от этого не будет*». Свое поведение Павлов объяснял тем, что этот разговор происходил «во время выпивки» [67, с. 98]. А что же тогда было на уме у трезвых генералов?

Брестская крепость

Не все так ясно, как кажется, и в истории обороны легендарной Брестской крепости. В своей секретной (до 1988 г.) монографии Сандалов прямо и без экивоков пишет:

«*...Брестская крепость оказалась ловушкой и сыграла в начале войны роковую роль для войск 28-го стрелкового корпуса и всей 4-й армии... большое количество личного состава частей 6-й и 42-й стрелковых дивизий осталось в крепости не потому, что они имели задачу оборонять крепость, а потому, что не могли из нее выйти...*» [79]

Все абсолютно логично. Крепость так и строится, чтобы в нее было трудно войти. Как следствие, из любой крепости трудно вывести разом большую массу людей и техники. Сандалов пишет, что для выхода из Брестской крепости в восточном направлении имелись только одни (северные) ворота, далее надо было переправиться через опоясывающую крепость реку Мухавец. Страшно подумать, что там творилось, когда через это «иголочное ушко» под градом вражеских снарядов пытались вырваться наружу две стрелковые дивизии — без малого 30 тыс. человек.

Чуть южнее Бреста, в военном городке в 3 км от линии пограничных столбов, дислоцировалась еще одна дивизия: 22-я танковая из состава 14-го МК.

«*Этот городок*, — пишет Сандалов, — *находился на ровной местности, хорошо просматриваемой со стороны противника... расположение частей было скученным... Красноармейцы спали на 3—4-ярусных нарах, а офицеры с семьями жили в домах начсостава поблизости от казарм... По тревоге дивизия выходила в район Жабинки и севернее (т.е.*

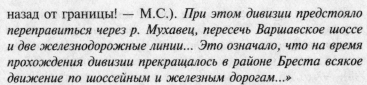

назад от границы! — М.С.). *При этом дивизии предстояло переправиться через р. Мухавец, пересечь Варшавское шоссе и две железнодорожные линии... Это означало, что на время прохождения дивизии прекращалось в районе Бреста всякое движение по шоссейным и железным дорогам...»*

Разумеется, немцы оценили и полностью использовали предоставленные им возможности. Кроме «собственной» артиллерии 45-й пехотной дивизии вермахта, для обстрела Бреста была выдвинута артиллерия двух соседних (34-й и 31-й) пехотных дивизий, двенадцать отдельных батарей, дивизион тяжелых мортир. Для большего «удобства в работе» немцы подняли в воздух привязные аэростаты с корректировщиками. Шквал огня буквально смел с лица земли тысячи людей, уничтожил автотранспорт и артиллерию, стоявшие тесными рядами под открытым небом. 98-й отдельный дивизион ПТО, разведбат и некоторые другие части 6-й и 42-й стрелковых дивизий были истреблены почти полностью. 22-я танковая дивизия потеряла до половины танков и автомашин, от вражеских снарядов загорелись, а затем и взорвались артсклад и склад ГСМ дивизии.

Вот после того, как три дивизии были расстреляны, подобно учебной мишени на полигоне, а немцы уже в 7 часов утра заняли пылающие развалины Бреста, и началась воспетая в стихах и прозе «героическая эпопея обороны Брестской крепости».

Тут самое время задать извечный российский вопрос — кто виноват?

Крепость, как предмет неодушевленный, никакой роли сыграть не могла. Эта фраза в монографии Сандалова является всего лишь оборотом речи. Роль «ловушки» сыграли решения, принятые людьми. Кто их принимал, когда и, главное, — зачем?

Традиционная советская историография привычно косит под психа: «Было допущено необдуманное размещение...» Это чем же надо было думать, чтобы разместить три дивизии там, где никого и ничего — кроме пограничных дозоров и минных полей — и быть не должно!

Для современного читателя уже привычной стала суворовская версия — Сталин готовился к вторжению и поэтому придвинул войска прямо к пограничному рубежу. Но мы не будем спешить соглашаться с этим. Будем думать головой и сравнивать.

Госпиталь 4-й армии был расположен... на острове посреди Буга, то есть даже не у границы, а уже за границей. Это что — тоже для нанесения «внезапного первого удара» так умно придумали?

И неужели Сталин решил завоевать всю Европу силами одной только 22-й танковой дивизии? Смысл вопроса в том, что **все остальные** шестьдесят танковых и тридцать одна моторизованная дивизии Красной Армии у границы НЕ дислоцировались. Надеюсь, читатель извинит нас за то, что мы не будем оглашать весь список, но даже мехкорпуса первого эшелона перед войной базировались в Шяуляе, Каунасе, Гродно, Волковыске, Белостоке, Кобрине, Ровно, Бродах, Львове, Дрогобыче, Станиславе... На расстоянии от 50 до 100 км от границы. Обстрелять их из пушки на рассвете 22 июня было невозможно в принципе.

Для самых уважаемых мною (т.е. дотошных) читателей готов уточнить, что была еще одна дивизия (41-я тд из состава 22-го МК), которая накануне войны оказалась очень близко, километрах в 12—15, от границы (в городе Владимир-Волынский). Но даже 12 км — это не 3 км. Разница — с точки зрения возможности выхода из-под артогня — огромная. Ранним утром 22 июня командир 41-й тд вскрыл «красный пакет», и дивизия форсированным маршем двинулась по шоссе к Ковелю. В отчете о боевых действиях дивизии читаем: «*В 4 часа утра 22.6.41 обстреливалась дальним артогнем противника и в период отмобилизования имела потери 10 бойцов убитыми...*» [8]

Самое же главное в том, что дивизии легких танков (а вооружена «брестская» 22-я тд была одними только Т-26) на берегу пограничной реки делать совершенно нечего. Сначала артиллерия должна подавить систему огня противника, затем пехота должна навести переправы и захватить плацдарм на вражеском берегу — и вот только после этого из глубины оперативного построения в прорыв должна ворваться танковая орда. Именно так докладывал высокому Совещанию (в декабре 1940 г.) главный танкист РККА генерал Павлов, именно поэтому в «красном пакете» районом сосредоточения для 22-й тд был указан отнюдь не восточный берег Буга, а деревня Жабинка в 25 км от Бреста! Что же помешало спрятать 22-ю тд в лесах еще восточнее этой самой Жабинки? Уж чего-чего, а леса в Белоруссии хватает. Кто и зачем загнал танковую дивизию в лагерь *«на ровной местности, хорошо просматриваемой со стороны противника»*? Кто и зачем запер две стрелковые дивизии в «мышеловку» старинной крепости?

Ответы на эти вопросы начнем собирать — как принято было в стародавние времена — начиная с «нижних чинов».

Е.М. Синковский, накануне войны — майор, начальник оперативного отдела штаба 28-го стрелкового корпуса 4-й армии:

«...командование 28-го СК возбудило перед командованием 4-й армии ходатайство о разрешении вывести 6-ю и 42-ю дивизии из крепости. Разрешения не последовало...» [44]

Ф.И. Шлыков, накануне войны — член Военного совета (проще говоря — комиссар) 4-й армии. Вам слово, товарищ комиссар:

«...мы писали в округ (т.е. командованию ЗапОВО. — М.С.), *чтобы нам разрешили вывести из Бреста одну дивизию, некоторые склады и госпиталь. Нам разрешили перевести в другой район лишь часть госпиталя...»* [44]

Л.М. Сандалов, накануне войны — полковник, начальник штаба 4-й армии, в своей монографии о боевых действиях армии пишет:

«...настоятельно требовалось изменить дислокацию 22-й танковой дивизии, на что, однако, округ не дал своего согласия...»

Итак, подведем промежуточные итоги. Все осознают ошибочность размещения трех дивизий прямо на линии пограничных столбов. Но — командованию корпуса запрещает вывести дивизии из Бреста командование армии, которому, в свою очередь, сделать это запрещает командование округа. Более того, вокруг вопроса о выводе войск из Бреста идет напряженная борьба: корпус просит разрешения на вывод из крепости всех частей, командование армии просит у штаба округа разрешения на вывод хотя бы одной дивизии...

А что же командование округа?

Д.Г. Павлов, генерал армии, командующий Западным фронтом (особым военным округом), дал на суде следующие показания:

«*...еще в начале июня я* **отдал приказ о выводе войск** (подчеркнуто мной. — М.С.) *из Бреста в лагеря. Коробков же моего приказа не выполнил, в результате чего три дивизии при выходе из города были разгромлены противником...*»

А.А. Коробков, генерал-майор, командующий 4-й армией, дал на суде следующие показания:

«*...виновным себя не признаю... показания Павлова я категорически отрицаю... Приказ о выводе частей из Бреста никем не отдавался. Я лично такого приказа не видел...*»

Оказавшись плечом к плечу с Коробковым (они сидели на одной скамье подсудимых), Павлов тут же меняет свои показания. Между двумя обреченными генералами происходит следующий диалог:

«*Подсудимый Павлов*:

— *В июне по моему приказу был направлен командир 28-го стрелкового корпуса Попов с заданием к 15 июня все войска эвакуировать из Бреста в лагеря.*

Подсудимый Коробков:

— *Я об этом не знал. Значит, Попова надо привлекать к уголовной ответственности...*» [67]

Обратите внимание, уважаемый читатель, на то, что является предметом спора и судебного разбирательства. Генералы спорят не о том, были ли приказы Павлова верными, своевременными, эффективными... Они не могут согласиться друг с другом в том, был ли отдан приказ о выводе войск из Бреста или нет. Как такое может быть **предметом спора?** Даже в детском саду приказы начальницы издаются в письменном виде, фиксируются в журнале, складываются в папочку с тесемками. Приказ штаба Западного Особого военного округа был (или не был) отдан за три недели до начала войны. В абсолютно мирное время. Его что — немецкие диверсанты из сейфа выкрали? И почему это приказ командования округа отдается «через голову» командующего армии непосредственно командиру корпуса? Того самого 28-го СК, командование которого, по свидетельству майора Синковского, не то что приказа, а даже *разрешения на вывод двух дивизий из Брестской крепости не получило*...

Коль скоро мы заговорили о Бресте, то самое время вспомнить историю обороны того, что по планам советского командования должно было выступить в роли «брестской крепости». Разумеется, речь пойдет не о подземельях старинного и изрядно обветшалого замка, а о **Брестском укрепрайоне (УР № 62)**.

Волга впадает в Каспийское море, лошади жуют овес, дважды два — четыре, доверчивый и наивный Сталин переломал все доты на старой (1939 г.) госгранице, а на новой ничего путного построить так и не успели. Это знают все. Об этом сказано в любой книжке про войну. Этому учат в школе. В отстаивании этой «истины» объединились все: от Виктора Суворова до любого партийного «историка».

Но шило неудержимо рвется из мешка. В № 4 за 1989 г. «Военно-исторический журнал» — печатный орган Министерства обороны СССР — поместил таблицу с цифрами, отражающими состояние укрепленных районов на новой границе к 1 июня 1941 г. На эту таблицу редакция щедро выделила 5,5 х 2,5 см журнальной площади. Микроскопическими буковками была набрана информация о том, что в Брестском УРе было построено 128 долговременных огневых сооружений, и еще 380 ДОСов находилось в стадии строительства. Крохотная площадь не позволила сообщить читателям о том, что сроком завершения строительства было установлено 1 июля 1941 г., и работа кипела с рассвета до заката.

Кстати сказать, и на старой границе никто ничего не

взрывал. Напротив, 25 мая 1941 г. вышло очередное постановление правительства о мерах по реконструкции и довооружению «старых» УРов. Срок готовности был установлен к 1 октября 1941 г. Некоторые доты Минского УРа целы и по сей день. Полутораметровый бетон выдержал все артобстрелы, а когда немцы, уже во время оккупации Белоруссии, попытались было взорвать ДОТы, то от этой идеи им пришлось вскоре отказаться из-за огромного расхода дефицитной на войне взрывчатки...

Вернемся, однако, в Брест. Как пишет Сандалов (в то время — начальник штаба 4-й армии, в полосе которой и строился Брестский УР), *«на строительство Брестского укрепленного района были привлечены все саперные части 4-й армии и 33-й инженерный полк округа... В марте-апреле 1941 г. было дополнительно привлечено 10 тыс. человек местного населения с 4 тыс. подвод... с июня по приказу округа на оборонительные работы привлекалось уже по два батальона от каждого стрелкового полка дивизии...»* [79] 16 июня строительный аврал был еще раз подстегнут постановлением ЦК ВКП(б) и СНК СССР «Об ускорении приведения в боевую готовность укрепленных районов» [3].

Таким образом, мы не сильно ошибемся, если предположим, что к 22 июня большая часть из 380 недостроенных ДОСов Брестского УРа была уже готова или почти готова. Точных цифр, вероятно, не знает никто. Так, суммирование (по таблице в ВИЖ) числа построенных ДОСов в четырех укрепрайонах Западного фронта дает число 332, но на соседней странице, в тексте статьи, сказано, что *«к июню 1941 г. было построено 505 ДОСов».* Павлов и Климовских называют на суде еще большую цифру — 600... [67]

Как бы то ни было, но **на каждом километре** фронта Брестского укрепрайона стояло по **три** врытые в землю бетонные коробки, стены которых выдерживали прямое попадание снаряда тяжелой полевой гаубицы. Одна — полностью построенная и оборудованная и еще две такие же коробки, частично незавершенные. Это в дополнение к созданной самой природой реке Бугу, вдоль которой и проходила тогда граница. Даже если допустить, что ни в одном ДОСе не было установлено ни одной единицы специального вооружения, то и в этом случае, просто разместив в них пулеметные взводы стрелковых дивизий, вооруженные стандартными «дегтярями» и «максимами», можно было создать сплошную зону огневого поражения. Пулеметы были. По штату в апреле 1941 г. в стрелковой дивизии РККА было 392 ручных и 166 станковых пулеметов. По штату. Фактически к 22 июня 41-го года на вооружении Красной Армии было 170 тысяч ручных и 76 тысяч станковых пулеметов [35, с. 351].

Впрочем, все эти импровизации были излишними. Как следует из показаний командующего Западным фронтом Павлова, треть ДОСов была уже вооружена. Причем вооружена отнюдь не ветхими пушками, якобы снятыми с укрепрайонов на старой границе.

Товарищ И.Н. Швейкин встретил войну лейтенантом в 8-м пулеметно-артиллерийском батальоне Брестского УРа. Он свидетельствует:

«...качество и боевое снаряжение дотов по сравнению с дотами на старой границе было намного выше. Там на батальон было всего четыре орудия, а остальное вооружение составляли пулеметы. Здесь же многие доты (45% от общего числа. — М.С.) имели по одному или несколько орудий, спаренных с пулеметами... Орудия действовали полуавтоматически. Стреляные гильзы падали в специальные колодцы вне дотов, что было очень удобно. Боевые сооружения оснащались очень хорошей оптикой...» [44]

Надежно подготовленный коммунистическими «историками» читатель уже все понял: ДОТы-то были, да только глупый Сталин не разрешил их занять. Чтобы не «дать повода». Логика потрясающая. Не говоря уже о том, что ни Сталин, ни Гитлер никогда не нуждались в «поводах» (ибо в нужное время изготавливали их в любом количестве сами), по сравнению с самим фактом строительства ТЫСЯЧ бетонных коробок на берегу пограничной реки, занятие их во тьме ночной гарнизонами никого и ни на что не могло «спровоцировать». Поэтому их и занимали. Каждую ночь.

«*...В конце мая участились боевые тревоги, во время которых мы занимали свои доты... Ночь проводили в дотах, а утром, после отбоя возвращались в свои землянки. В июне такие тревоги стали чуть ли не ежедневными. В ночь на 21 июня — тоже. В субботу, 21 июня, как обычно, после ужина смотрели кино. Бросилось в глаза то, что, в отличие от прошлых суббот, на скамейках не было видно гражданских жителей из ближайших деревень. После фильма прозвучал отбой, но спать долго не пришлось: в 2 часа ночи мы были подняты по боевой тревоге и через полчаса были уже в своих дотах, куда вскоре прибыли повозки с боеприпасами...*»

Это — строки из воспоминаний Л.В. Ирина, встретившего войну курсантом учебной роты 9-го артпульбата Гродненского УРа [83]. Нет никаких оснований сомневаться в том, что и Брестский УР жил весной 1941 г. по тем же самым уставам и наставлениям.

Все познается в сравнении. «Линия Маннергейма», о которой историки Второй мировой вспоминали тысячу и один раз, имела всего 166 бетонных ДОТов на фронте в 135 км, причем большая часть дотов были пулеметными, и лишь только **8** так называемых «дотов-миллионников» были вооружены пушками.

Как же все это было использовано? Красная Армия с огромными потерями прогрызала «линию Маннергейма» весь февраль 1940 г. Немцы же практически не заметили существования Брестского укрепрайона. В донесении штаба группы армий «Центр» (22 июня 1941 г., 20 ч 30 мин) находим только краткую констатацию: «*Пограничные укрепления прорваны на участках всех корпусов 4-й армии*» (т.е. как раз в полосе обороны Брестского УРа) [61]. И в мемуарах Гудериана мы не найдем ни единого упоминания о каких-то боях при прорыве линии обороны Брестского укрепрайона.

Но. Некоторые ДОТы сражались до конца июня 1941 г. Немцы уже заняли Белосток и Минск, вышли к Бобруйску, начали форсирование Березины, а в это время 3-я рота 17-го пульбата Брестского УРа удерживала 4 ДОТа на берегу Буга у польского местечка Семятыче до 30 июня! [44] Бетонные перекрытия выдержали все артобстрелы, и, только получив возможность окружить ДОТы и проломить их стены тяжелыми фугасами, немцы смогли подавить сопротивление горстки героев.

А что же делали все остальные? *«Большая часть личного состава 17-го пульбата отходила в направлении Высокого, где находился штаб 62-го укрепрайона... В этом же направлении отходила группа личного состава 18-го пульбата из района Бреста...»* [79] Вот так, спокойно и меланхолично, описывает Сандалов факт массового дезертирства, имевший место в первые часы войны.

Бывает. На войне как на войне. В любой армии мира бывают и растерянность, и паника, и бегство.

Для того и существуют в армии командиры, чтобы в подобной ситуации одних приободрить, других — пристрелить, но добиться выполнения боевой задачи. Что же сделал командир 62-го УРа, когда к его штабу в Высокое прибежали толпы бросивших свои огневые позиции красноармейцев?

«Командир Брестского укрепрайона генерал-майор Пузырев с частью подразделений, отошедших к нему в Высокое, в первый же день отошел на Бельск (40 км от границы. — М.С.), *а затем далее на восток...»* [79] Как это — «отошел»? Авиаполки, как нам говорят, «перебазировались» в глубокий тыл для того, чтобы получить там новые самолеты. Взамен ранее брошенных на аэродромах. Допустим. Но что же собирался получить в тылу товарищ Пузырев? Новый передвижной ДОТ на колесиках?

Возможно, эти вопросы и были ему кем-то заданы. Ответы же по сей день неизвестны.

«1890 г.р. Комендант 62-го укрепрайона. Умер 18 ноября 1941 года. Данных о месте захоронения нет» — вот и все, что сообщил своим читателям «Военно-исторический журнал». Как, где, при каких обстоятельствах умер генерал Пузырев, почему осенью 1941 г. он продолжал чис-

литься «комендантом» несуществующего укрепрайона — все это укрыто густым мраком государственной тайны.

Старший начальник генерала Пузырева, помощник командующего Западным фронтом по укрепрайонам генерал-майор И.П. Михайлин, погиб от шального осколка ранним утром 23 июня 1941 г.

В мемуарах Болдина обнаруживаются и некоторые подробности этого несчастного случая:

«...*отступая вместе с войсками, генерал-майор Михайлин случайно узнал, где я, и приехал на мой командный пункт...*» Генерал Михайлин не отступал «вместе с войсками». Он их явно обогнал.

Командный пункт Болдина, как помнит внимательный читатель, находился в 15 км северо-восточнее Белостока, т.е. более чем в 100 км от границы. Солдат за сутки столько ногами не протопает...

Дама с фикусом

Жанр документального детектива требует сведения воедино всех сюжетных линий и четкого указания на главных злодеев. Увы, ничего, кроме множества вопросительных знаков, автор предложить читателям не в состоянии. Увы, выяснение подлинных причин величайшей и беспримерной в истории России трагедии так и не стало за истекшие шестьдесят лет предметом авторитетного **судебного или, по крайней мере, парламентского расследования.** Эта ситуация, совершенно немыслимая ни в одном цивилизованном государстве, стала привычной для нашего общества и уже давно не вызывает ни протеста, ни даже удивления.

Имеющаяся же в нашем распоряжении источниковая база не позволяет продвинуться дальше непроверенных гипотез и наводящих вопросов. Один из таких вопросов возник при чтении следующего отрывка из мемуаров Болдина. Итак, первый день войны. В полдень Болдин прилетает из Минска на военный аэродром в 35 км восточнее Белостока.

«...На счету каждая минута. Нужно спешить в 10-ю армию. Легковой машины на аэродроме нет. Беру полуторку, сажусь в кабину и даю указание шоферу ехать в Белосток...

...наша полуторка мчится по оживленной автостраде. Но это не обычное оживление. То, что мы видим на ней, больше походит на сутолоку совершенно растерянных людей, не знающих, куда и зачем они идут или едут...

...показалось несколько легковых машин. Впереди «ЗИС-101». Из его открытых окон торчат широкие листья фикуса. Оказалось, что это машина какого-то областного начальника. В ней две женщины и двое ребят.

— Неужели в такое время вам нечего больше возить, кроме цветов? Лучше бы взяли стариков или детей, — обращаюсь к женщинам. Опустив головы, они молчат. Шофер отвернулся, — видно, и ему стало совестно. Наши машины разъехались...

...на шоссе показалась «эмка». В ней инженер одной из строек укрепрайона. Предлагаю инженеру привести в порядок мою полуторку, а сам беру его машину и продолжаю путь в 10-ю армию. Нужно попасть туда как можно быстрее. Восемнадцать часов. Яркое солнце освещает дорогу...» [80]

Перечитайте этот отрывок, уважаемый читатель. Два, три раза. Он того стоит. Перед нами ключ к разгадке того, что принято называть «тайной 1941 года».

Прежде всего определимся с обстоятельствами времени и места действия.

Встреча с дамой и фикусом происходит восточнее Белостока, т.е. за 100 км от границы, во второй половине дня 22 июня 1941 г., т.е. примерно через 12 часов после начала боевых действий, через 4—5 часов после выступления Молотова по всесоюзному радио. Война началась, и это уже знают все.

Одним из множества последствий этого трагического факта является то, что все без исключения легковые автомобили теперь подлежат мобилизации и передаче в распоряжение военных властей. Командующий округом, а в его отсутствие — первый заместитель командующего Западным особым военным Округом товарищ Болдин — теперь является высшей властью для всех военных и гражданских лиц на территории Белоруссии.

Болдин спешит не на рыбалку. Он должен срочно прибыть в штаб 10-й армии, создать и руководить действиями главной ударной группировки фронта. От того, как быстро и в каком физическом состоянии он прибудет к месту назначения, зависят, без всякого преувеличения, жизни сотен тысяч людей.

Вывод — Болдин не только имел право, но и просто обязан был пересесть из фанерной кабинки грохочущей, очень ненадежной «полуторки» в кожаное кресло комфортабельного скоростного лимузина. Он — Болдин — уже воюет, его время и его самочувствие уже перестали быть его личным делом, в котором можно проявлять личную скромность.

Понимает ли это сам Болдин? Безусловно. Он несколько раз повторяет фразы о том, что «нужно спешить», и немедленно забирает себе первую встречную «эмку».

А мощный и надежный «правительственный» «ЗИС-101» отпускает, ограничившись только едким замечанием. От которого (замечания) стало стыдно одному только водителю — но не пассажирам «ЗИСа». Молчание было их ответом. После чего *наши машины разъехались*.

В принципе, этой информации уже достаточно для того, чтобы определить, какому именно «областному начальнику» принадлежали и эта машина, и этот фикус, и почему «ЗИС» ехал не один, а первым в составе «группы машин».

Белосток того времени — это провинциальный город с населением 150 тыс. человек и несколькими заводами текстильной промышленности. В Польше он был заброшенной восточной окраиной, в составе СССР стал далеким западным приграничьем. «Какие-то начальники» в таких городах ездили на трамвайчике, большие (по местным меркам) начальники — на «эмках». С легковыми автомобилями в СССР всегда была большая напряженка.

Представительский «ЗИС-101» в Белостоке мог оказаться только в распоряжении трех человек: первого секретаря обкома Партии Любителей Общего Имущества и начальников областных управлений НКВД и НКГБ. Четвертого, как говорится, не дано. И только вбитым в кость страхом перед «органами» можно объяснить то, что генерал-лейтенант, за спиной которого было уже два «освободительных похода» — в Польшу и в Румынию, — не решился вытряхнуть фикус на обочину.

Определившись, таким образом, с принадлежностью машины и женщины, обратим теперь наше внимание на горшок с фикусом.

Освободительные походы всегда сопровождались резким скачком благосостояния военного, партийного и, прежде всего, гэбэшного начальства. После того как кровью десятков миллионов была завоевана победа, это явление расцвело пышным махровым цветом. Тащили машинами, вагонами, эшелонами. Демонтировали и перевезли в Подмосковье роскошную виллу Геринга, переплавили на набалдашник трости золотую корону Гогенцоллернов, специально для маршала Жукова искали по всему разрушенному Берлину каких-то невиданных «собачек английской породы с бородками»...

При обыске у арестованного 24 января 1948 г. К.Ф. Телегина, генерал-лейтенанта, члена Военного совета Группы советских войск в Германии, а проще говоря — ближайшего сподвижника Г.К. Жукова — было изъято:

«свыше 16 кг изделий из серебра, 218 отрезов шерстяных и шелковых тканей, 21 охотничье ружье, много антикварных изделий из фарфора и фаянса, меха, гобелены работы французских и фламандских мастеров XVII и XVIII веков и другие дорогостоящие вещи...» **(ВИЖ, 1989, № 6)**

В 1939 году эти «цветочки» еще только-только распускались, но уже и в ходе освободительного похода в Польшу в зоне советской оккупации под Львовом пропало имущество жены американского посла в Польше Биддла (дамы из очень богатой семьи), в том числе — огромная коллекция антиквариата. Без малого два года американцы приставали к советскому внешнеполитическому ведомству с просьбой разобраться в этом вопросе. Их очень удивляло, как в стране с «отмененной» частной собственностью могли бесследно пропасть 200 (двести) ящиков с картинами, мехами, коврами, столовым серебром и т.д. В конце концов терпение у наших дипломатов лопнуло, и 5 июня 1941 г. замнаркома иностранных дел товарищ Лозовский заявил послу США Штейнгардту дословно следующее:

«...в Западной Украине и в Западной Белоруссии в то время происходила революция. Г-н посол, очевидно, думает, что, когда люди делают революцию, они только и думают о том, как бы сохранить чье-либо имущество. Советское правительство не является сторожем имущества г-на Биддла...» [69, с. 724]

Излив таким образом душу, советские власти вернули 47 ящиков и пообещали вернуть остальное, «если будет найдено еще что-нибудь».

Вся эта длинная история рассказана к тому, что дурацкий фикус едва ли был единственным ценным предметом в доме главного белостокского начальника. Осенью 1939 г. там также «происходила революция», и в родовых замках Радзивиллов тоже пропадали премиленькие вещицы.

То, что «первая леди Белостока» потащила с собой фикус, говорит о том, что сборы происходили **в крайней спешке, в страшной панике, в состоянии, близком к умопомешательству**.

А почему?

Что, собственно, так напугало даму с фикусом и ее мужа?

Ответить на этот вопрос совсем не так просто, как может показаться на первый взгляд. Это мы сегодня знаем, началом чего стали выстрелы на границе ранним утром 22 июня 1941 года. Но кто же мог это знать вечером первого дня?

Из всех репродукторов грохотало: «А если к нам нагрянет враг матерый, он будет бит повсюду и везде». В Москве готовили к отправке в войска Директиву № 3, в

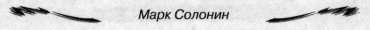
соответствии с которой к 24 июня боевые действия должны были быть перенесены на территорию противника.

И какие могли быть сомнения в реальности этих планов — исходя из фактического соотношения сил сторон? Если даже и могли быть сомнения, то откуда же взялась такая **нерассуждающая уверенность** в том, что надо бежать куда глаза глядят?

Муж дамы в силу своего служебного положения знал истинное положение дел? Но в таком случае оснований для паники было еще меньше. В полосе обороны 10-й армии, на фронте в 200 км, наступало десять пехотных дивизий вермахта. С артиллерией на конной тяге, без единого танка. По нашим уставам, для наступления на таком фронте требовалось втрое больше сил.

К тому моменту, когда горшок с фикусом засовывали в салон дорогого автомобиля, передовые отряды вермахта еще только заканчивали переправу через пограничный Буг. Даже если предположить, что Большой Начальник не верил в способность Красной Армии оказать хоть какое-то сопротивление, то и в этом случае разумных оснований для спешки не было. От границы до Белостока 75—100 километров. На пути две реки: если двигаться с юго-запада, то Нарев, если с севера — то Бебжа. Пусть и не бог весть какие реки, не Днепр и не Висла, но без моста через них пехотную дивизию со всем ее разнообразным хозяйством не переправить. А мост надо еще навести, а сколько времени уйдет просто на то, чтобы по нему прошла дивизия вермахта, т.е. 15 тысяч человек и 5 тысяч лошадей?

Так что раньше четверга-пятницы немцев в Белостоке можно было и не ждать. Времени на сборы — предостаточно. Незачем было метаться и хватать в ужасе первый попавшийся под руку фикус.

Так какая же сила уже через несколько часов после того, как Молотов прочитал по радио написанные для него Сталиным слова: «Враг будет разбит, победа будет за нами», заполнила все дороги толпами *совершенно растерянных людей, не знающих, куда и зачем они идут или едут»*?

Пока автор писал и переписывал заново дальнейшие главы этого печального повествования, издательство «Олма-пресс» в 2002 году выпустило книгу под названием «15 встреч с генералом КГБ Бельченко» [62].

Сей доблестный чекист, руководивший подавлением народных восстаний в Средней Азии, Будапеште и Тбилиси, накануне войны трудился начальником Управления НКГБ Белостока. На странице 129 генерал уверяет, что свою жену он отправил в Минск на «полуторке». Если это правда, то фикус был из дома первого секретаря обкома Кудряева или начальника Управления НКВД Фукина.

Как бы то ни было, воспоминания Бельченко дополняют картину событий июня 1941 г. чрезвычайно колоритными мазками.

«*...Около 6 часов утра собралось бюро Белостокского обкома партии... бюро обкома предложило создать боевые чекистские группы для взрыва и уничтожения оборонных объектов, военных баз и складов в момент вступления врага в город...*»

Никакого сослагательного наклонения. На третьем ЧАСУ войны белостокские товарищи уже не сомневались в том, что враг вступит в город. Даже быстрее, чем удастся вывезти содержимое военных складов.

И наконец, немного о фикусе:

«*...свою семью в первый день войны я отправил на полуторке в сторону Минска. Вместе с ней ехали семьи моих заместителей... Сборы происходили в суматохе. Как всегда (?) бывает в таких случаях, самое главное было забыто. Так, моя жена не взяла ни одного документа, удостоверяющего ее личность...*»

Подробность интереснейшая. Забыла взять — или муж тщательно проверил, чтобы никаких документов, удостоверяющих личность, при его жене не было?

Вот именно так «всегда бывает», когда чекист (или его жена) отправляются во вражеский тыл.

Или на встречу с трудящимися Страны Советов, у которых (в первый раз за много лет) появилась возможность выразить действием свою любовь к славным чекистам...

Часть 3

СЕМЕРО ОДНОГО НЕ БЬЮТ

«Я планов наших люблю громадье...»

Места там дивные. Живописнейшие леса — вековой дуб, бук, платан. Чистые речки, в которых и по сей день в изобилии ловится рыба; плодородная земля. А какой музыкой древнеславянской старины звучат названия городов и рек этой земли: Горынь, Уборть, Радомышль, Турья, Кременец, Славута, Коростень, Яворов...

Правда, история Галиции и Волыни очень далека от благостной песни всечеловеческой любви. Огонь безумной вражды — религиозной, национальной, классовой — не раз и не два опустошал этот богатый край. Здесь, у Збаража и Берестечко, казаки Богдана Хмельницкого остервенело резались с польской шляхтой, здесь воспетые Бабелем бойцы Первой конной состязались в жестокости со своим противником, именно здесь, у стен города Дубно, вынес Тарас Бульба короткий и страшный приговор собственному сыну.

Вот в этих обильно политых слезами и кровью местах, в треугольнике Радехов — Дубно — Броды, и развернулось в конце июня 1941 года **одно из главных сражений Второй мировой войны, крупнейшая танковая битва XX столетия.** Сражение, известное (а правильнее будет сказать — почти никому не известное) под названием «контрудар мехкорпусов Юго-Западного фронта».

Перед началом расследования обстоятельств этого «третьего сталинского удара» — небольшое техническое замечание. После того как в 1939 г. Восточная Польша была насильственным путем превращена в западную окраину Советского Союза, наряду с высылкой полумиллиона поляков была произведена и массовая «высылка» польскозвучащих названий с географической карты. Станиславув превратился в Ивано-Франковск, Жолкев превратился в Нестеров, Радзивилов — в Червоноармейск, Крыстынополь — в Червоноград и т.д. Поэтому, для облегчения жизни самых внимательных читателей, которые захотят сверить этот текст с картой, все топонимы, встречающиеся в документах 1941 г., будут приведены в соответствие с современными названиями.

Как и в трагической истории с разгромом конно-механизированной группы Западного фронта у Гродно, на Украине также **все началось с Директивы № 3**.

Еще раз напомним, что в 21 час 15 минут 22 июня 1941 г. нарком обороны Тимошенко приказал:

«...мощными концентрическими ударами механизированных корпусов, всей авиацией Юго-Западного фронта и других войск 5-й и 6-й армий окружить и уничтожить группировку противника, наступающую в направлении Владимир-Волынский — Броды. К исходу 24 июня овладеть районом Люблин».

Остальным силам Юго-Западного и Южного фронтов (26, 12, 18, 9-й армиям) были поставлены чисто оборонительные задачи: «*...прочно обеспечить себя и не допустить вторжения противника на нашу территорию...*» [5]

Полный текст этой директивы был опубликован «Военно-историческим журналом» только через 48 лет после ее подписания [ВИЖ, 1989, № 6], но в кратком изложении она была известна давно. При этом всякий советский историк считал своим долгом (или, точнее сказать, имел партийное задание) пожурить наших главных полководцев за то, что они, «исходя из необоснованной переоценки возможностей войск, отдали приказ явно нереальный, а потому и невыполнимый».

В дальнейшем, после того как шило окончательно вылезло из мешка, и из рассекреченных документов стало понятно, что возможности Красной Армии (состав, численность, вооружение, резервы, обеспеченность бое-

припасами и топливом) позволяли ставить задачи по захвату не одного только Люблина (всего-то 80 км к западу от границы), направленность критики сменилась. Теперь Директиву № 3 принято ругать за то, что в ней были указаны совершенно нереальные **сроки** проведения контрудара.

Так, один товарищ, штабист с большим стажем работы в оперативных отделах, написал целую статью про то, что на разработку и подготовку к проведению операции такого масштаба требуется, по меньшей мере, месяц, а еще лучше — два.

Не будем спорить. Будем уважать мнение профессионала. Два так два.

А только кто же сказал, что планирование наступательной операции и оперативное развертывание войск на Западной Украине началось только поздним вечером 22 июня 1941 года?

Последние предвоенные планы Юго-Западного фронта (Киевского Особого военного округа) не рассекречены по сей день. Нет уже того государства, в состав которого входила территория Киевского округа, почили в бозе все без исключения агенты-нелегалы, обеспечившие разведывательной информацией разработку этих планов, давным-давно ушла на переплавку вся военная техника, упомянутая в этих планах, многократно изменилась за прошедшие шесть десятилетий пропускная способность дорожной сети, упомянутая в этих планах...

Одним словом — отпали все разумные причины засекречивания этих пожелтевших страниц.

Ан нет — сплоченные ряды ветеранов партийно-исторической науки хором кроют «перебежчика и предателя» Резуна-Суворова, а секрет Большого Плана берегут как иголку с жизнью Кащея Бессмертного, которая, как известно, в яйце, а яйцо — в дупле, а дупло — за морем, ну и так далее...

Но шило неудержимо рвется из мешка. В конце 1991 г., в момент легкой растерянности, охватившей КП-ГБ при виде «бронзового Феликса», на стальном тросе проплыва-

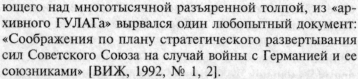

ющего над многотысячной разъяренной толпой, из «архивного ГУЛАГа» вырвался один любопытный документ: «Соображения по плану стратегического развертывания сил Советского Союза на случай войны с Германией и ее союзниками» [ВИЖ, 1992, № 1, 2].

Документ был написан в единственном экземпляре, от руки, заместителем начальника Оперативного отдела Генерального штаба РККА генерал-майором (будущим маршалом и начальником Генштаба) Василевским. В тексте — правка рукой Ватутина или Жукова. Дата написания не указана, в «шапке» стоит только месяц — май 1941 г. Подписи Тимошенко и Жукова отсутствуют, резолюции Сталина на документе нет.

Не будем отвлекаться на обсуждение хода дискуссии, которая поднялась после публикации этого без преувеличения — сенсационного документа. Тем более что главное внимание публики было привлечено не к собственно оперативным соображениям, а к совершенно заурядной (если только руководствоваться здравым смыслом, а не пропагандистскими штампами) фразе:

«Считаю необходимым ни в коем случае не давать инициативы действий германскому командованию, упредить противника и атаковать германскую армию в тот момент, когда она будет находиться в стадии развертывания».

Мысль вполне очевидная и для советского военного руководства отнюдь не новая. Так, еще в апреле 1939 г. К.А. Мерецков (в то время командующий войсками Ленинградского ВО), выступая на разборе командно-штабной игры, проведенной Военным советом округа, заявил:

«...в тот момент, когда наши противники будут отмобилизовывать свои армии, повезут свои войска к нашим границам, мы не будем сидеть и ждать. Наша оперативная подготовка, подготовка войск должны быть направлены так, чтобы обеспечить на деле полное поражение противника уже в тот период, когда он еще не успеет собрать все свои силы...» [1]

Корифаны советской исторической науки уже успели объяснить всем, кто еще способен их слушать, что май-

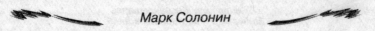

ские «Соображения» — это черновой набросок, составленный (на 15 листах, с четырьмя приложениями и семью картами) генералом Василевским от делать нечего, в свободное от основной работы время. Не будем тратить время на «дискуссию» такого уровня, а просто сравним текст рукописных «Соображений» с другим, подписанным и оформленным «по всей форме» документом (для удобства восприятия автор выделил некоторые ключевые слова).

Итак, майские (1941 года) «Соображения по плану стратегического развертывания»:

«...*Первой* **стратегической целью** *действий войск Красной Армии поставить* — *разгром главных сил немецкой армии, развертываемых южнее линии Брест* — *Демблин и выход к 30-му дню операции на фронт Остроленка, р.Нарев, Лович, Лодзь, Оппельн, Оломоуц...*

Ближайшая задача — *разгромить германскую армию восточнее р.Вислы и на Краковском направлении, выйти на р.Вислу и овладеть районом Катовице. Для чего: **главный удар силами Юго-Западного фронта** нанести в направлении Краков, Катовице...*

*...**вспомогательный удар левым крылом Западного фронта** нанести... с целью сковывания Варшавской группировки и содействия Юго-Западному фронту в разгроме Люблинской группировки противника...*

...Состав и задачи развертываемых на Западе фронтов:

*...**Юго-Западный фронт** — концентрическим ударом армий правого крыла фронта окружить и уничтожить основную группировку противника восточнее р. Вислы в районе Люблина; одновременно ударом с фронта Сенява, Перемышль, Лютовиска разбить силы противника на Краковском и Сандомирско-Келецком направлениях и овладеть районом Краков, Катовице, Кельце...»*

А вот другой (очень объемный, подробнейшим образом проработанный) секретный документ:

«Записка начальника штаба Киевского ОВО по решению Военного Совета Юго-Западного фронта по плану развертывания на 1940 год» [16, документ № 224, с. 484 — 498].

Для начала оценим по достоинству **потрясающее название**. В документе 1940 года уже используется термин «Юго-Западный фронт»! Ну а теперь обратимся к содержанию:

«...Задачи Юго-Западного фронта:

*Ближайшая **стратегическая задача** — разгром, во взаимодействии с левым крылом Западного фронта, вооруженных сил Германии в районах Люблин, Кельце, Радом, Краков и выход на 30-й день операции на фронт р. Пилица, Петроков, Оппельн, Нейштадт...*

*Ближайшая задача** — во взаимодействии с 4-й армией Западного фронта окружить и уничтожить противника восточнее р. Вислы и на 10-й день операции выйти на р. Вислу и развивать наступление в направлениях на Кельце — Краков.*

*Справа Западный фронт (штаб Барановичи) имеет задачей — ударом левофланговой 4-й армией в направлении Дрогичин — Седлец — Демблин **содействовать Юго-Западному фронту** в разгроме **Люблинской** группировки противника...»*

Всякий, кто не поленится найти на карте Польши все вышеупомянутые города, может убедиться в том, что задачи, определенные в этих документах, полностью совпадают по целям, срокам и рубежам. Более того, налицо и очевидные текстуальные совпадения. Судя по всему, оба эти документа разрабатывались в теснейшем взаимодействии и на основании неких единых исходных директив.

Таким образом, наступление на Люблин планировалось по меньшей мере **за шесть месяцев** до рокового дня 22 июня 1941 г. Причем в документе декабря 40-го года планировалось развернуть в районе Львов — Яворов — Нестеров особую «конно-механизированную армию», которая должна была, наступая в северном направлении, совместно с 5-й армией занять Люблин «к исходу третьего дня операции».

И здесь мы видим совпадение и по форме, и по содер-

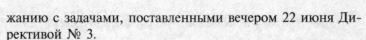

жанию с задачами, поставленными вечером 22 июня Директивой № 3.

Более того (и это очень важно отметить), Директива № 3 была очень осторожным, умеренным и сдержанным документом по сравнению с предвоенными планами Юго-Западного фронта. Так, по декабрьскому плану, наступление на Люблин было **только одним из** ударов, наносимых войсками Юго-Западного фронта. Причем из общего числа 11 танковых дивизий и 13 танковых бригад фронта к наступлению на Люблин тогда планировалось привлечь только 6 дивизий и 3 бригады. Перед другими армиями Юго-Западного фронта в декабре 1940 г. ставились не менее крупные задачи.

На 10-й — 12-й день наступления войска 6, 26, 12-й армий должны были выйти на рубеж рек Висла и Дунаец (глубина наступления 120—130 км) и захватить переправы через эти реки у Сандомира и Тарнува.

«Ну и что? — возразит нам недоверчивый читатель. — Все это ничего не доказывает». И будет совершенно прав. В любом штабе, тем паче — в Генштабе огромного, вооруженного до зубов Советского Союза, разрабатывается уйма всяких разных планов. Большая часть которых потом уничтожается в установленном порядке, за подписью представителя Особого отдела. Так, может быть, товарищ Сталин отклонил вышеупомянутые планы военного командования как противоречащие «неизменно миролюбивой внешней политике СССР» и распорядился рыть окопы и крепить оборону?

Нет. Это ошибочное, не соответствующее исторической правде предположение. Планы широкомасштабного наступления Красной Армии с территории «львовского выступа» в южную Польшу были утверждены и приняты к исполнению. Что подтверждается не бумагами (которые можно подделать), не мемуарами (которые порой пишутся бессовестными людьми «на заказ»), а **ФАКТИЧЕСКИМ РАЗВЕРТЫВАНИЕМ** войск, осуществленным весной—летом 1941 года.

«*Час твой последний приходит, буржуй...*»

В соответствии с довоенными планами на западных рубежах СССР планировалось развернуть четыре фронта: Северный, Северо-Западный, Западный и Юго-Западный. Границами между первыми тремя фронтами служили просто линии, нанесенные цветным карандашом на совершенно секретной карте, спрятанной в особо охраняемом сейфе. А вот Юго-Западный фронт (Ю-З. ф.) имел совершенно осязаемые, естественные границы.

Северный фланг Ю-З. ф. был непроницаемо закрыт полосой припятских болот, которая тянется строго с запада на восток, от Бреста до Мозыря на 400 км в глубь территории СССР. Полесье — это абсолютно непроходимый для боевой техники той эпохи заболоченный, изрезанный сотнями мелких речушек лес. Говорят, там были деревни, в которых за три года оккупации так и не увидели ни одного немецкого солдата.

Южный фланг фронта опирался на дельту Дуная (столь же непроходимую сеть больших и малых проток) и берега Черного моря. Таким образом, территория Ю-З. ф. представляла собой фактически изолированный, не имеющий оперативной связи с соседями театр военных действий (в дальнейшем будем называть его «южный ТВД»).

По плану декабря 1940 г. на этом ТВД должны были быть развернуты (с севера на юг) следующие **семь армий**: 5А, 19А, 6А, 26А, 12А, 18А, 9А, имеющие в своем составе **76 стрелковых и 7 кавалерийских дивизий.**

В майских (41-го года) «Соображениях по плану стратегического развертывания» на Ю-З. фронте планировалось развернуть **восемь армий** (не поименованных по номерам), насчитывающих **74 стрелковые и 5 кавалерийских дивизий. Фактически** в конце июня 1941 г. на южном ТВД было развернуто **восемь армий.** Шесть армий в первом эшелоне у границы (с севера на юг): 5А, 6А, 26А, 12А, 18А, 9А. В глубоком оперативном тылу фронта выгружались еще две армии: 16А в районе Шепетовки и 19А в районе Черкассы — Белая Церковь. В общей сложности на южном ТВД было развернуто **62 стрелковые** (32 в со-

ставе Ю-З. ф., 13 в составе Южного фронта, 16 в составе 19А и 16А) **и 5 кавалерийских дивизий**.

Вывод прост — сходство «плана» и «факта» не вызывает и малейших сомнений.

Теперь перейдем к оценке численности главной ударной силы Красной Армии— танковых и моторизованных дивизий.

По декабрьскому плану в составе Ю-З. ф. развертывалось 11 танковых дивизий и 13 танковых бригад, 5 моторизованных дивизий и 6 мотобригад. Прямое и однозначное сравнение декабрьского (1940 г.) и майского (1941 г.) планов в этой части невозможно — в феврале 41-го года структура танковых войск была радикально изменена, бригады расформированы, а почти все дивизии вошли в состав 29 мехкорпусов. Но одно несомненно — группировка механизированных войск на южном ТВД заметно выросла (в сравнении с декабрьским планом) и должна была теперь включать в себя **28 танковых и 15 моторизованных дивизий** (из общего числа 40 танковых и 20 мотодивизий, дислоцированных в европейской части СССР). Таким образом, южное направление (на Краков — Катовице) явно стало в мае 1941 года направлением главного удара.

Фактически к началу боевых действий на южном ТВД было развернуто тринадцать мехкорпусов. Вот их номера: 22, 4, 15, 8, 16, 18, 2 в первом эшелоне армий, 9, 19, 24 в резерве командования Ю-З. ф. и 5, 25, 26 в составе 16А и 19А.

Эта гигантская группировка насчитывала в своем составе 26 танковых и 13 моторизованных дивизий, кроме того, вместе с 16А в район Шепетовка — Славута прибыла (из Монголии) еще и 57-я отдельная танковая дивизия. Итого: **27 танковых и 13 моторизованных дивизий**.

Как жаль, что всю эту информацию не доложили тогда Гитлеру! Может быть, он застрелился бы на четыре года раньше...

Подведем первые итоги. Фактическая группировка войск Красной Армии на южном ТВД была весьма близка к той, которая намечалась в предвоенных планах. Это — первое.

Второе. Такая дислокация войск — с явно выраженной концентрацией сил на одном направлении — не могла сложиться случайным образом, «сама собой». Несомненно, был некий план, в соответствии с которым и развертывалась многомиллионная армия. Этот план если и не во всех деталях, но в главном и основном совпадал с теми черновыми набросками, которые каким-то чудом уцелели в архивах и в результате еще более невероятного чуда оказались рассекреченными.

Но. Даже если бы ни один из этих документов не был опубликован, выявить основные черты Большого Плана совсем не сложно. Достаточно «расставить» на географической карте южного ТВД мехкорпуса Красной Армии и указать их укомплектованность. И все сразу проявится, как в ванночке с проявителем.

Итак, в первом эшелоне армий развертывались (с севера на юг, от Ковеля до Тирасполя) следующие мехкорпуса:

Номер мехкорпуса	Количество танков	В том числе Т-34 и КВ
22-й МК	712	31
15-й МК	749	136
4-й МК	979	414
8-й МК	899	171
16-й МК	478	76
18-й МК	282	0
2-й МК	527	60

Из этой таблицы совершенно очевидным становится наличие мощной ударной группировки из трех мехкорпусов, осью которой является 4-й МК — этот мехкорпус укомплектован танками почти на 100% штатной численности, а по числу новейших тяжелых и средних танков равен всем остальным мехкорпусам вместе взятым (на вооружении находившихся в оперативной глубине 9-го МК, 19-го МК, 24-го МК было лишь по нескольку новых танков).

В скобках заметим, что все цифры, относящиеся к

предвоенной численности танковых соединений РККА, надо рассматривать только как ориентировочные. Порядка в их учете было мало. Приведенная выше таблица составлена по данным солидной монографии [3], а вот в воспоминаниях бывшего командира 8-го МК генерала Рябышева приведена цифра 932 танка, по данным Киевского музея Великой Отечественной войны, в составе 8-го МК было 813 танков, в известной, самой первой открытой публикации численности советских мехкорпусов [ВИЖ, 1989, № 4] была дана цифра 858.

Такая же ситуация и по другим корпусам.

Теперь посмотрим — где же находился утром 22 июня 1941 г. ударный 4-й МК?

В районе Львов — Нестеров. То есть **точно там**, где по «декабрьскому плану» должна была развертываться ударная «конно-механизированная армия», предназначенная для наступления на Люблин! В 60 км к юго-западу от Львова, в районе Дрогобыч — Самбор мы обнаруживаем 8-й МК, а в 100 км к северо-востоку от Львова, в районе Броды — Кременец, развертывался 15-й МК.

Из этого исходного района танковый клин с равным успехом мог обрушиться на Тарнув, на Сандомир и на Люблин. Расстояние от рубежа Дрогобыч — Львов — Броды до этих трех польских городов практически одинаковое: 175—200 км. По условиям местности наиболее предпочтительно люблинское направление — на пути наступающей танковой лавины не будет ни одной крупной реки, маршрут наступления пролегает практически в «коридоре» между реками Вепш и Сан.

Так о какой же «поспешности» и «нереалистичности» Директивы № 3 талдычили столько лет наши пропагандисты? Для наступления на Люблин **не хватало только одного** — приказа.

Вот он (приказ) и был дан вечером 22 июня 1941 года.

Отдать приказ — дело нехитрое. А позаботилось ли высшее командование РККА о том, чтобы создать необходимое «по науке» трехкратное превосходство сил у атакующей стороны?

Нет. Трехкратного превосходства не было. Соотношение сил сторон выражалось другими цифрами.

Считать можно по-разному. Можно сравнивать общую численность танковых войск, развернутых вермахтом и Красной Армией **на всем южном ТВД**. Это достаточно разумный подход. Расстояния на Западной Украине не «сибирские», а уже «европейские». От районов развертывания, даже наиболее удаленных от границы, 16-го МК, 18-го МК, 9-го МК, 19-го МК (т.е. от городов Черновцы, Могилев-Подольский, Новоград-Волынский, Бердичев) до Львова всего 250—300 км.

Даже при движении по чистому полю с черепашьей скоростью в 15 км/час такую передислокацию можно было бы осуществить, израсходовав всего 20 мото-часов. Это два-три дня размеренного марша. На самом деле, по сухим июньским дорогам, при световом дне 18 часов все можно было сделать и быстрее. Наконец, есть и железные дороги. К Львову, историческому центру Галиции, подходят пять железных дорог, по которым можно было перевезти мехкорпуса практически из любой точки Украины и тем самым сберечь драгоценный моторесурс танков.

В таком случае против **728** танков в 1-й танковой группе вермахта и **60** танков в единственной танковой бригаде румынской армии советское командование могло выставить **5617** танков.

Это — СЕМИКРАТНОЕ численное превосходство. И эта цифра весьма занижена. Мы не учли легкие танки, находившиеся в составе стрелковых и кавалерийских дивизий Красной Армии (в пехотных дивизиях вермахта танков не было вовсе). Мы не учли более одной тысячи пушечных бронеавтомобилей, вооруженных (как и все советские легкие танки) 45-мм пушкой 20К, способной пробивать на километровой дальности бортовую броню любых немецких танков. Наконец, мы не учли без малого две тысячи танков в составе 16-й и 19-й армий, которые первоначально развертывались на Правобережной Украине, в тылу Юго-Западного фронта.

Можно считать по-другому — ближе к суровой исторической реальности. Фактически в боевых действиях

первой недели войны на Западной Украине приняло участие **только шесть** мехкорпусов: 22-й МК, 15-й МК, 4-й МК, 8-й МК, 9-й МК, 19-й МК.

Четыре мехкорпуса (16-й МК, 18-й МК, 24-й МК, 2-й МК) практически бездействовали или жгли бензин в бесцельных передислокациях. Едва ли такое безобразие можно отнести к разряду «объективных обстоятельств», но в жизни все было именно так. С другой стороны, и румынские танки (точнее говоря, танки французского производства времен Первой мировой войны) никого и ничем не беспокоили. При таком подходе (и не учитывая бронеавтомобили) мы приходим к **соотношению сил 1:5,5.**

Так какую же другую директиву, кроме приказа о переходе к решительному наступлению, могли отдать Тимошенко и Жуков **при таком численном превосходстве?**

Для справки: накануне Львовско-Сандомирской наступательной операции, в июле 1944 г. войска 1-го Украинского фронта имели на своем вооружении 2200 танков и самоходок, а противостоящие им немецкие армии — 900 танков и штурмовых орудий. Для особо недоверчивого читателя процитируем отрывок из текста «Краткой истории Великой Отечественной войны» (откуда мы и взяли эти цифры):

«...это был *единственный* за время войны случай, когда *одному фронту* (т.е. других сил и других танков на Западной Украине летом 1944 г. не было! — М.С.) *ставилась задача разгромить целую группу армий противника...*» [73, с. 336]

Но, может быть, в июне 1941 г. у нас были плохие танки? Устаревшие, «не идущие ни в какое сравнение» с танками противника?

Советские ученые, даже и не «доценты с кандидатами», а академики с генералами, в бесчисленном множестве статей, книг, мемуаров уверенно отвечают и на этот вопрос — наши танки «старых типов» (т.е. Т-26, БТ, Т-28) были не плохие, а очень плохие. Настолько плохие, что на протяжении многих десятилетий академики **даже не учитывали** их в общем балансе сил сторон.

Кто только не приложил свои перо и руку к этой кам-

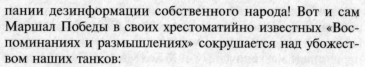

пании дезинформации собственного народа! Вот и сам Маршал Победы в своих хрестоматийно известных «Воспоминаниях и размышлениях» сокрушается над убожеством наших танков:

«*... они были маломаневренны и легкоуязвимы для артиллерийского огня... работали на бензине и, следовательно, были легковоспламеняемы... имели недостаточно прочную броню...*» [15]

Перед нами — маленький литературный шедевр. Обвинить Жукова в обмане невозможно. Все, что он сказал, до последней буквы — правда. Любой танк на свете *легкоуязвим* (по сравнению, например, с железобетонным ДОТом) *и маломаневрен* (по сравнению с вертолетом). Смотря с чем сравнивать.

Мудрый Жуков не стал сравнивать советские танки с современными им немецкими. Он вовсе не говорит, что немецкие танки были «высокоманевренны и неуязвимы», а их моторы работали на чем-то другом, нежели «легковоспламеняемый бензин». Но можно не сомневаться, что из тысячи человек, прочитавших «мемуар» великого полководца, 999 поняли этот абзац именно так, что наши танки — это «барахло» и «гробы», а вот немецкие были гораздо лучше. Это и есть работа мастера!

А генерал Владимирский в толстой, академически солидной книге [92] пишет просто и без затей: *Германия к началу нападения на СССР бесспорно имела качественное превосходство над нашими танками*.

Вот так — «бесспорно имела».

Вот только кто кого имел: Германия имела качественное превосходство в танках или партийная пропаганда столько лет имела наши мозги?

«*Броня крепка, и танки наши быстры...*»

Начнем с простого. С определений. Что вообще означает фраза «немецкие танки были лучше наших»? Какие немецкие лучше каких советских? Пятитонная танкетка PZ-I с двумя пулеметами лучше тяжелого КВ с трехдюй-

мовым орудием? Думаю, что такого не скажут даже самые рьяные агитпроповцы. Или речь идет о том, что лучший немецкий танк PZ-III превосходил наш снятый в 1934 г. с производства легкий танк Т-27? Это верно, но только зачем же их сравнивать?

По мнению автора, корректный анализ качественного состояния танкового парка СССР и Германии возможен при соблюдении, как минимум, двух условий:

— сравниваемые танки должны быть одного функционального назначения, одного «класса»;

— необходимо обязательно указывать количество танков каждого класса в общем объеме танкового парка.

Руководствуясь этими вполне очевидными требованиями, приступим к сравнительному анализу техники противоборствующих танковых группировок.

Единственная на южном ТВД 1-я танковая группа вермахта в составе 9, 11, 16, 13, 14-й танковых дивизий имела на своем вооружении 728 танков.

По тактико-техническим характеристикам и функциональному предназначению их можно условно разделить на ЧЕТЫРЕ разряда:

— танкетки;

— хорошие легкие танки;

— танки артиллерийской поддержки;

— хорошие средние танки.

К разряду **«танкеток»** мы отнесем **8 единиц PZ-I, 211 PZ-II и 54** так называемых «командирских танков», **всего 273 танка** (что составляет **38%** от общей численности 1-й танковой группы). Вот как описывает историю разработки этих «грозных боевых машин» главный идеолог и создатель танковых войск Германии Г. Гудериан:

«...мы считали необходимым создать пока такие танки, которые могли бы быть использованы для учебных целей... этот тип танка допускал лишь установку пулеметов во вращающейся башне. Такие танки, получившие обозначение PZ-I, могли быть изготовлены к 1934 году и использованы в качестве учебных машин до того времени, пока не будут готовы боевые танки... никто, конечно, не думал в 1932 г.,

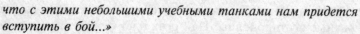

что с этими небольшими учебными танками нам придется вступить в бой...»

Впрочем, были у PZ-I и вполне ощутимые достоинства. Вот как описывает Гудериан те преимущества, которыми обладали его первые танки по сравнению с фанерно-картонными макетами, которыми пользовались до этого на учениях рейхсвера:

«...школьники, которые прежде протыкали наши макеты своими карандашами, чтобы заглянуть внутрь, были поражены новыми бронемашинами...» [65]

Вот так вот. Не знали фашисты, что впереди их ждет не школьник с карандашом, а красноармеец Середа с топором.

«Храбрец подкрался по канаве с тыла, быстро вскарабкался на танк и ударами саперного топора вывел из строя пулемет и экипаж вражеского танка». Это — не передовая газеты «Правда». Это строки из воспоминаний генерала армии Д.Д. Лелюшенко [22]. Прославленный полководец Великой Отечественной, закончивший ее в Праге в должности командующего 4-й Гвардейской танковой армией, немецкие танки видел не на картинках. И комсомолец Иван Павлович Середа — лицо не вымышленное, а реальный участник войны, удостоенный за свой подвиг звания Героя Советского Союза и памятника на родине, в селе Галициновка.

Продолжим, однако, чтение мемуаров Гудериана:

«...ввиду того, что производство основных типов танков затянулось на большее время, чем мы предполагали, генерал Лутц принял решение построить еще один промежуточный тип танка, вооруженного 20-мм автоматической пушкой и одним пулеметом...»

С чем можно сравнить эти немецкие танкетки? За неимением на вооружении РККА ничего худшего, нежели устаревший и уже снятый к началу войны с производства танк Т-26, его и будем сравнивать с немецким PZ-II [здесь и далее использованы материалы, опубликованные в № 1, 3, 93, 94, 95, 96, 97, 98, 99, 100, 101, 102].

Таблица 1

Танки	Вес, т	Мощность двигателя, л.с.	Броня, мм лоб/борт	Скорость, км/час	Запас хода, км	Калибр пушки, мм	Дистанция поражения, м
PZ-II	9,50	140	30/20	40	190	20	500
Т-26	9,75	90	15/10	35	170	45	1200

По большому счету, оба они, что называется, «стоят друг друга». Маломощные моторы, малый запас хода, противопульное бронирование — типичные легкие танки начала 30-х годов.

Хотя толщина лобовой брони PZ-II была в два раза больше, чем у Т-26, в танк с противоснарядным бронированием он от этого все равно не превратился. Это обстоятельство наглядно отражает цифра в последнем столбце таблицы 1. Пушка 20К калибра 45 мм, установленная на Т-26, уверенно пробивала такую броню на дальности 1200 м, в то время как снаряд немецкой 20-мм пушки KwK-30 сохранял необходимую скорость и бронепробиваемость только на дистанции 300—500 м.

Такое сочетание параметров вооружения и бронезащиты позволяло советскому танку, при тактически грамотном его использовании, практически безнаказанно расстреливать PZ-II.

По крайней мере, именно так генерал Павлов описывал в своем докладе на декабрьском (1940 г.) совещании высшего комсостава **практический опыт** борьбы с немецкими танками:

«...опыт войны в Испании научил немцев и показал им, какие нужны танки, ибо легкие немецкие танки в борьбе с республиканскими пушечными танками (т.е. нашими Т-26, а затем и БТ-5) *не входили ни в какое сравнение и расстреливались беспощадно...»* [14]

Стоит также отметить, что по баллистическим характеристикам «пушка» немецкого PZ-II немного уступает параметрам советского противотанкового 14,5-мм ружья Дягтерева. Так что самым точным названием для PZ-II

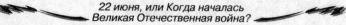

было бы «самоходное противотанковое ружье с пулеметом».

Для выполнения основных задач танка — уничтожения огневых средств и живой силы противника — снарядик 20-мм пушки, установленной на PZ-II, совершенно не годился, в то время как под нашу основную танковую пушку 20K был разработан «нормальный» осколочно-фугасный снаряд весом в 1,4 кг. Кроме того, каждый десятый Т-26 (если точно, то 1336 из общего числа 11 302 выпущенных танков) был вооружен тяжелым огнеметом КС 24/25 с запасом огнесмеси 350 л для «выжигания» засевшего в окопах или легких полевых укрытиях противника.

Теперь осталось только оценить количество. Против **219** «танкеток» 1-й танковой группы вермахта только в составе войск Киевского округа на 1 июня 41-го года числилось **1894** танка Т-26 [1]. **Соотношение** численности в этом классе танков **1:8,6.**

Кроме того, в округе были еще 651 плавающий танк типов Т-37/ Т-38/ Т-40. Иногда в военно-исторической литературе их ставят на «одну доску» с немецким PZ-I. На наш взгляд, подобное сравнение совершенно неуместно. Отсутствие артиллерийского вооружения на разведывательной гусеничной амфибии понятно и оправдано. Грохотать пушкой в разведке незачем, а вот способность переправляться через реки и озера «не зная брода» делали Т37/38 уникальной боевой машиной. Использовать же Т-37, Т-38 в качестве линейного танка никто не планировал, и стояли эти амфибии, как правило, на вооружении разведывательных подразделений стрелковых и танковых дивизий.

Теперь перейдем ко второй категории, к **«хорошим легким танкам».**

В танковых частях вермахта такого названия, несомненно, заслуживал танк **PZ-III** серий **D, E, F,** вооруженный 37-мм пушкой. В составе 1-й танковой группы таких танков было ровно **100 единиц.**

Разработанная в 1936 г. фирмой «Даймлер-Бенц» боевая машина и правда была хороша.

Удобства, созданные конструкторами для работы экипажа, можно было считать образцом для подражания. Их не имел ни один советский, английский или американский танк того времени.

В составе экипажа из пяти человек был «освобожденный» от обязанностей наводчика пушки командир, в распоряжении которого была специальная командирская башенка с оптическими приборами кругового обзора.

И все же не удобства езды являются главным достоинством танка. Как совершенно точно было указано во всенародно любимой песне (*«Броня крепка, и танки наши быстры, и знает враг про силу их огня...»*), танк — это **броня, подвижность, вооружение.**

По двум из этих параметров наш хороший легкий танк **БТ-7** по меньшей мере не уступал «тройке».

Таблица 2

Танки	Вес, т	Мощ-ность двигате-ля, л.с.	Броня, мм лоб/борт	Ско-рость, км/час	Запас хода, км	Калибр пушки, мм	Дистан-ция пора-же-ния, м
PZ-III E	19,5	300	30/30	40	165	37	700
БТ-7	13,8	450	22/10	52/72	230/500	45	1200

Несмотря на более толстую броню, немецкий танк по соотношению параметров вооружения и бронезащиты явно уступал своему противнику. Наш БТ мог поразить PZ-III на километровой дальности, оставаясь при этом в относительной безопасности. Так же как и в случае с PZ-II, выбор 30-мм лобовой брони на PZ-III был несомненной ошибкой — для обеспечения противоснарядной защиты этого было слишком мало, для защиты от пуль стрелкового оружия вражеской пехоты — избыточно много.

Ну а по всем показателям подвижности колесно-гусеничный БТ-7 был просто лучшим танком в мире. Даже на гусеницах он развивал невероятную для танков той эпохи скорость 52 км/час и располагал запасом хода на одной заправке в полтора раза большим, чем PZ-III. Даже по бездорожью БТ шел с недостижимой для танков той эпохи скоростью 35 км/час, т.е. почти 10 метров в секунду.

Но и это — не предел. В 1940 г. был запущен в серийное производство БТ-7М. Этот танк был оснащен **дизельным** двигателем мощностью в 500 л.с. Наряду с общеизвестными преимуществами дизельного танка (солярка не взрывается, да и зажечь ее не так просто), установка более мощного и экономичного двигателя позволила довести максимальную скорость на гусеницах до 62 км/час, а запас хода до 400 км! Сбросив гусеницы, на хорошей дороге БТ-7М мог разогнаться до 86 км/час, а запас хода на колесах выражался фантастической цифрой в 900 км.

Таких танков (БТ-7М) в составе войск Киевского округа на 1 июня 1941 г. было 201 из общего числа **1351 танк БТ-7.** Еще 169 БТ-7М было в составе соседнего Одесского округа, и, учитывая подвижность этого танка, быстрая передислокация на 470 км от Кишинева до Львова не могла считаться чем-то невозможным.

Итак, в категории «хороший легкий танк» советские войска на южном ТВД обладали **огромным количественным перевесом при некотором качественном превосходстве.**

Теперь о том, что мы назвали **«танками артиллерийской поддержки».**

Как мы уже отмечали выше, для танкового соединения бой с себе подобными является и не единственным и даже не самым главным видом боевой работы, а скорее «неизбежным злом». Соответственно, в практике конструирования танков предпринимались попытки разделить две основные задачи танка (борьба с танками противника и огневая поддержка своей пехоты) и создать специализированные танк-истребитель и танк артиллерийской поддержки, подобно тому как в авиации той эпохи существовало четкое разделение на самолет-бомбардировщик (задачей которого является уничтожение наземных сил противника) и самолет-истребитель (задачей которого является уничтожение самолетов).

Так, например, на базе танка Т-34 предполагалось

(Постановление СНК СССР №1216-506/сс от 5 мая 1941 г.) создать танк-истребитель, вооруженный длинноствольной 57-мм пушкой, способной пробивать броню в 80 мм на дистанции в 1 км. Серийное производство этого «истребителя» было быстро свернуто, ибо в ходе боевых действий выяснилось, что на вооружении вермахта просто нет танков с такой броней (впрочем, несколько десятков Т-34/57 приняли участие в битве за Москву).

А вот «танки артиллерийской поддержки» длительное время выпускались серийно и у нас, и в Германии. Характерной отличительной особенностью этого класса танков являлись короткоствольные трехдюймовые пушки. Начальная скорость снаряда и, следовательно, бронепробиваемость этих орудий была весьма низкой (45-мм советская танковая пушка 20К превосходила по бронепробиваемости 75-мм немецкую пушку KwK-37 на всех дальностях!), зато на пехоту противника обрушивался «полновесный» 6-килограммовый снаряд. В составе 1-й танковой группы вермахта танков артиллерийской поддержки PZ-IV было 100 единиц — по двадцать танков в каждой дивизии. А на вооружении войск Киевского ОВО по состоянию на 1 июня 1941 г. числилось 215 трехбашенных танков Т-28 и 48 пятибашенных гигантов Т-35. Итого 263 танка.

Несмотря на одинаковое функциональное предназначение, внешне это были очень разные боевые машины.

Таблица 3

Танки	Вес, т	Мощность двигателя, л.с.	Броня, мм лоб/борт	Скорость, км/час	Запас хода км	Калибр пушки, мм	Габариты, м
PZ-IV	22	300	50/30	40	200	75	5,9 × 2,9 × 27
Т-28	27,8	500	30/20	40	200	76	7,4 × 2,8 × 2,8

Советский трехбашенный танк Т-28 был значительно тяжелее и на целых 1,5 метра длиннее.

Все это делало его весьма неповоротливым на поле боя по сравнению с немецким PZ-IV.

Для борьбы с пехотой противника наш Т-28 (благода-

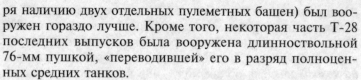

ря наличию двух отдельных пулеметных башен) был вооружен гораздо лучше. Кроме того, некоторая часть Т-28 последних выпусков была вооружена длинноствольной 76-мм пушкой, «переводившей» его в разряд полноценных средних танков.

Не все просто и с бронезащитой. На первый взгляд немецкий PZ-IV имеет гораздо более толстую броню. При более тщательном анализе выясняется, что «четверки» серий A, B, C, D, E, выпускавшиеся с 1938 г. по начало 1941 г., имели типичное противопульное бронирование: лоб — 30 мм, борт — 20 мм. В дальнейшем лобовая броня корпуса была усилена 20—30-мм броневым листом. Но и наши Т-28 после кровавого опыта финской войны были экранированы дополнительной броней (до 60 или даже до 80 мм) и ничуть не уступали в этом отношении PZ-IV.

Широкие гусеницы советского танка обеспечивали ему и лучшую проходимость. Удельное давление на грунт у 28-тонного Т-28 было даже меньше (0,72 против 1,03 кг/см), чем у более легкого немецкого PZ-IV.

В целом по всей совокупности тактико-технических характеристик эти танки примерно равноценны. Но советские историки упорно называли (и сейчас еще называют) PZ-IV «тяжелым танком», а наличие на вооружении Красной Армии сотен танков Т-28 просто не замечают.

А зря. В умелых руках это была очень даже «заметная» боевая машина. Генерал армии Д.Д. Лелюшенко в октябре 1941 г. принял командование 5-й армией, вступившей в бой с немецкими танковыми дивизиями на легендарном Бородинском поле под Москвой. В своих мемуарах он как о большой удаче вспоминает про то, как:

«...послал на разведку майора А. Ефимова. Часа через полтора он с радостью доложил — есть 16 танков Т-28 без моторов, но с исправными пушками... Для нас это явилось просто находкой. Конечно, надо использовать эти танки как неподвижные огневые точки, зарыть в землю и поставить на направлении Бородино — Можайск, где враг нанесет главный танковый удар...»

Решение оказалось верным. Продолжим чтение мемуаров Лелюшенко:

«...уже четвертый танк в упор расстреливает из Т-28 сержант Серебряков... Противник пытался выйти в район Можайска, но был встречен огнем прямой наводкой из наших вкопанных танков Т-28. Потеряв много техники, враг на короткое время остановился...» [22]

Вот так: 16 корпусов от Т-28 без моторов — это «просто находка», а состоявшие на вооружении РККА летом 1941 года 292 исправных танка Т-28 (с моторами, разумеется) — это «мелочь», не заслуживающая даже упоминания...

Стоит ли после этого удивляться тому, что про 48 пятибашенных Т-35, состоявших на вооружении 67-го и 68-го танковых полков 34-й танковой дивизии 8-го мехкорпуса Юго-Западного фронта, наши «историки» даже и не вспоминают. Велика ли важность — полсотни стальных гигантов, превосходящих по совокупному числу танковых пушек (48 трехдюймовок и 96 стволов 45-мм пушек 20К) любую из танковых дивизий 1-й танковой группы вермахта!

Спору нет, по всем показателям подвижности этот «сухопутный броненосец» уступал любому мотоциклу (в дальнейшем мы увидим, как командование Юго-Западного фронта гоняло 8-й мехкорпус, в том числе и его тяжелые танки, по «зюобразной кривой» в сотни километров). Но разве же виноват тяжелый танк в том, что его ТАК пытались использовать? А ведь даже будучи просто зарытыми в землю, 48 пятибашенных монстров могли бы за считаные часы сформировать укрепрайон, практически непреодолимый для пехоты и легких танков противника.

И наконец, самое лучшее, что было на вооружении танковых дивизий вермахта летом 1941 г.: **хорошие средние танки PZ-III серий H и J**.

«Самое лучшее»— это не мнение дилетанта автора, а заключение авторитетной государственной комиссии (48 человек инженеров, разведчиков, конструкторов), которая под предводительством наркома Тевосяна трижды в 1939—40 г. объехала, облазила и, извиняясь, обнюхала немецкие танковые заводы и изо всего увиденного отобрала для закупки только танк марки PZ-III. И это не потому, что товарищ Сталин пожалел денег. На хорошее дело — на покупку или воровство западной военной технологии — Сталин денег не жалел. В той же Германии, под прикрытием договора о дружбе, были закуплены: «Мессершмитт-109» пять штук, «Мессершмитт-110» шесть штук, два «Юнкерса-88», два «Дорнье-215», один новейший экспериментальный «Мессершмитт-209» (у немцев, наверное, второго экземпляра просто не было, а то бы и его забрали), батарея 105-мм зениток, тяжелые 210-мм гаубицы, чертежи новейшего, самого крупного в мире линкора «Бисмарк», специальные, нержавеющие в морской воде 88-мм пушки для подводных лодок, шесть перископов, гидроакустическое оборудование, оптические дальномеры для морской артиллерии, 330-мм корабельные орудийные установки, танковые радиостанции, прицелы для бомбометания с пикирования, 4 комплекта приборов для баллистических испытаний артсистем и т.д. и т.п.

И только один-единственный немецкий танк одного типа. Все остальные типы наших инженеров просто не заинтересовали.

«Самым лучшим» PZ-III серий H и J стал благодаря двум обстоятельствам: новой 50-мм пушке KwK-38 и лобовой броне корпуса толщиной 50 мм. Первоначально и серия H пошла в производство с обычной для немецких танков 30-мм лобовой броней, но потом на нее наварили спереди дополнительный 30-мм лист, таким образом в месте этой «нашлепки» броневая защита танка дошла до 60 мм. А это значит, что бронированный таким образом PZ-III превратился в танк с противоснарядным бронированием — наша «сорокапятка» если и могла пробить такую броню, то только на предельно малой дистанции в 100 м, что в бою не всегда возможно и всегда смертельно опасно.

Впрочем, не будем забывать, что танк на поле боя — это не трамвай на рельсах. При движении по пересеченной местности «тройке» трудно было не подставить под огонь свой высоченный борт и башню, защищенные 30-мм броней, которую (повторим это еще раз) все наши легкие танки и даже пушечные бронеавтомобили пробивал снарядом пушки 20K на километровой дальности. Так

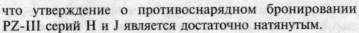
что утверждение о противоснарядном бронировании PZ-III серий H и J является достаточно натянутым.

Самых лучших не может быть много. По определению. Так, в 3-й танковой группе вермахта танков этого типа не было. Ни одного. В 4-й танковой группе была только 71 PZ-III из общего количества 602 танка.

В 1-й танковой группе **хороших средних танков** PZ-III серий H и J могло быть **255** штук.

Такая неопределенная формулировка — «могло быть» — связана с тем, что в известных автору источниках указано только количество «троек», вооруженных новой 50-мм пушкой. Вот таких танков в 1-й танковой группе и было 255 единиц. Но дело в том, что этой пушкой были перевооружены и танки PZ-III ранних серий (E, F, G) с 30-мм противопульной лобовой броней. Поэтому, предположив, что все 255 PZ-III с 50-мм пушкой имели противоснарядную лобовую броню, мы сильно завышаем качественный уровень немецких танковых дивизий, действовавших на южном ТВД.

В мехкорпусах Юго-Западного фронта к разряду **хороших средних танков** надо отнести **555** танков Т-34. Еще 50 «тридцатьчетверок» было во 2-м МК Южного фронта под Кишиневом.

Как видно, и в Красной Армии самых лучших было немного. Только в два раза больше, чем у немцев. Но и это очень много, если принять во внимание **абсолютное превосходство** в тактико-технических характеристиках.

Таблица 4

Танки	Вес, т	Мощность двигателя, л.с.	Броня, мм лоб/борт	Скорость, км/час	Запас хода, км	Калибр пушки, мм	Дистанция поражения, м
PZ-III J	21,6	300	50/30	40	145	50	почти 0
Т-34	28,5	500, дизель	45/40	50	300	76	1000

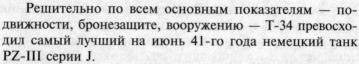

Решительно по всем основным показателям — подвижности, бронезащите, вооружению — Т-34 превосходил самый лучший на июнь 41-го года немецкий танк PZ-III серии J.

Длинноствольная 76-мм пушка Ф-34 пробивала лобовую броню самых защищенных немецких танков (PZ-III серии J, PZ-IV серии F) на дистанции в 1000—1200 метров. В то время как НИ ОДИН танк вермахта не мог поразить «тридцатьчетверку» даже с 500 метров. При стрельбе на предельно малых дистанциях (100—300 метров) лучшая немецкая танковая 50-мм пушка KwK-38 теоретически могла пробивать броню толщиной в 50—45 мм. Но броневой лист корпуса Т-34 хотя и имел толщину «всего» 45 мм (литая башня имела толщину стенок в 52 мм), но был установлен под большим уклоном (60—40 градусов на лбу и бортах), что даже чисто геометрически увеличивало эффективную толщину брони до 60—65 мм. На практике же такой большой наклон брони обычно вызывал рикошет бронебойной «болванки».

Поразить лобовую броню Т-34 немецкая 50-мм пушка могла только с применением специального подкалиберного снаряда с сердечником из карбида вольфрама (бронепробиваемость до 65 мм на дистанции 300 м), но из-за дефицита вольфрама такие боеприпасы были большой редкостью.

Благодаря широким (550 мм) гусеницам Т-34, хотя и весил на 6—7 тонн больше самых тяжелых немецких танков, создавал удельное давление на грунт всего в 0,72 кг/см (против 0,9—1,0 кг/см у немецкого PZ-III). Отсюда — и более высокая проходимость по бездорожью, грязи и снегу.

И наконец, главный «секрет» Т-34: компактный и очень мощный дизельный двигатель. Даже имея в качестве образца для подражания моторы тысяч захваченных советских танков, отсталая немецкая промышленность так и не смогла сделать ничего подобного. Германия как начала, так и закончила войну на «легковоспламеняемых» танках с бензиновыми двигателями. Но дизель — это не толь-

ко относительная пожаробезопасность. Это еще и низкий расход горючего, позволявший «тридцатьчетверке» проходить на одной заправке более 300 километров, что соответствовало расстоянию от Львова до Радома, Кракова, Кошице. И в дополнение ко всему этому очень тяжелая (по немецким стандартам) машина развивала скорость большую, чем самый легкий и скоростной немецкий PZ-II.

Все эти рассуждения отнюдь не являются абстрактным теоретизированием. В мемуарах немецких «практиков» (генералов Гудериана, Блюментрита, Гота, Шнейдера) нетрудно найти множество свидетельств того шока, который испытал вермахт при встрече с новым советским танком:

«...в 1941 г. эти танки были самыми мощными из всех существовавших... танки Т-34 как ни в чем не бывало прошли через боевые порядки 7-й пехотной дивизии, достигли артиллерийских позиций и буквально раздавили находившиеся там орудия... наши противотанковые пушки оказались бессильными против русских танков Т-34... дело дошло до паники...»

Это — мемуары, так сказать, беллетристика. А вот и серьезный документ: «Инструкция для всех частей Восточного фронта по борьбе наших танков с русским Т-34». Выпущена 26 мая 1942 года командованием мобильных войск (Schnellen Truppen) вермахта. Вот чем порадовало командование своих солдат:

«...Т-34 быстрее, более маневренный, имеет лучшую проходимость вне дорог, чем наши PZ-III и PZ-IV. Его броня сильнее. Пробивная способность его 7,62-см орудия превосходит наши 5- и 7,5-см орудия. Удачное расположение наклонных бронелистов увеличивает вероятность рикошета... Борьба с Т-34 нашей пушкой 5 см KwK-38 возможна только на коротких дистанциях стрельбой в бок или корму танка.... необходимо стрелять так, чтобы снаряд был перпендикулярен поверхности брони...» [87]

Отличная инструкция. Совершенно точная и правдивая. Как было отмечено выше, если стрелять под прямым углом к бортовой броне «тридцатьчетверки», то KwK-38 может ее и пробить. С 300 метров.

Но в инструкции (вопреки хваленой немецкой пунктуальности) нет никаких указаний о том, как же привести ствол орудия немецкого танка в такое положение? Если под рукой нет тяжелого грузового вертолета, то остается только один способ: забраться на крутой холм (с углом ската не менее 40 градусов) и попросить экипаж советского танка подъехать поближе и повернуться задом. Да, видно не от хорошей жизни командование рассылало в войска подобные «инструкции»...

Разработав танк с такими характеристиками, легко было бы впасть в головокружение от успехов. Но не зря товарищ Сталин еще 5 мая 1941 г. предупреждал выпускников своих военных академий: «...*государства гибнут, если закрывают глаза на недочеты, увлекаются своими успехами, почивают на лаврах...*» [69, с. 650]

Поэтому, отнюдь не успокоившись на постановке в серийное производство Т-34, в тот же самый день 19 декабря 1939 г., тем же постановлением № 443/сс на вооружение Красной Армии был принят **тяжелый танк КВ-1.**

Если Т-34 еще и можно, пусть и с очень большими натяжками, сравнивать с лучшим на момент начала советско-германской войны немецким танком PZ-III серии J, то чудовищный 48-тонный монстр КВ вообще был не сравним ни с одним немецким танком.

Лобовая броня в 95 мм и бортовая в 75 мм делали его абсолютно неуязвимым для танков и самых лучших (50-мм) противотанковых пушек вермахта. Форсированный дизель В-2к развивал мощность 600 л.с., что позволяло стальному гиганту двигаться по шоссе со скоростью, лишь немногим уступающей скорости легких немецких танков (35 км/час). Такая же, как и на Т-34, 76-мм пушка «Грабина Ф-34» могла летом 1941 г. расстреливать любые немецкие танки, на любых дистанциях, под любыми ракурсами, как учебную мишень. Невероятно, но даже по проходимости тяжелый советский танк (при удельном

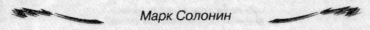

давлении на грунт всего 0,77 кг/см) превосходил своих противников.

Как можно судить по военному дневнику Ф. Гальдера, немецкие генералы не сразу даже поверили в существование танка с такими параметрами. Зато у немецких солдат всякие сомнения пропали очень быстро. «*При появлении наших танков, особенно КВ, пехота бежит, да и танки боя не принимают... танки КВ приводили в смятение противника, и во всех случаях его танки отступали*» — это строки из отчета о боевых действиях 10-й танковой дивизии 15-го МК в июне 41-го года.

И на солнце есть пятна, и наш КВ не был «супероружием» без единого недостатка. Совсем не случайно к концу войны встретить этот танк на фронте стало практически невозможно.

Главной бедой 50-тонного гиганта была слабая и ненадежная трансмиссия (содранная один в один с американского танка А-23 пятнадцатилетней давности). Только после того, как в конце 1942 г. была запущена в серию модификация КВ-1С с новой коробкой передач и сниженным до 42,5 тонны весом, у этого танка открылось «второе дыхание».

«Так вот почему немцы до Москвы дошли, — воскликнет догадливый читатель, — трансмиссия на КВ была плохая!» Не будем спешить с выводами. Для того в танковых частях, кроме танков, есть еще и командиры, чтобы каждая машина использовалась с учетом как сильных, так и слабых ее сторон. Разумеется, не всякий КВ мог выдержать такие «кольцевые гонки», которые командование Юго-Западного фронта устроило своим мехкорпусам (в дальнейшем мы об этом поговорим подробнее). Там же, где тяжелый танк использовали с умом и по прямому назначению, он раскрывал все свои огромные боевые возможности. О феноменальных достижениях КВ написано немало. Мы же здесь ограничимся лишь упоминанием о двух эпизодах из его славной боевой биографии.

Бывший командир 41-го танкового корпуса вермахта генерал Рейнгардт пишет:

«...с трех сторон мы вели огонь по железным монстрам
русских, но все было тщетно... После долгого боя нам пришлось отступить, чтобы избежать полного разгрома. Русские гиганты подходили все ближе и ближе. Один из них
приблизился к нашему танку, безнадежно увязшему в боло-
тистом пруду (легкий немецкий танк увяз, а тяжелый
КВ «приблизился». — М.С.). Без всякого колебания черный
монстр проехался по танку и вдавил его гусеницами в грязь.
В этот момент прибыла 150-мм гаубица... Артиллеристы
открыли по нему огонь прямой наводкой и добились попадания — все равно что молния ударила. Танк остановился...
Вдруг кто-то из расчета орудия истошно завопил: «Он
опять поехал!» Действительно, танк ожил и начал прибли-
жаться к орудию. Еще минута, и блестящие металлом гусеницы танка словно игрушку впечатали гаубицу в землю...»*

19 августа 1941 г. экипаж танка КВ № 864 из состава
1-го танкового батальона 1-го танкового полка 1-й танковой дивизии (той самой, с рассказа о заполярном маршруте которой и началась наша повесть) под командованием
старшего лейтенанта Зиновия Колобанова затаился в за-
саде на дороге от Луги к Гатчине. Там и произошла встреча одного-единственного КВ с колонной из сорока немецких танков. Когда этот беспримерный бой закончился, 22 немецких танка дымились в поле, а наш КВ,
получив 156 прямых попаданий вражеских снарядов, вернулся в расположение своей дивизии.

Разумеется, выдающиеся достижения лучших из лучших никогда не станут среднестатистической нормой.
Именно поэтому автор вовсе не призывает умножить число тяжелых танков КВ, состоявших на вооружении войск
Юго-Западного фронта (а их было **278** единиц) на 22 и
сравнить полученное число с общим количеством танков
в 1-й танковой группе вермахта. На войне так не бывает.
Да и такого количества (6116) исправных танков не было
во всех частях вермахта от Бреста в Нормандии до Бреста
в Белоруссии. Поэтому, подводя итоги этой главы, ограничимся только простым и достаточно обоснованным вы-
водом: механизированные корпуса Юго-Западного фронта имели многократное численное превосходство над 1-й

танковой группой вермахта **при абсолютном качественном превосходстве** в танках.

При минимально разумном управлении этой гигантской танковой ордой встречное танковое сражение на Западной Украине должно было закончиться лишь одним результатом — мехкорпуса Красной Армии должны были просто раздавить и размазать по стенке танковую группу Клейста.

Как таракана.

Практически так все и вышло. Только наоборот.

Итоги

Прошло две недели с начала войны. Отгремело танковое сражение в «треугольнике» Радехов — Броды — Дубно. Закончился и повторный контрудар мехкорпусов 5-й армии. Войска немецкой группы армий «Юг» прорвались в оперативную глубину обороны Юго-Западного фронта и стремительно приближались к так называемой «линии Сталина» (укрепрайонам на старой советско-польской границе). К вечеру 8 июля Новоград-Волынский укрепрайон был прорван на большей части его фронта, 3-й мотокорпус противника устремился на Житомир, а 48-й моторизованный корпус вермахта еще утром 8 июля захватил Бердичев, сорвав таким образом все планы советского командования на планомерный отвод разгромленных дивизий Ю-З. ф. за линию старой госграницы.

Вот в такой обстановке 7 июля 1941 года был составлен следующий документ: «Доклад командующего войсками Юго-Западного фронта начальнику Генерального штаба Красной Армии о положении механизированных корпусов фронта» [8].

Документ по объему небольшой. Мы приведем его почти полностью. Для удобства читателя рядом с каждым географическим названием будет указано расстояние от западной границы, а рядом с цифрами остатка бронетехники в мехкорпусах будет указан процент потерь (по отношению к численности на начало войны). Кроме того, мехкорпуса будут перечислены в той последовательности,

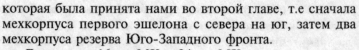

которая была принята нами во второй главе, т.е сначала мехкорпуса первого эшелона с севера на юг, затем два мехкорпуса резерва Юго-Западного фронта.

Данные по 16-му МК и 24-му МК, так и не принявшим участие в танковом сражении, будут пропущены.

Итак:

«Сов. секретно

Начальнику Генерального штаба Красной Армии

Докладываю о состоянии механизированных корпусов:

22-й механизированный корпус сосредоточен в районе Коростень (320 км), имея в своем составе 340 боевых машин (52%).

15-й механизированный корпус сосредоточен в районе Березовка (300 км), имея в своем составе 66 боевых машин (91%).

4-й механизированный корпус сосредоточен в районе Ивница (360 км), имея в своем составе 126 боевых машин (87%).

8-й механизированный корпус сосредоточен в районе Казатин (380 км), имея в своем составе 43 боевые машины (95%).

9-й механизированный корпус сосредоточен в районе Коростень (320 км), имея в своем составе 164 боевые машины (48%).

19-й механизированный корпус сосредоточен в районе Корчевка (270 км), имея в своем составе 66 боевых машин (85%).

В личном составе за период боев с 22.6.41 г. все корпуса имеют потери около 25—30%.

Военный совет Юго-Западного фронта полагает целесообразным... управления механизированных корпусов и танковых дивизий, корпусные и дивизионные части, а также танковые полки танковых дивизий и все тыловые учреждения отвести в районы Нежин, Прилуки, Пирятин, Яготин...» (Это уже за Днепром, на 250 км к востоку от тех районов, в которых остатки мехкорпусов находились 7 июля.)

Подписи: Кирпонос, Пуркаев, Хрущев.

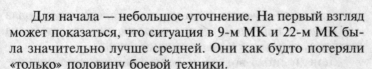

Для начала — небольшое уточнение. На первый взгляд может показаться, что ситуация в 9-м МК и 22-м МК была значительно лучше средней. Они как будто потеряли «только» половину боевой техники.

Увы, эти цифры отражают всего лишь отсутствие у командования Ю-З. ф. (которое уже 6 июля переместилось за Днепр, в Бровары под Киевом) достоверной информации о состоянии вверенных им частей. Уже через восемь дней, 15 июля 1941 г. в докладе начальника Автобронетанкового управления Ю-З. ф. «О состоянии и наличии материальной части мехкорпусов фронта» сообщалось, что в составе 22-го МК имеется всего лишь 30 танков (вместо 340), а в 9-м МК — 32 танка (вместо 164). Учитывая, что в течение этой недели мехкорпуса практически отводились из зоны боевых действий за Днепр, такое «сокращение численности», по всей вероятности, было связано не с боевыми потерями, а просто с получением более достоверных отчетов. Такое предположение вполне согласуется и с материалами монографии Владимирского (в то время — замначальника оперативного отдела штаба 5-й армии, которой и были в первые дни войны подчинены 22-й МК и 9-й МК), который пишет, что уже к 29 июня в 22-м МК осталось всего 153 танка, а в 9-м МК — 32 танка [92]. А ведь за 29 июня наступил день 1 июля, когда 22-й мехкорпус перешел в повторное контрнаступление на Дубно.

И понес при этом реальные (а не бумажно-отчетные) потери.

Комментарии к этим докладам практически излишни. Это — разгром. Неслыханный, беспримерный разгром. Всего за две недели Юго-Западный фронт потерял **более четырех тысяч танков** (это больше, чем общее число танков вермахта на всем Восточном фронте).

Война без потерь не бывает. Но в чем же выражается **результат контрудара** мехкорпусов Юго-Западного фронта, за который они заплатили потерей 80% своего танкового парка?

Авторы печально знаменитой 12-томной «Истории Второй мировой войны» рассказывают доверчивым читателям, что «*наступление гитлеровцев на направлении главного удара группы армий «Юг» затормозилось... их основные силы оказались втянутыми в затяжные бои...*»

Снова и снова повторим один и тот же вопрос — по сравнению с чем?

В мае 1940 г., сосредоточив мощнейший броневой кулак (девять танковых дивизий, 2574 танка) на 150-км участке от Льежа до Саарбрюккена, немцы прорвали оборону французской и бельгийской армий и за две недели, с 10 по 24 мая, вышли к Ла-Маншу, преодолев 300—350 км. Средний темп наступления — 26 км в день. Это советские историки любили называть и сейчас еще называют «триумфальным маршем вермахта по Западной Европе».

Почему же прорыв 1-й танковой группы на 300—350 км в глубь Западной Украины за такие же две недели летом 1941 г. должен называться «затяжными боями»?

По предвоенным планам советского командования войска Юго-Западного фронта на 10—12-й день наступления должны были выйти на рубеж рек Вислы и Дунайца, чему соответствует средний темп наступления 10—12 км в день. Это — планы. А в реальности «заторможенное» наступление немецкой группы армий «Юг» в глубь Украины шло в темпе 20—25 км в день. И почему бы нашим «историкам» не вспомнить, сколько дней (или месяцев) ушло на освобождение западных областей Украины в 1944 году?

Уже 15 июля 1941 г. за подписью Жукова вышла директива Ставки о расформировании мехкорпусов. Их короткая история на этом закончилась. А что же противник? Может быть, и от его танковой группировки после этих «затяжных боев» остались одни только рожки да ножки?

Нет, история 1-й танковой группы вермахта еще только начиналась. Прорвав линию укрепрайонов на старой границе и выйдя к Киеву и Белой Церкви, немецкие танковые дивизии развернулись на 90 градусов и ринулись на юг Украины, в тыл беспорядочно отступающих войск 6-й и 12-й армий Юго-Западного фронта. В целях «укрепления руководства» Ставка 25 июля решила передать эти две армии Южному фронту. Пока большое начальство выяс-

няло, кто за что отвечает, в первых числах августа обе армии (точнее сказать — их остатки) были окружены в районе Умани и сдались. В плен попало порядка ста тысяч человек, включая командующего 12-й армией генерал-майора Понеделина и командующего 6-й армией генерал-лейтенанта Музыченко.

Еще через месяц боев (к 4 сентября 1941 г.) безвозвратные потери 1-й танковой группы (1-я ТГр) вермахта составили **186 танков**, т.е. ОДНУ ДВАДЦАТУЮ от потерь Юго-Западного фронта за две первые недели войны. Кроме того, сотни танков были подбиты и временно вышли из строя, так что общее число боеготовых танков в 1-й ТГр сократилось в два раза — до 391 единицы [11].

В таком составе 1-я ТГр форсировала Днепр в районе Кременчуга и 12 сентября 1941 г. устремилась на север, навстречу наступающей через реку Десну 2-й танковой группе. 15 сентября они соединились в районе Лубны — Лохвицы (170 км к востоку от Киева), окружив таким образом 21, 5, 37, 26 и 38-ю армии. В гигантском «киевском мешке» в немецкий плен попало, по сводкам командования вермахта, более шестисот тысяч человек. 20 сентября у села Шумейково близ г. Лохвицы погибли командующий Юго-Западным фронтом генерал-полковник М.П. Кирпонос, начальник штаба фронта генерал-майор В.А. Тупиков и член Военного совета фронта М.А. Бурмистенко.

Не останавливаясь на достигнутом, танковая группа Клейста снова развернулась, на этот раз на 180 градусов, и практически без оперативной паузы, 24 сентября начала наступление на юг, к Азовскому морю. Продвинувшись за 15 дней на 450 км, немцы окружили и взяли в плен в районе Мелитополя еще 100 тысяч человек, затем, развернувшись на 90 градусов, прошли еще 300 км на восток и к 21 ноября 1941 г. заняли Таганрог и Ростов-на-Дону. Итого: более полутора тысяч километров только по прямой (не считая неизбежного в ходе боевых действий маневрирования), по «противотанковым» советским дорогам, на танках с узкими гусеницами и малосильными бензиновыми моторами. Нужны ли другие доказательства того, что конт-

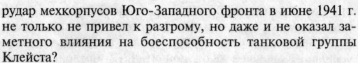
рудар мехкорпусов Юго-Западного фронта в июне 1941 г. не только не привел к разгрому, но даже и не оказал заметного влияния на боеспособность танковой группы Клейста?

Возвращаясь к вопросу о потерях мехкорпусов Красной Армии, отметим, что к концу 1941 года на всем Восточном фронте вермахт потерял безвозвратно 2765 танков и штурмовых орудий, т.е. за полгода войны немецкие потери так и не достигли уровня потерь одного только Ю-З. ф. за первые две недели боев.

И все же в одном отношении ситуация на Юго-Западном фронте качественно отличалась от той, что сложилась в первые недели войны на Западном фронте. В Белоруссии немцы, наступая двумя танковыми группами от Бреста и Вильнюса на Минск, смогли **окружить** большую часть сил Красной Армии. Разгром войск на поле боя был дополнен погромом, произведенным Сталиным среди командования Западного фронта. В результате ни штабных документов, ни хорошо информированных свидетелей почти не осталось, и историку приходится восстанавливать картину событий почти так, как палеобиологи реконструируют скелет динозавра по паре окаменевших костей.

А на Украине события развивались иначе. На всем южном ТВД от Полесья до Черного моря в распоряжении командования вермахта была одна-единственная танковая группа, и провести крупную операцию по окружению советских войск в первые дни войны немцам не удалось. Даже потерявшие почти всю боевую технику советские дивизии смогли отойти на восток, сохранив командование, боевые знамена и документы.

И реакция Сталина на провал контрнаступления Юго-Западного фронта была непостижимо мягкой. Все командиры мехкорпусов Ю-З. ф., которым суждено было остаться в живых, пошли на повышение. Выше всех шагнул командир 9-го МК К.К. Рокоссовский, закончивший войну маршалом и дважды Героем Советского Союза, командовавший многими фронтами и Парадом Победы.

Большое будущее ждало и командира 4-го МК Власова.

После расформирования мехкорпусов Власова назначают командующим самой мощной на Ю-З. ф. 37-й армией, после разгрома этой армии в «киевском мешке» он успешно командует 20-й армией в битве за Москву, затем Сталин вручает ему 2-ю ударную армию — и вот тут блистательная карьера оборвалась и покатилась под гору, прямиком к виселице, на которой этот самый знаменитый предатель и закончил свои дни.

Стремительно взлетел по служебной лестнице и командир 8-го мехкорпуса Рябышев. После расформирования корпуса он командует 38-й армией, а с 30 августа 41-го — уже всем Южным фронтом! Освободившуюся должность командующего 38-й армией занял еще один бывший командир мехкорпуса — Н.В. Фекленко (19-й МК).

Дослужились до маршальских звезд и командир 1-й артиллерийской противотанковой бригады (АПТБ) Юго-Западного фронта К.С. Москаленко, и начальник оперативного отдела штаба Ю-З. ф. И.Х. Баграмян, и командир 20-й танковой дивизии (9-й МК) М.Е. Катуков.

В результате недостатка в мемуарной и научно-исторической литературе, описывающей июньские бои на Западной Украине, не наблюдается. Уцелели и многие ценнейшие документы, включая опубликованные в Интернет-сайте «Мехкорпуса РККА» доклады командиров танковых дивизий 15, 19 и 22-го мехкорпусов.

Одним словом — есть с чем работать. Но, прежде чем мы начнем подробный разбор реальных событий этого, третьего в нашем изложении и самого мощного в действительности, «сталинского удара», разберемся с тем, чего на самом деле не было. Просто для того, чтобы больше к обсуждению этих мифов нам не возвращаться.

Про то, чего не было

Как вы уже догадались, уважаемый читатель, речь опять-таки пойдет про могучую немецкую авиацию, сокрушительный «первый обезоруживающий удар» и прочие чудеса.

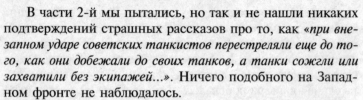

В части 2-й мы пытались, но так и не нашли никаких подтверждений страшных рассказов про то, как «*при внезапном ударе советских танкистов перестреляли еще до того, как они добежали до своих танков, а танки сожгли или захватили без экипажей...*». Ничего подобного на Западном фронте не наблюдалось.

Но, может быть, В. Суворов имел в виду начало боевых действий на Западной Украине? Может быть, это в полосе Юго-Западного фронта «*советские разведывательные самолеты не смогли подняться в небо... Нашему циклопу выбили глаз. Наш циклоп слеп. Он машет стальными кулаками и ревет в бессильной ярости...*»?

Кто же выбил глаз циклопу? И чем? В составе 5-го авиационного корпуса люфтваффе, действовавшего совместно с группой армий «Юг» над Украиной, было семь бомбардировочных и пять истребительных авиагрупп. Всего (с учетом временно неисправных самолетов) в их составе утром 22 июня 1941 г. было **266 «горизонтальных» бомбардировщиков** (163 Ju-88 и 103 He-111) и **174 истребителя** «Мессершмитт-109» [24].

Ни одного пикировщика Ju-87 (этого горячо любимого всеми кинодокументалистами символа «блицкрига»), ни одного истребителя-бомбардировщика Me-110 над Юго-Западным фронтом не было. Из этого, в частности, следует, что возможности 5-го авиакорпуса люфтваффе для бомбометания по подвижным точечным целям (каковыми являются танки и бронемашины) были близки к нулю.

Немецкой авиации противостояли ВВС Юго-Западного фронта и два (2-й и 4-й) дальнебомбардировочных авиакорпуса, насчитывающие по меньшей мере **944 бомбардировщика** (без учета устаревших тяжелых ТБ-3) и **1166 истребителей** (в том числе **253 новейших** МиГ-3 и Як-1) [23]. То есть даже по числу истребителей «новых типов» советские ВВС имели численное превосходство над противником в полтора раза!

И это только начало, так как по предвоенному «Плану прикрытия мобилизации и развертывания войск Киевско-

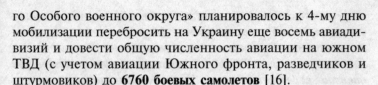

го Особого военного округа» планировалось к 4-му дню мобилизации перебросить на Украину еще восемь авиадивизий и довести общую численность авиации на южном ТВД (с учетом авиации Южного фронта, разведчиков и штурмовиков) до **6760 боевых самолетов** [16].

Преодолеть с ходу такое огромное численное превосходство немцы не смогли. Как ни старались, и как ни помогал им в этом тот хаос, в который погрузилась вся система управления и связи Юго-Западного фронта. В результате у командования 5-го АК, которому предстояло весьма хилыми силами атаковать более **160 аэродромов**, которыми располагала западнее Днепра авиация Ю-З. фронта [16], просто не было сил и средств для того, чтобы еще и гоняться за тысячами советских танков, бронемашин, тягачей и орудий. В результате развертывание мехкорпусов Юго-Западного фронта и их выдвижение в исходные для наступления районы произошло почти без помех со стороны немецкой авиации.

С севера на юг, от Полесья до Карпат, реальная картина событий была такова [8, 61, 92, 105]:

— **22-й МК**. Штаб корпуса, 19-я танковая и 215-я моторизованная дивизии перед войной дислоцировались в Ровно (примерно 150 км к востоку от границы). О потерях в первые часы войны ничего не известно. Передовая 41-я танковая дивизия находилась значительно западнее, в районе Владимир-Волынского (15 км от границы). Как уже отмечалось выше, в части 2, эта дивизия понесла потери: «*...в 4.00 22.6.41 обстреливалась дальним артогнем противника и в период отмобилизования имела потери 10 бойцов убитыми*».

— **15-й МК**. Район предвоенной дислокации: Броды — Кременец (100—135 км от границы). В 4 часа 45 минут получено извещение о переходе германскими войсками нашей госграницы, объявлена боевая тревога, вскрыт пакет с директивой штаба Киевского Особого военного округа. Кстати — в отчете о боевых действиях 15-го мехкорпуса указана и дата утверждения оперативного плана: 31 мая 1941 г. Дивизии корпуса стали выходить в районы сосре-

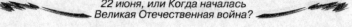

доточения согласно данной директиве. Единственное упоминание о потерях первого дня войны встречается в отчете командира 37-й танковой дивизии:

«...в конце дня 22.6.41 г. в районе сосредоточения части дивизии впервые подверглись бомбардировке авиации противника. Особенно сильно бомбили район сосредоточения 73-го танкового полка, так как последний был сосредоточен вблизи Бродского аэродрома, однако потерь машин не было. Пулеметным обстрелом с воздуха было убито 2 человека...»

— **4-й МК**. Район предвоенной дислокации: Львов (80 км к западу от границы того времени). Этот мехкорпус пришел в движение раньше всех. Уже 20 июня 1941 года по боевой тревоге были подняты 8-я танковая и 81-я моторизованная дивизии, одновременно из Львовского лагерного сбора были отозваны зенитные артиллерийские дивизионы этих дивизий, которые тут же получили приказ прикрыть с воздуха расположения наземных войск. 32-я танковая дивизия, дислоцировавшаяся на восточной окраине Львова, была поднята по тревоге в 2 часа ночи 22 июня и начала выдвижение по улицам города в сторону Яворовского шоссе. Корпусной мотоциклетный полк покинул место основной дислокации еще раньше, так как уже в 9 часов 45 минут вступил в бой с переправившимися через реку Сан немцами у городка Ляцке, в 70 километрах к западу от Львова.

Сведений о потерях на марше от бомбардировок противника нет.

— **8-й МК**. Район предвоенной дислокации: Дрогобыч — Стрый (70—100 км от границы). Уже 19 июня 1941 г. командир корпуса Д.И. Рябышев приказал вывести большую часть личного состава из казарм в Дрогобыче в район сосредоточения. 20 июня по распоряжению штаба Киевского Особого военного округа все танки, даже находившиеся на консервации, были полностью заправлены горючим и получили боекомплект. В три часа утра 22 июня из штаба армии поступило указание «быть в готовности и ждать приказа». В 10 часов утра поступил приказ, в соответствии с которым корпус был поднят по тревоге и

авиации противника (насколько можно судить по докладу командира о боевых действиях дивизии) не понесла.

Вот и все, что было на самом деле. Таким был в реальности «внезапный обезоруживающий удар немецкой авиации».

Здесь автор считает необходимым извиниться за интонацию, в которой написана эта глава. Разумеется, для семей красноармейцев, в дома которых пришли первые похоронки, эти жертвы были величайшим в их жизни горем, а не «единичными потерями». Но военная история пишется на своем, достаточно специфичном языке. И на этом языке итог первого дня войны может быть обозначен единственным образом: мехкорпуса вышли в указанные им исходные районы для наступления, **понеся ничтожно малые потери от ударов вражеской авиации.**

Никакого «первого обезоруживающего удара» не могло быть, и в натуре его не было.

Исписав горы бумаги о том, чего не было и быть не могло, советские «историки» извели другую гору бумаги на отрицание того, что на самом деле было. Речь идет о такой важнейшей составляющей подготовки к войне, как **мобилизация.**

В каждой без исключения книжке было сказано, что «история отпустила нам мало времени», что наша армия могла быть «полностью готова к войне никак не раньше 1942 г.», а до этого нам надо было изо всех сил оттягивать, оттягивать и оттягивать военное столкновение с Германией...

Что оттягивать? Куда? Зачем?

Что такое «полная готовность к войне», автор даже и представить себе не может. И уж тем более не способен он понять — сколько лет или веков требуется для достижения этого загадочного состояния «полной готовности». Совсем другое дело — мобилизация. Это перечень абсолютно конкретных мероприятий, которые поименно названные должностные лица должны были осуществить в установленные с точностью до дней и часов сроки. Воздержавшись от дальнейших дилетантских пояснений,

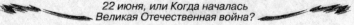

приведем сразу же большую цитату из монографии генерала Владимирского — в те дни заместителя начальника оперативного отдела штаба 5-й армии, — знавшего по долгу службы о мобилизационных мероприятиях почти все (ключевые слова подчеркнуты автором):

«...Мобилизационные планы во всех стрелковых соединениях и частях были отработаны. Они систематически проверялись вышестоящими штабами, уточнялись и исправлялись. Приписка к соединениям и частям личного состава, мехтранспорта, лошадей, обозно-вещевого имущества за счет ресурсов народного хозяйства была в основном закончена...

Стрелковым вооружением дивизии обеспечивались полностью, за исключением некоторых его видов (автоматов ППД, крупнокалиберных пулеметов)...

Артиллерийским вооружением стрелковые дивизии обеспечивались в основном полностью, за исключением 37-мм зенитных пушек, некомплект которых составлял 50 процентов. Укомплектованность корпусных артиллерийских полков материальной частью составляла 82 процента...

Обеспеченность механизированным транспортом стрелковых дивизий составляла 40—50 процентов. Недостающие автомашины и тракторы планировалось пополнить ресурсами народного хозяйства восточных областей Украины...

*С 20 мая 1941 г. в целях переподготовки весь рядовой и сержантский состав запаса привлекался на 45-дневные учебные сборы при стрелковых дивизиях. Это позволило довести численность личного состава каждой стрелковой дивизии до 12—12,5 тыс. человек, или до **85—90 процентов штатного состава военного времени**...»*

Вы помните, уважаемый читатель, сколько тысяч раз нам врали про то, что «дивизии Красной Армии содержались по штатам мирного времени и к 22 июня были в два раза меньше немецких»? Вы помните, как великий наш Маршал Победы размышлял в своих воспоминаниях о том, что *«накануне войны в приграничных округах 19 дивизий*

 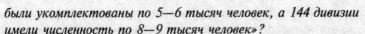

были укомплектованы по 5—6 тысяч человек, а 144 дивизии имели численность по 8—9 тысяч человек»?

Фактически же, по данным монографии «1941 год — уроки и выводы», в 103 стрелковых дивизиях приграничных округов численность личного состава была доведена:

«21 дивизии — до 14 тыс. человек, 72 дивизий — до 12 тыс. человек и 6 стрелковых дивизий — до 11 тыс. человек» [3, с. 82].

Вернемся, однако, к книге Владимирского:

«...Предусмотренный мобилизационными планами частей порядок отмобилизования в основном сводился к следующему.

*Каждая часть делилась на два мобилизационных эшелона. В первый мобилизационный эшелон включалось 80—85 процентов кадрового состава части... Срок готовности первого эшелона к выступлению в поход для выполнения боевой задачи **был установлен в 6 часов.***

*Второй мобилизационный эшелон части включал в себя 15—20 процентов кадрового состава, а также весь прибывавший по мобилизации приписной состав запаса. Срок готовности второму эшелону частей... был установлен: для соединений, дислоцированных в приграничной полосе, а также для войск ПВО и ВВС — **не позднее первого дня мобилизации**, а для всех остальных соединений — **через сутки**...*

Всем соединениям и частям устанавливались укрытые от наблюдения с воздуха районы отмобилизования вне пунктов их дислокации, а также определялся порядок выхода частей в эти районы и прикрытия их во время отмобилизования.

*По заключению комиссий штабов армии и округа, проверявших состояние мобилизационной готовности стрелковых соединений и частей в мае-июне 1941 г., все стрелковые дивизии и корпусные части **признавались готовыми к отмобилизованию в установленные сроки...***» [92]

Теперь давайте переведем дух и обдумаем прочитанное.

Традиционная версия была такова: Красной Армии был нужен еще как минимум целый год для того, чтобы

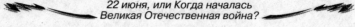

подготовиться к войне. Немцы не стали по-рыцарски ждать и напали на «неподготовленную к войне» армию.

В несколько более облагороженном варианте эта туфта звучала так: для полного завершения мобилизационных мероприятий нужно было еще две-три недели, но быстрое продвижение вермахта в глубь страны сделало мобилизацию невозможной. Что и послужило причиной...

А на самом-то деле скрытая мобилизация была уже практически ЗАВЕРШЕНА. Стрелковые дивизии (т.е. основной костяк армии той эпохи и, заметим, главная сила в обороне!) практически закончили отмобилизование, и плановые сроки их готовности к ведению боевых действий исчислялись даже не днями, а ЧАСАМИ. Небольшой «довесок» (второй мобилизационный эшелон) мог быть приведен в полную готовность всего лишь за один-два дня. Каким же образом «внезапное нападение» немцев могло лишить Красную Армию этих считаных часов? Разве СССР по своим размерам был похож на Люксембург или Данию, которые вермахт занял за один день? Важно отметить и то, что накануне войны никаких сомнений в реальности указанных сроков доукомплектования и приведения частей в полную боевую готовность у нашего командования не было. Основные виды стрелкового и артиллерийского вооружения (см. выше) уже были в частях.

А упомянутые Владимирским «*40—50% штатной численности мехтранспорта*» в переводе на более конкретный язык составляют 250 автомашин всех типов и полсотни тракторов в одной стрелковой (т.е. пехотной!) дивизии. Дело в том, что сами «штатные численности», предусмотренные сталинскими планами подготовки к Большой Войне, были огромны. Так, в гаубичном полку стрелковой дивизии РККА планировалось иметь два трактора (мощные дизельные «Коминтерн» и «Ворошиловец») на одну гаубицу (!), 37 радиостанций (в том числе две большого радиуса действия на шасси спецавтомобиля), 90 грузовых и 3 легковые автомашины. В отдельном противотанковом дивизионе все той же стрелковой дивизии на 18 «сорокапяток» приходилось 24 автомашины и 21 тягач. Причем в

качестве тягача использовался бронированный гусеничный «Комсомолец» — созданный на базе узлов и агрегатов легкого танка Т-38, вооруженный пулеметом в шаровой установке и в целом соответствующий по боевым возможностям немецкой танкетке PZ-I, которую все советские историки неизменно зачисляли в разряд «танков». К июлю 1941 г. было выпущено и передано в войска 7780 таких «Комсомольцев» [148].

Значительно хуже обстояли дела с мобилизационной готовностью механизированных корпусов. Оно и понятно. Во-первых, мехкорпус уже по определению требует огромного количества «механизмов», в том числе автомашин и тракторов (гусеничных тягачей), значительная часть которых по плану должна была работать в народном хозяйстве вплоть до дня объявления открытой мобилизации. Во-вторых, сталинская гигантомания, вследствие которой одновременно формировалось 29 мехкорпусов по тысяче танков в каждом, превысила реальные возможности экономики страны.

Признав все это, не будем опять-таки спешить с выводами, а лучше приступим к изучению конкретных фактов, взятых все из той же монографии Владимирского:

«22, 9 и 19-й механизированные корпуса формировались с апреля 1941 г. на базе бывших танковых бригад и к началу войны находились еще в стадии организации... Располагая относительно большой численностью личного состава (танковая дивизия — 9 тыс. человек, или 80 процентов, моторизованная дивизия — 10,2 тыс. человек, или 90 процентов штатов военного времени), механизированные соединения имели некомплект начальствующего и сержантского состава (40—50 процентов)... Особенно неблагополучно обстояло дело с укомплектованностью частей командирами танков и танковых подразделений, а также механиками-водителями и другими специалистами...»

Не следует, правда, забывать, о **каких корпусах** пишет Владимирский. По предвоенным планам командования советских бронетанковых войск 19-й МК даже не входил в число девятнадцати «боевых мехкорпусов» и формировался по сокращенным штатам, а 22-й МК и 9-й МК должны были завершить формирование лишь в 1942 году. Неукомплектованность этих мехкорпусов танкистами вполне «уравновешивалась» отсутствием в них штатного количества танков. Так, в 22-м МК было 712 танков (69%), в 9-м МК — 316 танков (31%), в 19-й МК — 453 танка (44%).

К тому же все познается в сравнении. Вермахт, численность которого с осени 1940 г. начали лихорадочно наращивать, испытывал те же самые проблемы:

«...в танковых и моторизованных дивизиях кадровые офицеры составляли 50% командного состава, в пехотных дивизиях — от 35 до 10%. Остальные были резервистами, чья профессиональная подготовка была значительно ниже...» [ВИЖ, 1989, № 5, с. 72. Лишь в писаниях советских пропагандистов существовал пресловутый «двухлетний опыт ведения современной войны». Из пяти танковых дивизий 1-й танковой группы вермахта в польской кампании не участвовала ни одна, во вторжении во Францию — только две (9-я тд и 11-я тд), 14-я тд успела до «Барбароссы» повоевать одну неделю в Югославии, 13-я и 16-я тд (созданные в октябре 1940 г. на базе пехотных дивизий) вообще не принимали до 22 июня 1941 г. какого-либо участия в боевых действиях.

Теперь снова обратимся к книге Владимирского, дабы выяснить, как обстояло дело с техникой и вооружением моторизованных войск:

«Стрелковым вооружением танковые и моторизованные дивизии, кроме винтовок и карабинов, были обеспечены не полностью: ручными пулеметами — на 50 процентов, автоматами — до 40 процентов (верный традициям советской исторической науки заслуженный генерал так и не решился написать прямо, что **основными видами** стрелкового вооружения — винтовками и карабинами — войска были обеспечены полностью. — М.С.).

Артиллерийской материальной частью танковые и моторизованные дивизии были обеспечены:

76-мм орудиями — на 70%, 122-мм гаубицами — в сред-

нем на 87%, 152-мм гаубицами — от 33 до 66%, 37-мм зе-
нитными пушками — от 33 до 50 процентов.

*Мехтранспортом танковые и моторизованные дивизии
также были недоукомплектованы. Автомашин имелось 22—
38 процентов, тракторов — 20—40 процентов. В гаубичных
полках недоставало арттягачей, что снижало их маневрен-
ность...»*

В конкретных цифрах это выглядело так. В 22-м
МК из положенных по штату 5165 автомашин в наличии
было 1382 (27% штатной численности), тракторов — 129
штук (37%). Всего 927 автомашин и 67 тракторов было в
19-м МК, в 9-м МК —1027 автомобилей и 114 тракторов
[8]. Ситуация в ударных 4-м МК, 8-м МК и 15-м МК, которые начали формирование значительно раньше, была
значительно лучше.

В частности, дивизии 15-го МК перед войной были
укомплектованы рядовым составом на 94—100%, младшим командным составом на 45—75%, старшими командирами — на 50—87%, причем некомплект командного
состава в основном объяснялся нехваткой политработников и административо-хозяйственного персонала.

8-й МК еще до призыва приписного состава под видом «больших учебных сборов» в июне 1941 г. был укомплектован личным составом на 89%, его артиллерийские
полки имели на вооружении 88 пушек и гаубиц (88% от
штатной численности), противотанковых 45-мм пушек
было даже больше «нормы» (49 вместо 36). В корпусе было 3237 автомобилей и 359 тракторов (на 7 единиц больше
нормы!) [1, 8, 113].

И тем не менее, проблемы с мехтягой были повсеме-
стными. Даже в наиболее подготовленной 10-й танковой
дивизии 15-го МК было всего 64 автоцистерны (из 139
положенных по штату), 800 грузовиков (из 918 положенных по штату), причем большую часть составляли «полуторки» «ГАЗ-АА», из-за низкой грузоподъемности которых дивизия оставила в месте предвоенной дислокации
450 тонн различного имущества. И это — одна из старейших танковых дивизий в округе. В других дивизиях и пол-

ках (особенно мотострелковых) проблема автотранспорта стояла еще острее.

Так, в 32-й тд «образцово-показательного» 4-го мехкорпуса было всего 417 автомашин всех типов, 212-я моторизованная дивизия (15-го МК), «*имея почти полную обеспеченность личным составом красноармейцев, не имела совершенно машин для перевозки личного состава и не могла обеспечить себя подвозом боеприпасов, продовольствия и ГСМ...*» Артполк 37-й тд (15 МК) имел на вооружении 16 гаубиц калибра 122-мм и 152-мм и всего 5 тракторов для их транспортировки.

А весили они по 2,5 и 4 тонны соответственно, и на руках их по полю не покатаешь. Мотострелковый полк в этой же 37-й тд «*был совершенно не укомплектован автомашинами, дислоцировался в 150 км от дивизии, поэтому действовать совместно с дивизией в начале боевых действий не мог*».

В оценке этих (как и любых других) фактов необходимо проявить взвешенный подход и не спешить с выводами. Едва ли можно согласиться с теми авторами, которые заявляют, что «*так называемые механизированные корпуса представляли собой обычную пехоту с танковым усилением*». Даже мехкорпуса второго эшелона (9-го МК и 19-го МК) имели в наличии по тысяче автомашин. Можно ли это называть «обычной пехотой»?

Таким ли уж безвыходным было положение гаубичного полка вышеупомянутой 37-й танковой дивизии? В дивизии было 239 танков БТ и 32 Т-34 в исправном состоянии. Каждый из этих танков мог быть использован в качестве гусеничного тягача, причем тягача гораздо более мощного и быстроходного, нежели тогдашние трактора.

И тем не менее без мобилизации автотранспорта из народного хозяйства и доведения укомплектованности до штатных норм боеспособность мехкорпусов, безусловно, снижалась. Единый военный механизм распадался на малоэффективные по отдельности элементы: пехоту без танков и танки без способной закрепить их успех пехоты.

Такая же ситуация — одновременно трагичная и аб-

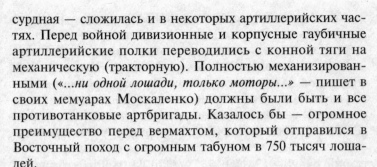

сурдная — сложилась и в некоторых артиллерийских частях. Перед войной дивизионные и корпусные гаубичные артиллерийские полки переводились с конной тяги на механическую (тракторную). Полностью механизированными («...*ни одной лошади, только моторы*...» — пишет в своих мемуарах Москаленко) должны были быть и все противотанковые артбригады. Казалось бы — огромное преимущество перед вермахтом, который отправился в Восточный поход с огромным табуном в 750 тысяч лошадей.

Но когда началась война, немецкие лошади были в натуре, а вот с приписанными к Красной Армии тракторами и автомашинами начало происходить нечто уму непостижимое.

С одной стороны, их было очень и очень много. Уже в феврале 1941 г. в РККА числилось 34 тысячи тракторов (гусеничных тягачей). А также 214 тысяч автомашин и 11 454 мотоцикла. 23 июня 1941 г. началась мобилизация, и техники стало еще больше. В монографии «1941 год — уроки и выводы» приводятся следующие данные:

«...*к 1 июля намеченные по мобилизации ресурсы в основном были получены... поставлено из народного хозяйства 234 тысячи автомобилей и свыше 31,5 тысячи тракторов... в итоге мобилизации поставлено и обращено на укомплектование войск... грузовых и специальных автомобилей — 82%, гусеничных тракторов — 80% от их потребности по мобилизационному плану...*»

А теперь переведем эти «проценты от мобплана» в нечто более понятное и осязаемое.

По штату для полного укомплектования мехкорпуса требовалось 352 трактора. Это значит, что для укомплектования всех двадцати мехкорпусов, развернутых в западных округах, им надо было передать всего-то **7000** тракторов. К тому же ряд корпусов, только лишь начинавших свое формирование (17-й и 20-й на Западном фронте, 9-й и 24-й на Юго-Западном), просто не нуждались в трех сотнях тягачей — тягать там было еще нечего.

Другой первоочередной получатель мехтяги — это

противотанковые артбригады (ПТАБ) резерва Главного командования. Во всей Красной Армии их было ровно десять. Каждой из них по штату полагалось иметь 120 противотанковых пушек разных калибров. Итого — **1200** тракторов для полного оснащения мехтягой всех десяти ПТАБов. И эта цифра сильно завышена — многие бригады только начинали свое формирование и поэтому в июне 1941 г. не имели еще всех положенных им по штату орудий.

И наконец, главная труженица войны — пехота. В каждой из 155 стрелковых дивизий, развернутых в европейской части СССР (включая и дивизии, находившиеся в глубочайшем тылу, за Волгой или в Архангельском округе) был гаубичный артиллерийский полк, в котором по штату полагалось иметь 36 гаубиц калибра 122- и 152-мм и 72 трактора для их транспортировки Это еще **11 160** тракторов.

Таким образом первоочередные потребности армии в тракторах/тягачах выражались в цифре 7000 + 1200 + 11 160 = 19 360 штук. Причем по очень «жирным» нормам, предполагающим в большинстве случаев двойной резерв техники. Даже до начала открытой мобилизации в армии уже формально числилось в ПОЛТОРА РАЗА больше тракторов. Мобилизованные за первую неделю войны тракторы увеличили общий парк еще в два раза. И при этом даже в дивизиях первого стратегического эшелона не хватало средств мехтяги артиллерии! Это и есть знаменитый «сталинский порядок»?

Столь же «радужная» картина складывается и с обеспеченностью армии автомобилями. Во всей Красной Армии к началу войны было более трехсот дивизий (точную цифру назвать невозможно, так как численность армии росла стремительно, как бамбук). По состоянию на 22 июня 1941 г. в армии уже было 273 тысячи автомашин всех типов [3, с. 363]. К 1 июля (см. выше) в армию из народного хозяйства было поставлено еще 234 тысячи.

Итого: **1700 автомобилей на одну дивизию!**

Стоит отметить и тот факт, что в «полностью механи-

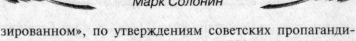

зированном», по утверждениям советских пропагандистов, вермахте было **точно такое же** (500 тыс.) количество
колесных машин, причем на наших дорогах до конца 1941 г.
106 тысяч машин пришло в полную негодность [11].

Вот тут бы нам и порадоваться огромным достижени-
ям сталинской индустриализации, но радоваться-то на самом деле нечему. Открываем отчеты командиров советских корпусов и дивизий и практически в каждом читаем:
«*Материальная часть, предусмотренная мобпланом, по мобилизации не прибыла*». Как это? А куда же тогда прибыли
эти самые «*234 тысячи автомобилей и свыше 31,5 тысячи
тракторов*»???

Рокоссовский (в те дни — командир 9-го МК) пишет,
что личный состав мотострелковых полков и дивизий
корпуса, оказавшихся в начале войны и без лошадей и без
машин, должен был в буквальном смысле слова на своих
плечах нести минометы, ручные и станковые пулеметы,
боеприпасы, в результате чего «*совершенно выбивался из
сил и терял всякую боеспособность*». Как же так вышло, что
дивизиям **механизированного** корпуса не досталось ни
1700, ни даже 170 автомашин?

А вот доклад командира 10-й тд (15-го МК):

«*...приписных машин из народного хозяйства согласно
мобилизационному плану должно было поступить к исходу
М-2* (т.е. второго дня мобилизации. — М.С.): «*ГАЗ-АА*» —
188 и «ЗИС-5» — *194. Ни одной машины из этого числа ни в
М-2, ни в один из последующих дней дивизия не получила...*»

«*От командира 2-й ПТАБ полковника М.И. Неделина
поступило донесение, что трактора из народного хозяйства
он еще не получил и двинуть к границе сможет лишь один
дивизион*» — это строки из воспоминаний Баграмяна [110].

Нет, не случайно Неделину в дальнейшем предстояло
стать командующим Ракетными войсками стратегического назначения СССР: он все-таки смог, даже в этой обстановке всеобщего хаоса, вывести целый артиллерийский
дивизион (12 противотанковых пушек). А вот 5-я ПТАБ,
как пишет Владимирский, даже к 29 июня (на седьмой
день войны!) «*из-за отсутствия мехтяги оставалась в Но-*

вограде-Волынском» (250 км к востоку от границы. — М.С.).

Точно такая же ситуация сложилась со всеми остальными ПТАБами, на всех фронтах. Ни одна бригада — кроме 1-й ПТАБ Москаленко — не выполнила своей задачи в борьбе с вражескими танками, и все советские историки в один голос во всех своих книжках называют одну и ту же причину — отсутствие мехтяги. Это как? Куда же делась вся техника — и та, что уже 22 июня была в частях, и та, которую мобилизовали в первые дни?

Все это, скажет иной читатель, отдельные частные недостатки. Извольте, вот вам и обобщенная картина:

«...крайне плохо проходила поставка по мобилизации механизированного транспорта....

На сдаточных пунктах скопились тысячи автомобилей и тракторов, нуждавшихся в ремонте. Были случаи, когда автомобили на сдаточные пункты военкоматов прибывали без горючего или из-за отсутствия его в хозяйствах вовсе не прибывали... Так, из МВО (т.е. из центрального, столичного округа. — М.С.) *в ЗапОВО не удалось отправить своим ходом автомобили, на третьи сутки мобилизации была отправлена только четверть автомобилей... зачастую из-за большой спешки автомобильный транспорт грузился в эшелоны и отправлялся на фронт без водителей и горючего... 1320 эшелонов (50 347 вагонов) с автомобилями простаивали на железных дорогах...»* [3]

Спешка и вправду была очень большая. 6 июля 1941 г. товарищ Тутушкин, заместитель начальника 3-го управления (контрразведка) Наркомата обороны, докладывал товарищу Сталину:

«...в Управлении военных сообщений до 1 июля не велась сводка учета перевозок войск... на десятки транспортов нет данных об их месте нахождения... эшелон со штабом 19-й армии и управлением 25-го стрелкового корпуса вместо ст. Рудня (между Витебском и Смоленском. — М.С.) *был направлен на ст. Гомель. Виновники этого остались ненаказанными...*

...26 июня два эшелона танков с Кировского завода (но-

вейшие тяжелые КВ. — М.С.) *несколько дней перегонялись в треугольнике Витебск — Орша — Смоленск... где эти транспорты находятся в настоящее время, управление сведений не имеет...*

...27 июня предназначенные на Юго-Западный фронт 47 эшелонов с мототранспортом, в котором сильно нуждался фронт, были выгружены на ст. Полтава, Харьков (т.е. за сотни километров от места назначения. — М.С.)...

...направленные на Юго-Западный фронт 100 тысяч мин к месту назначения не прибыли, и где эти эшелоны находятся, управление не знает...» [112, с. 199]

Товарищ Тутушкин ничего не говорит о причинах такого «броуновского движения». Генерал Владимирский называет некоторые из них:

«...Вечером 26 июня Военный совет 5-й армии заслушал доклад начальника оргмоботдела полковника Щербакова и заместителя начальника штаба армии по тылу полковника Федорченко о ходе отмобилизования войск и тыловых органов 5-й армии. Было установлено, что отмобилизование войск и тылов армии, которое по мобплану должно было быть завершено в 24.00 25 июня, то есть на третий день мобилизации (объявленной с 00 часов 23 июня), фактически было сорвано...

Основная масса рядового состава запаса — уроженцев западных областей Украины — либо не успела явиться в части, либо уклонилась от явки по мобилизации. Лишь соединениям 15-го стрелкового корпуса, перед которыми наступление противника было замедленным, удалось частично пополнить войска рядовым составом и лошадьми из ближайших к ним районов...»

Столь неожиданный и обескураживающий результат Владимирский объясняет «*психологическим воздействием внезапного нападения противника на настроения местного населения, быстрой передвижкой линии фронта к востоку и подрывной деятельностью вражеской агентуры (т.е. бандеровцев. — М.С.) на нашей территории*».

Но и это еще не все:

«...командный и технический состав запаса, мехтранс-

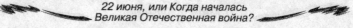
порт и водительский состав, приписанный из восточных (!!! — М.С.) *областей, также не прибыли в армию...».* Вот эту информацию Владимирский уже никак не комментирует...

Еще раз подчеркнем главное. **Красная Армия вовсе не была безоружной.** В ходе скрытой предвоенной мобилизации она уже получила огромное, значительно большее, чем у противника, количество людей, пушек, танков и тракторов. **Срыв планового ДОукомплектования ослабил ее боевые возможности, но отнюдь не свел их к нулю.**

И тем не менее первый удар погребального колокола уже прозвучал. Хваленый сталинский «порядок» в первые же часы встречи с настоящим, вооруженным противником обернулся беспримерным хаосом, бардаком и анархией. Цельный в теории армейский механизм начал рассыпаться на отдельные «шестеренки» прежде, чем были сделаны первые выстрелы.

Военный совет

Теперь, закончив со всеми необходимыми пояснениями, отступлениями, справками, перейдем к самому простому — к описанию боевых действий.

Как было выше отмечено, Директива № 3 заметно отличалась от предвоенных планов Юго-Западного фронта. С одной стороны, объем поставленных задач сократился — из двух оперативных направлений (на Люблин и на Краков) осталось только одно. С другой стороны, на взаимодействие с левым флангом Западного фронта (а именно эта идея двустороннего охвата люблинской группировки немцев смежными флангами Юго-Западного и Западного фронтов неизменно присутствовала во всех предвоенных планах) рассчитывать уже не приходилось. Директива № 3 ставила перед войсками левого фланга Западного фронта только оборонительную задачу — «сдерживать противника на Варшавском направлении».

Фактически 4-я армия Западного фронта в районе Брест — Кобрин была буквально сметена ударом самой

мощной 2-й танковой группы вермахта, начала беспорядочный отход, и об участии ее в каких-то наступательных действиях совместно с 5-й армией Юго-Западного фронта не могло быть и речи. Следовательно, второе, северное острие «танковых клещей», которые должны были сомкнуться в районе Люблина за спиной наступающей на Луцк — Броды группировки противника, предстояло создать на ходу, из тех весьма ограниченных сил, которыми располагала 5-я армия.

Но к ночи с 22 на 23 июня (когда, как следует из мемуаров маршала Баграмяна, была получена и расшифрована Директива № 3) ситуация на фронте 5-й армии значительно обострилась.

Немецкое командование, решительно массируя силы на направлении главного удара, сосредоточило на 70-километровом участке границы от Устилуга до Крыстынополя (ныне Червоноград) семь пехотных дивизий. Все мосты через пограничный Буг, охраняемые войсками НКВД, были захвачены немцами в целости и сохранности. В отчете штаба 1-й ТГр вермахта отмечалось:

«...важнейший мост у Сокаль захвачен неповрежденным. Переправа через р. Буг проходила спокойно. Пехота забралась на высоты восточнее Буга, не встретив при этом никакого сопротивления...» [40, с. 227]

К вечеру 22 июня немецкая пехота, форсировав Буг, отбросила от границы и частично окружила две стрелковые дивизии 5-й армии. На захваченный плацдарм переправились две танковые дивизии, которые перешли в наступление: 14-я танковая на Луцк, 11-я танковая — на Радехов.

Героическая борьба нескольких гарнизонов Владимир-Волынского и Струмиловского укрепрайонов (по рассказам местных жителей, некоторые ДОТы вели огонь вплоть до конца июня!) не могла, к сожалению, изменить общую оперативную обстановку.

Единственным ударным соединением, которым располагало в этом районе командование 5-й армии, была 41-я танковая дивизия из состава 22-го МК. По числу танков (425 единиц, по данным Владимирского) 41-я тд превосходила обе немецкие танковые дивизии, вместе взятые. Правда, за исключением 31 сверхтяжелого танка КВ-2, это были устаревшие Т-26, несомненно уступавшие немецким PZ-III/50, полсотни которых было в каждой из дивизий танковой группы Клейста.

Впрочем, все эти сопоставления остались чистой теорией. Командир 41-й тд, вскрыв утром 22 июня 41-го года «красный пакет», обнаружил там приказ на передислокацию из Владимир-Волынска на север, в район Любомль — Ковель. Приказ был выполнен, в результате чего 41-я тд буквально «распахнула двери» перед наступающей на Владимир-Волынский 14-й танковой дивизией вермахта. (В скобках заметим, что «красный пакет» совершенно определенно выводил 41-ю тд в исходный район для наступления на Люблин, что может служить еще одним подтверждением того, что такое наступление готовилось задолго до начала войны.)

Казалось бы, в сложившейся ситуации у командования 5-й армией было два варианта использования 41-й тд: ее можно было бросить в наступление на Люблин (во исполнение Директивы № 3), и ее можно было вернуть назад и использовать для контрудара во фланг наступающей вдоль шоссе Устилуг — Луцк главной группировки противника. Но ни то ни другое не было реализовано.

Помешала, как это ни странно, наша разведывательная авиация, по поводу «уничтожения» которой в первые часы войны так сокрушался В. Суворов.

Нет, она летала, разведывала, ее было много (315-й и 316-й разведывательные авиаполки, 62 исправных самолета, в том числе 38 новейших скоростных разведчиков Як-4), и она доложила штабу 5-й армии и фронта, что от Бреста на Ковель, через леса и болота Полесья, движутся несметные вражеские полчища. Как пишет Баграмян [110], состав этой несуществующей в природе группировки оценивался тогда в **две тысячи танков** (и это при том, что ни в одной танковой группе вермахта фактически не было и одной тысячи танков).

К сожалению, разведка 5-й армии в течение по меньшей мере трех дней не смогла прояснить обстановку — т.е. сесть на мотоцикл и за два часа проехать 130 км по автостраде от Ковеля до пригородов Бреста (в сам Брест, захваченный в первый же день войны немцами, заезжать уже не следовало). Все это привело к тому, что не только 41-я тд, но и еще одна дивизия 22-го МК (215-я моторизованная) ушла по маршруту Ровно — Луцк — Ковель в полесские леса, навстречу мифическим танкам противника.

Вот так и получилось, что на пути наступающей вдоль шоссе на Луцк 14-й тд вермахта оказалась одна только 1-я противотанковая артбригада под командованием К.С. Москаленко. Она и спасла положение. Несмотря на то что 1-я ПТАБ вступила в бой в самом «неуставном порядке» — с ходу в движении, не замаскировав орудия, на случайных огневых позициях, — мужество бойцов и командиров, великолепная выучка и подготовка артиллерийских расчетов, воинский талант командира бригады оказались сильнее вражеских танков. Сказалось и отсутствие у немецких командиров опыта ведения танкового боя — 14-я тд была сформирована в октябре 40-го года на базе 4-й **пехотной** дивизии, и в ее «послужном списке» числилось лишь бесславное вторжение в Югославию в апреле 1941 г.

Отдав должное героизму солдат, отметим, правды ради, и качество советского вооружения. Мощнейшие орудия (противотанковые 76-мм и 85-мм зенитные), которыми была оснащена бригада, пробивали немецкие танки насквозь, а с легких PZ-II срывали башни.

В оперативной сводке 5-й армии № 9 содержалось сообщение о том, что «*в период с 23 по 27 июня 1-я ПТАБ уничтожила и подбила около 150 танков противника*» [75, с. 40]. Цифра эта, разумеется, преувеличена — во всей 14-й тд вермахта было всего 147 танков, и дивизии этой предстояло еще дойти до Сталинграда (где она и была первый и последний раз уничтожена). Но то, что вместо победного марша по автостраде на Луцк немецким танкам пришлось три дня прогрызаться с большими потерями через огневые позиции 1-й ПТАБ, не вызывает никаких сомнений.

К сожалению, на Радеховском направлении не нашлось другой такой бригады (хотя в составе Ю-3. ф. числилось четыре ПТАБ), а главное — не нашлось другого такого Москаленко. К исходу дня 22 июня немецкая 11-я танковая дивизия передовыми частями вышла в район Радехова (35 км от границы).

Южнее, в полосе от Равы-Русской до Перемышля (сейчас этот город снова в Польше, и на карте он обозначен как Пшемысль) немецкая пехота с переменным успехом пыталась отбросить от границы части 6-й и 26-й армий. *«На остальных участках 26-й армии положение не вызывало тревоги, — пишет в своих мемуарах Баграмян, — и совсем спокойно было в полосе 12-й армии, занимавшей оборону в Карпатах и Буковине».*

Такова была общая обстановка на Юго-Западном фронте в те часы, когда в ночь с 22 на 23 июня на командном пункте Ю-3. ф. в Тернополе собрались на совещание генерал-полковник Михаил Петрович Кирпонос (командующий фронтом), генерал-лейтенант Максим Алексеевич Пуркаев (начальник штаба фронта), корпусной комиссар Николай Николаевич Вашугин (должность его называлась «член Военного совета фронта», но мы в дальнейшем будем называть его просто и понятно — комиссар), а также прибывшие в качестве полномочных представителей Ставки генерал армии, начальник Генерального штаба РККА Георгий Константинович Жуков и первый секретарь ЦК КП(б) Украины, будущий глава ядерной сверхдержавы Никита Сергеевич Хрущев.

Этой команде предстояло принять историческое решение. Огромные силы, собранные на Юго-Западном фронте, исключительно выгодное очертание границы (при котором Львовская группировка советских войск нависла над глубокими тылами противника), надежно прикрытые болотами Полесья и Карпатскими горами фланги фронта — все это позволяло ставить задачу на окружение

и полный разгром вражеской группы армий «Юг». А такой поворот событий развалил бы немцам весь план «блицкрига», неизбежно заставил бы их снимать войска с главного оперативного направления Минск — Смоленск — Москва. Одним словом, история изменила бы течение свое...

Из мемуаров присутствовавшего на этом совещании Баграмяна (в то время — начальника оперативного отдела штаба фронта) известно, что Пуркаев и Вашугин высказали прямо противоположные мнения.

Начальник штаба считал, что необходимо отвести войска на восток, на линию укрепрайонов за старой советско-польской границей, и только после этого, стабилизировав фронт обороны, перейти в наступление.

Комиссар фронта потребовал незамедлительно приступить к выполнению директивы Ставки о переходе в контрнаступление.

Автор, сидя в мягком кресле перед компьютером, не считает себя вправе рассуждать о том, кто из них был прав. Тем более что оба они были правы, причем именно **по-своему** правы.

Начальник штаба, как никто другой, понимал, что для полного отмобилизования войск (т.е. призыва приписного состава, мобилизации автотранспорта из народного хозяйства, развертывания тылов) фронту по предвоенным планам нужно еще три-четыре дня. Противник же ждать не будет, и его наступление может сорвать организованное отмобилизование — вот почему лучше отойти самим на заранее подготовленный мощный оборонительный рубеж и уже за ним изготовиться для нанесения решительного контрудара.

Комиссар лучше других знал, сколько тысяч раз красноармейцам внушали, что Красная Армия будет «самой наступательной из всех армий», что врага будут громить «на чужой земле» и т.д. Отход с первых дней войны, да еще и отход на глубину в 200—250 км мог самым негативным образом сказаться на боевом духе войск — а это ничуть не менее опасно, нежели нехватка тракторов и грузо-

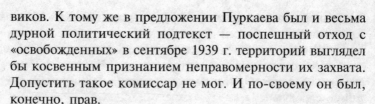

виков. К тому же в предложении Пуркаева был и весьма дурной политический подтекст — поспешный отход с «освобожденных» в сентябре 1939 г. территорий выглядел бы косвенным признанием неправомерности их захвата. Допустить такое комиссар не мог. И по-своему он был, конечно, прав.

Армия держится на единоначалии. Для того и есть на фронте командующий, чтобы, собрав воедино все разумное в предложениях своих подчиненных, принять единственное, обязательное для всех решение. А в той ситуации, что сложилась на Юго-Западном фронте, соединить противоположное было не так уж сложно.

«Счастье на стороне больших батальонов», — говаривал Наполеон. «Бог войны не любит талантливых авантюристов, он любит крупные армии», — писал полтора столетия спустя американский военный историк Тейлор. И вот в этом смысле Жукову и Кирпоносу несказанно повезло.

В распоряжении командования Ю.-З. ф. было достаточно сил и для того, чтобы **перейти к упорной обороне** в полосе 5-й армии, и для нанесения **сокрушительного удара** силами «трех богатырей» (15-м, 4-м и 8-м мехкорпусами) в направлении Львов — Люблин, во фланг и тыл всей наступающей на фронте Луцк — Радехов группировки противника.

На столе перед генералами лежала карта. С тем самым очертанием «границы обоюдных государственных интересов на территории бывшего Польского государства», которое 28 сентября 1939 г., при подписании Договора о дружбе и границе с фашистской Германией, Сталин подписал аж в двух местах. И теперь, в ночь на 23 июня 1941 г., Жуков имел все основания поднять граненый стакан с чаем за мудрость и гениальную прозорливость товарища Сталина.

Еще не сделав ни одного выстрела, мехкорпуса Юго-Западного фронта уже развертывались фактически в тылу немецких войск, а их передовые части уже стояли на

50—80 км западнее города Замостье, в котором находился штаб немецкой группы армий «Юг».

Ударная группировка из трех мехкорпусов (15-го МК, 4-го МК, 8-го МК) насчитывала в своем составе **более двух с половиной тысяч танков, в том числе 720 танков Т-34 и КВ**, неуязвимых для 37-мм противотанковых пушек немецких пехотных дивизий. Наступлением во фланг и тыл основных сил группы армий «Юг», развернутых перед войной в районе Замостье — Люблин, советское командование с первых же дней войны могло навязать противнику свою волю, заставить его поспешно менять отработанные планы, перегруппировывать войска, терять время и инициативу. Как минимум.

Как максимум, можно было окружить и разгромить 6-ю немецкую армию, не дожидаясь выхода этой армии к Сталинграду. К наступлению на Люблин войска Киевского ОВО готовились самое малое полгода. Маршруты, рубежи, возможные контрмеры противника — все это было командным составом изучено и проработано. Наконец, такое наступление сделало бы абсолютно бесцельным и прорыв немецких танковых дивизий, загонявших таким образом самих себя в глубокий и безвылазный капкан у Дубно — Ровно.

С другой стороны, независимо от успеха (или неуспеха) танкового удара на Люблин у командования Ю.-З. ф. были все возможности для того, чтобы остановить наступление немцев на Луцк — Ровно. В самом деле, в считаные дни плотность обороны 5-й армии могла быть многократно увеличена. Два стрелковых корпуса (31-й и 36-й) еще 18 июня 1941 г., по утвержденному самим Жуковым приказу, начали выдвижение на запад. К исходу дня 23 июня эти корпуса (шесть стрелковых дивизий) находились на расстоянии 90—100 км, т.е. четырех суточных переходов, от линии Ковель — Луцк — Дубно [92].

Еще раньше (к утру 23 июня) две дивизии — 135-я стрелковая и 19-я танковая из состава 22-го МК — должны были выйти в леса западнее Луцка.

К 24 июня на рубеж реки Стырь выходили начавшие

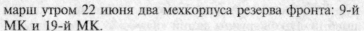

марш утром 22 июня два мехкорпуса резерва фронта: 9-й МК и 19-й МК.

Наконец, разобравшись с мифической группировкой противника, «наступающей от Бреста на Ковель», можно было вернуть к активным боевым действиям и засевшие в ковельских лесах две дивизии 22-го МК: 41-ю танковую и 215-ю моторизованную. Таким образом, семи пехотным (298, 44, 168, 299, 111, 75, 57-й), двум моторизованным (25-й и 16-й) и четырем танковым (14, 13, 11, 16-й) дивизиям вермахта, наступавшим в полосе Луцк — Радехов, Юго-Западный фронт мог противопоставить семь стрелковых, три моторизованные и шесть танковых дивизий — это не считая тех двух стрелковых дивизий (87-й и 124-й), которые еще до начала войны занимали полосу обороны от Устилуга до Сокаля. По совокупному числу танков группировка советских войск на Ровенском направлении **в 2,5 раза** превосходила противника. Даже с учетом того, что три четверти этих танков составляли устаревшие Т-26 и танкетки Т-38, а 9-й и 19-й мехкорпуса не были отмобилизованы и укомплектованы штатным автотранспортом, соотношение сил сторон по всем канонам военной науки позволяло **предотвратить паническое бегство и начать планомерный отвод** войск 5-й армии от рубежа к рубежу на восток.

О создании этих оборонительных рубежей позаботилась сама природа. С юга на север, практически с равными промежутками в 50—70 км, полосу предполагаемого наступления противника пересекают притоки Припяти: Турья, Стоход, Стырь, Горынь, Случь. Владимирский в своей монографии определяет эти реки как *«водные преграды оперативно-тактического значения.*

Они имели ширину русла — от 15 до 70 м, долины — от 0,5 до 2 км, берега рек местами были болотистые, дно илистое». Короче говоря — местность достаточно противотанковая. Особенно если перебросить к мостам и переправам четыре противотанковые бригады, которыми располагал Юго-Западный фронт.

При этом еще раз подчеркнем, что в сложившейся си-

258

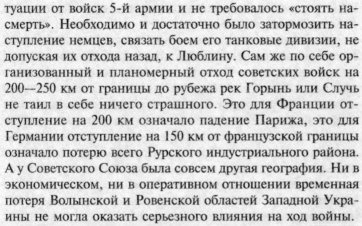

туации от войск 5-й армии и не требовалось «стоять на-смерть». Необходимо и достаточно было затормозить на-ступление немцев, связать боем его танковые дивизии, не допуская их отхода назад, к Люблину. Сам же по себе ор-ганизованный и планомерный отход советских войск на 200—250 км от границы до рубежа рек Горынь или Случь не таил в себе ничего страшного. Это для Франции от-ступление на 200 км означало падение Парижа, это для Германии отступление на 150 км от французской границы означало потерю всего Рурского индустриального района. А у Советского Союза была совсем другая география. Ни в экономическом, ни в оперативном отношении временная потеря Волынской и Ровенской областей Западной Укра-ины не могла оказать серьезного влияния на ход войны.

Увы, на военном совете в Тернополе Жуков и Кирпо-нос **не решились ни на организованный отход в полосе 5-й армии, ни на широкомасштабное наступление** силами трех мехкорпусов на Люблинском направлении.

Командующему 5-й армией генерал-майору М.И. По-тапову было приказано наступать с задачей *«разгромить Владимир-Волынскую группировку противника и восстано-вить положение на границе»*. Наступать немедленно, не до-жидаясь подхода фронтовых резервов (двух стрелковых и двух механизированных корпусов). А так как Жуков даже 24 июня продолжал верить в существование крупных мо-томехсил противника на Ковельском направлении, то он «твердым и уверенным тоном» (так пишет в своей книге Владимирский) приказал Потапову загнуть правый фланг армии и «надежно прикрыть Ковель от удара противника с Брестского направления». В скобках заметим, что к это-му моменту танковая группа Гудериана дошла уже от Бре-ста до Слонима, и направление ее продвижения (на Минск — Бобруйск) никаких сомнений не вызывало. В результате для выполнения приказа о наступлении на Владимир-Волынский командарм Потапов смог привлечь только те две дивизии, которые уже подходили к Луцку: 135-ю стрелковую и 19-ю танковую.

Командующему 6-й армией генерал-лейтенанту

И.Н. Музыченко было приказано немедленно атаковать наступающую на Радехов — Берестечко танковую группировку противника силами одного только 15-го мехкорпуса, не дожидаясь сосредоточения в районе Броды двух других мехкорпусов (4-го и 8-го). Решение о передислокации 4-го МК и 8-го МК на 100—150 км к востоку от границы, в район города Броды явно свидетельствовало о том, что на плане наступления из «львовского выступа» на Люблин был уже поставлен крест. От глубокой наступательной операции (теоретическая разработка которой неизменно приводится как пример высочайшего уровня советской военной науки) решено было отказаться в пользу торопливого «латания дыр» посредством поспешно организованных лобовых танковых атак.

Наверное, самое деликатное, что можно сказать по поводу такого «оперативного искусства», так это то, что принятое решение было не самым оптимальным.

«Враг, неожиданным ударом начавший войну, диктовал нам свою волю, ломал наши планы» [105].

Вот так, потратив всего дюжину слов, Н.К. Попель сказал практически все: и о предвоенных планах (в соответствии с которыми его корпус в первые же часы войны двинулся к переправам через пограничную реку), и о том, что немецкое нападение в этих планах никак не предполагалось, и о командовании фронтом, позволившем врагу с первых же дней войны «диктовать нам свою волю».

«Счастье на стороне больших батальонов... »

Если бы силы сторон на южном ТВД были примерно равны, то принятое в ночь на 23 июня решение контратаковать противника разрозненными ударами отдельных частей и соединений привело бы к немедленному катастрофическому разгрому Юго-Западного фронта. Подобному тому, который в реальности произошел с войсками Западного фронта в Белоруссии и Северо-Западного в Литве.

Но не зря огромная, богатейшая страна мира два десятка лет голодала, ютилась в бараках и коммуналках, не зря уже в мирное время военные заводы СССР работали в три смены, не зря в стране рабочих и крестьян кормящую

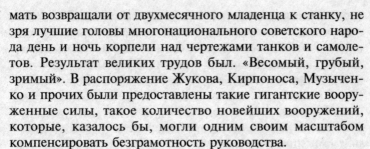

мать возвращали от двухмесячного младенца к станку, не зря лучшие головы многонационального советского народа день и ночь корпели над чертежами танков и самолетов. Результат великих трудов был. «Весомый, грубый, зримый». В распоряжение Жукова, Кирпоноса, Музыченко и прочих были предоставлены такие гигантские вооруженные силы, такое количество новейших вооружений, которые, казалось бы, могли одним своим масштабом компенсировать безграмотность руководства.

В самом деле, «один только» 15-й МК, которому приказано было, не дожидаясь подхода двух других мехкорпусов, атаковать радеховскую группировку противника, имел на своем вооружении 749 танков — **в пять раз больше**, чем в противостоящей ему 11-й танковой дивизии вермахта. И среди этих 749 танков было 136 с такими параметрами, о которых немецким танкистам оставалось только мечтать.

Даже на Луцком направлении, где встречный удар по изрядно потрепанной артиллеристами Москаленко 14-й танковой дивизии вермахта должны были нанести «только» две свежие советские дивизии (19-я танковая и 135-я стрелковая), соотношение сил, казалось бы, не предвещало беды. Как-никак, но 163 легких танка (129 Т-26 и 34 БТ) в составе 19-й тд числились [8]. Да и в 135-й стрелковой дивизии есть 54 противотанковые «сорокапятки».

Казалось бы...

23—25 июня 1941 г.

Анализ того, как были выполнены решения, принятые 23 июня 1941 г. на военном совете в Тернополе, мы начнем с главного — с самого мощного на Юго-Западном фронте **4-го мехкорпуса** генерала Власова. Это не займет у нас много времени и бумаги — 4-й МК почти никакого участия в запланированном контрударе не принял (о том, что скрывается за словом «почти», — см. ниже).

Имеющиеся в распоряжении автора источники не дают хоть какого-то вразумительного объяснения столь невероятного поворота событий. Командование РККА возлагало на этот корпус самые большие надежды. Генерал армии Г.К. Жуков, ставший после Халхин-Гола командующим Киевским ОВО, поручил формирование 4-го МК своему старому сослуживцу, герою боев на Халхин-Голе М.И. Потапову. Тогда, в августе 1939 г., полковник Потапов, командуя южной танковой группой советских войск, блестяще провел операцию по окружению и разгрому японской армии.

На новом месте службы Жуков не обделяет вниманием ни Потапова, ни 4-й МК. В августе-сентябре 1940 года на базе 4-го мехкорпуса проводится серия крупных войсковых учений на темы: «ввод мехкорпуса в прорыв», «действия мехкорпуса в глубине оперативной обороны противника», «марш и встречный бой». На итоговом учении 26—28 сентября лично присутствовали нарком обороны Тимошенко и тогдашний начальник Генштаба Мерецков. Отработанные в ходе учения наставления были доведены в письменной форме до командного состава всех механизированных корпусов РККА [8].

После того как М.И. Потапов принял под свое командование 5-ю армию, на должность командира 4-го МК была назначена «восходящая звезда» советского генералитета, командир 99-й стрелковой дивизии А.А. Власов. На вооружение 4-го МК поступило 414 новейших танков Т-34 и КВ — ровно столько, сколько было во всех остальных мехкорпусах Ю-З. ф., вместе взятых.

Уже в ночь с 22 на 23 июня 1941 г. Жуков, лично прибывший на командный пункт Ю-З. ф., потребовал от командующего 6-й армией Музыченко *«как можно быстрее перебросить 4-й мехкорпус на правый фланг армии»* [110], т.е. в район намеченного контрудара от Брод на Радехов. Генерал-лейтенант легко и просто похерил прямое указание генерала армии, представителя Ставки и начальника Генштаба. Главные силы мехкорпуса Музыченко отправил **на левый** фланг своей армии, в район Яворов — Краковец, то есть туда, где немецкая пехота пыталась прорвать оборону 6-й армии.

Правда, в мемуарной литературе встречаются сообщения о том, что два танковых и один мотострелковый батальоны под командованием подполковника Лысенко вели бой 23 июня 1941 г., с 7 до 20 часов, на юго-западной окраине Радехова совместно с передовыми частями 15-го МК. Называются даже цифры уничтоженных в этом бою танков и пушек противника. Но вот беда: в докладе командира 10-й танковой дивизии 15-го мехкорпуса о бое под Радеховом 23 июня читаем:

«*...4-й мехкорпус, с которым дивизия должна была взаимодействовать, в исходный район для атаки не вышел*». Как все это понимать?

Маршал Баграмян, герой войны, командующий многими фронтами, к тому времени, когда он писал свои мемуары, стал почетным командующим Всесоюзной пионерской игры «Зарница». Возможно, поэтому некоторые страницы его воспоминаний написаны таким языком, каким маршал беседовал с юными ленинцами. Вот как описывает он реакцию Жукова на действия Музыченко:

«*...начальник Генерального штаба был хмур. Он молча кивнул в ответ на мое приветствие.... Жуков считал ошибкой то, что Кирпонос позволил командующему 6-й армией оттянуть 4-й МК с правого фланга армии, где враг наносит главный удар, на левый и ввести его в бой на этом второстепенном направлении...*» В ответ на явное неисполнение приказа — нахмурился. И это все? Нет. Дальше приказ был повторен. «*...Генерал Кирпонос сформулировал боевые задачи войскам: командующему 6-й армией, упорно удерживая занимаемый фронт, следует немедленно вывести 4-й мехкорпус из боя и повернуть его на Радзехув, на поддержку 15-го мехкорпуса...*» [110]

В ответ на это повторное напоминание Музыченко развернул 32-ю тд, которая начала было движение к Радехову, на 180 градусов и направил ее через Львов на Яворов, на левый фланг своей армии. Днем 24 июня огромные, многокилометровые колонны 32-й танковой дивизии, втянувшиеся во Львов с востока, встретились на узких улицах средневекового города с 8-м МК, который во исполнение приказа комфронта двигался с запада на восток, через Львов на Броды. Только отсутствие у засевших на чердаках бандеровцев противотанковых гранатометов (фауст-патрон будет создан три года спустя) спасло советских танкистов от полного уничтожения. Лишь к утру 25 июня 32-я танковая дивизия вырвалась из уличных «пробок» и присоединилась к главным силам 4-го МК в районе Яворов — Немиров.

Отчаявшись уговорить Музыченко, генерал-полковник Кирпонос утром 24 июня 1941 г. приказал передать наиболее подготовленную 8-ю танковую дивизию 4-го мехкорпуса в распоряжение командира 15-го МК генерала Карпезо (в просторечье это называется «не мытьем, так катаньем»). Через два дня и одну ночь, поздним вечером 25 июня, *«генерал Карпезо обратился с просьбой отложить начало наступления, пока не подойдет 8-я танковая дивизия... Командир корпуса спрашивал, когда подойдет восьмая танковая; он возлагал на нее большие надежды. Его пришлось разочаровать: 8-я танковая дивизия, как нам сообщил генерал Музыченко, только что начала выдвигаться из района западнее Львова. В лучшем случае она могла подойти через сутки...»* [110]

Баграмян никак не комментирует ни то, что выдвижение 8-й тд началось с таким огромным опозданием, ни то, что на марш в 110 км из Жолкева (Нестерова) в Броды танковой дивизии требовались «в лучшем случае сутки».

Фактически, как следует из отчета о боевых действиях 15-го МК, *«8-я танковая дивизия к исходу 26.6.41 г. сосредоточилась в районе Буск»* (городок на берегу Западного Буга, как раз на полпути из Нестерова в Броды) [8].

Наконец, 28 июня 8-я тд совместно с 15-м МК атаковала-таки противника в районе местечка Лопатин (у перекрестка дорог на Радехов и Берестечко). Как сказано в отчете о боевых действиях 15-го МК, *«благодаря активным действиям 8-й танковой дивизии левый фланг корпуса был обеспечен с запада и 10-я и 37-я танковые дивизии смогли отойти на рубеж р. Радоставка...»*.

Это — не опечатка. Результатом *«активных действий»*

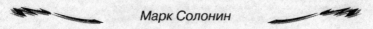

танковой дивизии в наступлении считается то, что две другие танковые дивизии смогли с ее помощью благополучно отойти, преследуемые пехотой противника. Хотя и это достижение отнюдь не бесспорно. Так, в отчете о боевых действиях 10-й тд читаем нечто прямо противоположное:

«...пути отхода дивизии были отрезаны танками и пехотой противника, так как 8-я танковая дивизия (сосед слева), имевшая задачу прикрыть с запада действия дивизии, не смогла продвинуться через сильно укрепленный противотанковый район...»

Шестой день войны — а у немцев в глубине советской территории уже и противотанковый район готов, да еще и «сильно укрепленный» при этом?

Этим боем и ограничилось участие 4-го МК в танковом сражении на Западной Украине.

Из немногих доступных документов явствует, что основные силы 4-МК, после нескольких вялых и безрезультатных попыток отбросить немецкую пехоту назад к границе, начали отходить на восток. Так, оперативная сводка штаба Ю-З. ф. от 27 июня дословно гласит:

«...4-й мехкорпус, совершив ночной марш из района Судовая Вишня, с 6 часов начал сосредоточение в район леса севернее Оброшин (отход на 40 км к пригородам Львова. — М.С.) *... перед фронтом корпуса 26.6.41 г. действовали части противника численностью до батальона* (батальон пехоты против танкового корпуса. — М.С.). *В районе Мостиска противник не обнаружен. Корпус боя не принял...»* [8]

В дальнейшем **темп отхода непрерывно нарастал**: 29 июня 4-й МК оставил Львов, 3 июля корпус был уже в Збараже (135 км на восток от Львова), утро 9 июля застало 4-й МК в районе городка Иванополь (180 км от Збаража). Наконец, 12 июля остатки 4-го МК прошли по киевским мостам через Днепр и сосредоточились в районе Прилуки (120 км к востоку от Днепра, **650 км** от границы).

Официальная версия советской исторической науки гласит: *«4-й МК успешно прикрыл отход войск 6-й армии».* Уж куда успешнее — мехкорпус, «прикрывая отход пехо-

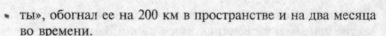
ты», обогнал ее на 200 км в пространстве и на два месяца во времени.

За все это Власову ничего не было. То есть потом его, конечно, повесили — но совсем за другое. А летом 1941 г. он даже пошел на повышение и стал командующим 37-й армией.

Что же касается генерала Музыченко, то его и вовсе признали невиновным. Прямой саботаж приказов вышестоящего командования, позорный разгром двух мощнейших мехкорпусов (4-го и 15-го), полный развал управления (даже очень снисходительный к чужим ошибкам Баграмян пишет, что «*по боевым донесениям, которые мы получали от него, было видно, что командование 6-й армии даже приближенно не представляет себе действительного положения своих соединений*»), наконец, окружение и пленение 6-й армии под Уманью — все это было прощено и забыто.

После возвращения в мае 1945 г. из немецкого плена Музыченко был восстановлен в кадрах, в звании и даже... награжден **тремя орденами** (орден Ленина и орден Красного Знамени в 1946 г., и еще один орден Красного Знамени в 1957 г.)!

Когда сравниваешь это с трагической судьбой поголовно расстрелянного командования Западного фронта (раненного в бою командира 14-го мехкорпуса С.И. Оборина забрали на расправу прямо из госпиталя), то приходится признать, что товарищ Сталин был воистину великим человеком. Понять логику его казней и милостей дано не каждому...

Никакого участия в танковом сражении в «треугольнике» Радехов — Броды — Дубно не смог принять и **16-й мехкорпус.** Первые четыре дня войны этот мехкорпус (как и вся 12-я армия в целом) практически бездействовал на венгерской границе. Затем 16-й МК передали в состав войск бездействующего Южного фронта. Дело в том, что командующий Южным фронтом Тюленев «обнаружил» в Румынии целых 6 несуществующих танковых и моторизованных дивизий противника и срочно затребовал под-

креплений. Тюленев был большой человек: генерал армии по званию (во всей Красной Армии было только пять человек в таком звании) и бывший командующий столичным военным округом. Ему поверили и отправили 16-й МК с пассивного на еще более пассивный участок фронта войны.

Затем, когда катастрофа в Белоруссии стала свершившимся фактом, 4 июля 1941 г. Ставка приказала срочно перебросить 16-й МК по железной дороге на Западный фронт, в район Мозыря.

Но покинуть южный ТВД 16-му мехкорпусу было не суждено. Уже во время начатой передислокации, 8 июля мехкорпус был выгружен из эшелонов и брошен в бой в районе Бердичева, где немецкие танки прорвали линию укрепрайонов на старой границе. Несколько дней, вплоть до 15 июля, в районе Бердичев — Казатин полыхало ожесточенное сражение, в ходе которого части 16-го МК понесли большие потери и корпус фактически перестал существовать как танковое соединение. Остатки 16-го МК и его мужественный командир, комдив А.Д. Соколов, погибли в «уманском котле»...

Полным разгромом закончились боевые действия **22-го мехкорпуса** на Владимир-Волынском направлении. Судя по всему, роковую роль сыграла гибель в первые дни войны командира корпуса генерал-майора С.М. Кондрусева (из мемуаров маршала Москаленко следует, что это трагическое событие произошло в первый день войны и почти на его глазах, а генерал Владимирский в своей монографии пишет, что Кондрусев погиб вечером 24 июня и при совсем других обстоятельствах).

Дальнейшие события с трудом поддаются логическому описанию. После гибели Кондрусева в командование 22-м мехкорпусом вступил генерал-майор Тамручи. Однако многократно упомянутое нами «*Описание боевых действий 41-й танковой дивизии Юго-Западного фронта за период с 22 по 29 июня 1941 г.*» [ЦАМО СССР, ф. 229, оп. 157, д. 712, л. 443—444] подписано временно исполняющим обязанности командира 22-го МК полковым **комис-**

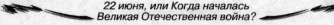

саром Липодаевым и врио начальника штаба (какого штаба — не указано) старшим **лейтенантом** Корецким.

Что все это значит? Почему обязанности командира корпуса выполняет полковой комиссар? И как это на должности врио начальника штаба не то танковой дивизии, не то целого мехкорпуса оказался старший ЛЕЙТЕНАНТ? Где же в эти дни были майоры, подполковники и настоящие полковники?

Это все форма. Не будем зря придираться к форме, перейдем к содержанию. Как уже было отмечено выше, главная ударная сила корпуса, 41-я танковая дивизия ушла с основного операционного направления, с автострады Владимир-Волынский — Луцк — Ровно, в лесисто-болотистый район Ковеля. После гибели Кондрусева дивизия фактически перешла в распоряжение командира 15-го стрелкового корпуса, выдвиженца Жукова полковника И.И. Федюнинского. В своей книге «День-М» В. Суворов с восхищением пишет об этом полковнике, который летом 1941 г. командует генералами. А ведь это еще только скромное начало! 8 октября 41-го года генерал-майор Федюнинский принимает из рук генерала армии Жукова командование целым фронтом, да еще каким фронтом — Ленинградским! Правда, через 18 дней этот блистательный карьерный рост покатился под гору, и на завершающем этапе Великой Отечественной войны генерал Федюнинский ушел в тень.

А в июне 1941 г. полковник Федюнинский распорядился оказавшейся в его руках мощной танковой группировкой точно так, как командующий 23-й армией П.С. Пшенников распорядился 10-м мехкорпусом на Карельском перешейке (читатель еще помнит часть 1?). Дивизию тут же разорвали на отдельные полки, батальоны, танковые роты, которым поручалось то рыскать по заболоченному лесу в поисках несуществующих немецких «десантов», то охранять штабы, то прикрывать отход 15-го СК от Ковеля в дебри Полесья.

На первой же странице «Описания боевых действий 41-й танковой дивизии» читаем:

«...23.00 23.6.41 назначена рота танков из батальона капитана Кулакова для борьбы с 8 самолетами, приземлившимися в районе Новоселки. (Это как? Танки для борьбы с самолетами? — М.С.) *Проездив всю ночь, капитан Кулаков ни десанта, ни самолетов не нашел...*

В 17.00 24.6.41 по распоряжению командира 15-го стрелкового корпуса совместно с 45-й сд рота танков атаковала в направлении Любомль и потеряла 3 танка. Атака проходила без поддержки пехоты...»

Вы тут что-нибудь понимаете? Рота атаковала совместно с дивизией (моська со слоном), но при этом слона-то и не было? А вот описание этого же эпизода из монографии Владимирского: *«...в 14.30 24 июня 15-й стрелковый корпус силами введенного в бой корпусного резерва — 104-го стрелкового полка — совместно с 61-м стрелковым полком 45-й стрелковой дивизии при поддержке бронепоезда и роты танков 41-й танковой дивизии контратакой отбросил противника из Любомля».* Так что же было на самом деле: успешная, мощная, организованная атака пехоты и танков, или... Далее в тексте нет никаких упоминаний о БОЕВЫХ потерях танков, но вдруг появляется фраза: «После всех этих операций из 116 танков осталось 9 штук». Что значит «из 116 танков»? К началу боевых действий в 41-й танковой дивизии было не 116, а 415 танков (по данным Владимирского, так и еще больше — 425). Куда же вся эта бронированная армада подевалась?

Вернемся снова к «Описанию боевых действий...»:

«...в период отхода частей 15-го ск распоряжением начальника гарнизона (какого гарнизона? какой он «начальник» для танковой дивизии? — М.С.) *5 танков КВ были взорваны».* Вы думаете, это легко — взорвать 52-тонную стальную черепаху? Гораздо проще было бы слить с них солярку, зарыть в землю и использовать как готовый, мощный, неуязвимый для полевой артиллерии противника ДОТ.

Блуждая по лесам и болотам, остатки тающей, как туман на рассвете, 41-й танковой дивизии только к концу июня соединились с основными силами 5-й армии. И так уж получилось, что именно 41-я тд поставила последнюю точку в истории танкового сражения на Западной Украине. Но об этом — позднее.

Две другие дивизии 22-го мехкорпуса (19-я тд и 215-я мд) дислоцировались перед войной в г. Ровно. Совершив ночной марш, они вышли к утру 23 июня в район Луцк — Киверцы. В соответствии с решением командования Ю-З. ф. 22-й МК должен был совместно со 135-й стрелковой дивизией и при поддержке 1-й ПТАБ контратаковать противника у г. Владимир-Волынского на рассвете 24 июня.

Дальнейший ход событий не вполне ясен. Из воспоминаний Москаленко следует, что 23 и 24 июня 1-я ПТАБ вела ожесточенные бои с наступающими вдоль шоссе на Луцк немецкими танками БЕЗ какого-либо взаимодействия с частями 22-го МК. К утру 24 июня бригада удерживала рубеж у местечка Торчин (25 км западнее Луцка).

С другой стороны, из монографии Владимирского следует, что «*19-я танковая дивизия к утру 24 июня еще не прибыла на исходный рубеж, и поэтому контрудар, назначенный на 4 часа 24 июня, был перенесен на более поздний срок... Подошедшая в 13 часов 24 июня в лес севернее Шельвува 19-я тд имела в своем составе всего 45 исправных танков Т-26 и 12 бронемашин... в 14 часов 24 июня во взаимодействии со 135-й стрелковой дивизией 19-я тд атаковала противника в направлении Пасека, Войница* (а это — на 25 км восточнее рубежа обороны 1-й ПТАБ у Торчина. — М.С.) *...В 17 часов 24 июня противник, введя в бой танки, вновь атаковал 135-ю стрелковую и 19-ю танковую дивизии... В итоге двухчасового боя 19-я танковая дивизия, потеряв большую часть своих танков, а 135-я стрелковая дивизия и 1-я артиллерийская противотанковая бригада — значительное количество личного состава и матчасти артиллерии, начали отходить на рубеж в 12—16 км западнее Луцка...*» [92]

Совместить эти два описания боев на шоссе Владимир-Волынский — Луцк сложно. Автор склонен скорее поверить Москаленко, который был и живым свидетелем, и главным действующим лицом этих событий. Скорее

всего, 1-я ПТАБ и 19-я тд действовали по отдельности, причем в районе Войницы днем 24 июня ударная группа из 19-й тд и 135-й сд могла встретиться только с частью сил немецкой 14-й танковой дивизии, так как главные силы 14-й тд в это время пытались прорваться через оборону бригады Москаленко в пригородах Луцка, т.е. были значительно западнее Войницы.

Единственное, что не вызывает сомнения, — это трагический результат встречного танкового боя у Войницы. Предоставим слово маршалу Рокоссовскому:

«..к вечеру 25 июня на КП нашего корпуса в районе Клевани (90 км восточнее Войницы. — М.С.) прибыл пешком командир 19-й танковой дивизии... генерал-майор Семенченко в весьма расстроенном состоянии, с забинтованной кистью правой руки. Он сообщил, что его дивизия полностью разбита... Вскоре здесь оказался и один из комиссаров полка этого же корпуса, сообщивший о гибели генерала Кондрусева и о том, что корпус разбит. Упаднический тон и растерянность комдива и комиссара полка вынудили меня довольно внушительно посоветовать им немедленно прекратить разглагольствования о гибели корпуса...» [111]

К сожалению, эти «разглагольствования» не были безосновательны. Вот как описывает Москаленко встречу с остатками 22-го МК, произошедшую днем 25 июня:

«...на мост неожиданно бросились тыловые подразделения и артиллерия на конной тяге из состава частей 27-го стрелкового и 22-го механизированного корпусов. Поддавшись панике, несколько сот человек, мешая друг другу, пытались прорваться на восточный берег. Их кони ломали ноги между шпалами, повозки и орудия сбивались в кучу. Образовалась пробка. А тут еще немцы открыли артиллерийский огонь по мосту. Началась невообразимая суматоха...» [75]

О состоянии дел в 19-й тд убедительно свидетельствует тот факт, что на марш от Луцка до Войницы (50 км) этой танковой дивизии потребовалось **полтора дня**, причем **из 163 танков до места боя дошло только 45**. В бою у Войницы погибли командиры всех трех полков дивизии. Скорее всего, такие потери явились результатом мужественной, но неорганизованной попытки атаковать в лоб немецкие танки (среди которых было некоторое количество PZ-III с 50-мм пушками) на легких Т-26 с противопульным бронированием.

Еще более «загадочные» события происходили в 215-й моторизованной дивизии. Название «моторизованная» не должно вводить нас в заблуждение. Это у немцев моторизованная дивизия представляла собой обычную пехотную дивизию, посаженную на трофейные французские, бельгийские, чешские грузовики — и ни одного танка. А на вооружении 133-го танкового полка 215-й мд перед войной было 129 танков БТ (т.е. немногим меньше, чем в 14-й танковой дивизии вермахта, где было всего 147 танков).

Хотя утром 23 июня дивизия получила приказ о наступлении на Владимир-Волынский совместно с 19-й тд, она, продолжая действовать по «красному пакету», ушла к Ковелю. Только 25 июня (т.е. уже после разгрома 19-й тд) 215-я мд на северных окраинах Владимир-Волынского встретилась с выдвигающейся из города на восток 298-й пехотной дивизией вермахта.

Перед наступлением на Владимир-Волынский 215-й мотодивизии был передан (в дополнение к ее собственному) и один из танковых полков 41-й тд. Тем не менее, как пишет Владимирский, в бою 25 июня 215-я мд действовала как пехотное соединение, «без танкового полка» **(???)**. Встречаются утверждения о том, что танковый полк 215-й мд отстал из-за того, что «израсходовал все горючее» — и это при том, что общая протяженность маршрута Ровно — Луцк — Ковель — Владимир-Волынский составляет 190 км по шоссе, а на складах 5-й армии хранилось горючее в количестве 33 (тридцать три) заправки! [92]

Встречный бой с немецкой пехотной дивизией закончился тем, что (как пишет Владимирский) уже на следующий день, 26 июня, *«215-я моторизованная дивизия сосредоточилась в районе Софияновки в 50 км восточнее Ковеля».* Другими словами, дивизия была разгромлена и отброшена на 80 км к северо-востоку от места боя (на этот марш го-

рючего, как всегда, хватило). **129 танков БТ** из состава 133-го тп просто **пропали** безо всякого упоминания в известных автору источниках. Правда, в конце июня в 215-й мд еще числилось (по данным Владимирского) 15 танков, но это были Т-26, вероятно «прибившиеся» к дивизии из других частей.

Вот, собственно, и весь краткий курс истории 22-го мехкорпуса. Гибель командира, развал управления и распад «броневого кулака» на отдельные дробинки, гибель немногих оставшихся в строю танкистов в бою под Войницей, где в первую и последнюю атаку на врага вместо 712 танков корпуса пошло всего-навсего 45 боевых машин. Боевой ударный батальон...

Столь же непостижные уму события происходили и на Радеховском направлении, там, где **15-й мехкорпус** должен был контратаковать наступающую в глубь обороны советских войск 11-ю танковую дивизию вермахта.

В составе 15-го МК было три дивизии: 10-я и 37-я танковые, 212-я моторизованная. Перед войной они дислоцировались соответственно в районах Золочев, Кременец, Броды.

Как мы уже отмечали выше, *«212-я моторизованная дивизия, имея почти полную обеспеченность личным составом красноармейцев, не имела совершенно машин для перевозки личного состава».* Приписанный к дивизии автотранспорт из народного хозяйства так и не поступил, в результате 212-я мд превратилась в простую пехоту, которая из-за отсутствия конского состава стала особо малоподвижной. Это обстоятельство, а также желание обеспечить оборону тылов корпуса от мифических «воздушных десантов» немцев привело к тому, что 212-я мд до конца июня 1941 г. «обороняла» Броды и никакого участия в контрударе не приняла.

Как же действовали две танковые дивизии корпуса? В каждой советской танковой дивизии было два танковых, один мотострелковый и один гаубично-артиллерийский полк. Не была исключением из этого правила и 37-я тд, но ее 37-й мотострелковый полк также остался без ав-

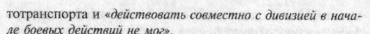

тотранспорта и «*действовать совместно с дивизией в начале боевых действий не мог*».

Таким образом, еще не сделав ни одного выстрела, 15-й МК уже остался почти без пехоты (в боевых действиях 23—26 июня принимал участие лишь мотострелковый полк 10-й тд) и без большей части штатной артиллерии. Кроме общей для всей артиллерии Красной Армии беды с нехваткой тракторных тягачей и грузовиков, в отчете командиров 15-го МК и 10-й танковой дивизии констатируются такие факты, которые трудно назвать каким-то другим словом, кроме слова «вредительство»:

«...*в первые 3 дня боев в 19-м и 20-м танковых полках 10-й тд было всего по 96 бронебойных снарядов на полк* (штатный боекомплект составлял от 114 до 188 снарядов **на один танк**. — М.С.) *и ни одного бронебойного снаряда для 76-мм пушек* (т.е. главная ударная сила дивизии — танки Т-34 и КВ — оказалась попросту не способна к ведению боя с любыми танками противника! — М.С.)... *В артиллерийском полку 37-й тд находилось 12 гаубиц 122-мм без панорам* (т.е. стрелять из них можно, а попасть в цель — никогда. — М.С.)... *Полковая артиллерия была послана в полки почти вся неисправная* (как это?!? — М.С.)... *Зенитная артиллерия имела крайне ограниченное количество снарядов... За весь период операций 10-я тд не могла ниоткуда получить ни одного снаряда для 37-мм зенитных пушек*» (лучшие в мире мобильные зенитные установки, которые должны были по всем предвоенным планам надежно прикрыть победный марш советских танковых колонн, превратились в лишнюю обузу, которая и была брошена на дорогах отступления).

На фоне таких фактов уже как-то буднично воспринимается сообщение о том, что «*поддержки дивизии со стороны нашей авиации не было в течение всего периода боевых действий. Даже разведывательных данных от авиации в дивизию ни разу не поступало...*». И это — при многократном численном превосходстве ВВС Юго-Западного фронта над авиацией противника!

Прочитав такое, хочется согласиться с мнением коммунистических историков о том, что Красная Армия не была готова к войне. Правда, они это всегда объясняли тем, что «история отпустила нам мало времени». Автор же считает, что история отпустила им (коммунистам) слишком много времени. Так много, что его хватило на то, чтобы найти и уничтожить практически всех грамотных военных специалистов, а командование фронтом и тылом доверить бездарным и безграмотным выскочкам, которые, находясь в ста километрах от границы, не удосужились даже обеспечить танкистов бронебойными снарядами...

Боевые действия 15-го МК начались в 9 часов 50 минут 22 июня, когда передовой отряд 10-й тд в составе 3-го батальона 20-го танкового полка и 2-го батальона 10-го мотострелкового полка выступил к границе по маршруту Соколувка — Топорув — Радехов. Вечером, в 22 часа, он встретился с противником *«силою до двух батальонов пехоты с противотанковыми орудиями»* (вероятно, это были передовые части 57-й пехотной дивизии вермахта, прорвавшей оборону советских войск в районе Сокаль — Червоноград).

«В результате боя уничтожено 6 противотанковых орудий противника и до взвода пехоты. Наши потери — 2 танка. К исходу 22.6 передовой отряд занял Радехов...» Это был первый и, увы, последний успех 10-й танковой дивизии, да и всего 15-го мехкорпуса. Дальнейшие события разворачивались следующим образом.

В 18 часов 22 июня начали выдвижение по направлению на Радехов — Лопатин главные силы 15-го МК. Задача была им поставлена в высшей степени решительно: *«уничтожить сокальскую группу противника, не допустив отхода ее на западный берег реки Буг»* (т.е. в это время советское командование было обеспокоено тем, как бы не дать агрессору **убежать назад**, на сопредельную территорию).

Этот приказ был выполнен следующим образом:

«— 19-й танковый полк 10-й тд, шедший по бездорожью и по заболоченным участкам, застрял в болоте в районе

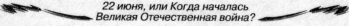

Копты, Олеско (примерно 15 км от места начала марша) *и
на указанный рубеж к сроку не вышел...»;*

— 20-й танковый и 10-й мотострелковый полки 10-й
тд только к 15 часам 23 июня 1941 г. вышли к Радехову (55
км по прямой от района предвоенной дислокации 10-й тд
в г. Золочев). Артиллерийский полк дивизии «*к этому времени еще находился в пути следования...»*;

— «*37-я тд, имевшая задачу к 18 часам сосредоточиться в районе Оплуцко в готовности к удару в направлении на
Лопатин* (общая протяженность маршрута 65 км по прямой от г. Кременца. — М.С.) *в 14.00 23 июня 41 г. получила
от прибывшего командира 15-го мехкорпуса генерал-майора
Карпезо задачу уничтожить танки противника в районе
Адамы... Впоследствии оказалось, что танков противника в
районе Адамы не было... Повернув дивизию на Адамы и не
найдя там танков противника, командир 37-й тд продолжал после этого выполнение задачи по сосредоточению дивизии в район Оплуцко, но с опозданием на 5—6 часов...»*

Пока части 10-й и 37-й танковых дивизий блуждали
по лесам и болотам, 11-я танковая дивизия вермахта
встретилась в 5 часов 15 минут 23 июня на окраине Радо-
хова с тем самым передовым отрядом 10-й тд, который занял Радехов вечером 22 июня. Завязался ожесточенный
неравный бой, в котором немецкой дивизии противосто-
ял не 15-й мехкорпус, и не одна из его дивизий, а только
два батальона. «*Передовой отряд удерживал занимаемый им
рубеж до 13 часов 30 минут и, израсходовав боеприпасы,
отошел на рубеж Майдан Старый. Результаты боя: уничтожено 20 танков противника, 16 противотанковых орудий и до взвода пехоты. Потеряно: танков БТ — 20 штук,
Т-34 — 6 штук, убитыми 7 человек, ранено 11 человек...»*

Наконец, в три часа дня к месту боя подошли два полка 10-й танковой дивизии. «*Атака мотострелкового и
20-го танкового полков 10-й танковой дивизии без поддержки артиллерии, при наличии явно превосходящих сил противника, расположенных на выгодном рубеже, была неуспешной,
и Радехов остался за противником. Подбито 5 танков противника и 12 противотанковых орудий...»*

Этот странный бой 23 июня, в ходе которого советские танкисты вынуждены были царапать броню вражеских танков осколочными снарядами, оказался единственным крупным танковым сражением на Радеховском направлении. После этого каждая сторона занялась своим делом.

Немцы, почувствовав усиливающееся давление на южный фланг 1-й ТГр, ушли от Радехова на Берестечко (где уже вечером 23 июня они захватили важнейшие переправы через реку Стырь), а от Берестечка — по шоссе на Дубно. Не встречая серьезного сопротивления, 11-я танковая дивизия захватила мосты на реке Икве и вечером 25 июня заняла Дубно — крупный узел шоссейных дорог, связывающих Луцк, Ровно, Львов и Тернополь.

Вслед за этим, 24 июня в обозначившийся прорыв была введена еще одна танковая дивизия 1-й ТГр (16-я тд), которая к исходу дня 25 июня передовыми частями вышла на шоссе Дубно — Тернополь в районе г. Кременец (130 км к востоку от госграницы).

В полосе Радехов — Лопатин — Берестечко танковые дивизии сменила немецкая пехота (57-я пд и 75-я пд), которая, пользуясь медлительностью командования 15-го МК, спешно создавала оборонительный рубеж по берегам мелких лесных речушек: Радоставка, Слоновка, Сытенька, Пляшевка.

А в это время части 15-го мехкорпуса (подобно боксеру на ринге, пританцовывающему перед тем, как нанести удар) совершали некое хаотичное движение внутри «треугольника» Радехов — Броды — Буск. Если сравнение с боксом покажется читателю несерьезным и неприличным в рассказе о трагических событиях войны, то можно уподобить действия командования 15-го МК поведению загнанного волка, который мечется, но не может решиться выйти за установленные охотниками флажки.

Для самых дотошных читателей, готовых часами слепить глаза над картой, приведем и **сокращенное** документальное описание этого «броуновского движения»:

«...командир 15-го мехкорпуса частным боевым приказом

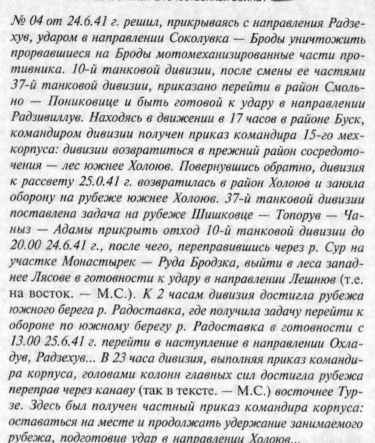

*№ 04 от 24.6.41 г. решил, прикрываясь с направления Радзе-
хув, ударом в направлении Соколувка — Броды уничтожить
прорвавшиеся на Броды мотомеханизированные части противника. 10-й танковой дивизии, после смены ее частями
37-й танковой дивизии, приказано перейти в район Смоль-
но — Пониковице и быть готовой к удару в направлении
Радзивиллув. Находясь в движении в 17 часов в районе Буск,
командиром дивизии получен приказ командира 15-го мехкорпуса: дивизии возвратиться в прежний район сосредоточения — лес южнее Холоюв. Повернувшись обратно, дивизия
к рассвету 25.0.41 г. возвратилась в район Холоюв и заняла
оборону на рубеже южнее Холоюв. 37-й танковой дивизии
поставлена задача на рубеже Шишковце — Топорув — Ча-
ныз — Адамы прикрыть отход 10-й танковой дивизии до
20.00 24.6.41 г., после чего, переправившись через р. Сур на
участке Монастырек — Руда Бродзка, выйти в леса западнее Лясове в готовности к удару в направлении Лешнюв (т.е.
на восток. — М.С.). К 2 часам дивизия достигла рубежа
южного берега р. Радоставка, где получила задачу перейти к
обороне по южному берегу р. Радоставка в готовности с
13.00 25.6.41 г. перейти в наступление в направлении Охладув, Радзехув... В 23 часа дивизия, выполняя приказ командира корпуса, головами колонн главных сил достигла рубежа
переправ через канаву (так в тексте. — М.С.) восточнее Турзе. Здесь был получен частный приказ командира корпуса:
оставаться на месте и продолжать удержание занимаемого
рубежа, подготовив удар в направлении Холоюв...*

*...в 8 часов 30 минут 25.6.41 г. корпусу поставлена зада-
ча занять исходное положение для перехода в атаку для разгрома подвижной группы противника и выход в район Сокаль
(снова на запад. — М.С.). Командиром 15-го механизированного корпуса отдан приказ 10-й танковой дивизии выйти
в район Топорув — Холоюв и быть в готовности к нанесению
удара в направлении Радзехув... 37-я танковая дивизия получила задачу подготовить переправы через р. Радоставка и
быть готовой к атаке в направлениях Охладув — Радзехув...*

*В 8.00 26.6.41 г. на командный пункт 37-й тд прибыл на-
чальник штаба 15-го мехкорпуса, который на основании*

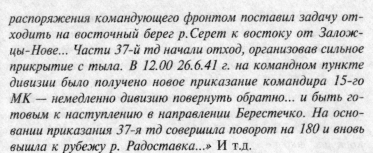

распоряжения командующего фронтом поставил задачу отходить на восточный берег р. Серет к востоку от Заложцы-Нове... Части 37-й тд начали отход, организовав сильное прикрытие с тыла. В 12.00 26.6.41 г. на командном пункте дивизии было получено новое приказание командира 15-го МК — немедленно дивизию повернуть обратно... и быть готовым к наступлению в направлении Берестечко. На основании приказания 37-я тд совершила поворот на 180 и вновь вышла к рубежу р. Радоставка...» И т.д.

В переводе на простой русский это означает, что части 10-й и 37-й тд, непрерывно сменяя друг друга на разных исходных рубежах, подгоняемые приказами штаба фронта, готовились то к наступлению на Берестечко, то к повторному наступлению на Радехов, то к отражению наступления несуществующего противника, «прорвавшегося» на Броды, а то и вовсе к отходу на Тернополь...

Правды ради надо отметить, что периодически у командиров среднего звена терпение лопалось, и они начинали проявлять отмененную в 1917 году «частную инициативу»:

«...в 10 часов 26 июня по частной инициативе командира полка подполковника Пролеева 19-й тп атаковал противника в районе высот юго-восточнее Радзехув. В районе Денбины Охладовские полк был встречен организованным огнем противотанковых орудий. В результате атаки было уничтожено до 70 противотанковых орудий, 18 танков и до батальона пехоты. Потери полка: 9 танков КВ и 5 танков БТ-7...

...для противодействия крупным разведывательным отрядам противника командиром 20-го танкового полка была выделена группа в составе 15 танков, а затем была проведена контратака силами 20-го танкового и мотострелкового полков при поддержке двух батарей 10-го гаубичного артиллерийского полка...С выходом наших танков танки противника боя не приняли и отошли за линию высот, где у противника была организована сильная противотанковая оборона. В результате боя... насчитано 56 раздавленных и подбитых противотанковых орудий и 5 подбитых танков противника.

*Наши потери: 4 танка КВ и 7 танков БТ-7, не вернулось из
боя 4 танковых экипажа, в том числе начальник отряда
майор Говор...»*

Вся эта неразбериха закончилась в шесть часов вечера
26 июня сценой, вполне достойной фильма ужасов.

Обратимся снова к мемуарам Баграмяна: «...*вражеская
авиация засекла командный пункт 15-го мехкорпуса. В результате ожесточенной бомбежки его штаб понес большие
потери*».

В отчете о боевых действиях 15-го МК это событие
описано более конкретно: «*18 самолетов противника под-
вергли тяжелой бомбардировке командный пункт... Бом-
бежка продолжалась в течение 50 минут, в результате ранено 2 красноармейца и 1 убит*».

18 самолетов, 50 минут бомбежки, потери — 3 человека?

В ходе этого налета погиб командир корпуса генерал-майор Игнатий Иванович Карпезо. Сослуживцы тут
же, в лесу у местечка Топорув, похоронили генерала.

И тут на КП корпуса прибыл Иван Васильевич Лутай,
заместитель командира по политчасти, проще говоря —
комиссар корпуса. Прибыл, выслушал доклад о гибели
командира — и приказал разрыть свежую могилу.

Писатель-фронтовик В.В. Карпов, член ЦК КПСС
последнего замеса, первый секретарь правления Союза
писателей СССР, в своей известной книге восхвалений
мудрости Маршала Победы Жукова дает такое объяснение действиям комиссара: Иван Васильевич, дескать, потерял самообладание от горя и начал биться над могилой
как истеричная барышня...

Верится в это с трудом. У наших комиссаров и биография, и воспитание были слишком суровыми, чтобы их
можно было представить в таком образе. Что-то, видимо,
насторожило Лутая, и он, скорее с наганом в руке, нежели
со слезами на лице, решил лично разобраться в причине
гибели командира корпуса.

Могилу разрыли — Карпезо был жив, правда, без сознания, в тяжелой контузии.

Бдительность и настойчивость, проявленные Лутаем, спасли жизнь генерала, но спасти 15-й МК от разгрома, к которому он уже неудержимо катился, не удалось никому.

В то время как 15-й мехкорпус короткими перебежками метался в заколдованном треугольнике Радехов — Броды — Буск, а 4-й мехкорпус совершал возвратно-поступательное движение по маршруту Львов — Яворов — Львов, третий наш «богатырь» — **8-й МК генерала Рябышева** — двигался к району будущего танкового сражения широким, размашистым зигзагом, как лыжник в слаломе-гиганте.

Накануне войны 8-й МК входил в состав 26-й армии, которой по предвоенным планам предстояло наступать по направлению Самбор — Жешув — Тарнув. Уже в 10 часов утра 22 июня из штаба армии поступил приказ, в соответствии с которым корпус был поднят по тревоге и к исходу дня, миновав Самбор, вышел непосредственно к пограничной реке Сан.

Там же произошло и первое боевое столкновение головного танкового батальона майора Сытника с немецкой пехотой. В мемуарах Попеля оно описано так:

«...бегущие серо-зеленые фигурки исчезали под гусеницами «тридцатьчетверок» и КВ. Уцелевшие бросались в реку и пытались спастись вплавь. Но танковые пулеметы довершали дело...»

Развить успех корпусу не дали. Вечером 22 июня, в 22 часа 40 минут поступил новый приказ — к 12 часам 23 июня 8-й МК (уже прошедший 80 км на запад от Дрогобыча к Сану) должен был сосредоточиться в районе Куровичей (25 километров восточнее Львова, отход от границы на 120 км) и поступить в распоряжение командующего 6-й армией Музыченко. Танковые колонны двинулись назад, описывая большой крюк протяженностью более 150 км по маршруту Самбор — Дрогобыч — Стрый — Львов.

Дальнейший ход событий не вполне понятен. Баграмян в своих мемуарах пишет, что после совещания в штабе Ю-З. ф., на котором было принято решение сосредоточить 4-й и 8-й мехкорпуса в районе г. Броды, утром 23 июня «*Жуков в сопровождении представителей штаба фронта выехал в 8-й мехкорпус генерал-лейтенанта Д.И. Рябышева, чтобы на месте ознакомиться с состоянием его войск и ускорить их выдвижение из района Львова на Броды*». Однако ни Рябышев, ни Попель в своих воспоминаниях ни единым словом не упоминают о визите начальника Генштаба. Но главное, разумеется, не в визитах, а в том, что 8-й МК послали совсем в другую сторону.

В середине дня 23 июня, когда главные силы танковых дивизий находились примерно на рубеже г. Николаева (38 км по шоссе юго-западнее Львова), а 7-я моторизованная дивизия уже вышла в предместья Львова, Музыченко приказал повернуть 6-й мехкорпус на запад и к 19 часам 23 июня сосредоточиться в лесу к югу от Яворова (т.е. в том самом районе, куда Музыченко, вопреки приказам командования фронта, направил и главные силы 4-го МК). Огромные многокилометровые колонны танков, грузовиков, бронемашин во второй раз за последние сутки развернулись почти на 180 градусов и снова двинулись к границе.

Совершив утомительный ночной марш, 8-й мехкорпус, пройдя еще километров 80—90, вышел к Яворову. Там поздним вечером 23 июня командиру корпуса вручили пакет с новым (а по сути дела, со старым, так сказать, «исходным») приказом командования фронта: опять развернуть корпус и к исходу дня 24 июня выйти в район Броды.

На этот раз, из-за пробок и уличных боев во Львове, совершить еще один форсированный марш в указанный срок не удалось: к вечеру 24 июня главные силы корпуса сосредоточились в Буске, а 34-я танковая дивизия, не ставшая втягиваться в лабиринт львовских улиц, вышла через Жолкев (Нестеров) к реке Буг у г. Каменка-Бугского. К этому времени Каменка уже была захвачена передовыми немецкими частями, и через город пришлось прорываться с боем.

Не совсем понятно и то, когда же все-таки 8-й МК вышел в исходный район для наступления. Рябышев пишет, что «*во второй половине дня 25 июня соединения и части корпуса сосредоточились в районе северо-западнее Бродов*». А из мемуаров Баграмяна мы узнаем, что в 4 часа утра **26 июня** «*было получено донесение от генерала Рябышева. Командир корпуса сообщал, что его 34-я танковая дивизия подходит к Радзивилову, 12-я танковая — к Бродам, а 7-я моторизованная все еще у Буска, на берегу Западного Буга...*».

Единственно, что не вызывает сомнения, так это то, что в ходе передислокации 8-го МК из Дрогобыча в Броды (145 км по прямой) гусеничной технике пришлось пройти своим ходом порядка 450 км, сотни тонн горючего были превращены в сизый дым, а водительский состав был измотан до предела тремя бессонными ночными маршами.

Несколько более организованно прошло выдвижение мехкорпусов второго эшелона — **9-го МК Рокоссовского и 19-го МК Фекленко.**

Рокоссовский в первые же часы войны своей властью захватил окружную автобазу в Шепетовке и посадил на «экспроприированные» там грузовики свою 131-ю моторизованную дивизию. Благодаря этому самоуправству 131-я мд, несмотря на сорванную, как и везде, мобилизацию автотранспорта из народного хозяйства, смогла уже 23 июня выйти к Луцку, обогнав на марше обе танковые дивизии 9-го МК. После чего командующий 5-й армией генерал Потапов изъял эту дивизию из мехкорпуса («*сделано это было через голову командира корпуса*», сердито замечает в своих мемуарах Рокоссовский) и поставил ее в оборону на рубеж реки Стырь.

Это решение, хотя и ослабило и без того очень скромные возможности недоукомплектованного 9-го мехкорпуса, было, безусловно, правильным и своевременным. 131-я мотодивизия спасла тогда положение и предотвратила прорыв фронта 5-й армии, явно назревавший 25 июня после разгрома 22-го механизированного и 31-го стрелкового корпусов. 24 июня танковые дивизии 9-го мехкорпуса вышли в район сосредоточения и вступили в бой с передовыми частями 13-й танковой дивизии вермахта, пытавшейся прорваться к шоссе Луцк — Ровно в районе п. Клевань (40 км восточнее Луцка). Как пишет Рокоссовский, «*20-я тд на рассвете 24 июня головным полком с ходу атаковала располагавшиеся на привале в районе Олыка моторизованные части 13-й танковой дивизии немцев, нанесла им большой урон, захватила пленных и много трофеев... Закрепившись, дивизия весь день успешно отбивала атаки подходивших танковых частей противника...*» Успех тем более впечатляющий, если принять во внимание, что в 20-й танковой дивизии числилось до начала боевых действий всего 36 (тридцать шесть) танков, из которых 30 были снятыми с производства еще в 1934 г. легкими БТ-5.

Командиру **19-го МК** генерал-майору Н.В. Фекленко повезло меньше: в Житомире и Бердичеве не нашлось бесхозной автобазы, да и маршрут предстоящего выдвижения 19-го МК был на 100 км длиннее, чем у корпуса Рокоссовского.

Тем не менее 19-й мехкорпус уже к утру 25 июня, пройдя более 200 км на своих крайне изношенных танках Т-26 учебно-боевого парка, вышел в исходный район развертывания. Высокий темп марша был обусловлен грамотными и инициативными действиями его командира. Фактически Фекленко сделал то, что должно было сделать высшее командование в масштабе всех танковых войск Красной Армии — сократить непомерно раздутое число механизированных соединений и за счет этого довести укомплектованность оставшихся до штатных норм.

Как пишет Владимирский, «*перед выступлением в поход каждая танковая дивизия 19-го мехкорпуса была разделена на два эшелона — подвижный и пеший. В подвижные эшелоны включили все исправные танки, сведенные в танковые полки (по одному сводному танковому полку в дивизии), а также личный состав мотострелкового полка и спецподразделений дивизий, который мог быть перевезен наличным автотранспортом.*

В пешие эшелоны включили весь остальной состав диви-

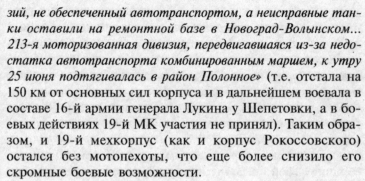

зий, не обеспеченный автотранспортом, а неисправные танки оставили на ремонтной базе в Новоград-Волынском... 213-я моторизованная дивизия, передвигавшаяся из-за недостатка автотранспорта комбинированным маршем, к утру 25 июня подтягивалась в район Полонное» (т.е. отстала на 150 км от основных сил корпуса и в дальнейшем воевала в составе 16-й армии генерала Лукина у Шепетовки, а в боевых действиях 19-й МК участия не приняла). Таким образом, и 19-й мехкорпус (как и корпус Рокоссовского) остался без мотопехоты, что еще более снизило его скромные боевые возможности.

Первым из всех мехкорпусов Ю-3. ф. 19-й МК вступил в танковое сражение у Дубно.

В ночь на 26 июня передовые отряды 40-й и 43-й танковых дивизий вышли на окраины Дубно, где и завязался встречный бой с мотопехотой и танками 11-й танковой дивизии вермахта, а затем — со срочно переброшенными в этот район 13-й танковой, 299-й и 111-й пехотными дивизиями противника.

Отдавая должное инициативе и решительности генерала Фекленко, примем во внимание и тот факт, что в силу развала всей системы связи и управления на Юго-Западном фронте командир 19-го МК был на протяжении четырех дней избавлен от получения каких-либо указаний от вышестоящего начальства. Еще неизвестно, какая бы сложилась ситуация, если бы он (как, например, командир 8-го МК Рябышев) получал по три разных приказа в сутки...

Танковый падеж

Из всего вышеизложенного следует, что из 16 танковых и 8 моторизованных дивизий Юго-Западного фронта в боевых действиях первых четырех дней войны приняло активное участие только две танковые (10-я и 19-я) и две моторизованные (215-я и 131-я) дивизии.

То, что большая часть механизированных сил фронта не была втянута в бой в первые дни войны, было бы со-

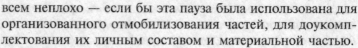

всем неплохо — если бы эта пауза была использована для организованного отмобилизования частей, для доукомплектования их личным составом и материальной частью.

Если бы... Вот мы и подошли наконец к одной из главных «тайн» июня 1941 г. Речь пойдет, разумеется, не о том, «почему Сталин проспал войну», а о том, что и танковые, и авиационные, да и все прочие части и соединения Красной Армии охватила загадочная «неучтенная убыль» боевой техники.

Как сон, как утренний туман растаял так и не вступивший в бой с главными силами противника мощнейший **4-й МК.** Когда к 12 июля 1941 г. остатки корпуса добежали до восточного берега Днепра, то выяснилось, что из 101 танка КВ в строю осталось 6, из 313 «тридцатьчетверок» осталось только 39, из 565 легких танков в Прилуки пришло 23 танка БТ.

Разумеется, какая-то часть легких танков могла быть потеряна в стычках на улицах Львова, не обошлось без потерь и при боестолкновениях с немецкой пехотой 23—26 июня в районе Немиров — Яворов. Имеющиеся документы и материалы дают основание предположить, что несколько десятков танков 4-го мехкорпуса участвовали в составе сводной группы комдива Соколова в боях у Бердичева (7—15 июля). Однако все эти уточнения никак не могут считаться объяснением причины загадочного исчезновения девяти сотен танков. Причем большая часть потерь произошла уже в первые 5—10 дней войны. Так, в 63-м танковом полку 32-й тд из 150 танков к 3 июля исправных и годных к бою оставалось только 32 единицы [8].

Надо полагать, одной из лучших в округе была 8-я танковая дивизия 4-го МК. Такое предположение можно обосновать хотя бы тем, как была вооружена 8-я тд: 50 КВ, 140 Т-34, 68 трехбашенных Т-28, 31 БТ-7 и 36 Т-26, всего 325 танков. По количеству новейших танков одна только 8-я тд превосходила четыре мехкорпуса Северного и Северо-Западного фронтов.

А вот как описывает Н.К. Попель командира 8-й танковой дивизии:

«...смотрю на него и восхищаюсь — ничего природа не пожалела для этого человека: ни красоты, ни ума, ни отваги, ни обаяния... Красноармейцы рассказывают легенды о его подвигах в Испании и Финляндии. У Фотченко уже четыре ордена... Командиры на лету ловят каждое его слово. Начальство на совещаниях ставит в пример. И это не дешевая популярность, не плоды легкого заигрывания. Фотченко предан армейской службе...»

Теперь нам остается только открыть отчет 15-го МК и прочитать, в каком же виде эта образцовая дивизия прибыла в исходный район для нанесения контрудара на Берестечко:

«...приданная на усиление 15-го мехкорпуса 8-я танковая дивизия имела сводный танковый полк в составе 65 танков...»

65 из 325. И это при том, что, находясь в составе 4-го МК, дивизия в серьезных боях практически не участвовала. О том, куда же пропали четыре из каждых пяти танков 8-й тд, история пока умалчивает...

Как мы уже отмечали, не участвовала в боях первой недели войны и 41-я тд **22 МК**, тем не менее из 415 танков (31 КВ и 384 Т-26 разных модификаций) к 29 июня в строю осталось 106 танков Т-26 и 16 КВ [8, 92]. За семь дней без вести пропало 293 танка! Выше мы уже говорили о том, что из 163 танков 19-й танковой дивизии до места боя у Войницы дошло только 45 танков. Без следа пропал танковый полк 215-й моторизованной дивизии того же 22-го МК.

Точными данными о размере небоевых потерь в **8-м МК** автор пока не располагает. Имеющие источники дают весьма разные оценки. Так, в известном обзоре действий механизированных соединений фронтов, составленном в Главном автобронетанковом управлении РККА уже после расформирования мехкорпусов [ВИЖ, 1988, № 11], сообщалось, что 8-й мехкорпус *«оставил на дорогах за время маршей до 50% имевшейся в наличии боевой матчасти»*.

Командир 8-го мехкорпуса Рябышев в своих воспоминаниях пишет, что *«во время марша протяженностью поч-*

ти 500 км корпус... потерял до половины танков устаревших конструкций», что уже не совпадает с предыдущим утверждением. Далее Рябышев приводит данные о потерях и числе оставшихся в строю танков, суммирование которых позволяет сделать вывод о том, что даже после боев и потерь первого дня наступления (26 июня) корпус располагал еще шестью сотнями танков (в том числе более 110 КВ и Т-34), что составляет не половину, а две трети его начальной численности.

Наконец, из мемуаров Н.К. Попеля следует, что 25 июня, к моменту выхода в исходный для контрудара район г. Броды, в корпусе было порядка семисот танков.

Конкретное представление о том, как происходил этот «падеж» танков, дает **уникальный документ**, опубликованный в Интернет-сайте «Мехкорпуса РККА». Это полный перечень всех тяжелых пятибашенных танков Т-35 из состава 34-й тд 8-го МК с указанием даты, места и причины выхода танка из строя.

Напомним читателю, что эти танки (к лету 1941 г., безусловно, устаревшие) представляли собой сочетание очень мощного вооружения со слабой противопульной бронезащитой. Любая немецкая противотанковая пушка могла гарантированно пробить бортовую броню этого чудища трехметровой высоты. Казалось бы, боевые потери среди танков этого типа должны были быть особенно велики. А в действительности **только у 6 танков из 47** (13%) причиной потери названо «подбит в бою 30 июня» (это последний бой 8-го МК у Дубно, о котором мы расскажем чуть позднее). Где же все остальные?

Один танк «пропал без вести», два увязли в болоте, два — упали в реку с моста. Остальные 36 танков (77%) потеряны по причине всякого рода технических неисправностей. Например, танк № 715/62 оставлен экипажем во Львове по причине «поломки привода вентилятора», причем произошло это 29 июня, т.е. через пять дней после того, как 34-я тд покинула этот район и ушла к Бродам. Танк № 234/42 оставлен в северном пригороде Львова,

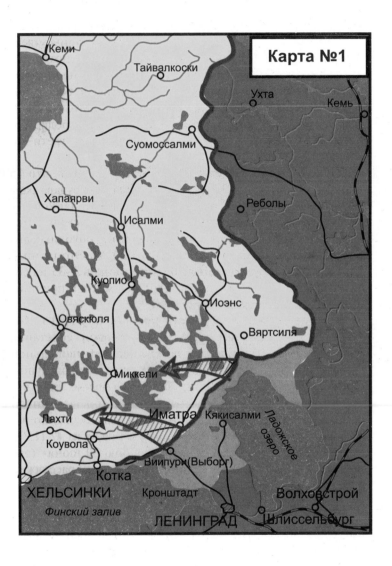

Карта №1

Кеми

Тайвалкоски

Ухта

Кемь

Суомоссалми

Хапаярви

Реболы

Исалми

Куопио

Иоэнс

Овяскюля

Вяртсиля

Миккели

Лахти

Имматра

Кякисалми

Ладожское озеро

Коувола

Виипури (Выборг)

Котка

ХЕЛЬСИНКИ

Кронштадт

Волховстрой

Финский залив

ЛЕНИНГРАД

Шлиссельбург

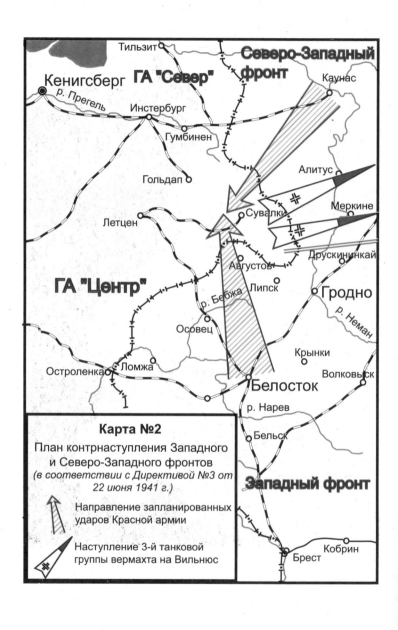

Карта №2

План контрнаступления Западного
и Северо-Западного фронтов
*(в соответствии с Директивой №3 от
22 июня 1941 г.)*

Направление запланированных
ударов Красной армии

Наступление 3-й танковой
группы вермахта на Вильнюс

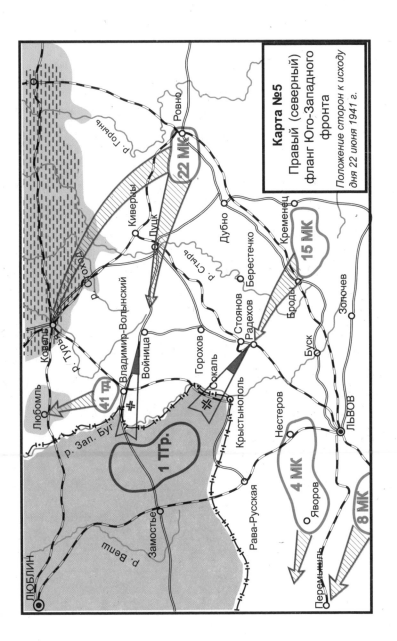

Карта №5
Правый (северный) фланг Юго-Западного фронта
Положение сторон к исходу дня 22 июня 1941 г.

Карта №3

Боевые действия КМГ Болдина
(23–27 июня 1941 г.)

Марши подвижных соединений
РККА

Отход разгромленных частей КМГ
Болдина

162 пд Наступление пехотных дивизий
вермахта

162 пд

Граево

Щучин

Осовец

Чер

Ломжа

р. Нарев

6 КК

БЕЛОСТОК

Замбров

р. Нарев

р.Стырь

р.Горынь

р.Случь

Костополь

иверцы Цумань

14 тд

Клевань

9 МК

Олыка

13 тд

22 МК

Ровно

13 тд

Гоща

Здолбунов

19 МК

убно

11 тд

Острог

Славута

16 тд

11 тд

р.Иква

Изяслав

Кременец

Карта №6
Танковое сражение у Дубно

ев

Ямполь

Маршруты движения и
направления ударов мехкорпусов
Юго-Западного фронта

Отход частей Красной армии

Наступление танковых дивизий
вермахта на Ровно – Острог

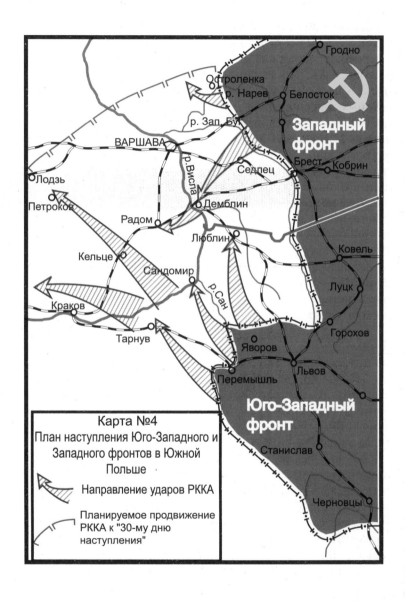

Карта №4
План наступления Юго-Западного и Западного фронтов в Южной Польше

Направление ударов РККА

Планируемое продвижение РККА к "30-му дню наступления"

якобы по причине «сожжен главный фрикцион», аж 3 июля, т.е. через четыре дня после захвата Львова немцами!

Вообще, «история» и «география» в этом отчете никак не совпадают. По меньшей мере у 12 танков в качестве места, в котором они были потеряны, названы районы, из которых дивизия ушла несколько дней назад. Главной технической неисправностью, послужившей причиной потери 22 танков, названы поломки КПП и трансмиссии («сгорел фрикцион»), что в равной степени может быть связано как с износом техники, так и с безграмотными (или преднамеренными) действиями механика-водителя.

Два последних по счету танка сломались 9 июля в районе Волочиска (50 км восточнее Тернополя), и на этом история «боевого применения» Т-35 навсегда закончилась.

Лучше других документирована история разгрома **15-го МК** — в нашем распоряжении есть три отчета о боевых действих (как корпуса в целом, так и каждой из его танковых дивизий) [8].

Из этих документов мы узнаем, что в 10-й танковой дивизии по состоянию на 22 июня числилось 363 танка. Из них оказались технически исправными и вышли в поход 318 танков, т.е. 88% от общей численности. В скобках заметим, что это очень приличный для техники того времени показатель — так, в вермахте по состоянию на 1 июня 1941 г. числились боеготовыми 92% от наличного числа танков [1, с. 484].

В бою у Радехова (23 июня), а также в других прямо упомянутых в докладе боевых действиях 24—26 июня 10-я тд потеряла 53 танка. Вопрос для первоклассника — сколько танков должно было остаться в дивизии?

В отчете о боевых действиях 15-го МК, подписанном полковником Ермолаевым (сменившим в должности командира корпуса контуженного Карпезо), читаем: «...*к исходу дня 26.6.41 г. части корпуса имели: 10-я танковая дивизия — танков КВ — 10, Т-34 — 5, Т-28 — 4, БТ-7 — 20 штук...*» От всей дивизии осталось 39 танков?!

Признаюсь, прочитав эту фразу в первый раз, я даже

не очень удивился — опечатка, с кем не бывает... Но нет, дальше в отчете приводится и общая численность танков во всем корпусе. Все сходится, никаких опечаток: 10-я тд еще до начала главных событий превратилась в изрядно потрепанную танковую роту.

Очень подробный отчет 10-й тд позволяет конкретизировать состав этой «неучтенной убыли»:

— КВ: вышло в поход 63, потеряно в бою 13, осталось — 10, «неучтенка» — 40;

— Т-34: вышло в поход 37, потеряно в бою 6, осталось — 5, «неучтенка» — 26;

— Т-28: вышло в поход 44, потеряно в бою 0, осталось — 4, «неучтенка» — 40;

— БТ-7: вышло в поход 147, потеряно в бою 32, осталось — 20, «неучтенка» — 95;

— Т-26: вышло в поход 27, потеряно в бою 0, осталось — 0, «неучтенка» — 27.

Небольшое уточнение — в бою вечером 22 июня у Радехова было потеряно еще 2 танка, тип которых в документах не указан.

Итого: за пять дней неизвестно куда **пропало 228 танков** (в том числе 40 КВ и 26 Т-34) , которые — это очень важно — до начала боевых действий считались **вполне исправными**!

Здесь автор считает необходимым прервать последовательное описание «танкового падежа» в мехкорпусах Юго-Западного фронта и объясниться с читателем.

Вопрос о мере личной ответственности каждого командира танка, командиров полков и дивизий за потерю каждого из брошенных на обочине танков должен был решить военный трибунал. Автор этой книги не является военным прокурором, не имеет полномочий военного прокурора и на роль прокурора не претендует. Но ни один добросовестный историк не имеет права игнорировать, тем более — скрывать от читателей имевшее место быть **массовое явление.** Если три четверти (точнее — 72%) исправных и боеготовых по состоянию на 22 июня танков 10-й танковой дивизии за пять дней пропали неизвестно

куда — то это означает только то, что никакой танковой дивизии фактически НЕ БЫЛО. Была неуправляемая толпа вооруженных людей, которая стремительно превращалась в толпу людей невооруженных, а затем — в колонну военнопленных, уныло бредущих по пыльной дороге...

Недоверчивый читатель, наверное, подумает, что мы специально «выкопали» самую разгильдяйскую дивизию и теперь «спекулируем на отдельных недостатках». Отнюдь. 10-я тд была одной из лучших — по крайней мере, она является единственной танковой дивизией, успешные действия которой в танковом сражении на Западной Украине отметили авторы классической 12-томной «Истории Второй мировой войны»: *«...в боях под Радеховом отличились воины 10-й тд... Многие бойцы, командиры и политработники дивизии были награждены орденами и медалями...»*

Поначалу гораздо меньшими были небоевые потери в 37-й танковой дивизии 15-го МК, хотя она, как и 10-я танковая, трое суток металась по лесу вокруг да около Радехова. Из 316 танков, состоявших на вооружении 37-й тд перед войной, в поход вышло 285 машин (90%). Из них к исходу дня 26 июня осталось в строю целых 211 танков (26 Т-34, 177 БТ-7, 8 Т-26).

Увы, забегая вперед, скажем, что и 37-я тд быстро пришла «к общему знаменателю»: уже к 8 июля **из 211 танков в строю осталось 2 танка Т-34 и 12 БТ** — и это при том, что (как следует из отчета командира 37-й тд) в единственном бою 28 июня дивизия потеряла никак не более 20 танков.

Что же это было?

За что люблю советских «историков», так это за стойкость и находчивость. Мы еще и вопрос не успели задать, как у них уже и ответ готов: *«...советские танки были ненадежные, примитивные, изношенные, с выработанными моторесурсами, одним словом — стальные гробы».*

Такое объяснение, вероятно, покажется правдоподобным современному «россиянину», привыкшему к тому, что и розетки, и шнуры, и лампочки Россия закупает в высокоразвитой Малайзии или на Сингапуре. Но не всегда мы были такой отсталой деревней, не всегда...

В мае 1933 г., в рамках многолетнего сотрудничества Красной Армии и рейхсвера, группа немецких офицеров во главе с генералом Боккельбергом посетила ряд советских промышленных предприятий. Как это принято у нас, каждое слово, которым обменялись между собой немцы, фиксировалось, а их письменные отчеты о поездке перехватывались. В результате стало известно, какое впечатление произвело все увиденное в Советской России на немцев:

«...авиационный завод № 1 (бывший Дукс) — прекрасно оборудованный завод... химкомбинат в Бобриках — архисовременное предприятие, авиамоторный завод в Александровске — современный завод, хорошее руководство... общее заключение: вновь построенные промышленные предприятия оставляют исключительно хорошее впечатление... совместная работа с советской военной промышленностью крайне желательна по военно-техническим соображениям...»

Во время посещения Харьковского тракторного завода Боккельберг, *«ошеломленный размахом производства, громадной территорией цехов и новейшим американским оборудованием»*, сказал дословно следующее: *«Хотелось бы иметь такой магнит, чтобы одним махом перебросить этот завод в Германию»* [71, с. 318].

Не находят подтверждения в подлинных документах и байки о чрезвычайном износе нашей боевой техники на пороге войны. Напротив, гигантские объемы военного производства позволяли очень оперативно обновлять танковый парк.

Открываем «Доклад о боевой деятельности 10-й танковой дивизии на фронте борьбы с германским фашизмом» [8] и читаем:

«...танки КВ и Т-34 все без исключения были новыми машинами и к моменту боевых действий проработали до 10 часов (прошли в основном обкатку)...

Танки Т-28 имели запас хода в среднем до 75 моточасов.

Танки БТ-7 имели запас хода от 40 до 100 моточасов...

Танки Т-26 в основном были в хорошем техническом состоянии и проработали всего лишь часов по 75» (из расчет-

ных 150 часов моторесурса до планового среднего ремонта).

Другими словами, даже самые «изношенные» из имевшихся в составе 10-й тд танков имели остаток моторесурса в 40 часов, что при очень скромной для быстроходного танка БТ маршевой скорости в 20 км/час дает запас хода в 800 км. С таким моторесурсом они могли пройти от Брод до Люблина и обратно. Дважды.

Открываем последнюю предвоенную «Ведомость наличия и технического состояния боевых машин по состоянию на 1 июня 1941 г.» [104] и читаем, что из 5465 танков Киевского ОВО совершенно новыми, не бывшими в эксплуатации, были 1124 танка, еще 3664 танка (67%) считались «вполне исправными и годными к использованию», и только 677 танков (12%) нуждались в среднем и капитальном ремонте.

Мало того, в том же самом отчете о боевых действиях 10-й тд дословно сказано:

«...бойцы и командиры дивизии о наших танках говорят как об очень надежных машинах».

Бойцы и командиры, конечно, преувеличивают. Качество изготовления советских танков было еще далеко от идеала. Американские инженеры Абердинского испытательного полигона, изучавшие в конце 1942 г. наши танки Т-34 и КВ, отметили их общепризнанные достоинства: *«...форма корпуса Т-34 лучшая, чем на всех известных машинах... пушка Ф-34 — очень хорошая, проста, безотказно работает и удобна в обслуживании... прицел — лучший в мире, не сравним ни с одним из существующих или разрабатываемых в Америке... дизель хороший, легкий... оба танка преодолевают склоны лучше, чем любой из американских танков... компактность радиостанций и их удачное расположение в машинах...»* — но при этом очень скептически отозвались о качестве изготовления этих чудо-танков:

«...мотор поворота башни страшно искрит, в результате выгорают сопротивления регулировки скоростей поворота, крошатся зубья шестеренок... Пальцы гусеничных траков чрезвычайно плохо калены и сделаны из плохой стали, в

результате очень быстро срабатываются, и гусеница часто рвется... воздухоочиститель вообще не очищает воздух, попадающий в мотор, попадающая в цилиндры пыль ведет к очень быстрому срабатыванию их... химический анализ зубьев шестерен КПП показал, что термическая обработка их очень плохая и не отвечает никаким американским стандартам для подобных частей механизмов... чрезвычайно небрежная механическая обработка и плохие стали...» [87]

Разумеется, критические замечания американских инженеров смотрелись бы гораздо убедительней, если бы американские танки (а одних только «Шерманов — М4А2» по ленд-лизу было поставлено в СССР более четырех тысяч) пользовались любовью у советских танкистов. Надо иметь в виду и то, что американцы обследовали «тридцатьчетверку» военного выпуска (что подразумевает малоквалифицированных работниц и подростков у станков, острую нехватку легированных сталей, тысячи внедренных «рацпредложений», направленных на максимальное упрощение и удешевление конструкции).

Но самое главное — не в этом. Главное — это то, что **ни до лета 1941-го, ни после него** такого массового «падежа» советских танков никогда не отмечалось.

Первым эпизодом боевого применения танков БТ была война в Испании. Так вот, в 1937 году «бэтэшки», выдвигаясь на Арагонский фронт, совершили 500-километровый марш по шоссе на колесах (местность и сухая погода позволяли) без существенных поломок. Полтора года спустя, летом 1939 г., танки БТ-7 из состава 6-й танковой бригады совершили 800-километровый марш к Халхин-Голу, на этот раз — на гусеницах, и тоже почти без поломок.

В августе 1945 г. танки БТ Забайкальского, 1-го и 2-го Дальневосточного фронтов приняли участие в так называемой «Маньчжурской стратегической операции». Тогда танковым бригадам пришлось пройти по 800 км через горный хребет Большой Хинган — и старые «бэтэшки» (самые свежие из которых были выпущены пять лет назад) выдержали и такое испытание. А ведь даже если предположить, что танки все пять лет просто простояли

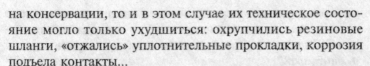

на консервации, то и в этом случае их техническое состояние могло только ухудшиться: охрупчились резиновые шланги, «отжались» уплотнительные прокладки, коррозия подъела контакты...

История танка Т-34, как написано об этом во всех книжках, началась с того, что в марте 40-го года два первых опытных танка **своим ходом прошли 3000 км** по маршруту Харьков — Москва — Минск — Киев — Харьков. Прошли в весеннюю распутицу, по проселочным дорогам (двигаться по основным магистралям и даже пользоваться в дневное время мостами было из соображений секретности запрещено). Да, такой марш дался технике нелегко — подгорело ферродо на дисках главных фрикционов, обнаружились сколы на зубьях шестерен коробок передач, подгорели тормоза. В конце концов межремонтный пробег для серийных танков был установлен не в 3000 км (как предусматривалось техническим заданием), а всего в 1000 км.

В январскую стужу 1943 года, в ходе наступательной операции «Дон», советские танковые бригады прошли более 300 км по заснеженной Задонской степи и разгромили крупные силы немецкой группы армий «А», прорвавшейся летом 1942 г. к нефтеносным районам Моздока и Грозного. В мае 1945 г. танки 3-й и 4-й Гвардейских танковых армий прошли 400 км от Берлина до Праги. По горно-лесистой местности, за пять дней, и при этом — без существенных технических потерь.

Легендарная «тридцатьчетверка» прошла всю войну, во многих армиях мира она простояла на вооружении до середины 60-х годов. И никто никогда не жаловался на то, что она рассыпается, пройдя 60 км (расстояние от Брод до Радехова). В финской армии несколько трофейных артиллерийских тягачей «Комсомолец» прослужили аж до 1961 года! Без запчастей, без инструкции по эксплуатации, среди финских снегов и болот. Не менее выразительна и статистика потерь тяжелых арттягачей с замечательным названием «Коминтерн». Перед войной промышленность выпустила и передала в войска 1712 машин. Паническое «перебазирование» первых месяцев войны привело к тому, что к 1 сентября 1942 года в строю осталось только 624 тягача. А затем, за три года войны было потеряно всего... 56 единиц [87].

По мнению автора, ключ к разгадке причин массового выхода из строя боевой техники в июне 1941 г. найти можно, причем все в том же отчете командира 10-й тд 15-го МК. Читаем:

*«...из 800 выведенных в поход **колесных** машин потеряно: 210 машин в результате боя, 34 машины осталось с водителями в окружении противника из-за технических неисправностей и из-за отсутствия горюче-смазочных материалов, 2 машины уничтожено на сборном пункте аварийных машин... 6 машин застряло на препятствиях... 41 машина оставлена при отходе части из-за технических неисправностей...»*

«При чем тут колесные машины?» — спросит иной нетерпеливый читатель. Не будем спешить. Будем считать, сравнивать и думать.

Суммарное число застрявших и сломавшихся грузовиков **не превысило и 10%** от общего количества. Что же это за такие сверхнадежные и высокопроходимые машины? Отвечаем — 503 «ГАЗ-АА» и 297 «ЗИС-5».

Уважаемый читатель, вы знаете, что это такое — «полуторка» «ГАЗ-АА»? Нет, вы этого не знаете. Передний мост на одной рессоре, да и та поперек рамы, задний мост висит на двух обрубках — полурессорах, карданный вал без кардана, карбюратор без воздушного фильтра (просто дырка и все, как в пылесосе). На бешеной скорости в 40 км/час удержать эту машину в прямолинейном движении могла только глубокая колея. После двух-трех «ходок» с колхозного тока на городской элеватор водитель «полуторки» с чувством исполненного долга ставил ее на ремонт: перетягивать баббитовые подшипники коленвала, промывать «пылесосный» карбюратор и прочее.

И вот такие машины почти без поломок прошли, как минимум, 500 км (в отчете названа цифра аж в 3000 км) от границы до Днепра — а танки на том же маршруте все пе-

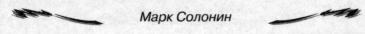

реломались и застряли в болотах? Как это можно совместить? Неужели убогая «полуторка» обладала надежностью, проходимостью и защищенностью от атак с воздуха большей, нежели бронированные гусеничные машины, часть которых (БТ-7, Т-34) по всем показателям подвижности могли считаться лучшими танками мира?

«Ну вот, опять — выкопал цифирьку, прицепился к ней и раздул отдельный частный случай в целую теорию». Так, наверное, скажет иной читатель. Критика признана справедливой. Давайте посмотрим и на обобщенную картину. Для чего снова обратимся к официальнейшему источнику — многократно цитированной монографии российского Генштаба «Гриф секретности снят».

Составители этого труда поработали на совесть. На четырнадцати страницах перечислены потери вооружений и боевой техники по годам войны. Танки — отдельно, пушки — отдельно, гаубицы 122-мм отдельно от гаубиц 152-мм и т.д. Причем потери выражены не только в абсолютных цифрах, но и в процентах от «ресурса», т.е. совокупного количества техники, имевшейся в войсках на начало периода и поступившей из промышленности (по ленд-лизу, из ремонта).

Так вот, во втором полугодии 1941 г. проценты потерь чудовищно велики. 73% танков, 70% противотанковых пушек, 60% гаубиц, 65% ручных пулеметов, 61% минометов... Хотя, казалось бы, что может сломаться в миномете? Труба — она и есть труба... На этом фоне «лучом света в темном царстве» смотрятся цифры потерь автомобилей — только 33,3% за шесть месяцев 1941 г.

Чудеса! Примитивные «полуторки» и «ЗИСы» оказались в два раза надежнее и долговечнее миномета? Фанерные кабинки оказались прочнее танковых бронекорпусов? И бензин нашелся?

Автомобиль — это ведь не лошадь, и уж тем более не красноармеец, сколько ни «дави на сознательность», а без горючего он и с места не сдвинется...

Ответ очевиден, хотя и очень неприличен: для деморализованной, охваченной паникой толпы танки и пушки, пулеметы-минометы являются обузой. Мало того, что танки ползут медленно, они самим фактом своего наличия заставляют воевать. Вот поэтому от них и поспешили избавиться. А грузовичок — даже самый малосильный — сберегли. Он лучше подходит для того, чтобы на нем «перебазироваться» в глубокий тыл, да еще и фикус с собой прихватить. Именно в этом, в «человеческом факторе», а вовсе не в *плохой закалке зубьев шестерен* видит автор главную причину массового падежа танков Красной Армии летом 1941 года.

Четверг, 26 июня

Именно в этот день, в 9 часов утра в соответствии с новым решением командования Юго-Западного фронта и должен был начаться контрудар четырех мехкорпусов фронта по прорвавшейся к Дубно танковой группировке противника. Именно этот день и стал первым днем танкового сражения.

Прежде чем приступить к подробному описанию хода и результата этой операции, постараемся как можно точнее представить итоги четырехдневного развертывания советских войск, их дислокацию, а также состав и расположение сил противника.

Никакой линии фронта, в прямом смысле этого слова, на Западной Украине в тот день не существовало. Были отдельные районы боевых действий, отдельные рубежи обороны не потерявших еще боеспособность частей 5-й и 6-й армий, а также дороги и мосты, по которым (часто вперемешку друг с другом) двигались механизированные колонны танковых дивизий вермахта и Красной Армии.

В целом ситуация на северном фланге Ю-З. ф. сложилась следующим образом. На правом фланге 5-й армии генерала Потапова, в лесисто-болотистом районе украинского Полесья, немецкая пехота медленно продвигалась в направлении Ковеля. В полосе обороны 6-й армии генерала Музыченко немецкая пехота оттеснила советские войска на 40—50 км от границы, на рубеж городов Яворов и Жолкев (Нестеров).

На направлении главного удара, в узком 50-километровом «коридоре» на стыке 5-й и 6-й армий, наступали два танковых корпуса противника: 3-й тк в составе 14-й и 13-й танковых и 25-й моторизованной дивизии и 48-й тк в составе 11-й и 16-й танковых и 16-й моторизованной дивизии. Они двигались по двум практически параллельным маршрутам: 3-й тк вдоль шоссе Устилуг — Луцк — Ровно, а 48-й тк — по направлению Сокаль — Берестечко — Дубно. К исходу дня 25 июня немецкие танковые колонны растянулись на десятки километров, так что указать какое-то точное местонахождение каждой из вышеперечисленных дивизий практически невозможно.

Наибольшего продвижения добился 48-й тк: наступающая в первом эшелоне 11-я тд, заняв главными силами Дубно, передовыми отрядами уже наступала на Мизоч — Острог, дивизии второго эшелона корпуса (16-я танковая и 16-я моторизованная) растянулись на 50 км вдоль дороги Берестечко — Козин — Кременец.

3-й тк вермахта, встретивший на Луцком шоссе в первые дни войны упорное сопротивление советских войск, ценой больших потерь занял 25 июня Луцк, но с ходу продвинуться дальше на Ровно не смог. Тогда немецкое командование решило несколько «перестроить ряды»: 14-я тд и 25-я мд начали с боями прорываться на северо-восток, к реке Горынь в районе Цумань — Клевань — Деражно, а 13-я тд ушла на юг к Дубно, вероятно с целью выхода на шоссе Дубно — Ровно.

Таким образом, три из четырех немецких танковых дивизий (13, 11, 16-я) оказались утром 26 июня сосредоточены в окрестностях города Дубно.

К началу боевых действий в составе этих трех дивизий числилось **всего 438 танков**, в том числе **139 PZ-III** с 50-мм пушкой и **60 PZ-IV**. Вот и все силы противника, которые теоретически могли бы принять участие в «крупнейшем танковом сражении у Дубно». На самом деле с учетом потерь, понесенных немцами за четыре дня наступления, боеготовых танков у них должно было оставаться еще меньше.

Что же касается еще одной танковой дивизии, входившей в состав 1-й ТГр вермахта, то она (9-я тд), находясь в резерве командующего группы, к этому времени не перешла еще советскую границу — причем по очень простой причине. 26 июня Гальдер делает в своем дневнике следующую запись:

«...*находящийся еще в резерве танковый корпус фон Виттерсгейма нельзя двинуть на фронт вследствие крайне плохих дорог, которые и без того перегружены обозом и не могут быть использованы для переброски танков...*» [12]

Что же могло противопоставить этим силам противника командование Ю-З. ф.?

22-й МК был уже разгромлен, 16-й МК передан в состав Южного фронта, малочисленный и плохо укомплектованный 24-й МК оставался во фронтовом резерве, самый мощный 4-й МК под руководством Власова и Музыченко просто игнорировал приказы фронта и от участия в намеченном контрударе самоустранился. Таким образом, утром 26 июня принять участие в танковом сражении могли бы только четыре мехкорпуса: 9, 19, 15 и 8-й.

Клин, вбитый немецкими танковыми дивизиями от границы до Дубно, разделил ударную группировку Юго-Западного фронта на две неравные части:

— «северную» (9-й МК Рокоссовского и 19-й МК Фекленко), которая должна была нанести удар на Дубно с северо-востока, из района г. Ровно;

— «южную» (8-й МК Рябышева и 15-й МК с приданной ему 8-й танковой дивизией 4-го МК), которой предстояло наступать на Дубно — Берестечко с юга, из района г. Броды.

Сразу же отметим тот весьма значимый факт, что командование Ю-З. ф. не только не организовало прочное взаимодействие и связь между «южными» и «северными», но даже и не поставило командиров в известность о планах и действиях соседей.

Так, генерал Рябышев пишет, что только во второй

половине дня 27 июня на командный пункт корпуса «*прибыл начальник автобронетанковых войск фронта генерал-майор Р.Н. Моргунов. Он сообщил... что с северо-востока на Дубно должны наносить контрудар по противнику 9-й мехкорпус генерал-майора К.К. Рокоссовского из района Клевань, а 19-й мехкорпус генерал-майора Н.В. Фекленко — из района Ровно. Эта информация для меня была неожиданной. Затем генерал Моргунов уехал в 15-й мехкорпус, и никаких распоряжений от него не последовало...*» [113]

В докладе о боевых действиях 43-й танковой дивизии (19-го МК) читаем:

«*...за все время марша, вплоть до 26.6.41 г., никакой информации от высших штабов о положении на фронте штаб дивизии не имел*».

А что же изменилось после 26 июня? Читаем дальше:

«*...никаких данных о противнике и действиях наших частей на фронте штаб дивизии не имел, наша авиация также для ориентирования по обстановке ничего не дала...*» [8]

Дважды Герой Советского Союза В.С. Архипов — в те дни командир разведбата 43-й танковой дивизии — в своих воспоминаниях пишет:

«*...когда вечером 26 июня... наша дивизия вышла к Дубно, никто из нас не знал, что с юга успешно продвигается к нам навстречу 8-й мехкорпус генерала Д.И. Рябышева... подобная ситуация повторилась и на следующий день, когда... мы и наши соседи, стрелки 36-го корпуса, вышли на подступы к Дубно, но не знали, что в город уже ворвалась 34-я танковая дивизия полковника И.В. Васильева из 8-го мехкорпуса...*» [109]

А вот как виделась ситуация утром 28 июня Попелю, который как раз и был в боевых порядках той самой 34-й танковой дивизии, ворвавшейся в Дубно:

«*Где они, обещанные Военным советом фронта корпуса, что должны прийти к нам на помощь? Мы одни, совсем одни, без соседей, связи, информации... Фронт неведомо где...*» [105]

И это при том, что утром 28 июня 1941 г. «северную» и «южную» группировку разделяли считаные километры!

Открываем мемуары маршала Рокоссовского, читаем:

«...*никому не было поручено объединить действия трех корпусов. Они вводились в бой разрозненно и с ходу... По отдельным сообщениям в какой-то степени удавалось судить о том, что происходит на нашем направлении. Как идут дела на участках других армий Юго-Западного фронта, мы не знали. По-видимому, генерал Потапов был не в лучшем положении. Его штаб за все время, что я командовал 9-м мехкорпусом, ни разу не смог помочь нам в этом отношении...*» [111]

К этому следует добавить и то, что все командиры во всех отчетах в один голос говорят об отсутствии какого-либо взаимодействия с авиацией, которая и не прикрыла боевые порядки наступающих танковых частей, и не обеспечила их какой-либо разведывательной информацией. Разумного объяснения этому найти совсем уже невозможно, так как авиация Ю-З. ф. насчитывала в то время по меньшей мере полторы тысячи самолетов и выполняла (если верить отчетам) в среднем по 550 самолето-вылетов в день! Куда же они летали? Какая в эти дни могла быть более важная задача, нежели поддержка наступления ударной танковой группировки фронта?

Как-то неловко становится в описании такого беспомощного и бестолкового руководства в третий раз цитировать мысль Наполеона о военном счастье. Лучше приведем ее достойный русский эквивалент — «против лома нет приема».

Даже с учетом потерь и неразберихи первых дней войны Юго-Западный фронт располагал еще огромными силами.

Как бы то ни было, а в составе одной только «южной» ударной группировки, несмотря на весь загадочный «танковый падеж» первых дней войны, было еще около **тысячи танков — в два раза больше**, чем у противника. Бесспорным было и качественное превосходство: порядка двух сотен новейших КВ и Т-34 против 139 средних (во всех смыслах этого слова) танков PZ-III/ 50 в трех танковых дивизиях немцев.

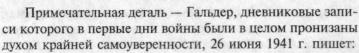

Примечательная деталь — Гальдер, дневниковые записи которого в первые дни войны были в целом пронизаны духом крайней самоуверенности, 26 июня 1941 г. пишет:

«...*противник все время подтягивает из глубины новые свежие силы против нашего танкового клина... переброска пехотных дивизий для прикрытия южного фланга невозможна из-за отсутствия свободных сил. Будем уповать на Бога...*»

Конечно, не Ф. Гальдеру, продавшему душу гитлеровскому режиму, поминать всуе имя Божие. Но судя по тому, как развернулись в дальнейшем события, немцы и сами не оплошали. Приходится признать, что немецкое командование нашло самое верное, точно соответствующее обстановке решение — немецкие танковые дивизии спаслись от неминуемого разгрома БЕГСТВОМ.

Да, именно так. Никакого танкового сражения (подобного битве под Прохоровкой в июне 1943 г.) в июне 1941 года не было. Немецкие танки сбежали с поля боя у Дубно — только сбежали они **не назад, а вперед, на восток**, в глубокий тыл Юго-Западного фронта. А разгромить советские мехкорпуса было поручено **немецкой пехоте**, которая, воспользовавшись неповоротливостью командования Ю-З. ф., успела пешком дойти от границы до рубежа Берестечко — Дубно раньше, чем там смогли развернуться для наступления советские танковые дивизии.

Разумеется, если бы вермахту в июне 1941 г. противостояла организованная, управляемая, умеющая и желающая сражаться армия, то такое решение командования привело бы немецкие войска на Украине к гибели. Брошенная под танки пехота была бы разгромлена, а отрезанные от линий снабжения танковые части сами загнали бы себя в западню, в которой им предстояло погибнуть без горючего и боеприпасов.

Но немецкие генералы уже поняли (или интуитивно почувствовали), с кем они имеют дело. Паника, охватившая войска и командование Юго-Западного фронта после прорыва немецких танков на Острог — Шепетовку, оказалась самым эффективным оружием, гораздо более мощным, нежели малокалиберные пушки немецких танков, а упорство и стойкость немецкой пехоты оказались сильнее брони и огня мехкорпусов Красной Армии.

Вернемся, однако, к последовательному изложению событий.

Ранним утром 26 июня из района южнее Ровно двинулась в бой 43-я танковая дивизия 19-го мехкорпуса. К сожалению, «танковый падеж» не обошел стороной и эту покрывшую себя в те трагические дни неувядаемой славой дивизию: из **237 танков** в атаку пошла сводная танковая группа в составе: **2 танка КВ, 2 танка Т-34 и 75 танков Т-26.**

О том, как развивались события, мы узнаем из сохранившегося доклада командира 43-й тд полковника И.Г. Цибина:

«...командование 43-й дивизии остановило отступающую пехоту и артиллерию 228-й стрелковой дивизии, расположило их и отдало приказ о вступлении в бой совместно с танковой дивизией. После восстановления необходимого порядка было принято решение на немедленную атаку...

Артиллерия дивизии (43-й гап), двигавшаяся на тракторной тяге со скоростью 6 км в час, находилась еще в пути и к началу атаки открыть огонь не могла. В распоряжении дивизии не было представлено ни одного самолето-вылета, так что получить какие-либо данные о том, что происходит в глубине обороны противника, штаб дивизии не мог, в то время как авиация противника продолжала господствовать в воздухе, корректировала огонь и вела наблюдение за нашими действиями...

В 14.00 танки дивизии выступили в атаку, имея впереди два танка КВ и два танка Т-34, с ходу развернулись и ураганным огнем расстроили систему ПТО и боевой порядок вражеской пехоты, которая в беспорядке начала отступать на запад. Преследуя пехоту противника, наши танки были встречены огнем танков противника из-за засад и с места, но вырвавшимися вперед КВ и Т-34 (которых в этой дивизии было-то всего четыре штуки! — М.С.) танки противника были атакованы, а вслед за ними — и танками Т-26...

Танки противника, не выдержав огня и стремительной танковой атаки, начали отход, задерживаясь на флангах, но быстро выбивались нашими танками, маневрировавшими на поле боя. Танки КВ и Т-34, не имея в достаточном количестве бронебойных снарядов (?!? — М.С.), вели огонь осколочными снарядами и своей массой давили и уничтожали танки противника и орудия ПТО...

Бой длился около 4 часов... Противник, отходя в Дубно, взорвал за собою мосты, лишив таким образом дивизию возможности прорваться в Дубно на плечах его отходящей пехоты...» [8]

Быть может, менее точно, но зато гораздо нагляднее описывает этот день командир разведбата 43-й тд В.С. Архипов (вступивший в войну уже в звании Героя Советского Союза и закончивший ее дважды Героем). В своих воспоминаниях он пишет:

«*...когда вечером 26 июня мы **гнали фашистов к Дубно**, это уже было не отступление, а самое настоящее бегство. Части 11-й танковой перемешались, их охватила паника. Она сказалась и в том, что, кроме сотен пленных, мы захватили много танков и бронетранспортеров и около 100 мотоциклов, брошенных экипажами в исправном состоянии. На подходе к Дубно, уже в сумерках, танкисты 86-го полка разглядели, что к ним в хвост колонны пристроились восемь немецких средних танков — видимо, приняли за своих. Их экипажи **сдались вместе с машинами** по первому же требованию наших товарищей. Пленные, как правило, спешили заявить, что не принадлежат к национал-социалистам, и очень охотно давали показания. Подобное психологическое состояние гитлеровских войск, **подавленность и панику,** наблюдать снова мне довелось очень и очень нескоро — только **после Сталинграда и Курской битвы...**» [109]*

Нет, уважаемый читатель, чудо, конечно же, не произошло. Дивизия Цибина, еще до боя превратившаяся фактически в батальон легких танков, не смогла взять Дубно и разгромить стянутые к этому городу две танковые (11-ю и 13-ю) и три пехотные (299, 111, 44-ю) дивизии противника, на вооружении которых были сотни 37-мм противотанковых орудий, против которых наш старый Т-26 с его 15-мм противопульной броней был беззащитен.

Не многим смог помочь и 9-й МК Рокоссовского. В ходе боя 26 июня он так и не смог прорвать оборону 299-й пд вермахта и выйти на северо-западные окраины Дубно.

В последующие два дня положение «северной» группировки советских войск значительно ухудшилось. Немцы, подтянув из района Луцка еще две дивизии (14-ю танковую и 25-ю моторизованную) из состава 3-го танкового корпуса, сами перешли в наступление от Дубно на Ровно и далее к реке Горынь. Рокоссовский вспоминает:

«...выехав с группой офицеров штаба на высотку в расположении ведущих бой частей 20-й танковой дивизии, я наблюдал движение из Дубно в сторону Ровно огромной колонны автомашин, танков и артиллерии противника. А с юга к нашему рубежу обороны шли и шли немецкие части...»

С тяжелыми боями остатки 9-го и 19-го мехкорпусов были отброшены к 29 июня на 40—70 км от Дубно, в районе Клевань — Тучин — Гоща, где они и закрепились на рубеже реки Горыни.

Тем не менее свою задачу бойцы и командиры Рокоссовского и Фекленко выполнили с честью — малочисленная и плохо вооруженная «северная» группировка отвлекла на себя **три из четырех** танковых дивизий 3-го и 48-го корпусов вермахта, тем самым в огромной степени облегчив положение гораздо более мощной «южной» группировки. Образно говоря, отчаянная атака 19-го и 9-го мехкорпусов заставила немцев повернуться лицом на северо-запад, подставив тем самым свою почти ничем не защищенную спину под удар огромного танкового «колуна».

Вероятнее всего, немцы тогда этого не понимали. Странно и прискорбно, что и командиры Красной Армии, судя по всему, не знали ни реального соотношения сил, ни всей выгоды своего положения.

Вот как Попель (в личной храбрости которого усомниться невозможно) описывает совещание, которое происходило в штабе 8-го МК накануне наступления:

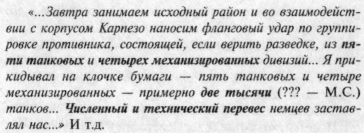

*«...Завтра занимаем исходный район и во взаимодействии с корпусом Карпезо наносим фланговый удар по группировке противника, состоящей, если верить разведке, из **пяти танковых** и **четырех механизированных дивизий**... Я прикидывал на клочке бумаги — пять танковых и четыре механизированных — примерно **две тысячи** (??? — М.С.) танков... **Численный и технический перевес** немцев заставлял нас...»* И т.д.

Если такой информацией (точнее говоря — дезинформацией) располагали отцы-командиры, то стоит ли удивляться подавленному настроению бойцов?

«...до меня доносились обрывки фраз:

— У него (у противника. — М.С.) на твою «бету» (танк БТ. — М.С.) **пять** *танков да десять пушек...*

— Интересно, братцы, сколько в нашей роте завтра к ужину на довольствии останется...» [105]

А ведь это — не мелочи. Трудно рассчитывать на успех, когда солдаты идут в бой с чувством такой обреченности...

Фраза о *«техническом превосходстве немцев»* также не случайна. Из дальнейшего описания следует, что Попеля (а он был не рядовым танкистом, а заместителем командира мехкорпуса) никто совершенно не информировал о слабых и сильных сторонах боевой техники противника:

«...наиболее слабо нам были известны танковые соединения врага. Мы имели некоторое представление о танках, применявшихся в Испании. Но там участвовали, во-первых, лишь легкие машины, а во-вторых, после Испании немцы, безусловно, внесли изменения в конструкцию танков...»

Невероятно. Для чего же тогда комиссия Тевосяна объездила в 1940 г. все немецкие танковые заводы? Для чего тогда был закуплен лучший на ту пору немецкий танк PZ-III, для чего гоняли его на испытательном полигоне в Кубинке? Куда в таком случае пошли результаты этих испытаний, в ходе которых с «тройки» сняли все характеристики, вплоть до шумовых?

«...немцы пристреляли мост, и прямо в лоб переправляющемуся танку врезается снаряд... А он как ни в чем не быва-

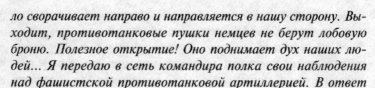

ло сворачивает направо и направляется в нашу сторону. Выходит, противотанковые пушки немцев не берут лобовую броню. Полезное открытие! Оно поднимает дух наших людей... Я передаю в сеть командира полка свои наблюдения над фашистской противотанковой артиллерией. В ответ слышу голос Волкова:

— Спасибо за добрую весть...» [105]

Полезное **открытие**?!? Да Советский Союз в тридцатые годы закупил в Германии эту самую 37-мм противотанковую пушку! Причем когда в ходе полигонных испытаний выяснилось, что реальная бронепробиваемость оказалась ниже заявленной, то начался большой скандал, который разрешился только через месяц (оказалось, что советские стандарты на оценку бронепробиваемости были значительно жестче немецких) [87]. Так что же получается, все эти протоколы испытаний, украсившись грозными грифами «совершенно секретно», просто легли мертвым грузом в сейфы?

После того как 8-й МК вынужден был потратить четыре дня на бессмысленные марши, командование фронта потребовало начать немедленное наступление — но не на Дубно, а от Брод на Берестечко. Выбор направления удара по меньшей мере странный. Даже на карте автомобильных дорог Украины 2002 года между этими городами невозможно обнаружить ни одной приличной дороги. Местность покрыта лесом со множеством мелких речушек. А от Брод на Дубно идет главная магистраль, идет по совершенно открытой местности — ни одного «зеленого» пятна на карте.

Корпусу пришлось начать атаку без рекогносцировки, без серьезной разведки противника, без артподготовки. От обещанной авиадивизии в небе до конца дня так и не появилось ни одной эскадрильи. Фактически развернутые левее полосы наступления мехкорпуса две стрелковые дивизии (139-я и 141-я), как пишет Попель, *«и слыхом не слыхали о наступлении корпуса. А могли бы очень помочь».*

И тем не менее — «против лома нет приема». Несмотря

на всю безобразную подготовку и организацию наступления, **26 июня 8-й МК достиг серьезного успеха.**

12-я танковая дивизия генерал-майора Т.А. Мишанина при поддержке артиллерии и мотопехоты преодолела заболоченную местность и к 11 часам утра форсировала речку Слоновку. К 16 часам в ожесточенном бою 24-й танковый полк этой дивизии захватил селение Лешнев (20 км к северу от Брод). У Лешнева произошел и первый танковый бой. Попель описывает его так:

«...*немецких танков перед нами что-то около пятидесяти... Танки (это теперь видно) средние — PZ-III и PZ-IV...*»

Эти цифры, разумеется, сильно преувеличены. В немецкой 11-й танковой дивизии до начала боевых действий было всего 67 таких танков. Потом были потери в бою 23 июня у Радехова, не обошлось без потерь и при прорыве от Радехова на Дубно. Днем 26 июня 11-я тд частью сил вела бой севернее Дубно с 19-м МК, одновременно с этим начинала выдвижения на восток, из Дубно на Острог. Так что встретиться с танками 8-й МК у Лешнева (50 км западнее Дубно) могла только небольшая группа немецких танков.

Как бы то ни было, из воспоминаний Попеля следует, что немногие уцелевшие немецкие танки вынуждены были спасаться бегством:

«...*немцы дрогнули и под прикрытием взвода PZ-IV пустились наутек. Бежали откровенно, беспомощно, трусливо... Наши КВ потрясли воображение гитлеровцев...*»

Наступавшая на правом фланге 8-го мехкорпуса 34-я тд полковника И.В. Васильева к исходу дня 26 июня заняла местечко Хотын (25 км севернее Брод) и вышла на дорогу Берестечко — Кременец. До Берестечка оставалось менее 15 км. Части 34-й танковой дивизии уничтожили три мотоциклетных батальона, 10 танков и 12 орудий, захватили в плен более 200 солдат и офицеров 48-го танкового корпуса вермахта [105].

Казалось бы, еще немного — и наметившийся успех можно было превратить в прорыв оперативного масштаба.

И это отнюдь не дилетантские прожекты. Генерал Рябышев в своих послевоенных мемуарах пишет:

«Отправляя в штаб фронта донесение об успешных действиях корпуса, я полагал, что командующий примет решение развить успех корпуса, разгромить врага и отбросить его к границе...» [113] Стоит отметить и тот отрадный факт, что успех был достигнут ценой минимальных потерь боевой техники: 12-я танковая дивизия потеряла в бою 8 танков, еще 2 завязли в болотах, потери 34-й тд составили всего 5 танков [166].

Дело было за «малым» — добиться, наконец, активных действий от мечущегося по лесам 15-го мехкорпуса, наладить взаимодействие с пехотой и артиллерией, прикрыть наступающие танки с воздуха — и тогда **спасти немцев от разгрома могло только чудо.**

Чудеса иногда случаются. Чаще всего их делают сами люди. Помните, как в книжках про стародавние времена пишут: положил преступник голову на плаху, взмахнул палач топором — а тут как раз и скачет гонец с указом «нашего доброго короля» о помиловании...

Так вот, если «преступник» — это немецкие захватчики, «плаха» — это Дубно, «топор» — это мехкорпуса Красной Армии, то кто же тогда выступил в роли «доброго короля»?

Командующий

В описании Н.К. Попеля события разворачивались так:

«...в землянку (командный пункт 34-й тд полковника Васильева. — М.С.) *ввалился Оксен* (начальник контрразведки корпуса. — М.С.). *Едва поздоровавшись, не извинившись, что было несвойственно уравновешенному, неизменно вежливому разведчику, он подошел ко мне.*

— В тылах дивизии задержано шестеро красноармейцев. Они утверждают, что дивизия Мишанина (12-я тд. — М.С.) *быстро отступает, два генерала сдались в плен... Божатся, что отход дивизии видели своими глазами, а о пле-*

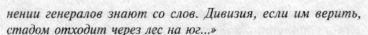

нении генералов знают со слов. Дивизия, если им верить, стадом отходит через лес на юг...»

Установить радиосвязь ни со штабом корпуса, ни с КП танковой дивизии Мишанина не удалось. Рации молчали. Крайне встревоженный Попель бросился на танке Т-34 через пылающий после многократных дневных бомбардировок хвойный лес к Бродам. Но в лесу на восточной окраине города, на том месте, где днем располагался штаб корпуса, уже никого не было:

«...Ни души. Пустые землянки. Ветер лениво гоняет обрывки бумаг...»

Вскоре на лесную поляну выехала машина заместителя начальника разведки корпуса майора Петренко. Он также подтвердил достоверность невероятных сообщений:

«...дивизия Мишанина ушла с передовой... По дороге несколько раз натыкались на мишанинских бойцов. Бредут как попало. Командиров не видно... Уверяют, что генерал Мишанин приказал отступать на Броды, а сам вместе с командиром корпуса сдался в плен...»

Жанр этой книги — документальное историческое исследование, а не криминальное чтиво. Поэтому не будем дальше интриговать читателя, тем более что ничего загадочного и не произошло. Никаких Х-лучей, никаких немецких десантов, никаких землетрясений в заболоченном лесу — просто 8-й мехкорпус в очередной раз накрыла «ударная волна» от очередного безумного приказа командования Юго-Западного фронта.

Маршал Баграмян в своих мемуарах с гордостью сообщает: *«В штабе фронта не чувствовалось и тени растерянности!»*

Не будем спорить. Поверим на слово. Растерянности — не было.

Всего остального — связи, разведки, достоверной информации о состоянии своих войск и войск противника, твердости и последовательности в принятии решений — тоже не было.

Вечером 26 июня на основании панических слухов (которые неизбежно, как вши на заключенном в концлагере, заводятся в тылу деморализованной армии) в штабе Ю-3. ф. пришли к выводу, что начавшийся утром контрудар уже закончился неудачей. Оперативная сводка штаба ЮЗФ № 09 от 26.06.1941 г. сообщала: *«8-й мехкорпус в 9.00 26 июня нерешительно атаковал мехчасти противника из района Броды и... остановлен противником в исходном (?!? — М.С.) для атаки районе...»*

Уже эта оценка ситуации, принятая в то самое время, когда 19-й и 8-й мехкорпуса с двух сторон гнали изрядно потрепанных немцев к Дубно, была совершенно не адекватна реальности.

Ну а решение, принятое на основании такой оценки, было совсем уже странным.

«Слово взял начальник штаба фронта, — вспоминает Баграмян. — *Его мысль сводилась к тому, что... надо подходящие из глубины 36-й и 37-й стрелковые корпуса расположить на линии Дубно — Кременец — Золочев с задачей упорной обороной задержать врага. Механизированные корпуса отвести за этот рубеж»* [110].

Где тут логика, где следы здравого смысла? Если даже исходить из того, что мехкорпуса фронта, все еще располагавшие к тому времени полутора тысячами танков, оказались неспособны разгромить врага или, по крайней мере, задержать его продвижение, то какие же были основания надеяться на то, что два стрелковых корпуса смогут справиться с такой задачей?

Неужели в штабе фронта еще не знали, что стрелковые дивизии, укомплектованные в значительной части призывниками из западных областей Украины, разбегаются толпами после первых же выстрелов? И как можно ставить задачу *«отвести за этот рубеж»*, когда никакого оборудованного оборонительного рубежа на линии Дубно — Кременец — Золочев еще и в помине не было, а пехота 36-го и 37-го стрелковых корпусов в этот район еще только-только выходила?

Примечательно, что и Г.К. Жуков (начальник Генерального штаба и полномочный представитель Ставки на

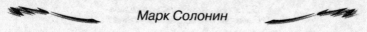

Юго-Западном фронте) прямо предупреждал **против такого решения**:

«...узнав, что Кирпонос намеревается подходившие из глубины 36-й и 37-й стрелковые корпуса расположить в обороне на рубеже Дубно — Кременец — Новый Почаюв, он решительно воспротивился против такого использования войск второго эшелона фронта.

— Коль наносить удар, то всеми силами!

...Перед тем как улететь 26 июня в Москву, Г.К. Жуков еще раз потребовал от Кирпоноса собрать все, что возможно, для решительного контрудара...» [110]

Полная несостоятельность принятого вечером 26 июня решения (которое Баграмян даже в своих послевоенных мемуарах без тени смущения называет *«наиболее отвечающим изменившейся обстановке оперативным решением»*) выявилась уже через несколько часов, утром 27 июня.

Продолжим чтение воспоминаний Баграмяна:

«...не успели мы получить донесения о возвращении 8-го и 15-го мехкорпусов на прежние рубежи, как по штабу пронеслась весть: фашистские танки устремились на Острог. В штабе фронта — тревога (но ни тени растерянности! — М.С.)... Полковник Бондарев взволнованно доложил, что сегодня (27 июня. — М.С.) на рассвете 11-я немецкая танковая дивизия совершила стремительный рывок из района Дубно. Отбросив к югу находившиеся на марше части правофланговой дивизии 36-го стрелкового корпуса, она теперь почти беспрепятственно продвигается на Острог...»

Вот и весь «оборонительный рубеж, занятый стрелковыми корпусами»!

Но еще раньше, чем немецкие танковые части начали «бегство» с поля боя у Дубно на восток, на решение командования Ю-3. ф. отреагировала Москва. В ночь с 26 на 27 июня в штабе Ю-3. ф. заработал аппарат высокочастотной телеграфной связи «БОДО». Баграмян вспоминает:

«...бегу в переговорную, подхватываю ленту, читаю: «У аппарата генерал Маландин (заместитель начальника Генштаба РККА. — М.С.). *Здравствуйте. Немедленно до-*

ложите командующему, что Ставка запретила отход и требует продолжать контрудар. Ни дня не давать покоя агрессору. Все».

Спешу к Кирпоносу. Выслушав мой доклад, он тихо чертыхнулся...»

Тихое чертыхание большого начальства оглушительно отозвалось в войсках.

На рассвете 27 июня Попель нашел наконец на южной окраине Брод штаб своего мехкорпуса:

«...мы увидели на обочине KB командира корпуса. Около танка, не останавливаясь, туда и обратно, как заведенный, шагал Рябышев. Я видел комкора всяким. Но таким — никогда... Рябышев, едва кивнув мне, достал из нагрудного кармана сложенную вдвое бумажку:

— Ознакомься.

На листке несколько строк, выведенных каллиграфическим писарским почерком. Кругленькие, с равномерными утолщениями буковки, притулившись одна к другой, склонились вправо.

«37-й стрелковый корпус обороняется на фронте Нов. Нечаев — Подкамень — Золочев.

8-му механизированному корпусу отойти за линию 37-го ск и усилить его боевой порядок своими огневыми средствами. Выход начать немедленно».

Внизу подпись: «Командующий Юго-Западным фронтом генерал-полковник Кирпонос». А над скобками — размашистая, снизу вверх закорючка...

С юга приближалась какая-то легковая машина. Остановилась неподалеку. Из нее вылез знакомый полковник из штаба фронта. Небритый, с красными от бессонных ночей глазами, он сухо с нами поздоровался и вручил Рябышеву конверт. Дмитрий Иванович сорвал сургучную печать, и мы увидели те же кругленькие, утомленно склонившиеся вправо буквы и ту же подпись — закорючку. Только текст совсем другой — корпусу с утра наступать из района Броды в направлении Верба — Дубно и к вечеру овладеть Дубно.

Рябышев оторопело посмотрел на полковника:

— А предыдущий приказ?

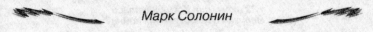

Полковник не склонен был вступать в обсуждение.

— Выполняется, как вам известно, последний.

Полковник уже возвращался к своей машине. Я нагнал его.

— У меня ряд вопросов...

Полковник недовольно обернулся.

— Какие еще вопросы? Приказ получили — выполняйте...» [105]

Вот на этом месте, уважаемый читатель, мы прервем наш рассказ о трагических событиях июня 1941 г. для того, чтобы ближе познакомиться с тем человеком, который ставил свою подпись-закорючку рядом со словами «Командующий Юго-Западным фронтом».

Люди, лично знавшие генерала Кирпоноса, отзываются о нем по-разному.

Маршал К.С. Москаленко пишет о нем тепло и уважительно:

«...он был образованным в военном отношении человеком и проявил себя храбрым и волевым командиром во время войны с белофиннами... храбрый, мужественный генерал погиб в дни тяжелых испытаний, оставив по себе добрую и светлую память в сердцах тех, кто знал его...»

Комиссар Попель дает более неоднозначную оценку командующему:

«...безупречно смелый и решительный человек, он еще не созрел для такого поста. Об этом мы не раз говорили между собой, говорили спокойно, не усматривая здесь в мирное время большой беды, забывая, что приграничный округ с началом боевых действий развернется во фронт...»

Михаил Петрович Кирпонос погиб на поле боя 20 сентября 1941 г. при попытке выйти из окружения восточнее Киева. Какими бы ни были обстоятельства его гибели (встречаются три версии: гибель в бою, самоубийство, особисты выполнили секретный приказ Сталина не допустить пленение высшего командного состава фронта), он отдал свою жизнь за Родину, и это обстоятельство заставляет автора быть предельно сдержанным в оценках.

Предоставим генералу Кирпоносу право рассказать о

себе самостоятельно — благо в нашем распоряжении есть автобиография, написанная Кирпоносом 21 октября 1938 г. [ВИЖ, 1989, № 7]. Приведем ее с небольшими сокращениями и очень краткими комментариями:

«Родился 9 января 1892 г. в м. Веркиевка Черниговской губернии, в семье крестьянина-бедняка. В хозяйстве имелось полдесятины земли, хата и больше ничего. Отец мой долго работал кубовщиком в чайной (какой же это «крестьянин»? — М.С.) *в нашем местечке...*

Начал учиться в церковно-приходской школе в 1899 г. В 1900 г. перешел в земскую школу в своем же местечке... Общее образование — окончил 3 группы земской школы и в 1903 г. поступил в 2-классное училище и в Борзенскую школу садоводства, но не смог там учиться из-за тяжелого материального положения моих родителей...

В декабре 1909 г. поступил на службу в Коровяковское лесничество лесным сторожем, в 1912 г. переведен в Михайловское лесничество на должность культурного надзирателя (работа в лесных питомниках) с окладом 12 руб. в месяц. В данном лесничестве я прослужил до сентября 1915 года, т.е. до мобилизации в царскую армию.. Служил в 216-м запасном пехотном полку... В мае 1917 г. окончил фельдшерскую школу (т.е. в боевых действиях практически не участвовал. — М.С.). *На румынском фронте я был с августа 1917 г. по февраль 1918 г. в 258-м полку в качестве ротного фельдшера... Во время Октябрьской революции вел среди солдат агитацию за большевизм. Здесь я избирался председателем полкового комитета, членом дивизионного ревкома...*

По возвращении с румынского фронта я явился инициатором организации красных партизанских отрядов для борьбы с контрреволюцией... В сентябре 1918 г. из пределов Украины бежал на территорию РСФСР, где и вступил в ряды 1-й советской дивизии повстанческих войск Украины... Занимал должности: пом. начальника дивизии, председателя ревтрибунала, командира 2-го Богунского полка...

1 июля 1919 г. приказом т. Щорса назначен был помощником начальника школы Красных командиров в г. Житомире... Вследствие болезни в этой же школе перешел на не-

строевую работу — секретарем военкома школы... В мае 1920 г. назначен во 2-ю киевскую школу червонных старшин, в которой работал на должностях от командира хозкоманды до комиссара школы.

С 23-го по 27-й год — учеба в Военной академии РККА им. Фрунзе. В январе 1931 г. назначен начальником штаба 51-й стрелковой дивизии в Одессе, в апреле 1934 г. с дожности начштадива назначен начальником Казанского пехотного училища, где работаю и сейчас.

Общественная работа: в период борьбы с оппозицией вел активную работу по разоблачению и изъятию из Харьковской школы червонных старшин «укапистов», поддерживая тесную связь с органами ЧК. В период учебы в Военной академии на занятиях вскрывал антипартийное лицо оппозиционеров. В 1927 году мной был разоблачен как троцкист политрук Полищук.

В связи с его разоблачением были выявлены и другие троцкисты... В Казанском пехотном училище принимал активное участие в разоблачении врагов народа Гобасова, Юсупова, Обрываева, Павловского и др... В 1937 г. по моей инициативе был привлечен и осужден зампред Зеленодольского горсовета за преступное отношение к составлению списков избирателей...

Никогда никаких колебаний и отклонений от генеральной линии партии не имел и не имею.

В 1937 году наложено партвзыскание — выговор без занесения в личное дело за то, что проглядел очковтирательство при сдаче норм ГТО 2-й ступени.

Женился я в 1911 г. на гражд. (так в тексте. — М.С.) *Олимпиаде Васильевне Поляковой (дочь шорника), развелся с ней в 1919 г. Дочери после развода воспитывались у меня... Второй раз я женился в 1919 г. на Софье Александровне Пиотровской. От второй жены имею трех дочерей. Жена моя родилась в г. Житомире, по национальности полька. Отец ее служил в Госбанке сторожем, жили они все время очень бедно. До революции отец жены работал в ресторанах официантом, а мать готовила домашние обеды без применения наемной силы.*

Брат жены, Ян Пиотровский, в 1924 или 1925 г. ушел в Польшу, где он и что делает, ни я, ни моя жена не знаем... Отец жены в 1930 г. был выслан из г. Житомира в Алма-Ату, куда уехали его жена и дочь Розалия... Жена считает, что у нее нет отца, матери, брата и сестры, и не интересовалась и не интересуется их судьбой (беспощадна к врагам народа. — М.С.). За что выслан отец жены, ни я, ни моя жена не знаем, но жена понимает, что отец ее, очевидно, заслужил это, и поэтому никакой жалости к нему не проявляла и не проявляет...»

Такая вот биография. Человек сугубо скромный в своих притязаниях (с 17 до 23 лет проработал лесником), выросший в семье сельского люмпен-пролетария. К воинской службе никогда не тяготел, от фронта «империалистической войны» уклонялся как только мог.

Заботливый отец и верный муж — другой бы быстро развелся с дочерью репрессированного поляка. «Пятно» в личном деле смывал усерднейшим сотрудничеством с «органами». Пик карьерного роста — три года на должности начальника штаба дивизии. До и после этого — на нестроевых должностях от завхоза до начальника пехотного училища в провинциальном захолустье. Упоминание об учебе в Военной академии им. Фрунзе не должно вводить нас в заблуждение — чему и как учили в этой «академии», если слушателями были люди с незаконченным начальным образованием? По сути дела, это был закрытый, «элитный» ликбез, в котором малограмотных выдвиженцев с грехом пополам подтягивали до уровня средней семилетней школы.

Все познается в сравнении. Для того чтобы читатель мог по достоинству оценить биографию командующего Юго-Западным фронтом, приведем краткие данные о командующем немецкой группы армий «Юг» генерал-фельдмаршале Рундштедте.

Он был на 17 лет старше Кирпоноса, родился в 1875 г. в семье генерала прусской армии. Окончил военное училище в Ораниенштейне, в 1893 произведен в лейтенанты. В 1907 г. окончил Военную академию. В годы Первой мировой войны — офицер Генерального штаба, затем — начальник штаба 53-го армейского корпуса на Восточном фронте, а к концу войны — начальник штаба 15-го корпуса по Франции. За боевые заслуги и личное мужество награжден Железными крестами 1-го и 2-го классов и орденом Дома Гогенцоллернов. После поражения Германии остался служить в рейхсвере.

В конце 1932 г. Рундштедт был назначен командующим 1-й армейской группой в Берлине. В ноябре 1938-го вышел в отставку в связи с тем, что высказался против оккупации Судетской области Чехословакии (что бы было с советским генералом, который, к примеру, «высказался бы против» освобождения Западной Украины?). В мае 1939 г. вернулся на службу в вермахте. Во время вторжения в Польшу командовал группой армий «Юг», занявшей Варшаву. Во время французской кампании Рундштедт командует группой армий «А», прорвавшей фронт у Седана и окружившей главные силы союзников у Дюнкерка. После победы во Франции получает высшее воинское звание генерал-фельдмаршала.

Назначение полководца такого уровня на должность командующего одной из трех групп армий вермахта на Восточном фронте выглядит понятно и логично. Но как же его противником смог оказаться бывший начальник Казанского пехотного училища?

Во всем виновата война. Финская. Начальник пехотного училища был призван в действующую армию и стал командиром 70-й стрелковой дивизии. В последние дни войны дивизия Кирпоноса совершила подвиг — страшный, кровавый, абсолютно бессмысленный. В соответствии с условиями мирного договора город Виппури (Выборг) должен был отойти к Советскому Союзу. Штурмовать его было совершенно незачем — надо было спокойно дождаться 12 часов дня 13 марта 1940 г. Но кто-то (может быть, командующий С-З. ф. С.К. Тимошенко, может быть — сам «хозяин») решил, что бесславная и весьма сомнительная «победа» должна быть увенчана героическим штурмом чего-нибудь где-нибудь. В рамках общего плана штурма Выборга 70-й стрелковой дивизии поручено было обойти город по льду Финского залива и «отрезать пути отхода окруженных в городе финских войск» — и это при том, что порядок и сроки этого отхода были уже согласованы на переговорах в Москве!

Разумеется, финны не отказали себе в удовольствии проучить зарвавшегося агрессора.

Снаряды тяжелых орудий береговых батарей проламывали огромные полыньи, в ледяной воде исчезали живые и мертвые красноармейцы. Командир дивизии Кирпонос шел впереди атакующих цепей — одним словом, товарищ Сталин мог быть совершенно доволен покорностью своих подданных.

На тех, кто смог доставить такое удовольствие вождю, обрушился ливень наград, званий, новых назначений. Командарм 1-го ранга Тимошенко стал маршалом и наркомом обороны СССР, командующий 7-й армией, штурмовавшей «линию Маннергейма», командарм 2-го ранга Мерецков стал генералом армии и начальником Генерального штаба РККА. Не было забыто и личное мужество, проявленное Кирпоносом, — он получил Золотую Звезду Героя и назначение на должность командира 49-го стрелкового корпуса.

Вот тут бы товарищу Сталину и остановиться — но нет, уж очень ему приглянулся скромный и мужественный новоиспеченный генерал-майор Кирпонос. В июне 40-го года, перескочив сразу через несколько ступенек служебной лестницы, бывший начальник Казанского пехотного училища назначается на должность... командующего войсками Ленинградского военного округа! Под началом у Кирпоноса оказалась группировка войск, равная армии крупного европейского государства. Но и этого показалось мало!

В феврале 1941 г. Сталин назначает Г.К. Жукова на должность начальника Генштаба, и освободившийся кабинет командующего войсками Киевского ОВО — крупнейшего военного округа Советского Союза — 22 февраля 1941 г. занимает Кирпонос, получивший при этом третье

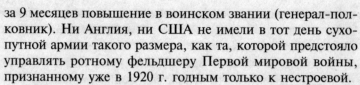

за 9 месяцев повышение в воинском звании (генерал-полковник). Ни Англия, ни США не имели в тот день сухопутной армии такого размера, как та, которой предстояло управлять ротному фельдшеру Первой мировой войны, признанному уже в 1920 г. годным только к нестроевой.

Вот как описывает Рокоссовский свой доклад командующему Ю-3. ф., состоявшийся 15 июля 1941 г.:

«...меня крайне удивила его резко бросающаяся в глаза растерянность... он пытался напустить на себя спокойствие, но это ему не удалось. Мою сжатую информацию об обстановке на участке 5-й армии и корпуса он то рассеянно слушал, то часто прерывал, подбегая к окну с возгласами: «Что же делает ПВО? Самолеты летают, и никто их не сбивает. Безобразие!»... Да, это была растерянность, поскольку в сложившейся на то время обстановке другому командующему фронтом, на мой взгляд, было бы не до ПВО... Создавалось впечатление, что он или не знает обстановки, или не хочет ее знать. В эти минуты я окончательно пришел к выводу, что не по плечу этому человеку столь объемные, сложные и ответственные обязанности, и горе войскам, ему вверенным» [111].

И горе войскам, ему вверенным...

Два комиссара

«Приказ получили — выполняйте».

Начальство, которому теперь (утром 27 июня) надо было продемонстрировать перед Ставкой свою готовность *«ни на день не давать покоя агрессору»*, не дало 8-му мехкорпусу ни дня для спокойной перегруппировки и развертывания на новых исходных рубежах. А корпус в этом очень даже нуждался.

Во-первых, существенно изменились и направление и глубина предстоящего наступления. Правда, изменение было разумным: от Брод на Дубно идет шоссейная дорога, параллельно ей — насыпь железной дороги, местность открытая, для наступления танков удобная. Но на эту дорогу танковым дивизиям корпуса еще надо было выбраться из лесного массива у Лешнюв-Хотина. После ожесточенного боя 26 июня нуждались они и в пополнении запасов горючего и боеприпасов.

Во-вторых, чехарда приказов не прошла без печальных последствий. Одни штабы получили приказ об отходе, другие — нет, части корпуса оказались разбросаны на глубину 20—30 км. Ну а 12-ю танковую дивизию охватила паника, отвод войск перешел в беспорядочное бегство, да еще и немецкая авиация накрыла скопление войск 12-й тд в Бродах. Разложение в дивизии дошло до того, что тяжело контуженного при бомбежке генерала Мишанина просто затащили в брошенный танк и оставили одного в Бродах, под «присмотром» такого же контуженного ординарца. Для того чтобы привести дивизию в порядок и вернуть ее на исходный для наступления рубеж, безусловно, нужно было время. Но штаб фронта теперь очень-очень спешил.

Добродушнейший (по крайней мере — в своих мемуарах) Баграмян описывает это так:

«...командиры корпусов немедленно стали поворачивать дивизии на новые направления, а это не так-то просто сделать. Генерал Рябышев был поглощен этой задачей, когда к нему на КП нагрянул Вашугин. Горячий, энергичный, Николай Николаевич сердито отчитал командира корпуса за медлительность...»

«Сердито отчитал...» Бывает. А из воспоминаний Н.К. Попеля можно узнать, что конкретно скрывалось за этими словами:

«Рябышев обернулся, поднял с земли фуражку, одернул комбинезон и несколько торжественным шагом двинулся навстречу головной машине. Из нее выходил невысокий черноусый военный.

Рябышев вытянулся:

— Товарищ член Военного совета фронта...

Хлопали дверцы автомашин. Перед нами появлялись все новые и новые лица — полковники, подполковники. Некоторых я узнавал — прокурор, председатель Военного трибуна-

ла... Из кузова полуторки, замыкавшей колонну, выскакивали бойцы.

Тот, к кому обращался комкор, не стал слушать рапорт, не поднес ладонь к виску. Он шел, подминая начищенными сапогами кустарник, прямо на Рябышева. Когда приблизился, посмотрел снизу вверх в морщинистое скуластое лицо командира корпуса и сдавленным от ярости голосом спросил:

— За сколько продался, Иуда?

Рябышев стоял в струнку перед членом Военного совета, опешивший, не находивший что сказать, да и все мы растерянно смотрели на невысокого, ладно скроенного корпусного комиссара.

Дмитрий Иванович заговорил первым:

— Вы бы выслушали, товарищ корпусной...

— Тебя, изменника, полевой суд слушать будет. Здесь, под сосной, выслушаем и у сосны расстреляем...

Я не выдержал и выступил вперед:

— Еще неизвестно, какими соображениями руководствуются те, кто приказом заставляет отдавать врагу с боем взятую территорию.

Корпусной комиссар остановился... В голосе члена Военного совета едва уловимая растерянность:

— Кто вам приказал отдавать территорию? Что вы мелете? (Уму непостижимо — неужели Кирпонос и Пупкаев приняли решение об отводе мехкорпусов без согласования с Вашугиным? — М.С.)

Дмитрий Иванович докладывает. Член Военного совета вышагивает перед нами, заложив руки за спину... Он смотрит на часы и приказывает Дмитрию Ивановичу:

— Через двадцать минут доложите мне о своем решении...

Корпусной комиссар не дал времени ни на разведку, ни на перегруппировку дивизий. Чем же наступать? Рябышев встает и направляется к вышагивающему в одиночестве корпусному комиссару.

— Корпус сможет закончить перегруппировку только к завтрашнему утру.

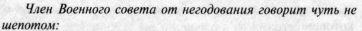
Член Военного совета от негодования говорит чуть не шепотом:

— Через двадцать минут решение — и вперед.

— Чем же «вперед»?

— Приказываю немедленно начать наступление. Не начнете, отстраню от должности, отдам под суд.

Приходится принимать самоубийственное решение — по частям вводить корпус в бой...» [105]

Вот здесь автор вынужден попросить прощения у читателя за одно (первое и последнее) лирическое отступление от темы.

В последнее десятилетие у нас развелось множество антикоммунистов. Самые рьяные из них — бывшие работники Отдела агитации и пропаганды ЦК КПСС. Читаешь, бывало, как они гневно обличают и сурово порицают «тоталитарный режим», и думаешь: «Бедный, как же ты среди них столько лет страдал-мучился, как задыхался от идеологического гнета в своей пятикомнатной квартире на московской набережной!»

Я среди «них» — никогда не был, свое отношение к тоталитарному режиму выразил действием в 1987—1991 годах и посему никакой антикомиссарской озабоченностью сегодня не страдаю. Тиражировать старую и непристойную сплетню про «тупых комиссаров», которые мешали нашим мудрым генералам правильно командовать, не буду. Бывали разные комиссары. Бывали разные генералы. Тот же Н.К. Попель поднимал боевой дух красноармейцев не в парткабинете, а в башне головного танка. И если судить по результату — а оперативная группа 8-го МК под командованием Попеля оказалась единственным танковым соединением во всей Красной Армии, которое в начале войны нанесло немцам серьезный, ощутимый удар, — то придется признать, что и полководческим талантом бог комиссара Попеля не обидел.

Вот по всему по этому, уважаемый читатель, давайте не будем торопиться «сердито отчитать» комиссара Вашугина за проявленное им необузданное хамство.

Он хотел как лучше. Вышло так, как только и могло

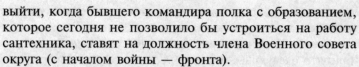

выйти, когда бывшего командира полка с образованием, которое сегодня не позволило бы устроиться на работу сантехника, ставят на должность члена Военного совета округа (с началом войны — фронта).

Комиссар Вашугин в тылу не отсиживался, «трофейное» добро в «ЗИС» не грузил, с первых дней войны метался по фронту, ежеминутно рискуя получить бандеровскую пулю в спину или попасть под бомбы безнаказанно бесчинствовавшей немецкой авиации. Он видел, что происходит нечто невероятное: сотни брошенных на обочине танков и орудий, беспорядочно бредущие толпы бывших красноармейцев, настежь распахнутые двери райкомов партии, коридоры которых завалены мусором — рваными партбилетами и книжками бессмертных трудов классиков марксизма.

Комиссар Вашугин знал только одно объяснение этому — вредительство. И так ли уж он был не прав? Он знал только один способ наведения порядка в разваливающейся на глазах армии — расстрел на месте. А что, уважаемый читатель, **есть какой-то другой способ**? Что могло в той обстановке, среди тех «кадров», которые так настойчиво растила партия, быть реальной альтернативой поездкам по фронту с трибуналом и расстрельной командой?

Комиссар Вашугин обрушил свой гнев совсем не на тех, кого надо было бы пустить в расход? Сущая правда. Вот только является ли это его личной виной — или это неотвратимая беда, которая приходит к каждому, кто с радостью продал свою душу бесчеловечной, беззаконной власти?

Комиссар Вашугин сам дал себе ответ на все эти вопросы. Через два дня, вернувшись в штаб фронта, он прошел в свой служебный кабинет и застрелился.

А комиссар Попель прошел всю войну, дожил до победы. На долгих 48 лет пережил Вашугина и чуть было не расстрелянный им герой Гражданской войны, командир кавалерийского полка в 1-й конной армии, награжденный еще до начала Великой Отечественной войны тремя орденами Красного Знамени генерал-лейтенант Рябышев. По их воспоминаниям мы и постараемся восстановить трагическую историю гибели 8-го мехкорпуса.

Утром 27 июня в лесу на южной окраине Брод было принято следующее решение: создается ударная группа в составе 34-й танковой дивизии полковника Васильева, 24-го танкового полка 12-й тд, 27-го мотострелкового полка 7-й мсд, корпусного мотоциклетного полка. На усиление группы были переданы и 15 танков Т-34 из состава 23-го танкового полка 12-й тд. Логика, по которой именно эти части вошли в ударную группу, была очень простой — в наступление на Дубно должны были перейти те части, которые или не получили ночного приказа об отходе, или не поспешили его выполнять.

Вторая (меньшая) половина корпуса — 7-я мотострелковая дивизия (без 27-го мсп), 12-я танковая дивизия (без 24-го тп), вспомогательные и технические подразделения — должна была начать наступление на следующий день, 28 июня.

Командиром ударной группы Вашугин назначил Попеля, напутствовав его таким добрым партийным словом: «*Займете к вечеру Дубно, получите награду. Нет — исключим из партии и расстреляем...*» [105]

Если исходить из организационной структуры мехкорпуса РККА, то получается, что группа Попеля обладала наибольшей ударной мощью — в нее были сведены три из пяти танковых полков мехкорпуса. Правда, такой вывод не совпадает с теми цифрами, которые приводит в своих мемуарах Рябышев. Так, он пишет, что в корпусе (за вычетом группы Попеля) осталось 303 танка, в том числе 46 КВ и 49 Т-34.

Из документов, приведенных в работе [166], следует, что в ударной группе было порядка 220 танков (в том числе около полусотни КВ и Т-34), более девяти тысяч человек личного состава.

В 14 часов 27 июня 1941 г. стальная лавина двинулась на Дубно.

Предоставим слово командиру ударной группы комиссару Н.К. Попелю:

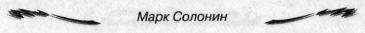

«...*оборонявшие деревню Грановка батальон пехоты и рота танков противника были застигнуты врасплох. К орудиям, к танкам, в окопы немецкие солдаты бросались в одних трусах — загорали.*

С вражеским заслоном Волков разделался так быстро, что основным силам не пришлось даже притормаживать.

Во всю ширину шоссе шли наши мотоциклисты. Правее них, по-над железной дорогой двигались танки с пушками, обращенными влево. Когда я с пригорка увидел эту разлившуюся лавину, то испытал ту особую радость, какую дает сознание собственной силы...

Бой развернулся на широком, переливающем золотом ржаном поле километрах в десяти юго-западнее Дубно... К ночи с окруженной группировкой противника было покончено....»

По словам Попеля, не считая уничтоженной вражеской техники, только в исправном состоянии было захвачено 30 танков и до полусотни брошенных гитлеровцами орудий. Разгромлены тылы 11-й танковой дивизии вермахта. Победа не далась без потерь. В том бою в горящем танке погиб командир танкового полка Николай Дмитриевич Болховитин. Но и немецкой пехоте, упорно оборонявшей город, пришлось на себе испытать, что это такое — удар страшного танкового «колуна».

«...*На мостовой, на сиденьях и крыльях дымящихся машин, в тележках разбитых мотоциклов — трупы. Даже на деревьях куски тел, окровавленные серо-зеленые лоскутья... На наши танки сейчас страшно смотреть. Трудно поверить, что настоящая их окраска — защитная, а не красно-бурая, которую не может смыть мелко моросящий дождик...*»

Подлинные боевые документы опровергают рассказ Попеля о том, что его боевая группа заняла Дубно — далее местечка Малые Сады на южной окраине города продвинуться так и не удалось [166, стр. 195]. Но эта частность не отменяет главного — важнейшая линия снабжения немецких танковых дивизий была заблокирована.

27—30 июня

На предыдущих страницах этой книги было высказано много (слишком много, как скажет, наверное, иной читатель) критических замечаний в адрес Красной Армии образца 1941 года. Правды ради пора уже сказать и о том, что противник был исключительно силен, и совладать с ним едва ли было в то время под силу любой другой армии мира.

Сила вермахта заключалась, разумеется, не в «многократном численном превосходстве», которого не было и в помине, не в мифической «внезапности нападения» и уж тем более не в «техническом превосходстве» худосочных немецких танкеток.

Сила была в другом: в общей для всех — от генерала до рядового — уверенности в своей непобедимости, в своем превосходстве над любым противником, в непреклонной твердости командования и стойкости войск.

Приходится констатировать, что прорыв советского танкового клина в тыл главной ударной группировки вермахта не вызвал и тени растерянности у немецких генералов. **Панический вопль: «нас окружают» — так и не раздался**. Ни одна танковая дивизия вермахта не прервала ни на час свое неуклонное продвижение на восток.

Вырвавшись из капкана у Дубно, 11-я тд уже 27 июня захватила Острог, форсировала реку Горынь и двинулась прямо по шоссе к Шепетовке — важнейшему железнодорожному узлу Левобережной Украины. Дивизии 3-го танкового корпуса вермахта (13-я и 14-я танковые, 25-я моторизованная), развивая наступление от Дубно на северо-восток, к исходу дня 28 июня заняли Ровно и уже на следующий день вышли к реке Горынь в полосе Гоща — Тучин.

В то же время, для локализации прорыва советских танков у Дубно, немецкое командование спешно стягивало с других участков фронта четыре пехотные дивизии (111, 44, 57, 75-ю), а также часть сил 16-й танковой и 16-й

моторизованной дивизий из состава 48-го танкового корпуса.

В скобках заметим, что сам **факт появления немецкой пехоты** у Дубно (120 км от границы) уже на пятый-шестой день войны совершенно однозначно свидетельствует о том, каким было на самом деле «ожесточенное сопротивление» советских войск. Для пехоты, идущей пешком, 20 км в день — это темп марша, причем марша форсированного. Так, в октябре 1939 г. именно в этих местах, на территории оккупированной Восточной Польши, для отвода немецких и советских войск на согласованную линию новой границы был установлен как раз такой — 20 км в день — график движения походных колонн [1, с. 130]. Другими словами, воевать при таких (20 км в день) темпах продвижения немецкой пехоте было некогда...

Подвижности немецких войск, быстроте и настойчивости решений немецких генералов необходимо было противопоставить не меньшую оперативность советских штабов. Увы, летом 1941 г. такая задача была для командования Красной Армии совершенно непосильной. К сожалению, приходится констатировать, что такая оценка применима даже к лучшим из лучших, даже к тем, кто своим личным мужеством и самопожертвованием заслужил вечную память благодарных потомков.

Захватив в ночь с 27 на 28 июня Дубно, группа Попеля **остановилась** и, даже не предприняв ни одной попытки развить успех, занялась организацией круговой обороны. Не противник вынудил, а именно ошибочное решение командования остановило дальнейшее продвижение танкового клина в тыл ударной группировки противника. В своих мемуарах Н.К. Попель так прямо и пишет:

«...вот он, город, отбитый у врага. Бойцы гуляют по улицам, рассматривают дома, пробоины на танковой броне, балагурят с вылезшими из подвалов «паненками»... Немецкая авиация не появляется. Фронт неведомо где, даже канонады не слышно. Какая тут еще оборона! Надо было пересилить это беззаботное победное опьянение... Политработники, командиры, коммунисты, комсомольцы, агитаторы — вся

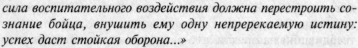

сила воспитательного воздействия должна перестроить со-
знание бойца, внушить ему одну непререкаемую истину:
успех даст стойкая оборона...»

Не вполне понятно, кто же был автором такого само-
убийственного решения. Попель в своей книге вообще
никак не объясняет, что заставило его и полковника Васильева отказаться от дальнейшего наступления вдоль
шоссе Дубно — Ровно, в тыл 3-го танкового корпуса противника. Правда, Рябышев пишет, что полученный им утром 27 июня приказ требовал:

*«...выбить противника из Дубно, **затем перейти к круго-***
***вой обороне** в районе Дубно, Смордва — Пелча и быть гото-*
вым к наступлению в составе контрударной группировки»
[113].

С другой стороны, из воспоминаний Баграмяна можно понять (хотя явно это не обозначено), что никакой
«остановки» после захвата Дубно не планировалось.

Еще раз повторим и напомним читателю: бойцы и
командиры группы Попеля прорвались в оперативный
тыл противника, нанесли ему огромные потери, в дальнейшем — сковали своим упорным сопротивлением
шесть дивизий врага. Их подвиг должен быть золотыми
буквами вписан в летопись Великой Отечественной войны. И тем не менее надо сказать прямо, что принятое утром 28 июня решение о переходе к обороне было глубоко
ошибочным — *«победное опьянение»* в танковых войсках
надо не преодолевать, а использовать для развития наступления.

«Наступление танков становится бесцельным, если оно
не переходит в преследование. Только преследование может
закрепить успехи, достигнутые в предыдущих боях. Поэто-
му каждый танковый командир должен стремиться продол-
жать наступление всеми боеспособными машинами и вести
его до тех пор, пока хватает горючего... Сила воли человека
должна в этом случае не уступать неутомимости танково-
го двигателя... Только таким образом можно облегчить по-
следующие бои или совсем их избежать... Каждая выигран-
ная четверть часа ценна и может оказать решающее влия-

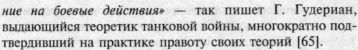

ние на боевые действия» — так пишет Г. Гудериан, выдающийся теоретик танковой войны, многократно подтвердивший на практике правоту своих теорий [65].

Ему вторит и командующий 3-й танковой группы вермахта Г. Гот. В своей книге «Танковые операции» он пишет:

«...успех, достигнутый благодаря смелым и стремительным действиям танковых соединений, необходимо использовать для того, чтобы удержать за собой оперативную инициативу... Сковывание подвижности танковых соединений, которая является их лучшей защитой, удержание их в течение длительного времени на одном месте противоречит самому характеру и назначению этого рода войск...» [13]

Увы, группа Попеля простояла без дела в Дубно не четверть часа, а два с половиной дня!

За это время противник успел сделать многое: отбросил 9-й МК и 19-й МК на 70 км к северо-востоку от Дубно, создал из пехотных дивизий плотное кольцо окружения вокруг Дубно, нагнал паники прорывом 11-й танковой дивизии на Острог — Шепетовку.

Зато командование Юго-Западного фронта не смогло ни оценить, ни развить достигнутый у Дубно успех. Да и о каком «развитии успеха» мы вообще говорим, если за ТРОЕ СУТОК группа Попеля не получила от штаба Ю-З. ф. никакой информации, никакой помощи, никаких указаний! Только вечером 30 июня самолетом в группу был доставлен новый приказ фронта: найти и уничтожить какую-то мифическую *«группу в 300 танков противника, стоящих в лесу без горючего и боеприпасов»*. Радиосвязь с Попелем установила и упорно пыталась ее поддерживать... только немецкая разведка. На русском языке от имени генерала Рябышева вражеский радист благодарил за «доблесть и геройство» и пытался узнать месторасположение штаба группы. Никто другой на связь с исправно работающей (!) радиостанцией группы Попеля за все дни боев у Дубно так и не вышел.

Колонна автомашин с горючим и боеприпасами для группы Попеля была остановлена на шоссе Броды — Дубно. Остановлена случайно оказавшимся там командиром какой-то отступающей кавдивизии (скорее всего, это была 3-я кд из состава 6-й армии) и отправлена назад, так как «Дубно давно уже у немцев». Спорить с ним никто не захотел, грузовики развернулись и поспешно уехали в тыл — а в это самое время в танках 34-й тд Васильева оставалось по 20 снарядов...

Читаешь такое и думаешь: что это — описание боевых действий регулярной армии или рассказ о том, как подвыпившие горе-туристы друг друга по лесу искали?

Судя по всему, наибольшее беспокойство у командования Ю.-З. ф. в эти дни и часы вызвал прорыв 11-й немецкой танковой дивизии (точнее говоря, того, что от нее осталось после боев с 15, 19, 8-м мехкорпусами Красной Армии) на Острог — Шепетовку.

Прежде всего, Кирпонос и Хрущев добились от Ставки согласия на использование для парирования немецкого прорыва частей 16-й армии Лукина, которая в первые дни войны прибыла с Дальнего Востока в район Проскуров (Хмельницкий) — Изяслав — Шепетовка. Да, немецкое вторжение спутало все предвоенные планы, и уже 26 июня 1941 г. 16-ю армию приказано было перебросить на Западный фронт к Смоленску, но благодаря энергичным и решительным действиям командарма Лукина 109-я моторизованная дивизия и 114-й танковый полк 57-й отдельной танковой дивизии были сняты с погрузки и выдвинуты к Острогу. Затем Лукин присоединил к своей группе 213-ю «моторизованную» дивизию 19-го мехкорпуса, которая, как помнит внимательный читатель, из-за отсутствия автотранспорта двигалась пешком от Казатина на запад, к уже занятому немцами Ровно. В целом группа Лукина, как минимум, вдвое превосходила по численности противостоящую ей 11-ю танковую дивизию вермахта.

Кроме того, к борьбе с прорвавшимися на Острог немецкими танками была привлечена и большая часть авиации фронта, которая (если верить докладу командующего ВВС) «*в период 28.6 — 29.6. вышедшую в район Острог танковую группу противника (до дивизии) действиями наших*

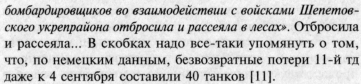

бомбардировщиков во взаимодействии с войсками Шепетов-ского укрепрайона отбросила и рассеяла в лесах». Отбросила и рассеяла... В скобках надо все-таки упомянуть о том, что, по немецким данным, безвозвратные потери 11-й тд даже к 4 сентября составили 40 танков [11].

Кроме того, командование Ю-З. ф. распорядилось создать «отсечной оборонительный рубеж» по линии Вишневец — Базалия — Староконстантинов, т.е. в 60—70 км к югу от маршрута движения немецкой 11-й тд. На этот рубеж были выдвинуты последние резервы фронта: 24-й мехкорпус (222 легких танка), три артиллерийские противотанковые бригады и 199-я стрелковая дивизия. Эти соединения простояли на указанном рубеже без всякого соприкосновения с противником, который и не собирался поворачивать на юг, а рвался прямо на восток, в глубокий тыл Юго-Западного фронта.

Кроме того, по словам Баграмяна, Ставка решила (надо полагать, на основании панических донесений, которые летели в Москву из штаба Ю-З. ф.), что фронт своими силами *«не сможет сдержать лавину фашистских танков»* (к началу боев в 11-й тд было всего 143 танка).

Уже 29 июня Жуков в телефонном разговоре с Кирпоносом подчеркнул, что *«Ставка требует главное внимание уделить развитию событий на Шепетовском направлении... Для этого танковые части Лукина в полном составе* (13-я и 17-я танковые дивизии, 115-й тп 57-й танковой дивизии, не менее 900 танков) *бросить на Здолбунов — Мизочь»* [110].

Едва ли отчаянно блефовавшее немецкое командование, бросившее изрядно потрепанную 11-ю танковую дивизию в «кавалерийский рейд» по тылам советских войск, само рассчитывало на **такой эффект**...

За всей этой суматохой о 8-м и 15-м мехкорпусах, скорее всего, просто забыли. Впрочем, о том, что там происходило, лучше и не вспоминать.

28 июня на берегах лесных речушек Радоставка и Острувка (не обозначенных ни на одной из имеющихся у

автора географических карт) фактически **закончились боевые действия 15-го МК.**

После всей неразберихи со сменой приказов, после многодневных «перебежек» в лесном районе Радехов — Броды, только утром 28 июня 15-й мехкорпус пошел в наступление. В районе Берестечко (на который теперь наступал мехкорпус) немецких танков к этому времени уже не оставалось (13, 14, 11-я танковые дивизии ушли уже на 100—120 км восточнее, а 16-я тд вела бой с группой Попеля в районе Дубно). Фактически 15-й МК встретился только с немецкой пехотой из 297-й пехотной дивизии.

Описания боя 28 июня, содержащиеся в отчетах командиров 15-го МК, 10-й и 37-й танковых дивизий, очень пространны и запутанны [8]. **Краткий** конспект выглядит примерно так:

«...в течение дня части вели бой в районе урочища Воля Адамовска — Ксаверувка за овладение Лопатином... наступающие части 10-й тд были задержаны перед торфяными болотами, в районе которых единственная дорога оказалась совершенно непригодной для переправы танков...

В процессе боя за Лопатин на рубеже р.Острувка наступавшие части были окружены (танковая дивизия была окружена пехотой противника? — М.С.). К 21 часу пехота противника с противотанковыми орудиями просочилась из направления Оплуцко — Колесьники и, обтекая кругом боевые порядки частей, завязала лесной бой с танками... Оставаться 10-й тд в данном районе на ночь, будучи окруженной, было бесцельно и могло привести к потере всей дивизии...

Форсировав р.Стырь, 6—8 танков 74-го танкового полка 37-й тд оказались под сильным огнем артиллерии противника со стороны Ляс Денбник и были подбиты. Понеся значительные потери и не имея достаточной танковой поддержки (перед боем в 37-й тд было 211 танков, в том числе 26 Т-34. — М.С.), мотострелковый полк 37-й тд вынужден был приостановить наступление и перейти к обороне на западном берегу р.Стырь... Противник, прикрывавший силой до батальона (батальон пехоты против танковой диви-

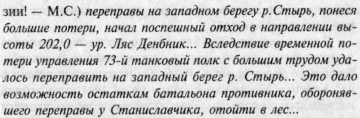

зии! — М.С.) *переправы на западном берегу р.Стырь, понеся большие потери, начал поспешный отход в направлении высоты 202,0 — ур. Ляс Денбник... Вследствие временной потери управления 73-й танковый полк с большим трудом удалось переправить на западный берег р. Стырь... Это дало возможность остаткам батальона противника, оборонявшего переправы у Станиславчика, отойти в лес...*

Попытка переправиться по мостам через р.Острувка севернее высоты 202,0 была безуспешной, так как головные 2—3 танка, подошедшие к мосту, были моментально подбиты и загорелись. Несколько танков пытались обойти мост справа и слева, но это оказалось невозможным; танки застряли в болоте и были подбиты артиллерийским огнем противника...

С наступлением темноты командиром 15-го механизированного корпуса был отдан приказ о выводе частей 10-й танковой дивизии на восток в район 37-й тд и для совместных действий с ней по овладению Лопатином, а в дальнейшем, в связи с уже совершившимся (что значит — «уже совершившимся»? — М.С.) выходом из боя 37-й танковой дивизии — приказ на выход из боя и на возвращение в исходное положение...»

Трудно поверить, что все это происходило на своей собственной территории, практически — в районе постоянной предвоенной дислокации 15-го мехкорпуса, т.е. там, где каждая дорога, тропинка, канава, брод, мост должны были быть досконально изучены. Трудно поверить в то, что перед нами описание боевых действий мехкорпуса, в составе которого были понтонно-мостовые, саперные, инженерные, ремонтно-эвакуационные, разведывательные подразделения.

На каждый танк в 15-м мехкорпусе приходилось (по состоянию на 1 июня 1941 года) 45 человек личного состава. Из этих 45 человек внутри танка находилось, самое большое, пять членов экипажа КВ (в БТ — три человека). Остальные должны были обеспечивать боевые действия танкистов. Обеспечивать связью, разведкой, ремонтом,

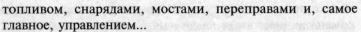

топливом, снарядами, мостами, переправами и, самое главное, управлением...

В отчете командира 15-го МК сообщается, что за день этого «ожесточенного» боя 10-я тд потеряла семь человек: 1 убит и 6 человек ранено. Тут бы и порадоваться тому, что Красная Армия уже к концу июня 1941 г. научилась воевать «малой кровью». Увы, далее в отчетах появляются такие цифры, которые напрочь отбивают всякое желание чему-либо радоваться.

Так, 10-я танковая за время боев 23—28 июня и последующего отхода за Днепр потеряла 210 человек убитыми, 587 — ранеными, 3353 человека пропали без вести, «отстали на марше» и т.д. Впрочем, даже и по уровню потерь дивизия Огурцова подтвердила свою репутацию одной из лучших. Как-никак, но к Пирятину (за Днепр) вышло 756 человек старшего командного состава, 1052 младших командира, 3445 рядовых, итого — 56% от начальной (на 22 июня) численности. Дальнейшая судьба самого Сергея Яковлевича Огурцова была трагична. В ходе ожесточенных боев у Бердичева он попал в плен, в апреле 1942 г. бежал из плена, вступил в отряд польских партизан и погиб в бою 28 октября 42-го года у городка Томашув, в 100 км от того самого Люблина, до которого так и не дошла его танковая дивизия...

37-я танковая дивизия, все участие которой в «контрударе мехкорпусов Юго-Западного фронта» свелось к беспомощным попыткам отбросить батальон немецкой пехоты от переправы у местечка Станиславчик, потеряла 75% личного состава. В район сосредоточения у Пирятина вышло 467 человек старшего командного состава, 423 младших командира и 1533 рядовых. Проще говоря, за время отхода к Днепру дивизия почти полностью «растаяла».

Ну а 212-я моторизованная дивизия 15-го МК и вовсе пропала. Почти без следа. Если во всех докладах командиров 15-го МК утверждается, что 212-я мд «обороняла Броды», то Рябышев и Попель в своих воспоминаниях в один голос говорят о том, что никаких наших войск они в Бродах не обнаружили. Уже 1 июля, во время начавшегося

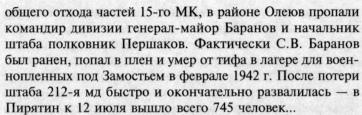

общего отхода частей 15-го МК, в районе Олеюв пропали командир дивизии генерал-майор Баранов и начальник штаба полковник Першаков. Фактически С.В. Баранов был ранен, попал в плен и умер от тифа в лагере для военнопленных под Замостьем в феврале 1942 г. После потери штаба 212-я мд быстро и окончательно развалилась — в Пирятин к 12 июля вышло всего 745 человек...

Полной неудачей закончились и попытки оставшейся в распоряжении Рябышева части 8-го МК (7-я моторизованная дивизия, танковый и мотострелковый полки 12-й ТД) прорваться к группе Попеля в Дубно.

Несмотря на наличие мощного танкового тарана (Рябышев пишет, что в составе его группы войск, кроме двух сотен легких танков, было 46 КВ и 49 Т-34), пробить оборону частей 57-й и 75-й немецких пехотных дивизий не удалось. Описание этих двух трагических дней — 27 и 28 июня — в мемуарах Рябышева грешит большими неточностями. Так, он пишет, что немцы потеряли за два дня 150 танков — цифра явно фантастическая, если учесть, что единственная действовавшая в этом районе 16-я танковая дивизия вермахта начала войну, имея на своем вооружении всего 146 танков, да и ее главные силы были скованы боями у Дубно. Тем не менее не вызывает никаких сомнений тот факт, что за разгром 8-го МК немцам пришлось заплатить огромными (**по их масштабам** огромными) потерями. Так, например, 28 июня группа немецких танков прорвалась на КП танковой дивизии Мишанина. В завязавшемся бою десять наших танков (6 КВ и 4 Т-34), как пишет Рябышев, «*сумели уничтожить все 40 прорвавшихся вражеских машин. Сами потерь не имели благодаря тому, что танковые пушки фашистов не пробивали лобовую броню наших тяжелых и средних танков*» [113].

Но и стальная броня не могла восполнить отсутствие элементарного порядка.

«*Контуженный, едва говоривший Мишанин не в состоянии был командовать. Но он наотрез отказался ехать в госпиталь и не вылезал из танка. Полковник Нестеров* (заместитель командира 12-й тд. — М.С.) *суетился, кричал, от-*

*давал приказания, потом отменял их... Дивизия по существу
осталась без командира»* — так описывает ситуацию Попель, и, судя по тому, как развивались события дальше,
эта жесткая оценка очень близка к реальности.

Вечером 28 июня немецкая мотопехота с танками вышла в тыл 8-го МК, отрезав путь отхода по шоссе на Броды. Снова началась паника. Погиб генерал Мишанин, в
пешем строю поднимавший бойцов в атаку. Катастрофу
смогли предотвратить решительные действия командира
корпуса. Рябышев лично возглавил группу танков, которая пробила «ворота» в еще очень неплотном вражеском
кольце и удерживала дорогу на Броды до тех пор, пока по
ней не прошли все уцелевшие подразделения 7-й мд и
12-й тд. Отход превратился в беспорядочное бегство, причем новый командир 12-й танковой дивизии полковник
Нестеров сумел даже обогнать своих подчиненных. Утром
29 июня он и его замполит Вилков, как пишет Баграмян,
«примчались на КП фронта в Тернополь», где и доложили
Кирпоносу о разгроме корпуса. В тот же день, 29 июня
штаб фронта снова отдал приказ об отводе 15-го и 8-го
мехкорпусов в тыл, за рубеж обороны 37-го стрелкового
корпуса, но на этот раз приказ всего лишь «узаконил»
фактически уже начавшийся обвал.

Об обстановке тех дней очень красноречиво свидетельствует короткая фраза в докладе о боевых действиях
15-го МК: *«...шоссе восточнее Золочев все забито горящими
автомашинами бесчисленных колонн...»*

Впрочем, Рябышев утверждает, что к 1 июля 8-й
МК отошел к Тернополю, имея в своем составе *«более 19
тысяч бойцов и командиров, 207 танков, в том числе 43 КВ
и 31 Т-34».*

Сила, как видим, была еще немалая. *«Действуя против
наступающей 1-й танковой группы противника,* — пишет в
своих воспоминаниях генерал Рябышев, — *8-й мехкорпус
мог продолжать еще несколько дней сковывать его, нанося
потери и замедляя продвижение в глубину нашей территории. В этом случае оставшиеся в строю танки и артиллерия*

корпуса были бы использованы до конца с максимальной отдачей в бою» [113].

Но стихия отступления уже охватила и войска, и штаб Ю-З. ф. 30 июня штаб фронта перешел в Проскуров (Хмельницкий), 3 июля — в Житомир (250 км восточнее Брод), 6 июля — в Бровары (это уже ЗА Днепром). До Владивостока было еще много места, но дальнейшие «передислокации» штаба Юго-Западного фронта прервал угрожающий рык из Москвы [112, с. 199]: *«Получены достоверные сведения, что вы все, от командующего Юго-Западным фронтом до членов Военного совета, настроены панически и намерены произвести отвод войск на левый (т.е. восточный. — М.С.) берег Днепра. Предупреждаю вас, что если вы сделаете хоть один шаг в сторону отвода войск на левый берег Днепра, не будете до последней возможности защищать укрепрайоны на правом берегу Днепра, то вас всех постигнет жестокая кара как трусов и дезертиров.*

Председатель ГКО И. Сталин».

В ответ на эту телеграмму 12 июля в Москву полетела другая телеграмма:

«..противнику удалось прорваться на Житомир и Киев потому, что мы не имели резервов (??? — М.С.). Несмотря на это, мы не дали противнику ворваться с налета в Киев... Заверяем Вас, товарищ Сталин, что поставленная Вами задача будет выполнена.

Хрущев, Кирпонос».

Последний бой

Едва ли случайным совпадением является то, что окружившие со всех сторон Дубно немецкие дивизии начали наступление только в полдень 30 июня — уже после того, как части 15-го и 8-го мехкорпусов откатились от Брод к Тернополю. Как свора собак на затравленного медведя, на группу Попеля ринулись три пехотные (111, 44, 75-я), 16-я танковая и 16-я моторизованная дивизии вермахта. Двухдневную паузу, подаренную им нерасторопностью советского командования, немцы использова-

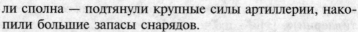

ли сполна — подтянули крупные силы артиллерии, накопили большие запасы снарядов.

Наступление началось после мощной двухчасовой артподготовки. «*Передовые наши позиции исчезли в дыму и пыли. Облака закрыли солнце... Исчезла граница между полем и лесом, исчезла дорога, исчез горизонт...*» [105] Отвечать было почти нечем — в артиллерийском полку 34-й тд оставались считаные снаряды. Но «медведь» был еще очень силен. Тяжелые танки КВ, расстреляв весь боекомплект, таранили немецкие танки, втаптывали в украинский чернозем вражеские пушки. В ходе боя удалось захватить несколько немецких гаубичных батарей с большим запасом снарядов, которые тут же обрушились на голову врага. К исходу дня бой затих. Немцы практически ни на километр не продвинулись к Дубно, понесли большие потери, потеряли командира своей 44-й пд (он попал в плен и погиб при бомбежке от осколка немецкой же бомбы). Но и положение группы Попеля стало критическим: кончалось горючее и боеприпасы, разбиты все радиостанции, медсанбаты переполнены ранеными.

Поздним вечером 30 июня после долгих раздумий командиры приняли следующее решение: тылы, безмашинные танкисты (у которых и винтовок-то не было), медсанбат под прикрытием одного танкового полка пробивают ночью кольцо окружения у ст. Верба и уходят на юг, к Тернополю. Эту группу возглавил полковник Плешаков, командир 27-го мотострелкового полка, «*старый вояка*», как пишет про него Попель, «*получивший орден Красного Знамени под Перекопом, а орден Ленина — на Карельском перешейке*». В каждый из шестидесяти танков этой группы положили по нескольку снарядов — главная надежда была на эффект внезапности, на стремительный натиск и танковый таран. Этот расчет оправдался. Самонадеянные до безрассудства немцы спали. Отряд Плешакова практически без боя ушел на юг. Примерно через неделю на шоссе Тернополь — Хмельницкий он догнал отступающие на восток части 8-го МК.

Главные силы группы Попеля (которые к этому мо-

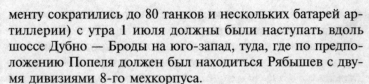

менту сократились до 80 танков и нескольких батарей артиллерии) с утра 1 июля должны были наступать вдоль шоссе Дубно — Броды на юго-запад, туда, где по предположению Попеля должен был находиться Рябышев с двумя дивизиями 8-го мехкорпуса.

Роковую роль в принятии такого решения в очередной раз сыграло отсутствие связи и информации. Никаких наших войск в районе Брод уже не было. Прорываться надо было не на юг, а на север, вдоль шоссе Дубно — Млынов, туда, где готовился **контрудар 5-й армии.**

Да, именно так — в обстановке общего хаоса и начавшегося неуправляемого отхода войск 6-й армии и других частей Юго-Западного фронта командующий 5-й армией генерал-майор М.И. Потапов готовил новое наступление на Дубно. В качестве главной ударной силы должна была выступить 41-я танковая дивизия 22-го мехкорпуса.

Внимательный читатель, надеюсь, еще помнит, как эта дивизия в первые дни войны металась между Владимиром-Волынским и Ковелем, как ее «разбирали по частям», как при отходе через глухие леса украинского Полесья дивизия потеряла две трети своих танков. Но всему приходит конец — и в последних числах июня 41-я тд и остатки 215-й мд вышли на соединение с основными силами 5-й армии на рубеже реки Стоход к северу от Рожища.

К 29 июня, по данным монографии Владимирского, 41-я тд имела в своем составе 106 танков Т-26 и 16 тяжелых КВ-2 (со 152-мм пушкой), еще 15 легких танков Т-26 было в 215-й моторизованной дивизии. Все познается в сравнении. Можно сказать, что эти дивизии, потеряв 72% первоначальной численности танков, были уже до боя разгромлены. С другой стороны, по числу танков 41-я тд и 215-я мд в совокупности соответствовали одной немецкой танковой дивизии.

В соответствии с решением генерала Потапова, танковая группа, наступая с северо-запада на Млынов — Дубно, должна была восточнее Ровно нанести удар во фланг и тыл 3-го танкового корпуса противника, дивизии которого были уже изрядно измотаны и обескровлены многодневными ожесточенными боями с 1-й ПТАБ Москаленко, затем — с частями 22, 9 и 19-го мехкорпусов на реке Горынь. Замысел контрудара сулил успех. Но не тут-то было...

«Когда войска левого крыла 5-й армии заканчивали подготовку к переходу в наступление, — пишет Владимирский, — *был получен новый приказ командующего ЮЗФ, в котором 5-й армии ставилась задача... начать отход с наступлением темноты 1 июля и на рубеж реки Случь отойти к утру 5 июля... в связи со сжатыми сроками отхода... наступательные действия надлежало закончить не позднее вечера 1 июля»* [92].

Нельзя не отметить то постоянство, с которым **командование Ю-3. ф. срывало любые организованные наступательные действия** вверенных ему войск. Тем не менее 1 июля в 15 часов наступление началось. К 10—11 часам утра 2 июля танкисты 41-й тд, разгромив до трех батальонов немецкой мотопехоты, были уже в 15 км от Дубно. Если бы действия войск 5-й армии были скоординированы по времени и месту с прорывом группы Попеля, то, скорее всего, несколько тысяч бойцов и несколько десятков танков удалось бы вывести из окружения. Увы, никакого взаимодействия между «северной» и «южной» группировками советских войск так и не было налажено. И в то время, когда 41-я тд прорывалась к Дубно с севера, танкисты группы Попеля пошли в свое последнее наступление на Козин (30 км к юго-западу от Дубно).

Что можем мы рассказать про этот бой, если его очевидец, участник и руководитель пишет:

«...в пелене кровавого тумана встают отдельные эпизоды, сцены. Как бы я ни хотел, не смогу последовательно изложить это продолжавшееся весь день ни с чем не сравнимое побоище... Сочная трава вокруг пожелтела от дыма... Несмолкаемый грохот наполняет воздух, перекатывается по лесу. Не разберешь, где наши танки, где фашистские. Кругом черные стальные коробки, из которых вырываются языки пламени...» [105]

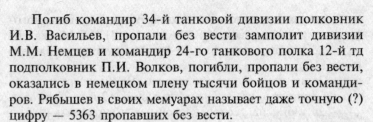

Погиб командир 34-й танковой дивизии полковник И.В. Васильев, пропали без вести замполит дивизии М.М. Немцев и командир 24-го танкового полка 12-й тд подполковник П.И. Волков, погибли, пропали без вести, оказались в немецком плену тысячи бойцов и командиров. Рябышев в своих мемуарах называет даже точную (?) цифру — 5363 пропавших без вести.

На закате дня 1 июля в лесу у поселка Козин собрались выжившие — порядка одной тысячи человек.

«Я приказал построить личный состав, — вспоминает Н.К. Попель. — *За этот день люди всего насмотрелись. Они не удивились бы, если бы из-за кустов поднялся в атаку немецкий полк. Но строиться? Зачем это нужно? Не свихнулся ли бригадный комиссар?»* Нет. Вне всякого сомнения, именно эта принятая Попелем установка — «мы часть регулярной армии, с ее Уставом, дисциплиной, знаменем» — спасла людей от позора и гибели в плену. Присоединяя к себе группы окруженцев из других частей, отряд прошел с боями 250 километров по огромной дуге Дубно — Славута — Коростень и в конце июля 1941 г. вышел в расположение частей 5-й армии в районе Белокоровичей.

А наступление 41-й танковой и 215-й моторизованной дивизий 5-й армии на Млынов немцы остановили — но для этого им пришлось ввести в бой резерв командующего группы армий «Юг». Утром 2 июля 99-я пехотная дивизия вермахта и моторизованная дивизия СС «Адольф Гитлер», срочно переброшенные через Луцк, нанесли удар в тыл ударной группировки советских войск. Устоять перед натиском этих отборных головорезов наши обескровленные предыдущими боями дивизии не смогли, да и приказ штаба фронта требовал скорейшего вывода частей из боя. Вечером 2 июля 41-я тд и 215-я мд вместе с другими соединениями 5-й армии начали отход на рубеж реки Случь...

Вот так и закончилась эта беспримерная битва, крупнейшее сражение первых недель войны. Постараемся теперь подвести первые, самые простые, учетно-канцелярские итоги.

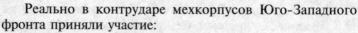

Реально в контрударе мехкорпусов Юго-Западного фронта приняли участие:

— 23 июня у Радехова 20-й танковый полк 10-й тд 15-го МК;

— 24 июня на Луцком шоссе у п. Войница группа танков численностью до батальона из состава 19-й тд 22-го МК;

— 26 июня на северо-восточных подступах к Дубно сводная танковая группа 43-й тд 19-го МК в составе 79 танков;

— 26 июня в направлении Броды — Берестечко 8-го МК почти в полном составе (до боя было потеряно не более одной трети танков и другой боевой матчасти);

— с 27 июня по 1 июля в Дубно и на южных подступах к нему 34-я тд 8-го МК и 24-й танковый полк 12-й тд 8-го МК;

— 1 июля северо-западнее Дубно танковая группа 22-го МК численностью до танкового полка.

Даже простое арифметическое суммирование (не учитывающее тот важнейший факт, что все эти части и соединения действовали **разрозненно и разновременно**) показывает, что в сражении приняло участие МЕНЕЕ ОДНОЙ ЧЕТВЕРТИ всех танковых войск Юго-Западного фронта.

За исключением группы Попеля, ни одно соединение не вело наступление продолжительностью более одного дня.

Наступление «северной» (9-го МК, 19-го МК) и «южной» (15-го МК, 8-го МК) группировок ни разу не велось под общим руководством, по сходящимся направлениям и одновременно.

Только в танковых полках группы Попеля боевые потери были основной причиной потери матчасти. Во всех остальных частях и соединениях от 70 до 90 процентов танков было потеряно по причине так называемых «технических неполадок», «отсутствия ГСМ», «завязло в болотах» и т.п.

До поля боя они так и не дошли. Надо полагать, только после того, как немцы собрали и пересчитали все брошенные на обочинах дорог танки, они поняли — ЧТО им угрожало...

Часть 4

БЕГ НА ГЛИНЯНЫХ НОГАХ

«Факты отрицательных настроений и явлений»

17 сентября 1939 года войска Белорусского и Украинского фронтов Красной Армии вторглись в Польшу. Так, с вероломного нападения на страну, с которой был подписан Договор о ненападении (заключен в 1932 году, в 1937 г. продлен до 1945 г.), начал Советский Союз свое прямое участие во Второй мировой войне.

Два года спустя, летом 1941 года, очень многим, и друзьям и врагам Советского Союза, казалось, что эта война подходит для него к концу.

Задача, поставленная перед вермахтом по плану «Барбаросса» (*«Основные силы русских сухопутных войск, находящиеся в Западной России, должны быть уничтожены в смелых операциях посредством глубокого, быстрого выдвижения танковых клиньев...»*), была выполнена уже к середине июля 1941 г.

Войска Западного и Северо-Западного фронтов (более 70 дивизий) были смяты, разгромлены, большей частью взяты в плен. Противник занял Литву, Латвию, почти всю Белоруссию, форсировал Западную Двину, Березину и Днепр. 16 июля немцы заняли Смоленск. Две трети расстояния от западной границы до Москвы были пройдены. Войска Юго-Западного фронта в беспорядке отступили за линию старой советско-польской границы, передовые танковые части вермахта заняли Житомир и Бердичев, вышли к пригородам Киева. Немцы заняли (точнее сказать — прошли) территорию площадью 700 тыс. кв. км, что примерно в **три раза больше** территории Польши, оккупированной вермахтом в сентябре 1939 года. Практиче-

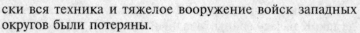

ски вся техника и тяжелое вооружение войск западных округов были потеряны.

В сборнике «Гриф секретности снят» на стр. 368 приведены астрономические цифры потерь Северо-Западного, Западного и Юго-Западного фронтов: к 6—9 июля эти три фронта потеряли **11,7 тыс. танков, 4 тыс. самолетов, 19 тыс. орудий.** Особенно тяжелые, невосполнимые потери понесли танковые войска — главная ударная сила РККА.

Предпринятые в первые недели войны многочисленные попытки организовать какое-то контрнаступление поражают своей беспомощностью, бестолковостью, безволием. Они захлебнулись на берегах каких-то не обозначенных ни на одной карте Радоставки, Острувки, Черногостницы и «канавы восточнее Турзе». Стоит ли после этого всерьез обсуждать возможные последствия пресловутого «упреждающего удара», о подготовке которого велась в последние годы такая бурная дискуссия? Могла ли такая армия прорваться в Европу, форсировать полноводные Вислу, Одер и Дунай? Могли ли некоторые тактические преимущества «первого удара» возместить такое нежелание основной массы солдат воевать и такое неумение основной массы командиров руководить, в силу которых могучие мехкорпуса (6-й МК, 4-й МК, 15-й МК), вооруженные лучшими в мире танками Т-34 и КВ, просто растаяли, исчезли, оставив после себя тысячи брошенных танков, бронемашин, грузовиков, запрудивших все дороги Литвы, Белоруссии и Западной Украины.

То, что советские историки скромно назвали «приграничным сражением», было на самом деле полным разгромом всего первого стратегического эшелона Красной Армии (по числу дивизий превосходившего любую армию Европы, а по количеству танков превосходившего их все, вместе взятые). Правда, вскоре немецкому командованию пришлось узнать, что окруженные и разгромленные армии западных округов (ПрибОВО, ЗапОВО, КОВО) представляли собой только часть *основных сил русских сухопутных войск*. А на место разбитых дивизий из глубин огромной страны приходили все новые, новые и новые...

В конкретных цифрах эта круговерть смерти выглядела так. К началу войны Западный фронт (3, 10, 4, 13-я армии) насчитывал в своем составе 44 дивизии. После того как почти все они были уничтожены в огромном «котле» между Белостоком и Минском, Ставка создает фактически новый Западный фронт в составе пяти армий: 16, 19, 20, 21, 22-я. Вслед за этим, 14 июля в тылу Западного фронта развертывается Резервный фронт в составе шести армий: 24, 28, 29, 30, 31 и 32-я. К концу июля 1941 г. на западном направлении развертываются еще три армии: 33, 43 и 49-я.

Всего в ходе двухмесячного Смоленского сражения на западном направлении было введено в бой 104 дивизии и 33 бригады. На два других стратегических направления (Ленинградское и Киевское) Ставка направляет еще 140 дивизий и 50 бригад [21]. И все это бесчисленное воинство было разгромлено, окружено и пленено в новых «котлах» — у Смоленска и Рославля, Умани и Киева, Вязьмы и Брянска. Немцы захватили Киев, Харьков и Одессу, блокировали Ленинград, вышли к Москве.

К концу сентября 1941 г. Красная Армия только в ходе семи основных стратегических операций потеряла **15 500 танков, 66 900 орудий и минометов, 3,8 млн. единиц стрелкового оружия. Потери авиации уже к концу июля достигли отметки 10 000 боевых самолетов** [35, с. 368]. С потерями противника эти цифры даже невозможно сравнивать — у вермахта просто не было такого количества тяжелых вооружений.

3 сентября 41-го года Сталин, пытаясь одновременно и напугать и разжалобить Черчилля, писал ему: «*Без этих двух видов помощи* (речь шла о высадке англичан во Францию и о поставках в СССР 400 самолетов и 500 танков ежемесячно. — М.С.) *Советский Союз либо потерпит поражение, либо... потеряет надолго способность к активным действиям на фронте борьбы с гитлеризмом...*» [72, с. 233]

Десять дней спустя Сталин совершил то, в чем обвинялись и за что были расстреляны десятки тысяч жертв Большого террора: призвал британских империалистов совершить вторжение в страну победившего пролетариата.

13 сентября он уже просил Черчилля «*высадить 25—30 дивизий в Архангельск или перевести их через Иран в южные районы СССР*» [72, с. 239].

Потрясенный таким поворотом событий, Черчилль писал Рузвельту: «*Мы не могли избавиться от впечатления, что они* (советские руководители. — М.С.), *возможно, думают о сепаратном мире...*»

И ведь как в воду глядел потомок лорда Мальборо! Именно в эти дни осени 1941 г. Сталин и Берия прилагали особые усилия к тому, чтобы «навести мосты» к заключению перемирия на условиях передачи Германии большей части оккупированных территорий. И если бы Гитлер послушал умного совета многих своих подельников и завершил войну с Советским Союзом примерно на таких же условиях, на каких 24 июня 1940 г. было подписано перемирие с Францией (т.е. сокращение армии до 10 пехотных дивизий, разоружение французской авиации и военно-морского флота, демилитаризация экономики), то история Старого Света сложилась бы иначе...

Читатель, который имел терпение дочитать до этого места, должно быть, уже увидел гигантскую пропасть **между размахом и качеством материально-технической подготовки сталинской империи к войне и проявленной Красной Армией полнейшей неспособностью** эффективно использовать эти ресурсы. Многомиллионная Красная Армия оказалась одинаково неспособна ни к обороне, ни к наступлению. И если трехкратного численного превосходства оказалось недостаточно хотя бы для того, чтобы предотвратить небывалый разгром, то что могло бы изменить превосходство пятикратное? Семикратное? Нет, дело тут не в количестве танков-пушек, самолетов-минометов. Их могло быть больше или меньше — и это ровным счетом ничего бы не изменило. Ничего, кроме количества трофеев, доставшихся вермахту.

Вот почему в поисках причины военной катастрофы автор предлагает прервать тот поток цифр, дат, номеров дивизий, моточасов и километров, миллиметров брони и миллионов тонн боеприпасов, который он обрушивал на голову читателя, и начать с нескольких живых картин,

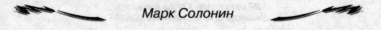

«зарисовок с натуры», сделанных участниками тех трагических событий.

Начнем с самого начала. С жаркого летнего дня 22 июня 1941 года. В этот день в 4 часа утра командир 9-го МК генерал-майор К.К. Рокоссовский получил телефонограмму из штаба 5-й армии с распоряжением о вскрытии «красного пакета». В пакете был оперативный план действий корпуса, в соответствии с которым 9-й МК двинулся из района довоенной дислокации (Шепетовка — Новоград-Волынский) на Ровно — Луцк. Путь был неблизкий. Только до Ровно более 100 км. Вся эта длинная присказка к тому, что эпизод, о котором пойдет речь далее, произошел утром второго дня войны **в глубоком тылу**, за 200 км от фронта.

Итак, книга воспоминаний маршала Рокоссовского «Солдатский долг»:

«...*дорога пролегала через огромный массив буйно разросшихся хлебов, достигавших высотой роста человека. И вот мы стали замечать, как то в одном, то в другом месте, в гуще хлебов, стали появляться в одиночку, а иногда и группами странно одетые люди, которые при виде нас быстро скрывались. Одни из них были в белье, другие — в нательных рубашках и брюках военного образца или в сильно поношенной крестьянской одежде... Я приказал выловить скрывавшихся и разузнать, кто они. Оказалось, что это были первые так называемые «выходцы из окружения»... Опрошенные пытались всячески доказать, что их части разбиты и погибли, а они чудом спаслись и решили, боясь плена, переодеться...*

...продолжая движение в район сосредоточения, мы неоднократно наблюдали... беспорядочное движение мчавшихся поодиночке и группами машин, **больше напоминавшее паническое бегство, чем организованную эвакуацию** (подчеркнуто автором. — М.С.). *Неоднократно приходилось посылать наряды для наведения порядка и задержания военнослужащих, пытавшихся под разными необоснованными предлогами уйти подальше от фронта...*»

Как помнит внимательный читатель, Гречаниченко (см. часть 2) рассказывает о том, как в ответ на его попыт-

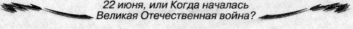

ки остановить «беженцев» звучали выстрелы. Это — первые дни войны на Западном фронте.

А как обстояли дела на Украине?

Продолжим чтение книги Рокоссовского:

«...на КП корпуса днем был доставлен генерал без оружия, в растерзанном кителе, измученный и выбившийся из сил, который рассказал, что, следуя по указанию штаба фронта, увидел западнее Ровно стремглав мчавшиеся на восток одну за другой автомашины с нашими бойцами. Генерал уловил панику и решил задержать одну из машин. В конце концов ему это удалось. В машине оказалось до 20 человек. Вместо ответов на вопросы, куда они бегут и какой они части, генерала втащили в кузов и хором стали допрашивать. Затем объявили переодетым диверсантом, отобрали документы, оружие и тут же вынесли смертный приговор. Изловчившись, генерал выпрыгнул на ходу и скатился с дороги в густую рожь...

...случаи обстрела лиц, пытавшихся задержать паникеров, имели место и на других участках. Бегущие с фронта поступали так, видимо, из боязни, чтобы их не вернули обратно...

...24 июня (то есть уже на третий! день войны) *в районе Клевани* (150 км от границы) *мы собрали много горе-воинов, среди которых оказалось немало и офицеров. Большинство этих людей не имели оружия. К нашему стыду, все они, в том числе и офицеры, спороли знаки различия. В одной из таких групп мое внимание привлек сидящий под сосной пожилой человек, по своему виду и манере держаться никак не похожий на солдата. С ним рядом сидела молоденькая санитарка* (какие темпы — третий день войны, а уже успели и петлицы спороть, и ППЖ завести! — М.С.). *Обратившись к сидящим* (сидящим перед генералом! — М.С.), *а было их не менее сотни человек, я приказал офицерам подойти ко мне. Никто не тронулся. Повысив голос, я повторил приказ во второй, третий раз. Снова в ответ молчание и неподвижность* (вот она — «проблема связи», которая на войне решается не наличием проводов и раций, а желанием установить связь. — М.С.). *Тогда, подойдя к пожилому*

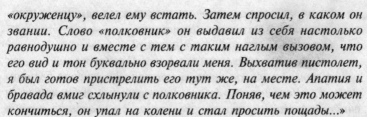

«окруженцу», велел ему встать. Затем спросил, в каком он звании. Слово «полковник» он выдавил из себя настолько равнодушно и вместе с тем с таким наглым вызовом, что его вид и тон буквально взорвали меня. Выхватив пистолет, я был готов пристрелить его тут же, на месте. Апатия и бравада вмиг схлынули с полковника. Поняв, чем это может кончиться, он упал на колени и стал просить пощады...»

А чем бы эта сцена могла закончиться, если бы в руках у кого-то из «окруженцев» оказалось оружие? *«Объявили переодетым диверсантом, отобрали документы, оружие и тут же вынесли смертный приговор...»* И числилась бы фамилия Рокоссовского в длинном списке погибших советских генералов, с весьма распространенной в этих списках пометкой: «Место захоронения неизвестно».

Теперь снова берем книгу воспоминаний Н.К. Попеля «В тяжкую пору».

В отличие от мехкорпуса Рокоссовского, дислоцированного в глубоком тылу округа, 8-й МК генерал-лейтенанта Рябышева перед войной располагался в районе Дрогобыч — Стрый, всего в ста километрах от границы. И вместо грубого фарса с «окруженцами в кальсонах», с первых же дней война предстала перед взглядом Попеля в своем истинном, трагическом обличье:

«...немецкие истребители с хватающим за душу воем и пулеметной дробью пролетают над головами. После каждого захода — стоны, крики. Бойцы разбегаются в хлеба, тянущиеся по обе стороны шоссе. Потом долго собираются. Стоят около раненых и убитых, рассматривают поврежденные машины. Не спешат в кузова — на земле как-то надежнее. А когда наконец усаживаются по своим местам, выясняется, что нет Петрова или Сидорова. Начинаются розыски, командиры охрипшими голосами выкрикивают фамилии. На дороге пробка, а тем временем снова появляются самолеты...»

Это — картины вечера первого дня войны. А вот день второй:

«...сегодняшняя дорога отличается от вчерашней. И не к лучшему. Это уже дорога отступления... Среди машин с ра-

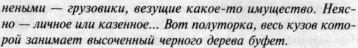

неными — грузовики, везущие какое-то имущество. Неясно — личное или казенное... Вот полуторка, весь кузов которой занимает высоченный черного дерева буфет.

...Раненые не только на машинах. Они бредут вдоль шоссе, опираясь на палки, поддерживая здоровой рукой поврежденную... Попадаются бойцы, у которых не заметишь признаков ранения. Возможно, повязки под одеждой, а может быть... Ловлю себя на недобрых подозрениях...

...С севера, из лесу, на галопе выскакивают артиллерийские упряжки без пушек. Постромки обрублены. Красноармейцы верхом. Когда-то, давным-давно, в двадцатом, вероятно, году, я видел такое. Батарейцы удирали, обрубив постромки, бросив пушки. Мы с Балыковым выскакиваем из машины:

— Какой части, откуда?

Тот, что сидит впереди, без ремня, без пилотки, натягивает узду:

— А вы пойдите туда, хлебните, будете знать — кто и откуда!

Балыков расстегивает кобуру. Это заставляет сбавить тон.

— Товарищ комиссар, всех танками передавило. Мы одни остались. Хоть верьте — хоть не верьте: у него танков тыщи (как же нам в это не поверить? Нам про эти «тысячи танков» шестьдесят лет во всех книжках писали. — М.С.). Что тут «сорокапяткой» сделаешь... **Надо к старой границе тикать...**

...Когда до Яворова оставалось километров 15—20, в узком проходе между разбитыми грузовиками и перевернутыми повозками моя «эмка» нос в нос столкнулась со штабной машиной. Разминуться невозможно. Я вышел на дорогу. За встречным автомобилем трактора тащили гаубицы (в шибко «подготовленном» к войне со всем миром вермахте гаубицы в то время таскали шестеркой лошадей. — М.С.).

Меня заинтересовало — что за часть, куда следует. Из машины выскочили майор со старательно закрученными гусарскими усами и маленький круглый капитан. Представились: командир полка, начальник штаба.

— Какая у вас задача?

Майор замялся:

*— **Спасаем матчасть...***

— То есть как — спасаете? Приказ такой получили?

— Нам приказ получать не от кого — штаб корпуса в Яворове остался, а там уже фашисты. Вот и решили спасти технику. У старой границы пригодится...

Мне стало ясно: артиллеристы самовольно бросили огневые позиции. Я приказал остановиться, связаться с ближайшим штабом стрелковой части и развернуть орудия на север. Усатый майор не спешил выполнять приказ. Пришлось пригрозить:

— Если попытаетесь опять «спасать матчасть» — пойдете под суд. А начальника штаба прошу ко мне в машину, поедем в Яворов.

*В Яворове **немцев не было**... Я передал оперативному дежурному кругленького капитана-артиллериста...»*

Пройдя в бесцельных метаниях километров двести, 8-й МК получил третий за два дня приказ: отойти от Яворова на восток, к Бродам. Это еще 130 км, и все дороги на Броды ведут через Львов.

«...в восемь часов утра 24 июня, когда мотоциклетный полк вступил на обычно людные улицы Львова, нас встретила недобрая тишина... Изредка раздавались одиночные выстрелы. По мере того как машины втягивались в город, выстрелы звучали все чаще... Ко мне подъехал Оксен (начальник контрразведки корпуса. — М.С.).

— Могу представить, — доложил Оксен, — учитель Осип Степанович Кушнир, пойман на чердаке за пулеметом. Отстреливался до последнего патрона...

Кушнир не желал отвечать на мои вопросы. Он молчал. Потом поднял голову, откинул назад свою волнистую шевелюру, посмотрел на меня в упор и спокойно произнес:

— Попадись вы мне, я бы на вас столько времени не тратил. Прикажите расстрелять.

Я помнил: от национализма до фашизма один шаг... Передо мной, украинцем-коммунистом, стоял украинец-фашист. Миндальничать с ним не приходилось...»

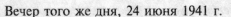

Вечер того же дня, 24 июня 1941 г.

*«...я нагоняю странную процессию. Лейтенант с двумя
красноармейцами (у всех троих винтовки на руку) конвоиру-
ют полного человека с поднятыми вверх руками, в гимна-
стерке без ремня. Задержанный вяло переставляет ноги —
как видно, уже распрощался с жизнью.*

— Кто таков?

*— Шпион, товарищ бригадный комиссар, ведем расстре-
ливать.*

«Шпион» поворачивается:

— Николай Кириллыч, родной...

Ко мне бросается **начальник артиллерии корпуса** *(!!! —
М.С.) полковник Чистяков. Он так переволновался, что не в
состоянии говорить. За него все объясняет лейтенант:*

*— Без документов, без машины. Интересуется ка-
ким-то гаубичным полком. Петлицы полковника, а пузо, как
у буржуя...*

*Уже в моей машине, минут через десять, полковник Чи-
стяков приходит наконец в себя, и я узнаю подробности. Во
Львове на автомобиль Чистякова напали — то ли парашютисты, то ли бандеровцы (ну какие парашютисты, Николай Кириллович?* На всем Восточном фронте не было
НИ ОДНОЙ парашютно-десантной части вермахта. —
М.С.). *Полковнику пришлось спасаться бегством. План-
шетка с документами осталась на сиденье машины...»*

А ведь на самом деле полковнику Чистякову крупно
повезло. Попался бы он в руки особистов — пришлось бы
отвечать не за недостатки фигуры, а за секретные документы, брошенные в чистом поле...

Разумеется, это еще мелкие отдельные недостатки.
Главное — сражение у Дубно — было впереди.

Как вы помните, вечером 28 июня 7-я моторизованная и 12-я танковая дивизии 8-го МК начали беспорядочный отход. И вот как это выглядело в деталях:

*«...Рябышев сел на «эмку» и помчался к Бродам. По пути
он натыкался на бредущих толпами бойцов, горящие машины,* **лежащих в кюветах раненых.** *Рубеж, предназначенный
дивизии Нестерова (12-я тд. — М.С.), никто не занимал...*

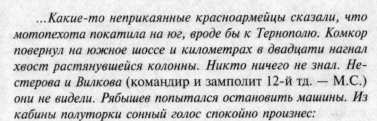

...Какие-то неприкаянные красноармейцы сказали, что мотопехота покатила на юг, вроде бы к Тернополю. Комкор повернул на южное шоссе и километрах в двадцати нагнал хвост растянувшейся колонны. Никто ничего не знал. Нестерова и Вилкова (командир и замполит 12-й тд. — М.С.) *они не видели. Рябышев попытался остановить машины. Из кабины полуторки сонный голос спокойно произнес:*

— Какой там еще комкор? Наш генерал — предатель. К фашистам утек».

(Обратите внимание, уважаемый читатель, на эту безмятежную интонацию: «сонный голос», «спокойно произнес», генерал к фашистам утек, мы вот тут в тыл драпаем...)

Рябышев рванул ручку кабины, схватил говорившего за портупею (рядовые бойцы ездили без портупеи. — М.С.), *выволок наружу.*

— Я ваш комкор.

Не засовывая пистолет в кобуру, *Рябышев двигался вдоль колонны, останавливая роты, батальоны, приказывая занимать оборону фронтом на северо-запад...*

*...в штабе фронта, куда вызвали комкора, царили нервозность и неуверенность. Он доехал до Военного совета, **ни разу ни кем не остановленный**... Штаб готовился к передислокации. В суете и всеобщей спешке на ходу отдавались сбивчивые приказания, которые зачастую через десять минут отменялись. Вдогонку за первым офицером связи мчался второй... Штаб фронта отходил в Проскуров»* (117 км к востоку от Тернополя, 150 км от гибнущей в Дубно группы Попеля. — М.С.).

В ходе всех этих «передислокаций» Рябышев нашел наконец замполита 12-й танковой:

«*...однажды вечером Рябышев заметил группу людей. Подошел. Услышал голос Вилкова. Полковой комиссар горячо ораторствовал:*

— Пора понять, товарищи, что мы находимся в окружении. Одесса занята противником, генерал Кирпонос — изменник и предатель. Надежда только на самих себя...

— Откуда у вас такие сведения? — крикнул взбешенный Рябышев.

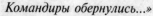

Командиры обернулись...»

По глубоко верному замечанию В. Суворова, *«для исследователя главное — факт, для пропагандиста — интонация».* Фактом было то, что *«на следующий день Рябышев снесся с Военным советом фронта и отправил Вилкова в его распоряжение».* То есть на повышение. Ну а что касается интонации, то попробуйте заменить слова *«крикнул взбешенный»* на *«спросил изумленный»* и перечитайте полученную фразу еще раз.

Кстати. Доклад замполита Вилкова на тему «Спасайся кто может» происходил в группе командиров. Помните — *«командиры обернулись».* И что же? На этот раз ни один пистолет не был выхвачен из кобуры. А ведь за такие призывы — расстреливают. Везде. Даже в самых благодушных странах за подстрекательскую, паникерскую агитацию в зоне боевых действий бывает только одно наказание — расстрел.

Но, похоже, порядки Красной Армии отличались в те дни сверхъестественной либеральностью. Ничего страшного не случилось и со вторым дезертиром:

«...прошли многие годы, но и сейчас, вспоминая Нестерова, я неизменно вижу его самодовольно восседающим в кресле комдива или трусливо околачивающимся в тылах... Много лет я ничего не слыхал о Нестерове, да и не интересовался им. Лишь два года назад жарким июльским днем встретил его на Крещатике. Круглый животик оттопыривал отутюженный китель, в руках большой желтый портфель...» [105]

Хорошо. Предположим, что командиры немного подрастерялись. Или все патроны для «ТТ» они расстреляли, поднимая в атаку своих бойцов. На Вилкова с Нестеровым пули не хватило.

Но где же «органы»? Где же славное, вечно бдящее ВЧК — ГПУ — НКВД? Уж в этом-то ведомстве патронов всегда было в избытке. Ведь сколько тысяч, миллионов людей закатали они по ст. 58-10, за «антисоветскую агитацию»! Как-то раз, в городе Иваново, они разоблачили вредителей, которые выпускали на местной ткацкой фабрике ткань, в рисунке которой «с помощью лупы можно

было рассмотреть фашистскую свастику и японскую каску». Как же они могли не разглядеть дезертира Вилкова или Нестерова с животиком?

Ответ предельно прост — пот заливал им глаза. Лето, жара, бежать тяжело...

«11 июля 1941 г.

Совершенно секретно

Начальнику Главного управления политпропаганды Красной Армии армейскому комиссару 1-го ранга т. МЕХЛИСУ

...Следует отметить, что ряд работников партийных и советских организаций оставили районы на произвол судьбы, бегут вместе с населением, сея панику. Секретарь РК КП(б)У и Председатель РКК Хмельницкого района 8.7 покинули район и бежали.

*5 июля районные руководители Янушпольского района также в панике бежали. 7 июля секретарь Улановского РК КП(б)У, председатель РИКа, прокурор, начальник милиции позорно бежали из района. Госбанк покинут на произвол судьбы. В райотделе связи остались ценности, денежные переводы, посылки и т. п. В этом районе **отдел милиции бросил без охраны около 100 винтовок**...»*

Это — один из множества отчетов, которые начальник Управления политпропаганды Юго-Западного фронта бригадный комиссар Михайлов методично отсылал в Москву.

«6 июля 1941 г.

Совершенно секретно

*...в отдельных районах партийные и советские организации проявляют исключительную растерянность и панику. Отдельные руководители районов **уехали вместе со своими семьями задолго до эвакуации районов.***

*Руководящие работники Гродненского, Новоград-Волынского, Коростенского, Тарнопольского районов **в панике бежали задолго до отхода наших частей**, причем вместо того чтобы вывезти государственные материальные ценности,*

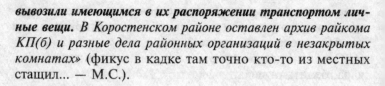
**вывозили имеющимся в их распоряжении транспортом лич-
ные вещи.** *В Коростенском районе оставлен архив райкома
КП(б) и разные дела районных организаций в незакрытых
комнатах»* (фикус в кадке там точно кто-то из местных
стащил... — М.С.).

«12 июля 1941 г.

Совершенно секретно

*...не изжиты еще случаи паники, трусости, неорганизо-
ванности и дезертирства. Эти позорные явления имеют
место в ряде частей фронта. Масса бойцов и командиров
группами и поодиночке, с оружием и без оружия продолжа-
ют двигаться по дорогам в тыл и сеять панику.*

*Так, командир 330-го тяжелого артиллерийского полка
РГК и батальонный комиссар во время налета немецкой
авиации на Дубно и мнимого движения танков противника
приказали бросить материальную часть, имущество и выступить из города. Уже в пути командиры предложили возвратиться и забрать материальную часть и боеприпасы. Не
дойдя 1,5 км к брошенному имуществу, командир полка принял разрывы снарядов нашей зенитной артиллерии за пара-
шютистов* (и по сей день вся советская военно-историче-
ская литература переполнена немецкими десантниками,
которые все режут, режут и режут наши провода. — М.С.)
и приказал вернуться назад...»

«14 июля 1941 г.

Совершенно секретно

*...имеют место факты отрицательных настроений и
явлений. Отдельные командиры совершают самочинные расстрелы. Так, сержант госбезопасности расстрелял 3 красноармейцев, которых заподозрил в шпионаже. На самом деле
эти красноармейцы разыскивали свою часть. Сам сержант — трус, отсиживался в тылу* **и первый снял знаки
различия.**

*По-бандитски поступил лейтенант 45-й стрелковой ди-
визии. Он самочинно расстрелял 2 красноармейцев, искавших*

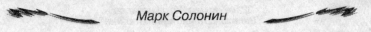

свою часть, и одну женщину, которая с детьми просила покушать.

Оба преступника преданы суду Военного трибунала...»
[68]

Уважаемый читатель! Если у вас по прочтении этих документов шевельнулась в голове нехорошая мысль о какой-то «украинской специфике» (бандеровцы, самостийщики, «западники»), то немедленно гоните ее (мысль эту) прочь. Никакой специфики. Все как у всех.

Уже на второй день войны командование Западного фронта (Белоруссия) и штабы подчиненных ему армий обменивались донесениями такого содержания:

*«...огромная масса машин занята **эвакуацией семей начсостава, которых к тому же сопровождают красноармейцы, раненых с поля боя не эвакуируют**...*

...вся дорога от Вильнюса до Молодечно забита отходящими подразделениями пехоты, артиллерии и танков...

...слабоуправляемые части, напуганные атаками с низких бреющих полетов авиации противника, отходят в беспорядке... командиры корпусов проявляют неустойчивость, преждевременно отводят части и особенно штабы...

*...вдоль Пинского шоссе скопилось очень много различных подразделений и отдельных бойцов, которые оторвались от своих частей и отходят на восток..., **командир мотоциклетного полка**, находящегося в районе г. Антополя, **не в состоянии задержать отходящих** и просит выслать специальную группу командиров с представителями особого отдела и прокуратуры...»* [40, 79]

Гомель — это совсем не Украина, и даже не Западная Белоруссия. А картина — та же самая.

«29 июня 1941 г.
Строго секретно
Бюро Гомельского обкома информирует Вас о некоторых фактах, имевших место с начала военных действий и продолжающихся в настоящее время.

1. Деморализующее поведение очень значительного числа

командного состава: **уход с фронта командиров под предло-
гом сопровождения эвакуированных семейств, групповое бегство из частей** *разлагающе действует на население и сеет
панику в тылу. 27 июня группа колхозников Корналисского
сельсовета задержала и разоружила группу военных около
200 человек, оставивших аэродром и направлявшихся в Гомель.* («Соколов» колхозники поймали — а что сталось с
боевыми самолетами? Надо полагать, они тоже вошли в
число «уничтоженных на рассвете 22 июня внезапным
ударом немецкой авиации». — М.С.) *Несколько небольших
групп и одиночек разоружили колхозники Уваровичского района...* [114]

В тот же день, 29 июня 1941 г., секретарь райкома партии из белорусского городка Лунинец докладывал по телефону в Москву:

«...*сейчас от Дрогичина до Лунинца и далее на восток до
Житковичей* (соответственно 100—200—260 км к востоку
от пограничного Бреста. — М.С.) **сопротивление противнику оказывают отдельные части, а не какая-то организованная армия**... *Место пребывания командующего 4-й армией до сих пор неизвестно, никто не руководит расстановкой сил... немцы могут беспрепятственно прийти в Лунинец,
что может создать мешок для всего Пинского направления... Проведенная в нашем районе мобилизация эффекта не
дала. Люди скитаются без цели, нет вооружения и нарядов
на отправку людей. В городе полно командиров и красноармейцев из Бреста и Кобрина, не знающих, что им делать, и
беспрестанно продвигающихся на машинах* (не весь, значит,
бензин сгорел на «разбомбленных немцами складах». —
М.С.) *на восток без всякой команды...*

*В Пинске сами в панике подорвали артсклады и нефте-
базы и объявили, что их немцы бомбами подорвали* (помните, читатель, мемуары Болдина? — М.С.), *а* **начальник гарнизона и обком партии сбежали** *к нам в Лунинец... Эти
факты подрывают доверие населения. Нам показывают какую-то необъяснимую расхлябанность*» [114].

Ельня еще на 500 км восточнее Пинска, и это уже настоящая Великороссия. Что же докладывали в ЦК ВКП(б)
30 июня члены штаба обороны Ельни?

*«...Считаем экстренно необходимым довести до сведения Политбюро ЦК, что успехам немцев... **очень во многом, если не во всем, способствовала паника, царящая в командной верхушке отдельных воинских частей, и паническая бездеятельность в местных органах.***

Стоит только ночью пролететь над районом неизвестному самолету (а при существующем у них порядке все ночью летящие самолеты для них неизвестны), как они поднимают панику о высаженном десанте противника, вопят о помощи (без этих воплей про многочисленные немецкие авиадесанты у нас ни одна книжка по истории начала войны не вышла. — М.С.)...

...С 26 на 27 июня всю ночь вели бой с мнимым десантом. А когда мы приехали со своей боевой дружиной из числа коммунистов и комсомольцев, то обнаружили, что они неизвестно в кого стреляли и в результате смертельно ранили двух бойцов...

*С 22 июня мы не получаем никаких указаний о нашей деятельности... Ни секретарь Смоленского обкома, ни председатель облисполкома не дали ни одного указания или совета и даже не отвечают на телефонные запросы... Почти единственная директива, которую мы получили 27 июня, датирована 23 числом этого месяца, где **облисполком требует сведения о состоянии церквей и молитвенных зданий...***

Даже узкий круг руководящих работников не имеет хотя бы приблизительной информации о положении на близлежащих фронтах... плюс к этому видишь, что из Смоленска бегут, а областные власти молчат (немецкая 29-я мотодивизия вошла в Смоленск только **через 16 дней после** написания этого письма. — М.С.), *и становится трудно ориентироваться и отличать правду от провокации... если дальше каждый руководящий советский партийный работник начнет заниматься эвакуацией своей семьи, то защищать Родину будет некому»* [112].

Ельня все-таки была еще довольно далека от линии фронта, и в этом городе в те дни еще не «*каждый руководящий советский партийный работник занимался эвакуацией своей семьи*». А вот Витебск в начале июля стал уже прифронтовым городом. 5 июля 41-го года военный прокурор Витебского гарнизона военюрист 3-го ранга товарищ Глинка составил обширный доклад о положении в городе:

«*...Тревожное настроение, паника, беспорядки, бестолковая и ненужная эвакуация с каждым днем и часом все больше увеличиваются. Это положение создалось в результате неправильных действий областных органов и обкома, а в остальных случаях — бездействия этих органов и обкома* (здесь прокурор практически дословно повторяет доклад товарищей из Ельни. — М.С.)... *Облисполком распустил свои отделы. Большинство работников со своими семьями уехали. Райсоветы также не работают и никакого порядка в городе не наводят. Сейчас в Витебске не найдется ни одного учреждения, которое бы работало. Закрылись и самоликвидировались все, в том числе облсуд, нарсуды, облпрокуратура, облздрав, профсоюзы и т. д.*

...тревога и паника усилились еще и тем, что в городе стало известно о том, что ответственные работники облорганизации эвакуируют сами свои семьи с имуществом, получив на ж.д. станции самостоятельные вагоны, причем жены этих ответработников из НКВД, облисполкома, парторганов и другие стали самовольно уходить с работы... Так, например, ушли с телеграфа, с телефонной сети (!!! — М.С.), *из больниц и других учреждений...*

...3, 4, 5 июля около облвоенкомата стояли толпы женщин за разрешениями и пропусками на выезд, а когда в пропусках им отказывали, то они заявляли, почему же коммунисты уехали, их жены с детьми и имуществом... среди отдельных групп рабочих, возможно отсталых, стали появляться вредные настроения и недостойные выкрики о том, что бегут коммунисты, администрация и т. д.».

Надо признать, что в докладе витебского прокурора было столько «*вредных настроений и недостойных выкриков*», что доклад этот заботливо спрятали в архивной пыли и никому не показывали — аж до 1992 г.

«*...формирование новых частей проходит плохо. На Витебск ежедневно и ежечасно идут разрозненные части группами по 5—10 человек и в одиночку, как с оружием, так и без оружия. Что делается с этими лицами и куда они на-*

правляются, толкового разъяснения никто дать не может...

Обком партии сегодня... принял постановление и огласил по радио, что организуется рабочая дивизия, и призвал рабочих вступить в ее состав. Это нужно было сделать 5 дней тому назад, а не теперь, когда рабочие находятся не на предприятиях, а у себя дома без работы... Сегодня же горком комсомола предложил зайти комсомольцам в горком и райкомы, в то время когда большинство комсомольцев из города уехало без чьего-либо разрешения...

...тюрьма ликвидировалась. Милиция работает слабо, а НКВД также сворачивает свою работу. Все думают, как бы эвакуироваться самому, не обращая внимания на работу своего учреждения...

...председатель Витебского горсовета Азаренко загрузил в приготовленный им грузовик бочку пива, чтобы пьянствовать в дороге, как он обыкновенно это делает в городе у себя на службе...» [68]

Человек без ружья

Да, да, да, уважаемые читатели, я прекрасно слышу ваши возмущенные голоса: «И охота же ему выкапывать всякую дрянь! Что за пристрастие такое к коллекционированию всякой мерзости! Почему автор видит один только негатив? Где героическая оборона Брестской крепости, где подвиг 28 героев-панфиловцев...»

Ваше возмущение мне понятно. Я тоже родился в СССР. Но извиняться — не спешу. Лучше еще раз напомню, о чем эта книга, — мы пытаемся разобраться с причинами того, почему **огромная, вооруженная до зубов, многократно превосходящая в численности** своего противника Рабоче-крестьянская Красная Армия **была за несколько недель разбита**, разгромлена и отброшена на сотни километров от западных рубежей Советского Союза. И вот теперь, покончив со всеми «живыми картинами», мы постараемся перейти от частного к общему, от субъективных мнений и воспоминаний очевидцев к сухим (но от этого ничуть не менее впечатляющим) цифрам.

Начнем с самого простого. С количественного учета

неодушевленных предметов. Самых возмущенных гнусными намеками автора читателей я посылаю на 368-ю страницу статистического сборника «Гриф секретности снят», составленного (напомню это еще раз) сотрудниками Генерального штаба Российской армии под общим руководством заместителя начальника Генштаба генерал-полковника Г.Ф. Кривошеева.

Поработав над этой страницей с калькулятором, они узнают, что за три месяца войны, с 22 июня по 26 сентября, только на южном ТВД наши войска потеряли **1 934 700** единиц стрелкового оружия всех типов, т.е. винтовок, пулеметов, автоматов и револьверов. Всего же в 1941 году Красная Армия потеряла **6 290 000 единиц стрелкового оружия** [35, с. 367].

На той же стр. 367 каждый желающий может прочитать, что на всех фронтах за шесть месяцев 1941 года было потеряно 40 600 орудий всех типов и 60 500 минометов. Ну, эти потери еще как-то объяснимы. Пушка — вещь тяжелая. Даже самая легкая (76-мм образца 1927 г.) весила без малого тонну. А если командование доверило вам 152-мм пушку образца 1935 г. весом в 17 тонн? Как ее вытащить из окружения, если тягач сломался или остался в хаосе отступления без горючего? И как переместить это чудище через первую же речушку? Вброд — завязнет, через мост — но его еще надо найти, да и не всякий мост выдерживает 17 тонн.

Потерю **20,5 тысячи танков и 17,9 тысячи боевых самолетов** советские историки объяснили давно и просто: старые, ненадежные, слабо бронированные «гробы», работали на взрывоопасном бензине... О чем тут еще спорить?

Но вот самое распространенное «стрелковое оружие» 1941 года — трехлинейная винтовка Мосина. Оружие это есть непревзойденный образец надежности и долговечности. «Трехлинейку» можно было утопить в болоте, зарыть в песок, уронить в соленую морскую воду — а она все стреляла и стреляла.

Вес этого подлинного шедевра инженерной мысли — 3,5 кг без патронов. Это значит, что любой молодой и здоровый мужчина (а именно из таких и состояла летом

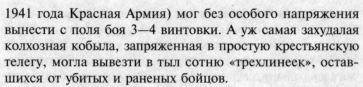

1941 года Красная Армия) мог без особого напряжения вынести с поля боя 3—4 винтовки. А уж самая захудалая колхозная кобыла, запряженная в простую крестьянскую телегу, могла вывезти в тыл сотню «трехлинеек», оставшихся от убитых и раненых бойцов.

И еще. Винтовки «просто так» не раздают. Каждая имеет свой индивидуальный номер, каждая выдается персонально и под роспись. Каждому, даже самому «молодому» первогодку, объяснили, что за потерю личного оружия он пойдет под трибунал.

Так как же могли пропасть ШЕСТЬ МИЛЛИОНОВ винтовок и пулеметов?

Не будем упрощать. На войне как на войне. Не всегда удается собрать на поле боя все винтовки до последней. Не каждый грузовик и не каждый вагон с оружием в боевой обстановке доходят до места назначения. Наконец, какое-то количество винтовок и автоматов на самом деле могли быть испорчены огнем, взрывом, заполярным холодом.

Можно ли примерно оценить размер таких «нормальных» потерь стрелкового оружия?

Разумеется, можно. Открываем ту же самую книжку «Гриф секретности снят» на странице 352, читаем.

За четыре месяца 1945 года потеряно 1 040 000 единиц стрелкового оружия.

В среднем за четыре месяца 1944 года — 937 000 единиц.

Значит ли это, что за шесть месяцев 1941 года «нормальные» для Красной Армии боевые потери стрелкового оружия должны были бы выражаться цифрой примерно в полтора миллиона единиц? Нет, это неверный, поспешный вывод. В 1944—1945 гг. численность действующей армии была в два раза больше, чем в 1941 г. (6,4 млн против 3,0 млн, см. с. 153 того же сборника). Больше людей, больше оружия, больше и потери оружия. Правильнее будет считать примерно так: в 1944 г. один миллион солдат «терял» в месяц 36 тысяч единиц стрелкового оружия, следовательно, за шесть месяцев 1941 года «нормальные» потери не должны были бы превысить 650—700 тысяч единиц. А потеряно — 6,3 млн.

Итак, налицо «сверхнормативная» утрата в 1941 г. более **5,5 миллиона** единиц стрелкового оружия. Запомните, уважаемый читатель, это число. Оно нам вскоре опять встретится. А сейчас мы постараемся оценить «сверхнормативные потери» в других видах вооружений.

Гитлеровский «блицкриг» — это, главным образом, танковая война. Главное средство противотанковой обороны того времени — противотанковые пушки. По состоянию на 22 июня 1941 г. их в Красной Армии числилось 14 900 (на самом деле — еще больше, так как составители сборника «Гриф секретности снят» почему-то не учли 76-мм и 88-мм пушки, стоявшие на вооружении ПТАБов).

За шесть месяцев 1941 г. промышленность передала в войска еще 2500 противотанковых пушек.

Итого — общий ресурс 17 400 единиц, из которого **70% (12 100 пушек)** было потеряно.

А за весь 1943 год — за все 12 месяцев — потеряно 5500 противотанковых пушек, что составило всего лишь **14,6%** от общего ресурса. В качестве примера для сравнения 1943 год выбран не случайно. Это год грандиозных танковых сражений на Курской дуге, это тот год, когда немцы начали массовое производство тяжелых танков «тигр» и «пантера», против которых наши «сорокапятки» (а именно они все еще составляли 95% от общего ресурса 1943 года) были совершенно беспомощны.

И тем не менее в 1943 г. Красная Армия теряла по 460 пушек в месяц, а в 1941 году — в то время когда два из трех немецких танков на Восточном фронте были легкими машинами с противопульным бронированием — по 2000 в месяц. В 4,5 раза больше. Но и это — абсолютно неверный подсчет.

Никакой «равномерной» потери по две тысячи пушек каждый месяц не было. Была массовая «потеря» большей части всего противотанкового вооружения в первые недели войны — и бутылки с горючей смесью, с которыми

бросались под вражеские танки защитники Ленинграда и Москвы...

Еще более «выразительными» являются пропорции потерь орудий полевой артиллерии.

В 1943 г. потеряно 5700 орудий (**9,7%** ресурса), а за шесть месяцев 1941 года — 24 400 (**56%** от общего ресурса). Условные «среднемесячные» потери 1941 года были в **8,5 раза** больше, чем в году 43-м.

Так вот — все эти пушки (минометы, пулеметы, танки, винтовки, самолеты) **были потеряны в бою или были брошены** разбежавшимися кто куда бойцами и командирами Красной Армии?

17 июля 1941 г. уже известный нам начальник Управления политпропаганды Ю-3. ф. Михайлов докладывал:

«...в частях фронта было много случаев панического бегства с поля боя отдельных военнослужащих, групп, подразделений. Паника нередко переносилась шкурниками и трусами в другие части, дезориентируя вышестоящие штабы о действительном положении вещей на фронте, о боевом и численном составе и о своих потерях.

Исключительно велико число дезертиров. Только в одном 6-м стрелковом корпусе за первые 10 дней войны задержано дезертиров и возвращено на фронт 5000 человек...

По неполным данным, заградотрядами задержано за период войны около 54 000 человек, потерявших свои части и отставших от них, в том числе 1300 человек начсостава...» [68]

Это по «неполным данным», и это только те, кого удалось в обстановке общего развала Юго-Западного фронта задержать. О количестве непойманных дезертиров можно судить по тому, что, по данным статсборника «Гриф секретности снят», потери Ю-3. ф. с 22 июня по 6 июля составили:

— 65 755 раненых и больных;

— 165 452 убитых и пропавших без вести.

С помощью буквы «и» составители сборника ловко спрятали дезертиров в общем числе безвозвратных потерь, но, принимая во внимание очень стабильное для всех вооруженных конфликтов XX века соотношение раненых и убитых как 3:1, можно предположить, что порядка 140 тысяч человек (десять дивизий!) подались в бега или сдались в плен. И это только на одном фронте и только за две первые недели войны.

Те, кого нашли и тем или иным способом вернули в строй, составляли лишь часть (как будет показано далее — малую часть) от общего числа «дезертиров». Кавычки поставлены не случайно. Обстановка, сложившаяся в Красной Армии летом 1941 г., была такова, что использование общепринятых терминов для ее описания становится крайне затруднительно.

«Типовая схема» разгрома и исчезновения воинской части Красной Армии (как это видно из множества воспоминаний, книг, документов) была следующей.

Пункт первый. Раздается истошный вопль: «Окружили!» Летом 1941 года это незатейливое слово творило чудеса. Писатель-фронтовик В. Астафьев вспоминает:

«*...но одно-единственное, редкое, почти не употребляемое в мирной жизни, роковое слово правило несметными табунами людей, бегущих, бредущих, ползущих куда-то безо всяких приказов и правил...*»

Пункт второй. Потеря командира. Причины могли быть самые разные: погиб, ранен, уехал выяснить обстановку в вышестоящий штаб, застрелился, просто сбежал.

Пункт третий. Кто-то из «бывалых», взявший на себя командование обезглавленной воинской частью, принимает решение — прорываться на восток «мелкими группами». Все. Это — конец. Через несколько дней (или часов) бывший батальон (полк, дивизия) рассыпается в пыль и прах.

Пункт четвертый. Огромное количество одиноких «странников», побродив без толку, без смысла и без еды по полям и лесам, выходит в деревни, к людям. А в деревне — немцы. Дальше вариантов уже совсем мало: сердобольная вдовушка, лагерь для военнопленных, служба в «полицаях». Вот и все.

Каким словом вправе мы назвать этих людей? Дезертиры, изменники Родины, пропавшие без вести, сдавшие-

ся в плен, захваченные в плен? Не знаю, решайте сами, уважаемый читатель. Но одну «подсказку» необходимо сделать: если приказ «разойтись и мелкими группами выходить из окружения» существовал, если он когда-то кем-то был написан чернильным карандашом на клочке оберточной бумаги, то о «дезертирстве» не может быть и речи. Приказы в армии положено выполнять. Вот только кто же сегодня сможет найти этот клочок бумаги?

Отнюдь не претендуя на то, чтобы подменять «компетентные органы» и давать персональные оценки, постараемся хотя бы ориентировочно оценить масштаб самого явления.

Открываем все тот же статсборник. Всего за время войны за дезертирство было осуждено **376 тысяч** военнослужащих [35, с. 140]. Еще **940 тысяч** человек было «призвано вторично» [35, с. 338]. Этим странным термином обозначены те бойцы и командиры Красной Армии, которые по разным причинам «потеряли» свою воинскую часть и остались на оккупированной немцами территории, а в 1943—44 гг. были повторно поставлены под ружье. Причем среди них обнаружились не только колхозные мужики в солдатских обмотках, но и два генерала: начальник артиллерии 24-й армии Мошенин и командир 189-й сд Чичканов [ВИЖ, 1992, № 12]. При этом не следует забывать и о том, что исходное число «потерявшихся» было значительно больше — далеко не каждый смог пережить эти два-три года нищеты, голода, обстрелов, расстрелов, облав и бомбежек...

На странице 140 сборника «Гриф секретности снят» суммарное число всех категорий выбывшего личного состава: убитые, умершие, пропавшие без вести, пленные, осужденные и отправленные в ГУЛАГ (а не в штрафбат, который является частью армии), демобилизованные по ранению и болезни и «прочие» — не сходится с указанным на предыдущей странице общим числом «убывших по различным причинам из Вооруженных Сил» на 2 343 000 человек. Сами авторы сборника прямо объясняют такую нестыковку «значительным числом неразысканных дезертиров».

Кроме того, к числу дезертиров следует отнести и огромное число лиц, уклонившихся от мобилизации в первые дни и недели войны. До самого последнего времени сама подобная формулировка воспринималась бы как злостная клевета. И только в 1992 г. сотрудники Генерального штаба — авторы сборника «1941 год — уроки и выводы» — впервые назвали такие **потрясающие цифры**:

«Всего на временно захваченной противником территории было оставлено **5 631 600 человек** из мобилизационных ресурсов Советского Союза... в Прибалтийском ОВО эти потери составили 810 844, в ЗапОВО — 889 112, в КОВО — 1 625 174 и в Одесском ВО — 813 412 человек...»* [3, с. 114]

Разумеется, далеко не каждый из этих **5,6 млн случаев неявки** военнообязанных на призывной пункт следует рассматривать как преднамеренное уклонение от призыва. Сплошь и рядом сам военкомат исчезал раньше, чем к нему успевали прибыть призывники. Но и преувеличивать значение быстрого продвижения вермахта, и уж тем более — объявлять это главной причиной многомиллионных потерь призывного контингента не стоит.

География с арифметикой в этом вопросе предельно простая.

Западный Особый ВО занимал территорию всей Белоруссии и Смоленской области РСФСР.

Немцы заняли большую часть этой территории только к концу июля 1941 г.

Киевский ОВО — это вся Правобережная Украина и часть левобережья в пределах Киевской области.

А немцы появились за Днепром только в сентябре.

Одесский ВО — это не только Одесская область, но и Николаевская, Херсонская, Днепропетровская, Запорожская области Украины, Молдавия и Крым. Оккупация этих огромных пространств Причерноморья и Приазовья была завершена только поздней осенью 1941 года, но и этого времени оказалось мало для сбора призывников, на который по всем планам отводились **считаные дни**. Так, в Ворошиловградской области к 16 октября 1941 г. на Артемовский призывной пункт явились только 10% мобилизо-

ванных, на Климовский — 18%. По Харьковскому военному округу по состоянию на 23 октября 1941 г. прибыло всего 43% общего количества призванных. Нередкими в то время были случаи бегства мобилизованных во время транспортировки их в части действующей армии. По сообщениям военкоматов Харьковской и Сталинской областей, в конце октября 1941 г. процент дезертиров из числа новобранцев составлял по Чугуевскому райвоенкомату — около 30%, Сталинскому — 35%, Изюмскому — 45%...

Столько и еще раз столько

Война не бывает без потерь, без убитых, без раненых. И без пленных. Никому еще не удавалось так организовать боевые действия, чтобы ни один солдат, ни одно подразделение не оказались в беспомощном состоянии, в окружении, без оружия и боеприпасов.

Вот и в вермахте, несмотря на всю немецкую организованность и любовь к порядку, за первые три года Второй мировой войны (до 1 сентября 1942 г.) общее число без вести пропавших и пленных достиг 69 тысяч человек. В среднем — по две тысячи человек каждый месяц. Это — по немецким, вероятно заниженным, учетным данным.

По данным советского Генерального штаба, за первый год войны (до 1 июля 1942 г.) Красная Армия взяла в плен 17 285 солдат и офицеров противника. В следующий год (до 1 июля 1943 г.) было взято в плен 534 тысячи человек. Правда, большая часть этих пленных была из состава окруженных на Дону и у Сталинграда армий союзников Германии (всего за время войны в советский плен попало 765 тысяч венгров, румын и итальянцев).

Летом 1944 года в ходе грандиозной и блестяще проведенной наступательной операции советских войск в Белоруссии (операция «Багратион») была практически полностью разгромлена немецкая группа армий «Центр». Около 80 тысяч военнослужащих вермахта оказались тогда в советском плену.

Все познается в сравнении. То, что произошло летом и осенью 41-го года с Красной Армией, выходит за все рамки обычных представлений. История войн такого еще не знала.

Потери пленными и пропавшими без вести в 1941 году составили (в процентах от «среднемесячной списочной численности личного состава») [35, с. 234—244]:

на Северо-Западном фронте — 55%;

на Западном фронте — 159% (это не опечатка, фронты постоянно получали пополнение, поэтому суммарные потери могут быть больше 100% от среднемесячной численности);

на Юго-Западном фронте — 128%;

на Южном фронте — 49%.

При оценке относительно «скромных» цифр Южного фронта не следует забывать о том, что техническая оснащенность румынской армии просто не позволяла ей проводить крупные операции по охвату и окружению противника....

По мнению составителей сборника «Гриф секретности снят», пленные составляли порядка 89% от общего числа пленных и пропавших без вести [35, с. 338]. Таким образом, **именно массовое пленение было основной причиной огромных потерь** Красной Армии в начале войны.

В частности, на основном стратегическом направлении войны, на Западном фронте, число пропавших без вести и пленных превысило в 41-м году число убитых более чем в СЕМЬ РАЗ [35, с. 236].

В частности, за 32 дня своего существования летом 1941 г. Центральный фронт потерял:

убитыми — 9199 бойцов и командиров;

пропавшими без вести и пленными — 45 824;

и еще 55 985 человек проходят по графе «небоевые потери» [35, с. 243].

Другими словами, «небоевые потери» и потери пленными в ОДИННАДЦАТЬ РАЗ превысили число павших в бою с противником. Это — армия? Это — война? Великая Отечественная?

Вообще, на этой графе — «небоевые потери» — стоит остановиться более внимательно. При помощи своей любимой буквы «и» составители сборника объединили

«умерших от болезней и погибших в результате происшествий». А ведь это — две большие разницы. Однако расшифровать эту головоломку не так уж и трудно.

На той же странице 146 в той же таблице 69 приведено и общее число заболевших военнослужащих. Их во всей Красной Армии за вторую половину 1941 г. набралось 66 169 человек. Увы, не всякая болезнь заканчивается выздоровлением. Известно, что 7,5% раненых и больных, поступивших за годы войны в госпитали, умерли [35, с. 136]. Вероятно, мы не слишком сильно ошибемся, если перенесем эти же пропорции и на одних только заболевших. В таком случае можно предположить, что 5—6 тысяч заболевших (из общего числа в 66 169) вылечить врачам не удалось.

Но в графе *умершие от болезней и погибшие в результате происшествий* числится не пять, а **235 тысяч**! Так что же это за «происшествия» такие, что число погибших в них оказалось **больше, чем число убитых** и пропавших без вести на Восточном фронте военнослужащих вермахта?

Приведенные выше чудовищные цифры скорее всего значительно занижены. Реальность была еще страшнее и позорнее. Дело в том, что, по данным сборника «Гриф секретности снят», общее число пропавших без вести и пленных по всем фронтам якобы составило всего лишь 2335 тысяч человек [35, с. 146], в то время как немецкие источники определяют число одних только пленных, захваченных вермахтом в 1941 г., в 3600—3800 тысяч человек.

Военная пропаганда врага? Как знать, немцы были очень аккуратны и сдержанны в этом вопросе. Так, выступая 11 декабря 1941 г. в рейхстаге, Гитлер заявил, что Красная Армия потеряла 21 тысячу танков, 17 тысяч самолетов, 33 тысячи орудий и **3 806 865 военнопленных** [115]. Как видно, цифры потерь боевой техники в целом не превышают официальные данные современной российской военной истории, а потери орудий так даже и занижены! Схожая цифра — 3,6 млн пленных, оставшихся в живых по состоянию на конец февраля 1942 года, — называется и в переписке Кейтеля и Розенберга, переписке

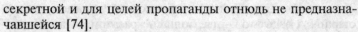

секретной и для целей пропаганды отнюдь не предназначавшейся [74].

За шесть месяцев 1941 г. в плену оказалось **шестьдесят три генерала.** А всего за время войны — 79 генералов (мы не стали причислять к этому перечню генералов А.Б. Шистера, М.О. Петрова, Ф.Д. Рубцова, И.А. Ласкина, Ф.А. Семеновского, которые находились в плену всего несколько часов или дней).

Разумеется, плен плену рознь. Автор совершенно не призывает мазать всех одним дегтем. Многие генералы (Лукин, Карбышев, Ткаченко, Шепетов, Антюфеев, Любовцев, Мельников и другие, всего порядка двадцати человек) были захвачены противником ранеными, в беспомощном состоянии.

Многие из тех, кто оказался в плену, в дальнейшем отвергли все попытки врага склонить их к сотрудничеству и были расстреляны или замучены гитлеровцами. Так погибли генералы Алавердов, Ершаков, Карбышев, Макаров, Никитин, Новиков, Пресняков, Романов, Сотенский, Старостин, Ткаченко, Тхор, Шепетов. Генералы Алексеев, Огурцов, Сысоев, Цирульников бежали из плена, перешли линию фронта или примкнули к партизанским отрядам [20, 124].

Все это — правда. Другая часть горькой правды состоит в том, что большая часть плененных генералов явно забыла, что личное табельное оружие было им выдано не только для того, чтобы поднимать в атаку своих подчиненных. Нынешним гуманистам, призывающим войти в «тяжелое положение беззащитных генералов», следовало бы вспомнить о том, что каждый сдавшийся врагу командир губил тем самым тысячи своих солдат, отдавал фашистам на растерзание сотни тысяч мирных жителей. И мера ответственности за разгром армии и разорение страны для мобилизованного колхозного мужика и осыпанного всеми благами жизни генерала (которого государство наделило правом распоряжаться жизнью и смертью тысяч таких мужиков) должна, наверное, быть разной.

Уже к концу июля 1941 г. поток военнопленных превысил возможности вермахта по их охране и содержанию.

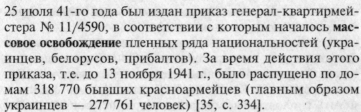

25 июля 41-го года был издан приказ генерал-квартирмейстера № 11/4590, в соответствии с которым началось **массовое освобождение** пленных ряда национальностей (украинцев, белорусов, прибалтов). За время действия этого приказа, т.е. до 13 ноября 1941 г., было распущено по домам 318 770 бывших красноармейцев (главным образом украинцев — 277 761 человек) [35, с. 334].

И советское руководство сочло необходимым как-то отреагировать на такое неслыханное поведение своих подданных. Во всех частях и подразделениях был зачитан знаменитый Приказ Ставки № 270 от 16 августа 1941 г. Нужны ли какие-то комментарии к вопросу о моральном состоянии Красной Армии, если в ней издавались приказы такого содержания:

«...командиров и политработников, во время боя срывающих с себя знаки различия и дезертирующих в тыл или сдающихся в плен врагу, считать злостными дезертирами, семьи которых подлежат аресту...

...если часть красноармейцев вместо организации отпора врагу предпочтут сдаться ему в плен — уничтожать их всеми средствами, как наземными, так и воздушными, а семьи сдавшихся в плен красноармейцев лишать государственного пособия и помощи...» [ВИЖ, 1988, № 9].

Увы, даже такими мерами пробудить воспетую в свое время Ворошиловым «любовь советских людей к войне» не удалось. Красноармейцы продолжали бросать оружие и толпами разбредались по лесам. Не прошло и месяца со дня выхода Приказа № 270, как 12 сентября была принята Директива Ставки № 001919 о создании заградительных отрядов, численностью не менее одной роты на стрелковый полк. Во первых строках этой Директивы говорилось дословно следующее:

*«Опыт борьбы с немецким фашизмом показал, что в наших стрелковых дивизиях имеется немало панических и прямо враждебных элементов, которые **при первом же нажиме со стороны противника** бросают оружие, начинают кричать: «Нас окружили» и увлекают за собой остальных бойцов. В результате дивизия обращается в бегство, бросает материальную часть и потом одиночками начинает выхо-*

дить из леса. Подобные явления **имеют место на всех фронтах**...» (подчеркнуто мной. — М.С.) [5, с. 180]

К моменту выхода этой директивы в немецком плену
находилось уже полтора миллиона бойцов и командиров
Красной Армии. По крайней мере, такая цифра фигури-
рует в переписке Кейтеля и Канариса. Причем стоит отметить и то, что Канарис пишет про полтора миллиона
«трудоспособных военнопленных», т.е. именно сдавшихся
в плен, а не захваченных после тяжелого ранения.

Более того, в первые же недели войны немцы столк-
нулись с массой перебежчиков, которые спешили покинуть расположение своей части и сдаться в немецкий
плен еще до боя. Для их содержания вермахту пришлось
даже создать несколько специальных лагерей.

Правда, в докладе Комиссии по реабилитации жертв
политических репрессий сообщается, что число перебежчиков в Красной Армии было совсем малым: «*в первый год
войны не более 1,4—1,5% от общего числа военнопленных*»
[74]. Да, в процентном отношении это почти ничего. Но в
абсолютных цифрах — по меньшей мере 40 тысяч человек. Сравнивать это с числом немецких перебежчиков
просто невозможно — количество перебежчиков в вермахте за три первых года войны выражалось двузначным
числом 29.

Само звучание слова «перебежчик» может вызвать в
воображении читателя образ человека, бегущего по полю
и истошно вопящего: «Нихт шиссен, Сталин капут!» Бывало, разумеется, и так.

А бывало и совсем по-другому. Например, 22 августа
1941 г. ушел к немцам майор И. Кононов, член партии
большевиков с 1929 г., кавалер ордена Красного Знамени,
выпускник Академии имени Фрунзе. Ушел вместе с большей частью бойцов своего 436-го стрелкового полка
(155-я сд, 13-я армия, Брянский фронт), с боевым знаменем и даже вместе с комиссаром (!) полка Д. Панченко.
К сентябрю 1941 г. сформированный из военнопленных
под командованием Кононова «102-й казачий дивизион»
вермахта насчитывал 1799 человек [74, 119].

Десятки летчиков перелетели к немцам вместе с бое-

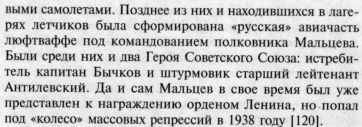

выми самолетами. Позднее из них и находившихся в лагерях летчиков была сформирована «русская» авиачасть люфтваффе под командованием полковника Мальцева. Были среди них и два Героя Советского Союза: истребитель капитан Бычков и штурмовик старший лейтенант Антилевский. Да и сам Мальцев в свое время был уже представлен к награждению орденом Ленина, но попал под «колесо» массовых репрессий в 1938 году [120].

За добровольную сдачу в плен и сотрудничество с оккупантами после войны было расстреляно или повешено **двадцать три** бывших генерала Красной Армии (это не считая тех, кто получил за предательство полновесный лагерный срок). Среди них были и командиры весьма высокого ранга:

— начальник оперативного отдела штаба Северо-Западного фронта Трухин;

— командующий 2-й Ударной армией Власов;

— начальник штаба 19-й армии Малышкин;

— член Военного совета 32-й армии Жиленков;

— командир 4-го стрелкового корпуса (3-я армия) Егоров;

— командир 21-го стрелкового корпуса (Западный фронт) Закутный.

Да, десять человек из числа казненных генералов были в конце 50-х посмертно реабилитированы. Но при этом не следует забывать, что реабилитации 50-х годов проводились по тем же самым правилам, что и репрессии 30-х. Списком, без всякого объективного разбирательства, по прямому указанию «директивных органов»...

В начале октября 1941 г. паника, охватившая высшее командование РККА, дошла до того, что Г.К. Жуков (в то время командующий Ленинградским фронтом) отправляет в войска шифрограмму № 4976 следующего содержания:

«...разъяснить всему личному составу, что все семьи сдавшихся врагу будут расстреляны и по возвращении из плена они (сдавшиеся. — М.С.) *также будут все расстреляны...»* [117, с. 429]

Слава богу, до такого дело не дошло, но стрельба по

своим не прекращалась ни на день. Только за неполные четыре месяца войны (с 22 июня по 10 октября 1941 г.) по приговорам военных трибуналов и Особых отделов НКВД было расстреляно 10 201 военнослужащий. А всего за годы войны только военными трибуналами было осуждено свыше 994 тысяч советских военнослужащих, из них 157 593 человека расстреляно [118, с. 139]. ДЕСЯТЬ ДИВИЗИЙ расстрелянных!

Все познается в сравнении. Немецкий историк Фриц Ган на основании докладных записок, которые командование вермахта подавало Гитлеру, приводит следующие цифры [60]. За три года войны (с 1 сентября 39-го по 1 сентября 42-го года) в многомиллионном вермахте было приговорено к смертной казни 2271 военнослужащий, в том числе 11 офицеров. 2 человека в день. А в Красной Армии в 1941 году — 92 человека в день.

Всего за четыре года войны (с 1.09.39 по 1.09.44 г.) в вермахте расстреляли 7810 солдат и офицеров. **В двадцать раз меньше**, чем в Красной Армии.

И дезертиры в рядах вермахта обнаруживались. Мюллер-Гиллебранд утверждает, что во всех Вооруженных силах Германии (армия, авиация, флот) за четыре последних месяца войны (с января по май 1945 г.) дезертировало 722 человека [11, с. 712]. А в предшествующие годы количество дезертиров в вермахте и вовсе измерялось двузначными числами.

Нет, это не просто разные цифры, разные количества. Это уже разное качество общества и власти. Стоит отметить и то, что массовая сдача красноармейцев в немецкий плен отнюдь не закончилась в 1941—1942 гг. Из доклада Комиссии по реабилитации жертв политических репрессий следует, что **даже в 1944 году — во время общего наступления** Красной Армии на всех фронтах — в плен попало **203 тысячи** бойцов и командиров [74. с. 154].

Теперь подведем некоторый арифметический итог. Не претендуя на абсолютную точность этих цифр (сама природа таких явлений, как дезертирство и плен, исключает возможность точного, поименного учета), попытаемся оценить общее число пленных и дезертиров 1941 года.

Открываем сборник «Гриф секретности снят» и на странице 152 читаем, что среднемесячная численность действующей армии к концу 1941 г. не только не увеличилась, но даже несколько снизилась (2 818 500 против 3 334 400). Единственно возможное объяснение такой динамики — численность пополнения была меньше размера потерь. Постараемся оценить обе эти составляющие.

Какие людские ресурсы получила во второй половине 1941 года Красная Армия?

Всего до конца 1941 г. было мобилизовано 14 млн человек [3, с. 109]. Разумеется, далеко не все они попали в действующую армию. Действующая армия — это только одна из составляющих частей Вооруженных Сил. Есть еще тыловые, учебные, испытательные службы, есть склады и полигоны, военные строители и военные медики... Так, к началу войны службу в Красной Армии и ВМФ несли 4 901 852 человека. Еще 768 тыс. человек было призвано перед войной на «учебные сборы в войсках». Итого — 5,67 млн. Но из них в составе действующих фронтов 22 июня находилось только 3,3 млн человек (58% от общей численности). В дальнейшем среднемесячная численность Вооруженных Сил Советского Союза выросла до 11,4 млн человек (июль 1945 г.), но доля личного состава действующей армии осталась прежней — 6,5 млн, или 57% от общего числа военнослужащих [35, с. 138, 152].

Исходя из таких пропорций (57—58%), можно вполне обоснованно предположить, что из общего числа призванных по мобилизации в 1941 году лишь 8 млн человек поступило в состав действующей армии. И это — минимальная оценка. Трудно поверить в то, что 6 млн мобилизованных 41-го года крепили оборону в глубоком тылу в то время, когда в московские ополченческие дивизии записывали негодных к строевой «очкастых» профессоров. Кроме того, в состав действующих фронтов летом 1941 г. вошли армии второго стратегического эшелона, затем — войска ранее считавшихся тыловыми внутренних округов, а в конце года — части Дальневосточного фронта.

Таким образом, эта (исключительно важная для всего дальнейшего расчета) цифра — 8 млн человек, влившихся в состав действующей армии в 1941 г., — нами не только не завышена, но скорее всего занижена. А это значит, что действующая армия **потеряла в 1941 г., как минимум, 8,5 млн человек**!

(8 000 000 + 3 334 400 — 2 818 500)

А теперь — самое главное: из каких же составляющих сложилась эта кошмарная цифра?

Наиболее достоверными (по мнению автора) являются данные по количеству раненых, поступивших на излечение в госпитали. В глубоком тылу и порядка было больше, и учет был по меньшей мере двойной (и при поступлении, и при выписке). Так вот, все санитарные потери действующей армии (раненые и заболевшие) авторы сборника «Гриф секретности снят» определили в 1 314 тыс. человек. Исходя из постоянного для всех войн XX века соотношения раненых и убитых как 3:1, можно предположить, что более 400 тысяч человек погибло на поле боя.

Фактически, точнее говоря — по сводкам штабов частей и соединений действующей армии, число убитых и умерших от ран в госпиталях составило 567 тысяч человек [35, с. 146]. Еще 235 тыс. человек погибло в результате каких-то странных «происшествий» и умерло от болезней.

Даже если предположить самое худшее — ни один раненый 1941 года так и не вернулся в строй — и на этом (явно абсурдном) основании прибавить к числу убитых и умерших ВСЕ санитарные потери (1 314 тысяч), то и тогда получается, что боевые потери 1941 г. (т.е. убитые, раненые, умершие от болезней) составляют не более 2,1 млн человек.

Вывод — из действующей армии **бесследно «убыло» по меньшей мере 6,4 млн человек.**

Столько, сколько было в действующей армии 22 июня 1941 года, и еще раз столько.

Полученный нами результат неточен и, скорее всего, занижен. Весь расчет базируется на очень зыбком предположении о том, что только 57% призывников 1941 г. поступило до конца этого года в действующую армию. Кроме того, значительная часть из 1,3 млн раненых до конца

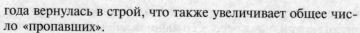

года вернулась в строй, что также увеличивает общее число «пропавших».

Тем не менее наша оценка (6,4 млн) не противоречит тем цифрам, что были названы выше:

— **3,8 млн человек взято немцами в плен**;

— **1,0—1,5 млн дезертиров** уклонились и от фронта и от плена.

Разница (6,4—3,8—1,5), то есть **миллион людей,** — это, как ни страшно такое писать, раненые, брошенные при паническом бегстве, и неучтенные в донесениях с фронта убитые.

И что странно — советские «историки» никогда не считали это одной из причин (хотя бы даже самой малозначимой причиной) того, что они называли «временными неудачами Красной Армии».

Вот плохой маслофильтр на танковых дизелях — это важная причина разгрома, о нем и пишут много, а на двигателе АМ-35 свечи после трех боевых вылетов приходилось менять — и об этом исписаны горы бумаги, а в амбразурах дотов Киевского УРа стояли пулеметные заслонки устаревшего образца.

Все это — важные темы для обсуждения. А то, что МИЛЛИОНЫ солдат Красной Армии разбрелись неведомо куда — это мелочи, это с другой полочки, это к истории войны отношения не имеет...

Бремя выбора

Фанатическое упорство, с которым цепи красноармейцев шли по пояс в снегу на убийственный огонь финских пулеметов, потрясло воображение западных военных специалистов. Они и по сей день пишут книжки про «загадочную славянскую душу», про свойственный русскому крестьянину «фатализм» и прочие премудрости. Оно и неудивительно. Сытый голодного не разумеет.

В феврале 1940 г. у красноармейца на Карельском перешейке (как и у всякого человека во все времена) был выбор. Можно было, под крик и мат политрука, пойти в атаку. Скорее всего — убьют.

В родную деревню пришлют извещение, что пал смертью храбрых в боях с белофиннами. Вдове дадут хоть какое-то пособие. Сыну погибшего, бог даст, разрешат уехать из колхоза в город, там он в ФЗУ поступит, человеком станет. А если повезет? Если не убьют, а только ранят? Если санитары подберут раньше, чем замерзнешь в снегу? Тогда и медаль дадут, и сапожничать, как инвалиду войны, разрешат. Все лучше, чем в колхозе за «палочки» батрачить.

Можно послать политрука куда подальше и убежать в лес. Вот он лес — рядом. Тогда все очень просто становится. Чем война закончится — гадать не надо. После войны всех, кто финнам сдался, найдут и расстреляют. Или в лагере сгноят. Всех, кто в лесу спрятался, тоже найдут и расстреляют. Всю жизнь в лесу не просидишь. Тут вам не Сингапур с Окинавой. Климат другой. И никто тебя от НКВД прятать не станет. Найдут и шлепнут. А уж о том, что будет с семьей «предателя и врага народа», даже думать неохота. Такая вот простая «альтернатива». Где уж людям Запада ее понять...

Летом 1941 года случилось небывалое. Перед советским человеком открылась возможность выбирать свою судьбу без страха перед «родной партией» и ее славным «вооруженным отрядом».

Нету его, НКВД, и дверь в райкоме партии настежь распахнута, и гипсовая голова вождя любимого на крыльце валяется. А немцы все прут и прут, в сводке уже про «вяземское направление» пишут.

Тут и дураку ясно, какое «направление» следующим будет. Знающие люди говорят, что «усатый» из Москвы уже сбежал, в Кремле двойник его сидит, немцев дожидается. И куда же нам, простым мужикам, податься?

Молчаливое большинство (а у нас в стране оно после 1937 г. особенно молчаливым было) решало этот вопрос так, как показано в предыдущих главах. Не было ни митингов, ни «солдатских комитетов». Молча бросали винтовку, молча вылезали из опостылевшей стальной коробки танка, срывали петлицы и пристраивались к огромной колонне пленных, которая в сопровождении десятка не-

мцев-конвоиров брела на запад. Жаль, не дожил великий пролетарский поэт до этих дней, не увидел, как может материализоваться его метафора «*где каплей льешься с массою...*»

Но. Были — и с каждым месяцем их становилось все больше — те, кого не устраивало пассивное ожидание развязки. И на фронте, и в немецком тылу нашлись те, кто поспешил на службу к новым «хозяевам».

Весьма значимой формой сотрудничества с оккупантами стало участие бывших советских граждан в военной пропаганде врага. Под контролем гитлеровцев издавалось несколько сотен газет, велись радиопередачи на русском, украинском и других языках. Некоторые местные газеты (например, орловская «Речь» и псковская «За Родину») распространялись на всей оккупированной территории РСФСР [159]. Первоначально эта «пресса» разрабатывала две основные темы: разжигала дикую, животную ненависть к евреям и рассказывала о светлом будущем, которое наступит после победы «доблестной германской армии». Вскоре все это было вытеснено главной идеей: о необходимости добровольным каторжным трудом отблагодарить фашистских захватчиков за «освобождение».

Кстати, о труде. Нельзя пройти мимо того факта, что работу железных дорог на оккупированных территориях обеспечивало 615 тыс. человек (на 1 января 1943 г.), из которых 511 тысяч были бывшими советскими гражданами... [151, с. 100]

В первые же месяцы войны во всех оккупированных районах СССР начинают создаваться всевозможные «службы порядка», «оборонные команды», «охранные отряды», в просторечии называемые «полицаями». Различными были не только названия, но и способ формирования и порядок подчинения этих сил.

Первоначально многие из этих подразделений были созданы (особенно в сельской местности) самими крестьянами как отряды самообороны, защищавшие жителей от наводнивших леса банд вооруженных дезертиров. Указания Сталина о превращении всей оккупированной немцами территории в выжженную пустыню весьма способствовали росту численности «полицаев». Легендарный патриарх советских диверсантов, участник четырех войн полковник И. Старинов в статье, написанной в 2000 году, говорил: *«Получилось, что мы сами подтолкнули местных жителей к немцам... после этого лозунга немцы сформировали полицию численностью около 900 тыс. человек»* [151, с. 267].

Эта цифра — 900 тыс. человек — скорее всего многократно завышена. Она, надо полагать, просто отражает личные впечатления практика партизанской войны о том, что «полицаи были на каждом шагу». По данным современных российских исследователей, численность «полицаев» в оккупированных областях РСФСР была существенно меньше — порядка 70—80 тысяч к концу 1942 г. [154, 155, 157].

По мере того как фронт уходил все дальше на восток, оккупационные власти приводили все эти самочинные вооруженные формирования к нужному им «общему знаменателю». Единой формы для «полицаев» так и не появилось, но нарукавные повязки стали пронумерованными и с печатью немецкой комендатуры, разрешение на право ношения оружия надо было возобновлять, как правило, каждый месяц. Наряду с наиболее многочисленной по составу «местной полицией» были созданы полицейские батальоны численностью в 500—600 человек, в обязанность которых входило проведение крупных карательных акций. Командный состав в них был в основном немецким. Когда «добровольцев» стало не хватать для борьбы со все усиливающимся партизанским движением, «полицаев» стали набирать и в принудительном порядке.

Весьма распространенным стал «импорт» карателей из других регионов. Так, в трехмиллионной Литве уже в первые месяцы войны было создано 22 полицейских батальона. 26 полицейских батальонов общей численностью 10 тыс. человек было создано в маленькой Эстонии. В Латвии к лету 1944 г. общая численность всякого рода полицейских, охранных, пограничных частей составила более 50 тыс. человек. Большая часть этих сил действовала за пределами Прибалтики — главным образом в Белоруссии, в Польше, в Ленинградской области, где они «прославились» совершенно невероятным, даже по меркам того безумного времени, зверством в проведении карательных акций в партизанских районах. Летом-осенью 1944 г. началось укрупнение, сведение всех местных «охранных» частей в крупные войсковые формирования. В Эстонии была сформирована 20-я дивизия СС и некая 300-я дивизия особого назначения. Две (15-я и 19-я) дивизии СС были сформированы в Латвии.

Относительно меньшим было число пособников оккупантов в нищей Белоруссии, но и там обстановка разительно отличалась от заданного советской пропагандистской литературой представления о «партизанском крае». К осени 1941 г. численность «корпуса белорусской самообороны» превысила 20 тысяч человек. В апреле 1944 г. началось формирование 39 батальонов так называемой «белорусской краевой обороны», которая, по замыслу ее создателей, должна была стать не полицейским, а полноценным войсковым соединением, способным вместе с частями вермахта остановить наступление Красной Армии. Наконец, поздней осенью 1944 г. из остатков всяческих белорусских коллаборационистских формирований была создана 30-я дивизия СС. Стоит отметить и такой факт: из доклада генерала НКВД Кобулова следует, что с сентября 1944 по март 1945 г. в Белоруссии было арестовано порядка 100 тысяч «дезертиров и пособников оккупантов» [129, 154, 155, 157].

Еще одним регионом, в котором переизбыток пособников оккупантов позволял экспортировать отряды карателей на соседние территории, стала Украина. К лету 1942 г. там было сформировано 70 полицейских батальонов общей численностью 35 тыс. человек. Кроме того, более 150 тыс. человек состояло в местных охранных отрядах так называемой «украинской национальной самообороны».

Стоит особо подчеркнуть, что речь здесь идет именно о подчиненных немецким властям «полицаях», а не о вооруженных формированиях украинских националистов [155, 157].

Наряду с организацией (или «приручением») охранных, полицейских сил немцы уже осенью 1941 г. перешли к планомерному формированию «национальных» частей вермахта, укомплектованными бывшими советскими гражданами (если только слово «гражданин» вообще применимо к подданным сталинской империи). Так, было создано в общей сложности порядка 90 «восточных» батальонов: 26 «туркестанских», 13 «азербайджанских», 9 «крымско-татарских», 7 «волго-уральских» и т.д. Правда, использовали немцы эти «остбатальоны» всегда по раздельности, видимо опасаясь сосредотачивать на одном участке фронта множество «инородцев». Исключением из этого правила была 162-я Тюркская пехотная дивизия, которая, как следует из немецких документов, *«была столь же хороша, как и обычная дивизия вермахта»*. Правда, половину «тюрок» в этой дивизии составляли немцы из стран Восточной Европы («фольксдойче»), да и воевала она в Италии [119].

В апреле 1943 г. во Львове началось формирование украинской дивизии войск СС «Галичина».

До 2 июля 1943 г. на вербовочные пункты прибыло 53 тысячи добровольцев, из которых годными к службе в СС было признано только 27 тысяч, а фактически зачислено в состав формирующейся дивизии 19 тысяч человек. Первая встреча с регулярной Красной Армией состоялась в июле 1944 г. в сражении под Бродами, где «Галичина» была практически полностью разгромлена. Остатки дивизии были отведены в Словакию, доукомплектованы до штатной численности, после чего украинские эсэсовцы участвовали в подавлении Словацкого национального восстания, а также в боях против югославских партизан [155].

Весьма многочисленными были казачьи войска. Гитлер объявил казаков потомками «расово близких» готов (а не славян) и в апреле 1942 г. официально присвоил им статус «военных союзников Германии». В сентябре 1942 г. в Новочеркасске был проведен «казачий круг» и сформирован «штаб Войска донского». Тогда же началось формирование «донских», «кубанских», «терских» полков.

Кроме того, более десяти «казачьих полков» было

сформировано на Украине из числа военнопленных, бывших или назвавших себя казаками. В итоге к весне 1943 г. в составе вермахта воевало более 20 казачьих полков общей численностью порядка 30 тысяч человек. Кроме этих, достаточно крупных, формирований создавались разведывательно-диверсионные казачьи сотни. Так, в мае 1942 г. в 17-й полевой армии вермахта был издан приказ о создании при каждом армейском корпусе по одной казачьей сотни и еще двух сотен — при штабе армии. В июне того же 1942 г., после окружения и разгрома советских войск под Харьковом, в полосе наступления 40-го танкового корпуса вермахта скопилось такое количество пленных, что для их конвоирования по приказу командира корпуса генерала Швеппенбурга из числа тех же пленных был экстренно сформирован и вооружен казачий дивизион численностью 340 человек. Своя казачья сотня появилась в сентябре 1942 г. даже в составе 8-й итальянской армии, позднее разгромленной под Сталинградом.

Весной 1943 года, после участившихся случаев дезертирства и перехода целых подразделений казачьих частей на сторону партизан, большинство казачьих формирований были выведены в Польшу, где на их базе в июле 1943 г. была создана «1-я казачья кавдивизия вермахта». Правда, командовал ею немецкий полковник фон Паннвиц, да и каждый четвертый «казак» в этой 18-тысячной дивизии был немцем. Дивизия отправилась в Югославию для борьбы против партизан Тито. Наконец, в феврале 1945 г. началось развертывание 15-й казачьего корпуса СС численностью 25 тыс. человек. Созванный по инициативе Кононова «всеказачий круг» избрал Паннвица «походным атаманом» и принял решение о переходе корпуса в состав мертворожденной «армии» генерала Власова... [119, 155]

Весьма многочисленными были (как и следовало ожидать) «русские» формирования. Уже в марте 1942 г. в поселке Осинторф (между Оршей и Смоленском) началось формирование так называемой «русской народной национальной армии» (правда, по своей численности эта «армия» так и не дотянула до стандартной стрелковой дивизии). Первоначально командирами в РННА были офицеры из «белой эмиграции», затем, в сентябре 1942 г., немцы назначили командующим полковника Красной Армии В.И. Боярского — бывшего начштаба 31-го стрелкового корпуса (это тот самый корпус, который в июне 1941 г. должен был укрепить оборону 5-й армии на Луцком направлении, о чем мы многократно упоминали в части 3). Начальником «организационно-пропагандистского отдела» РННА стал бригадный комиссар (!), бывший член Военного совета 32-й армии Жиленков. В ноябре 1942 г., после многочисленных случаев перехода бойцов РННА к партизанам, эта «армия» была переодета в немецкую форму и переформирована в 700-й «добровольческий» полк вермахта [119].

Все в том же марте 1942 г. в лагере военнопленных под Сувалками (Польша) под руководством «кураторов» из СД создается «национальная партия русского народа», в дальнейшем переименованная в «боевой союз русских националистов». При этой «партии» под командованием бывшего подполковника Красной Армии, бывшего начштаба 229-й стрелковой дивизии В. Гиля (взявшего себе псевдоним «Родионов») была сформирована воинская часть «Дружина», численностью 500 человек. Начальником контрразведки у Гиля служил бывший генерал-майор Красной Армии П. Богданов. В мае 1943 г. «Дружина», численность которой, по разным данным, составляла от 3 до 7 тыс. человек, была переформирована в «1-ю русскую национальную бригаду СС». Новоявленных «эсэсовцев» немцы снабжали французским коньяком, шоколадом, бразильским кофе. Обильную жратву «бригада» отрабатывала карательными операциями в партизанских районах Белоруссии. Тем временем фронт войны покатился на запад, и Гиль решил еще раз сменить хозяев. Получив от агентов НКВД обещание полной амнистии, «дружинники» 16 августа 1943 г. перебили немецких офицеров, загрузили в самолет и отправили в Москву генерала Богданова и других, особо ретивых, пособников оккупантов. Бригада СС была переименована в «1-ю антифашистскую партизанскую бригаду», которая в дальнейшем активно и

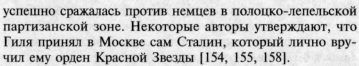

успешно сражалась против немцев в полоцко-лепельской партизанской зоне. Некоторые авторы утверждают, что Гиля принял в Москве сам Сталин, который лично вручил ему орден Красной Звезды [154, 155, 158].

Наиболее заметным, поистине уникальным явлением в истории массового сотрудничества с оккупантами стала «республика Локоть» и ее «русская освободительная народная армия» (РОНА).

Локоть — это небольшой поселок, затерянный в лесах в 80 км южнее Брянска. В первых числах октября 1941 г. в этих местах происходила одна из самых успешных операций вермахта — бросок танковой армии Гудериана от «киевского мешка» через Орел на Мценск и Тулу. Обгоняя стремительно наступающие немецкие танковые дивизии, из Орла и Брянска стремительно разбегалось партийное, военное, энкавэдэшное и всякое прочее начальство. На несколько дней — до подхода пехотных частей вермахта, отставших на 150—200 км от танкистов Гудериана — на огромной территории двух областей воцарилась полная анархия. Толпы мародеров грабили магазины, непонятные вооруженные люди в шинелях со споротыми погонами отбирали у крестьян продукты, быстро, просто и беспощадно разрешались старые споры, самые дальновидные начинали составлять списки соседей-евреев...

Одним словом — все было как везде. В этой обстановке два инженера (оба из красноармейцев-добровольцев 1918 года, оба «выдвиженцы» 20-х и репрессированные «вредители» 30-х годов), Б. Каминский и К. Воскобойник, создали в Локте «народную милицию», численность которой к 16 октября выросла до 200 человек, вооруженных советскими винтовками. И в этом еще не было ничего уникального — подобные отряды самообороны стихийно создавались во многих деревнях и поселках. Ключевую роль в дальнейшем развитии событий сыграл командующий 2-й полевой армией вермахта (в конце декабря 1941 г. сменивший Гудериана на посту командующего 2-й танковой армией) генерал-полковник Р. Шмидт. Вопреки руководящим установкам большого берлинского начальства о недопустимости заигрывания со «славянскими недочеловеками», Шмидт мудро рассудил, что ему, по большому счету, все равно — кто, под каким знаменем и в какой форме обеспечит спокойствие и защиту тыловых коммуникаций его армии от советских партизан.

Опуская за недостатком времени описание самого процесса формирования «локотской республики», перейдем сразу к результату. К лету 1942 г. в состав «локотского округа самоуправления» входило 8 районов Брянской и Орловской областей с населением 600 тысяч (по другим источникам — до 1 миллиона) человек. Немногим меньше суверенной Эстонии. Немецкие войска (за исключением групп связи и разведывательных подразделений) с территории округа были выведены. Локоть приобрел все признаки государства. Было свое правительство, своя правящая партия («народная социалистическая партия России»), свой «государственный банк», свой «любимый вождь» — обер-бургомистр Каминский, свой погибший герой — убитый 8 января 1941 г. в бою с партизанами Воскобойник (его именем был назван драмтеатр, да и сам Локоть был переименован в «Воскобойник»). Регулярно взимались налоги (в целом значительно меньшие, чем на других оккупированных территориях), под контролем «планово-экономического отдела» работала финансовая система (со старыми советскими дензнаками). Была создана многоуровневая судебная система и своя окружная тюрьма, в которой обязанности палача исполняла некая «Тонька-пулеметчица», расстреливавшая осужденных из станкового пулемета «максим». Нельзя обойти молчанием и такой феноменальный эпизод, как публичная казнь на городской площади Локтя двух немецких (!) военнослужащих, уличенных в убийстве и грабеже. В округе функционировало 9 больниц и 37 сельских медпунктов, работало 345 школ, были открыты детские дома для сирот и дом престарелых в г. Дмитровске. На первых порах только портреты Гитлера да оголтелая антисемитская пропаганда в окружной газете «Голос народа» несколько нарушали благостную картину жизни этого «свободного края».

Увы, на поле грандиозной схватки двух тоталитарных

диктатур не было места для «нейтральной полосы». С первых же дней своего существования эта «мужицкая республика без Советов и коммунистов» стала объектом дикой ярости органов НКВД, под контролем которых находились партизанские отряды Брянщины. Нападения на села округа, да и на сам Локоть, следовали одно за другим. Для борьбы с партизанами «народная милиция» была преобразована в многотысячную «русскую освободительную народную армию». Весной 1943 г. РОНА состояла из пяти стрелковых полков, зенитного и автобронетанкового батальона, на вооружении которого были брошенные при отступлении Красной Армии танки, включая 2 тяжелых КВ и четыре Т-34. Для укомплектования «армии» Каминский уже осенью 1942 г. перешел от набора добровольцев к принудительной мобилизации. В течение полутора лет на территории «локотского округа» шла самая настоящая гражданская война, со всеми своими страшными приметами: отсутствием фронта и тыла, постоянными переходами «от белых к красным» и наоборот, а самое главное — чудовищными массовыми зверствами с обеих сторон. Не только локотская газета «Голос народа», но и секретные сводки командования войск охраны тыла немецкой группы армий «Центр» фиксируют многочисленные факты уничтожения партизанами целых деревень вместе с их жителями. С не меньшим садизмом расправлялись с пленными партизанами и бойцы «армии Каминского», стремительно превращавшейся в особо крупную уголовную банду.

В конце августа 1943 г. победа на Курской дуге и наступление Красной Армии подвело черту под историей «независимой республики». Воинство Каминского — с семьями, награбленным барахлом, домашним скотом — загрузилось в поданные немцами эшелоны и уехало в Белоруссию, в район Лепеля. На новом месте все игры в некую «самостоятельную третью силу» быстро прекратились. Бригада Каминского, численность которой сократилась до 5 тыс. человек, вела многомесячные бои против партизан, в том числе — и с вышеупомянутой «1-й антифашистской бригадой». Именно в боях с каминцами и был убит сам Гиль-Родионов. Примечательно, что как только ка́минцы поняли, что в истерзанных многолетним террором белорусских деревнях взять уже нечего, они начали рэкети́ровать своих предшественников — местных полицаев, — пытками вымогая у них награбленное золотишко...

За проявленное усердие Каминский был удостоен аудиенции Гиммлера и произведен в чин бригадефюрера СС. То, что ранее называлось «русской освободительной народной армией», было просто и без затей переформировано в 29-ю дивизию СС. Последней ступенью на лестнице позора и преступлений стало участие каминцев в расправе над жителями восставшей Варшавы. Даже действуя «плечом к плечу» с такой отборной мразью, как набранная из уголовников бригада СС Дирлевангера (в свое время «мотавшего срок» за изнасилование несовершеннолетней), и карательными казачьими сотнями, 29-я дивизия СС смогла так «отличиться», что генералы вермахта добились от Гитлера отзыва дивизии с фронта и расстрела Каминского вместе с его начальником штаба Шавыкиным [151, 155, 158].

Самая же безумная (из известных автору) историй русского коллаборационизма связана с именем выдающегося авантюриста XX века **Ивана Бессонова.**

Родился 24 августа 1904 г. Сын рабочего из Перми. Образование — четыре класса городского училища. Чернорабочий. В шестнадцать лет добровольцем вступил в Красную Армию. Затем — чекист, помначштаба 13-го кавалерийского полка ОГПУ. В начале 30-х годов участвует в создании Синьцзян-Уйгурской республики на северо-западе Китая. После провала синьцзянской авантюры — в войсках НКВД Ленинградского округа. Закончил Военную академию им. Фрунзе. Уцелев во время массового истребления ленинградских «чекистов», Бессонов в 35 лет от роду становится начальником Отдела боевой подготовки погранвойск НКВД. Затем что-то происходит, в апреле 1941 г. комбриг Бессонов покидает «органы» и встречает войну в скромной должности начальника штаба 102-й стрелковой дивизии (21-я армия) РККА. В начале августа 1941 г., в ходе ожесточенных боев в районе Рога-

чев — Жлобин дивизия попала в окружение, а сам Бессонов добровольно сдался в плен.

Дальнейшее самым тесным образом связано с событиями той самой «затерянной войны», о которой мы говорили в части 1. После выхода финских войск к Петрозаводску и реке Свирь в зоне досягаемости немецких транспортных самолетов оказались огромные «острова» ГУЛАГа в районе рек Северная Двина и Печора. Бывший чекист первым оценил открывающиеся перспективы и предложил немцам фантастический план. Сформированная из советских военнопленных воздушно-десантная бригада численностью 6 тыс. человек высаживается с самолетов люфтваффе в лагерях, уничтожает охрану и вооружает зэков. Далее, по замыслу Бессонова, процесс должен был пойти как снежный ком и завершиться захватом всего уральского индустриального района силами огромной повстанческой армии. Одновременно с этим Бессонов написал программный манифест «Что делать?» и взялся за создание политической организации с потрясающим названием: «Российская народная партия реалистов». От немцев «реалист» Бессонов требовал гарантий невмешательства в действия его организации, а после победы — признания России в границах 1939 года.

Набрать среди миллионов пленных людей с хорошей парашютной подготовкой было нетрудно. Восстания в ГУЛАГе случались даже и без «помощи с неба». Так, в начале 1942 г. в одном из лагерей на Печоре (т.е. именно там, где планировал высадку десанта Бессонов) заключенные подняли бунт, разоружили охрану и оказали упорное вооруженное сопротивление прибывшим войскам НКВД. Трудно сказать, чем бы могла закончиться попытка реализации плана Бессонова, но в последний момент немцы перетрусили. Перспектива появления абсолютно неподконтрольной им повстанческой армии не устраивала руководство СС. В июне 1943 г. Бессонова арестовали и отправили в концлагерь Заксенхаузен, бригаду срочно расформировали.

В мае 1945 г., несмотря на многократные предупреждения со стороны освободивших его американцев, И. Бессонов добровольно вернулся в СССР. Встреча с Родиной завершилась для него расстрелом 19 апреля 1950 г. Ответ на вопрос о том, кем же он был — предателем, героем, жертвой войны, — комбриг Бессонов унес с собой в могилу. Даже по поводу того, был ли Бессонов посмертно реабилитирован, в литературе встречаются прямо противоположные сообщения... [20, 121, 155]

Вся эта «экзотика» — десанты в Заполярье, бригада СС с древнерусским названием «Дружина», «походный атаман» батька фон Паннвиц во главе казачьего корпуса — не внушала немцам особого доверия. Случаи дезертирства, перехода на сторону противника, да и обычные криминальные разборки были в так называемых «национальных частях» делом постоянным и повсеместным. Соответственно, гораздо более надежным, «спокойным» и, как следствие, наиболее массовым способом использования бывших советских людей стало зачисление их в регулярные части вермахта в качестве так называемых «добровольных помощников» (Hilfswillige, или сокращенно «Хиви»). В первые месяцы войны недостатка в добровольцах не было. Один из эмигрантов-антикоммунистов «второй волны», некий П. Ильинский, встретивший начало войны в районе Полоцка, вспоминает: *«Все ждали с полной готовностью мобилизации мужского населения в армию (большевики не успели произвести мобилизацию полностью); сотни заявлений о приеме добровольцев посылались в ортскомендатуру, которая не успела даже хорошенько осмотреться на месте...»* [158].

Первоначально «хиви» служили водителями, кладовщиками, санитарами, саперами, грузчиками, высвобождая таким образом «полноценных арийцев» для непосредственного участия в боевых действиях. Затем, по мере роста потерь вермахта, русских «добровольцев» начали вооружать. В апреле 1942 г. в германской армии числилось **200 тысяч**, а в июле 1943 г. — **600 тысяч** «хиви». Особенно много их было в тех частях и соединениях вермахта, которые прошли по Украине и казачьим областям Дона и Кубани. Так, в окруженной у Сталинграда 6-й армии Паулюса в ноябре 1942 г. было 51 800 «хиви», а в 71-й, 76-й и

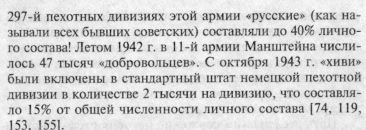
297-й пехотных дивизиях этой армии «русские» (как называли всех бывших советских) составляли до 40% личного состава! Летом 1942 г. в 11-й армии Манштейна числилось 47 тысяч «добровольцев». С октября 1943 г. «хиви» были включены в стандартный штат немецкой пехотной дивизии в количестве 2 тысячи на дивизию, что составляло 15% от общей численности личного состава [74, 119, 153, 155].

В конце концов масштабы этого беспримерного как в истории России, так и в истории Второй мировой войны сотрудничества с оккупантами стали столь велики, что верховным командованием вермахта был создан специальный пост «генерал-инспектора восточных войск». В феврале 1943 г. под началом генерала Кестринга в рядах вермахта, СС и ПВО служило порядка 750 тысяч человек. Такую цифру называют зарубежные историки. С ними вполне согласны и современные военные историки из российского Генштаба: «*...численность личного состава военных формирований «добровольных помощников», полицейских и вспомогательных формирований к середине июля 1944 г. превышала 800 тыс. человек. Только в войсках СС в период войны служило более 150 тыс. бывших граждан СССР...*» [35, с. 385]

Все вышеприведенные цифры очень далеки от того, чтобы быть точными. В кровавом водовороте войны было не до статистики. К тому же все эти «остлегионы» и «освободительные армии» непрерывно реорганизовывались, личный состав перетекал из одного соединения в другой, так что точный учет их численности едва ли возможен. И тем не менее чудовищная цифра в 800 тысяч изменников не сильно завышена. Так, только из числа находившихся в немецких лагерях военнопленных в 1942—1944 гг. было освобождено (главным образом в связи со вступлением в «добровольческие формирования») порядка 500 тыс. человек [35, с. 334]. А ведь пленные были важным, но отнюдь не единственным источником людских ресурсов. К услугам немцев были и сотни тысяч дезертиров, и миллионы военнообязанных, уклонившихся от мобилизации в начале войны. Еще одним показателем масштабов массового сотрудничества с фашистскими захватчиками может служить тот факт, что в августе 1945 г. к высылке на «спецпоселение» было приговорено 145 тыс. человек, служивших в «полицаях» и «хиви» [118, с. 146]. Сто сорок пять тысяч арестовано — а сколько ушло на запад с немцами, скольких уничтожили в боях, скольких расстреляли под горячую руку...

Пять десятилетий советские историки плакались на тему, что «история отпустила нам мало времени для подготовки к войне». Увы, все было точно наоборот. Много, недопустимо много времени отпустила злополучная «история» сталинскому режиму. Два десятилетия свирепого разрушения всех норм морали и права, всех представлений о чести и достоинстве дали, к несчастью, свои ядовитые плоды. **Ни в одной стране, ставшей жертвой гитлеровской агрессии, не было такого морального разложения, такого массового дезертирства, такого массового сотрудничества с оккупантами**, какое явил миру Советский Союз. И это — после всех воплей о «нерушимом единстве» и безграничной любви к «родной партии». После бесконечных арестов всех подозрительных, всех могущих быть подозрительными, их дальних родственников и соседей. Неисправимые кнутолюбцы и по сей день, со слезами умиления на глазах, вспоминают о том, «какой при Сталине в стране порядок-то был»...

Нельзя пройти мимо того факта, что за последние годы в отечественной военно-исторической литературе сложился, мягко говоря, «странный» стандарт обсуждения этой темы. Из читателя то пытаются выжать слезу сострадания разговорами о том, как тяжелые условия жизни заставили людей пойти в услужение к палачам, то пытаются представить пособников фашистов «идейными борцами» за освобождение России (Украины, Литвы).

Об «идеях», вдохновлявших этих «борцов», ясно и однозначно говорят их дела. Главным видом боевых действий, на которых специализировались все эти «батальоны» и «легионы», были карательные рейды по партизанским районам, зверские расправы с мирным населением, грабежи, пытки и расстрелы. В боях с регулярными частями

Красной Армии они участвовали крайне редко. Так, «лихие казаки» фон Паннвица зверствовали в России, во Франции, в Югославии и только 26 декабря 1944 г. впервые вступили в бой с советскими войсками. Дивизия СС «Галичина», с неделю повоевав на Западной Украине, отправилась терроризировать братьев славян в Словакии и Югославии. Карательные батальоны литовских «борцов за независимость» жгли польские и белорусские деревни. Ставшая всемирно известной деревня Хатынь была сожжена вместе с жителями 118-м «украинским» полицейским батальоном. Кавычки при слове «украинский» являются здесь не данью пресловутой политкорректности, а просто выражением того факта, что собранные в этих «батальонах» изуверы и выродки не могут быть причислены ни к какому народу Земли. Начальник штаба 118-го батальона некий Васюра в ходе судебного процесса (в декабре 1986 г.) давал такие характеристики своим бывшим подчиненным: *«Это была шайка бандитов, для которых главное — грабить и пьянствовать. Возьмите комвзвода Мелешко — кадровый советский офицер и форменный садист, буквально шалел от запаха крови. Повар Мышак рвался на все операции, чтобы позверствовать и пограбить, переводчик Лукович истязал людей на допросах, насиловал женщин... Все они были мерзавцы из мерзавцев...»*

Примечательная деталь: в августе 1944 г. большая часть личного состава 118-го батальона, переброшенного к тому времени во Францию, ушла к партизанам. В августе 44-го, за несколько дней (или часов) до освобождения Франции! Отметившись таким образом в движении Сопротивления, кое-кто из карателей вернулся в СССР, остальные записались в Иностранный легион и отправились воевать в Алжир. Подходящее место для «борцов за вильну Украину»...

Конечно, среди миллиона коллаборационистов встречались самые разные люди. Были и те, кто в первые дни войны подумал, что с Гитлером может прийти какое-то «освобождение». Многие военнопленные записывались в «остлегионы» в надежде получить оружие и уйти к партизанам. Были (о чем многократно говорилось выше) и случаи массовых восстаний. Так, 23 февраля 1943 г. в районе Витебска к партизанам в полном составе, с оружием в руках, перешел 825-й «татарский» батальон. Много лет спустя, в 1956 г., одному из организаторов восстания — татарскому поэту Мусе Джалилю было посмертно присвоено звание Героя Советского Союза. 13 сентября 1943 г. под Обоянью (Украина) взбунтовался один из «тюркских» легионов. Три тысячи солдат «Галичины» ушли к партизанам бандеровской повстанческой армии...

Одним словом — на гражданской войне как на гражданской войне.

Народные мстители и «друзья народа»

Написав эти слова — «гражданская война», — мы обязаны вспомнить и о другой стороне, о других участниках вооруженного противостояния. Увы, добросовестно выполнить эту обязанность автору крайне трудно. Тема партизанского движения по сей день остается огромным «темным пятном» в истории Великой войны. Подлинные документы всегда находились и сейчас еще находятся в архивах НКВД — КГБ — ФСБ, а архивы эти по сей день считаются «ведомственными» и даже не включены в состав государственного архивного фонда. До раскрытия этих архивов любые исследования по «партизанской теме» могут считаться лишь первыми, черновыми набросками. Да и этих-то «набросков» крайне мало [151, 156, 157, 158]. Одной из наиболее информативных можно считать изданную в 2001 г. уникальную по насыщенности документальным материалом книгу «Партизаны и армия». Особую ценность придает этой книге то обстоятельство, что ее автор — не просто доктор исторических наук, действительный член Академии и пр., но и бывший полковник КГБ, а послесловие к книге написал сам легендарный диверсант-партизан И.Г. Старинов.

Не мудрствуя лукаво, процитируем несколько абзацев из этой книги, подчеркнув ключевые (на наш взгляд) слова:

«Именно органы и войска НКВД сыграли ведущую роль в

*развертывании партизанского движения, создании отрядов
и диверсионных групп на первом этапе, т.е. до мая 1942 г.*

...Большинство партизанских отрядов (созданных в Белоруссии к сентябрю 1941 г. — М.С.) *полностью формировались из сотрудников НКВД и милиции, без привлечения
местных жителей, связь с партийно-советским активом не
была установлена... в дальнейшем, в процессе создания обкомами партии партизанских отрядов из числа местного партийно-советского актива, их руководящее ядро по-прежнему составляли оперативные сотрудники НКВД...*

*...В конце 1941-го и в начале 1942 г. продолжалось создание и заброска партизанских формирований... основой для
формирования партизанских отрядов по-прежнему являлись
бойцы истребительных батальонов, оперативные работники НКВД и милиции, агентура органов госбезопасности...*

*...Совершенно четко была определена подчиненность: органы НКВД ведали организацией и руководили деятельностью партизанских отрядов, лишь информируя о состоянии
этой работы первого секретаря обкома...*

*...Общая картина такова. На февраль 1942 г. органы
НКВД совместно с партийными органами подготовили и перебросили в тыл врага 1798 партизанских отрядов и 1533
диверсионных группы, общей численностью 77 939 человек.
Если исходить из того, что в 1941 г. общее число партизан
на оккупированной территории составило около 90 тыс. человек, а число партизанских отрядов — 2 тысячи, то получается, что 90% было подготовлено органами НКВД. Они
же и руководили ими»* [151, с.71, 76, 82, 83].

Итак, на начальном этапе войны (до весны 1942 г.) отряды «народных мстителей» состояли в основном не из
подростков и стариков с берданкой — как это было принято изображать во всей советской мифологии, — а из
оперативных сотрудников НКВД—НКГБ. Число партизан
из числа местных жителей-добровольцев не превышало
10—15 тыс. человек, т.е. было в ДЕСЯТКИ раз меньше
численности «полицаев» и «хиви»!

Таким было начало партизанской войны. В дальнейшем ситуация значительно изменилась.

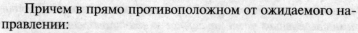

Причем в прямо противоположном от ожидаемого направлении:

*«УНКВД по Ленинградской области направило в тыл противника 287 отрядов общей численностью 11 733 человека. К 7 февраля 1942 г. из них осталось всего 60 отрядов численностью 1965 человек, **т.е. около 17%**...*

*...На Украине органы госбезопасности оставили в тылу врага и перебросили туда 778 партизанских отрядов и 622 диверсионные группы общей численностью 28 753 человек. Однако по состоянию на 25 августа 1942 г. ...действующими значились только 22 отряда, насчитывающие 3310 человек. Следовательно, за 12 месяцев войны уцелели **менее 3%** партизанских отрядов и групп из числа заброшенных в тыл врага в 1941 году...*

*...Не лучше обстояло дело в Белоруссии... К январю 1942 г. из 437 групп и отрядов, которые были заброшены в тыл противника, прекратили свое существование 412, **или 95%**.*

*...В первую же военную зиму почти все крупные формирования, насчитывающие несколько сотен человек, были уничтожены либо распались на отдельные группы... К середине 1942 г. численность партизан составляла **65 тысяч человек**...»* [151, с. 82, 158, 174]

Приведенные выше цифры сами по себе дают ясный и исчерпывающий ответ на вопрос об отношении населения оккупированных немцами территорий СССР к «народным мстителям» из числа «агентуры органов госбезопасности». Тем не менее дополним эти сухие, хотя и страшные в своей красноречивости цифры двумя свидетельствами очевидцев и участников тех трагических событий.

В оккупированном гитлеровцами Могилеве действовал подпольный «Комитет содействия Красной Армии». Организатор и руководитель этой организации К.Ю. Мэттэ докладывал в Центральный штаб партизанского движения:

*«Значительная часть советски настроенного населения ушла с Красной Армией или же вынуждена была молчать и маскироваться. Основной тон в настроении населения задавали контрреволюционные элементы (имеющие судимость, всякие «бывшие люди» и т. д.) и **широкие обывательские слои**, которые очень приветливо встретили немцев, спешили*

занять лучшие места по службе и оказать им всевозможную помощь. В этом числе оказалась и **значительная часть интеллигенции**, в частности много учителей, врачей, бухгалтеров, инженеров и др. **Очень многие молодые женщины и девушки** начали усиленно знакомиться с немецкими офицерами и солдатами, приглашать их на свои квартиры, гулять с ними и т.д. Казалось каким-то странным и удивительным, почему немцы имеют так много своих сторонников среди нашего населения... Говоря о молодежи, нужно отметить, что очень резко бросалось в глаза отсутствие у значительной ее части патриотизма, коммунистического мировоззрения...»* [158]

Второе свидетельство — это выпущенный в декабре 1943 г. одним из подразделений военной разведки фашистской Германии документ с потрясающим названием: «*О необходимости превращения Восточного похода в гражданскую войну*». Обстановка первых месяцев войны описана в нем следующим образом:

«*...Бесчисленные пленные и перебежчики сообщали о нежелании и равнодушии масс, которые не знали, за что они воюют. Допросы также отчетливо показали, что... повсюду сохранились лица, смертельно ненавидящие сталинскую систему... Большая часть окруженных в 1941 г. красноармейцев вскоре добровольно вышла из лесов и сдалась. Приказ Сталина об организации партизанского движения в оккупированных областях сначала не нашел отклика. Никто не знал, за что он должен воевать... Этим внутренним кризисом Советского Союза и объясняется то радостное ожидание, с которым большая часть населения встречала наступавшие немецкие войска...*»* [ВИЖ, 1994, № 9]

В такой обстановке разгром большей части партизанских групп, созданных в первый год войны, был вполне закономерным. По замыслу советского руководства, эти небольшие отряды (средняя численность, как показано выше, составляла 20—25 человек) должны были выполнить роль «центров конденсации», вокруг которых должны были собраться, образно говоря, «тучи». Фактически же численность партизан не только не выросла, но к лету 1942 г. даже **сократилась в полтора раза!** И это несмотря на то, что площадь оккупированных территорий заметно увеличилась после харьковской катастрофы и прорыва немцев к Сталинграду и Моздоку. Особенно впечатляющей является динамика изменения численности партизанских формирований на Украине, где они были практически полностью разгромлены.

Ко всем обстоятельствам общего порядка (в силу которых огромные массы населения оккупированных областей встречали немцев если и не с «радостным ожиданием», то по меньшей мере с пассивным безразличием) надо добавить, что сама идея превращения «друзей народа» из НКВД в организаторов и вдохновителей массового освободительного движения была абсурдной и нереализуемой. Сотрудники «органов», которые в 20—30-х годах без лишних сантиментов назывались «карательными», не могли не принести в партизанское движение все свои прежние, приобретенные в годы массовых репрессий навыки. Выходящая за всякие рамки разумного подозрительность, привычка к террору и провокациям, полное безразличие к жертвам среди мирного населения — все это в полной мере проявилось в деятельности партизанских отрядов, наспех слепленных из «оперативных сотрудников НКВД».

Не следует забывать и о том, что система подготовки профессиональных диверсантов была практически полностью разрушена в годы Большого Террора, а большая часть опытных спецназовцев стерта в «лагерную пыль». Порой дело доходило до полного абсурда. Так, в октябре 1941 г. ГлавПУР разослал армейским политорганам «Инструкцию по организации и действиям партизанских отрядов», составленную в 1919 году! [151] Фактически, чекисты, которым в 1941 г. поручено было развязать диверсионно-террористическую войну в тылу немецкой армии, могли считаться «военспецами» (т.е. людьми, способными обучить и организовать деревенских мужиков) только лишь по званиям и должностям, но никак не по уровню своей подготовленности. Да и сам товарищ Пономаренко, руководивший в одном из подмосковных санаториев Центральным штабом партизанского движения (ЦШПД), —

это не однофамилец, а тот самый секретарь ЦК Компартии Белоруссии, который в июле 1938 г. слал в Москву шифровки с просьбой увеличить лимиты на отстрел «кулацко-повстанческого, эсеровского элемента» [74, с. 151]. По словам Старинова, «*к началу Великой Отечественной войны Пономаренко не имел ни малейшего понятия о партизанских действиях*», а по поводу знаменитой идеи Пономаренко о «рельсовой войне» Старинов пишет еще проще: «*Нужно быть абсолютным дураком, чтобы подрывать рельсы.... Взрывчатку надо было тратить не на подрыв рельсов, а на крушение поездов, эффект был бы в десятки и сотни раз выше*» [151, с. 259, 267].

Кстати, о взрывчатке. За все годы войны партизаны получили менее одного процента мин, выпущенных советской промышленностью. Советская бомбардировочная авиация сбросила на врага более 1 млн тонн бомб, в том числе на железные дороги — 100 тыс. тонн. В то же время партизанам было доставлено, по подсчетам Старинова, 13 тыс. тонн разных грузов, т.е. **менее 1,5%** от всей массы сброшенных на врага авиабомб. Украинские партизаны за все время войны получили всего 147 тонн взрывчатки. Другими словами, даже самое незначительное перераспределение имеющихся ресурсов могло позволить многократно увеличить снабжение партизан оружием и взрывчаткой, а в конечном итоге — нанести врагу несравненно больший урон. Так, по словам Старинова, украинские партизаны, израсходовав всего лишь семь тонн взрывчатки (а это боевая нагрузка трех средних бомбардировщиков), на несколько месяцев парализовали движение на железной дороге Тернополь — Шепетовка — Орша [151].

Говоря словами Ульянова (Ленина), все эти ошибки едва ли могут быть поставлены в вину лично Пономаренко, Ворошилову и прочим «московским партизанам». Они хотели как лучше, но полнейшая некомпетентность (вкупе с упрямым нежеланием передать руль управления партизанским движением из рук партийно-карательных органов военным профессионалам) нанесли огромный ущерб делу. Большой кровью, ценой гибели сотен партизанских отрядов, в ходе смертельных «разборок» среди самого высшего командного состава пришлось заново создавать эффективные методы подготовки, управления, материального обеспечения партизан. Несравненно увеличился к 1943—1944 годам и массовый размах народной войны с захватчиками. Так, в Белоруссии, где наличие огромных лесных массивов создавало особо благоприятные условия, численность партизан уже в апреле 1943 г. составляла 68 498 человек. Всего к 1 апреля 1943 г. на занятой немцами территории насчитывалось 110 889 партизан. По отчету ЦШПД, по состоянию на 1 июня 1943 года на связи у штабов партизанского движения был 1061 отряд общей численностью 142 000 бойцов. Наконец, к январю 1944 г. численность партизан Белоруссии достигла 122 тыс. человек, а всего зимой 1944 г. в тылу врага сражалось **200 тысяч партизан** [151, 158].

Все познается в сравнении. Вооруженных пособников оккупантов было в несколько раз больше.

В особенности этот вывод справедлив применительно к Украине. В январе 1943 г. Украинский штаб партизанского движения имел связь с партизанскими отрядами общей численностью 8582 человека, 5 марта 1943 года Пономаренко в докладе Сталину оценивал общую численность 74 партизанских отрядов на Украине в 12 631 человек — сравните это с приведенной выше численностью украинских полицейских и эсэсовцев. Стоит отметить, что даже в «армии» батьки Махно было более 40 тыс. человек, а всего за несколько месяцев оккупации Украины германскими войсками в 1918 г. возникли партизанские отряды общей численностью от 200 до 300 тыс. человек [151, с. 174, 36].

Было бы в высшей степени ошибочно рассматривать эти цифры или их соотношение как итоги некоего «голосования»: столько-то процентов населения было за немцев, столько-то против них. И дело даже не только в том, что «решение» вступить в партизанский отряд или, напротив, в полицейский батальон часто принималось вынужденно, под угрозой расправы и отражало отнюдь не политические убеждения, а лишь выбранную данным человеком «стратегию выживания». Фактически большая часть населения оккупированных территорий **неизменно поддерживала сильнейшего**. И этот неприглядный вывод отнюдь не является изобретением злобствующего антикоммуниста. Еще полвека назад секретарь ЦК КП(б)У Д. Коротченко был вынужден констатировать: «*Абсолютное большинство гражданского населения на Украине не желало продолжать борьбу против немцев, а пыталось разными способами приспособиться к оккупационному режиму*». Осенью 1941 года «сильнейшим» представлялись немцы — и сотни тысяч пошли записываться в «полицаи» и «хиви». После Сталинграда и Курской битвы маятник войны качнулся в другую сторону — и тут же началось массовое дезертирство из «национальных» частей, начали стремительно расти ряды партизан.

Явное изменение соотношения сил на оккупированной территории позволило Центральному штабу в марте 1943 г. обратиться к старостам и «полицаям» с посланием такого содержания: «*Вы можете получить от советской власти прощение себе и вашим семьям, если начнете честно служить советскому народу... Помогайте партизанам... Истребляйте немецких разбойников. Если будете действовать так — Родина, советская власть простят вас и ни один волос не упадет с вашей головы*». Этот призыв не остался безответным. По некоторым данным, к лету 1944 г. партизанские отряды Белоруссии на четверть состояли из бывших «полицаев» и «добровольцев» вермахта [158]. Ничего особенно «крамольного» в этом нет — ситуация вполне стандартная для любой гражданской войны. Беда в том, что достигнутый таким путем рост количества порой сопровождался заметным падением качества. Вот, например, доклад уполномоченного ЦШПД по Пинской области Клещева от 12 июля 1943 года:

«*...т. Шибинский, командир отряда «Смерть фашизму» и секретарь Стреминского райкома Компартии Белоруссии, окружил себя бывшими полицейскими, бургомистрами, пьянствовал. Под руководством Шибинского производились расстрелы людей, виновность которых перед Родиной никем не была доказана. Значительная часть полицейских, принятая в отряд, продолжала полицейские традиции (пьянство, из-*

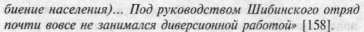

биение населения)... Под руководством Шибинского отряд
почти вовсе не занимался диверсионной работой» [158].

Отряд под командованием партийного секретаря, пьяницы и убийцы Шибинского был, вероятно, не единственным, который «не занимался диверсионной работой». Партизанских групп, *«окопавшихся без средств связи в глубоком лесу, месяцами ничего не предпринимавших ни для разведки, ни для диверсий, а лишь реквизирующих продукты у местных жителей»* [151, с. 70], было немало. К такому выводу приходится прийти, анализируя цифры потерь, понесенных партизанами. Так, в Белоруссии за первые два с половиной года войны они потеряли убитыми и пропавшими без вести всего 8327 человек, да и эта цифра, скорее всего, завышена, так как пофамильно было известно только 3890 погибших [158]. Сравнивая эти цифры с заявленной общей численностью белорусских партизан (68 тыс. в апреле 1943 г. и 122 тыс. в январе 1944 г.), мы обнаруживаем явную «нестыковку». О таком низком уровне потерь в ожесточенной борьбе с хорошо вооруженным, многочисленным и умелым противником можно только мечтать. Для справки — в частях действующей Красной Армии безвозвратные потери составили 42% от среднемесячной списочной численности личного состава в 1942 г. и 26% — в 1943 г. [35, с. 152]. С учетом раненых потери возрастали еще в три-четыре раза, но если в регулярной армии большая часть раненых все-таки попадала в госпиталь и возвращалась в строй, то что ждало раненого в партизанском лесу? Со всеми оговорками, касающимися неточности и неполноты приведенных выше цифр потерь, следует предположить, что реальная численность **активно действующих** партизанских отрядов была существенно ниже тех цифр, которые представлял в своих отчетах штаб Пономаренко.

При всем при этом героическая борьба партизан и подпольщиков стала важнейшим фронтом всенародной Отечественной войны. Ежеминутно рискуя не только своей жизнью, но и жизнью своих родных и близких, презрев смерть и муки, они внесли огромный вклад в победу над фашистским врагом. По самым скромным оценкам,

7—8% всех своих потерь на Востоке немцы и их союзники понесли от действий партизан — и это при том, что численность партизанских сил на всех этапах войны была в десятки раз меньше численности действующей армии, и израсходовали они в 500 раз меньше боеприпасов, чем войска на фронте. Впрочем, эффективность действий партизан нельзя сводить лишь к прямым потерям противника в боях с ними. Главной задачей, успешно решенной советскими партизанами, было разрушение коммуникаций немецких армий. Анализ, проведенный после войны на основе трофейных документов, показал, что в результате диверсий на железных дорогах потерпело крушение 18 тыс. эшелонов (из них 15 тысяч — в 1943—1944 гг.), противник безвозвратно потерял 2400 паровозов, перерывы в движении составили в общей сложности 6000 суток.

Выдающимся примером успешного взаимодействия партизан и регулярной армии стала операция «Багратион» — крупнейшая наступательная операция Красной Армии, закончившаяся освобождением большей части Белоруссии и разгромом немецкой группы армий «Центр». В ночь на 20 июля 1944 г. партизаны подорвали **40 тысяч рельсов**, полностью парализовав всякое железнодорожное сообщение в тылу вражеских войск. Пропускная способность автомобильных дорог сократилась вследствие диверсий в три раза. На этапе подготовки операции подпольщики и партизанские разведчики выявили и сообщили советскому командованию данные о расположении 33 немецких штабов, 30 аэродромов, 70 крупных складов [151, с. 223—238].

Ничуть не менее значимым было и воздействие партизанской борьбы на морально-психологическое состояние войск захватчиков. Эти «потери» боеспособности немецкой армии трудно выразить арифметически, но они были, и были весьма ощутимыми. В период 1943—1944 годов, когда каждый немецкий гарнизон, каждая автоколонна, каждый железнодорожный эшелон находились в состоянии постоянного ожидания нападения, газетный лозунг «земля горит под ногами оккупантов» — стал реальностью.

Катастрофа

Катастрофа. Это слово многократно появлялось на страницах нашего повествования для обозначения того, что произошло с Красной Армией летом 1941 года. Но в истории Второй мировой войны у этого слова есть еще одно значение. Катастрофа или Холокост (всесожжение по-древнегречески) — этими терминами принято называть гибель большей части еврейского населения Европы в результате организованного гитлеровской Германией геноцида. В большинстве цивилизованных стран мира эти слова не нуждаются ни в переводе, ни в пояснении. История Катастрофы включена в школьные учебники, и самым посещаемым историческим музеем мира является государственный Мемориальный музей Холокоста США [159]. В силу ряда причин в Советском Союзе обсуждение этой темы, мягко говоря, не поощрялось. Ни в одном городе (кроме Минска) не было ни одного памятника, прямо посвященного памяти жертв геноцида. С конца 40-х годов были перестроены появившиеся в первые послевоенные годы монументы — снята еврейская символика, надписи на идиш. Мрачным символом абсурда стала «обрезанная» до состояния пятиконечной шестиугольная звезда Давида на могиле жертв Холокоста в г. Невеле (Псковская область). И лишь с начала 90-х годов историческая правда стала возвращаться на страницы книг и газет, на мрамор обелисков, в речи политиков и память народов.

По меньшей мере две причины делают главу о Холокосте необходимой и неотъемлемой частью нашей книги. Во-первых, именно разгром и беспорядочное отступление Красной Армии в первые недели войны обрекли на гибель почти 3 миллиона евреев — половину всех жертв Катастрофы.

Во-вторых, в истории Холокоста на советской земле исключительно ярко проявились те характерные черты взаимоотношений народа и власти, официозной пропаганды и реального состояния общественного сознания и

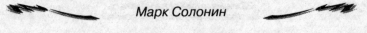

морали, без учета которых невозможно понять причины беспримерной военной катастрофы, постигшей Советский Союз и его армию.

Для начала — немного сухих цифр и общеизвестных фактов.

На протяжении нескольких столетий страны Восточной Европы — польская Речь Посполита, Литва, Венгрия, Бессарабия, Россия — были районом проживания большей части всего еврейского народа. К моменту начала Второй мировой войны в западных республиках и областях Советского Союза, позднее оккупированных немецкими и румынскими войсками, **проживало 2,15 млн евреев**. В дальнейшем каждый новый шаг «активной внешней политики СССР» переводил в разряд граждан Советского Союза все новые и новые сотни тысяч евреев: 250 тысяч в Литве, 80 тысяч в Латвии, 300 тысяч в Молдавии. Самый большой «улов» состоялся в сентябре 1939 года, когда в состав советских Украины и Белоруссии были включены обширные районы восточной Польши, на которых проживало 1300 тыс. евреев. Таким образом, к 22 июня 1941 года на территории, которой предстояло стать оккупированной, было сосредоточено **более 4 млн евреев**. Кроме того, в приграничных районах находилось порядка 200—250 тыс. еврейских беженцев из западных областей Польши, Чехословакии, Румынии.

Позднее, уже после войны, коммунистические историки проделали нехитрый арифметический трюк и перестали считать советскими гражданами уроженцев Польши, Прибалтики, Румынии. Таким образом им удалось более чем в два раза снизить число жертв Холокоста на советской земле, «переписав» погибших в число жертв геноцида в Польше, Румынии и т.д. Эта постыдная шулерская игра не только противоречит всем юридическим нормам (на момент оккупации будущие жертвы были подданными СССР), но и совершенно не стыкуется с многолетними утверждениями этой же самой пропаганды о том, что «освободительные походы» имели своей целью «защиту населения Польши и Прибалтики от ужасов фашистской оккупации».

Судя по тому, как развивались события лета 1941 года, тогдашним руководителям — как и позднейшим пропагандистам — была абсолютна чужда мысль о том, что государство несет какую-то ответственность за жизнь своих подданных. По сей день не обнаружено ни одного документа, ни одного свидетельства того, что советское правительство хотя бы искало пути спасения тех своих граждан, которых в условиях оккупации ждала не тяжелая, безрадостная, голодная ЖИЗНЬ, а жестокая и неминуемая СМЕРТЬ.

Директива Ставки № 45 от 2 июля 1941 г. «О порядке эвакуации населения и материальных ценностей» содержит множество пунктов и подпунктов. В пункте 9 предписано *«больных лошадей не эвакуировать, уничтожать на месте»*. Далее, после больных лошадей, в пункте 13 сказано: *«Семьи военных и руководящих гражданских работников эвакуировать ж.д. транспортом»* [5, с. 43].

И ни одного слова о том, что же делать с семьями (как правило — многодетными) евреев.

Разумеется, вывезти в считаные дни (Красная Армия отступила, убежала из Литвы, большей части Белоруссии, западных областей Украины за первые 7—10 дней войны) два миллиона человек было технически невозможно. Констатация этого бесспорного факта не должна умалять значения того, что **власти не предприняли ни малейших попыток** вывезти хоть кого-то, хотя бы несколько тысяч детей. Более того, в первые, самые критические для судеб еврейского населения приграничных областей дни на «старой границе» (т.е. советско-польской границе 1939 г.) продолжали действовать погранзаставы, которые задерживали всех, у кого не было специального разрешения или партбилета! [159, с. 268] Эта дико абсурдная практика эвакуации населения лишь по «разрешениям на выезд» продолжалась еще несколько недель. Объяснить ее аргументами здравой логики трудно. Люди — это ценнейший «ресурс», оставлять который неприятелю нет никакого ре-

зона. Кстати, во время «второго отступления» (летом 1942 года) эвакуация рассматривалась как патриотическая обязанность граждан.

Скорее всего, в начале войны просто сработал чиновничий инстинкт «хватать и не пущать». Любая самостоятельная деятельность — тем более такая значимая, как смена места жительства, — без специальной санкции властей представлялась нарушением всех норм и устоев.

Впрочем, судя по некоторым документам, начальство препятствовало эвакуации гражданского населения еще и потому, что, одурев от воплей собственной пропаганды, надеялось на то, что мирные обыватели «встанут все как один» и голыми руками разорвут захватчиков. Предводитель белорусских коммунистов П.К. Пономаренко в начале июля 1941 г. докладывал в Москву:

«...должен подчеркнуть исключительное бесстрашие, стойкость и непримиримость к врагу колхозников в отличие от некоторой части служилого люда городов, ни о чем не думающих, кроме спасения шкуры. Это объясняется в известной степени большой еврейской прослойкой в городах. Их обуял животный страх перед Гитлером, и вместо борьбы — бегство...» [112, с. 211]

Оценить по достоинству праведный гнев, обуявший Пантелеймона Кондратыча, можно, только зная о том, что правительство БССР и ЦК Компартии во главе с Пономаренко сбежали из Минска уже 24 июня, за три дня до того, как к северным окраинам Минска вышли передовые части танковой группы Гота. Сбежали на машинах, с вооруженной охраной. Сбежали, бросив город на произвол судьбы, не организовав эвакуацию людей и заводов. 80 тыс. евреев (жители Минска и многочисленные беженцы из окрестных сел и городов), лишенные, в отличие от товарища Пономаренко, практической возможности «спасти шкуру», погибли в Минском гетто...

Если спасти хотя бы часть еврейского населения было трудно, а вывезти всех — практически невозможно, то оповестить людей о грозящей им смертельной опасности было достаточно просто. Проще и дешевле, чем уничтожить всех больных лошадей. Черная «тарелка» громкоговорителя висела на каждой деревенской улице, не говоря уже про города. Газеты и листовки издавались многомиллионными тиражами. Что-что, но наставлять население «на путь истинный» советская власть умела, и необходимая для этого инфраструктура была создана еще задолго до войны. Но ничего сделано не было. Абсолютно ничего. Даже в тех случаях, когда явно описывался акт массового уничтожения евреев, в газетных статьях использовались или обтекаемые формулировки («гитлеровцы согнали к противотанковому рву несколько тысяч мирных советских граждан...»), или идеологически выгодные штампы: «рабочих-стахановцев», «комсомольцев», «родителей и жен красноармейцев».

Первая широкомасштабная информационная акция состоялась лишь 24 августа 1941 г. В тот день по Всесоюзному радио транслировался «радиомитинг еврейской общественности». Отчет о митинге поместили и все центральные газеты. Главной задачей мероприятия была активизация еврейских общин Англии и США, что должно было подтолкнуть правящие круги этих стран к оказанию более действенной помощи СССР. Но, независимо от замысла организаторов, эта радиопередача способствовала информированию евреев Советского Союза о нависшей над ними угрозе. К сожалению, информация крайне запоздала. К этому времени Прибалтика, Белоруссия, Молдавия, большая часть Левобережной Украины, западные районы Смоленщины были уже оккупированы.

Что же касается официальных заявлений руководства страны, то первое упоминание о зверских расправах с еврейским населением появилось в ноте Наркомата иностранных дел СССР от 6 января 1942 г. В этом документе целый абзац был посвящен трагедии Бабьего Яра и гибели 52 тысяч евреев Киева. Наконец, 19 декабря 1942 г. было опубликовано специальное заявление НКИД «Осуществление гитлеровскими властями планов уничтожения еврейского населения Европы». К моменту выхода этого заявления оповещать было уже некого. В декабре 1942 года

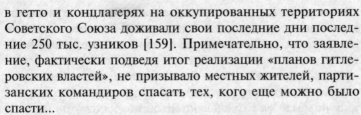

в гетто и концлагерях на оккупированных территориях Советского Союза доживали свои последние дни последние 250 тыс. узников [159]. Примечательно, что заявление, фактически подведя итог реализации «планов гитлеровских властей», не призывало местных жителей, партизанских командиров спасать тех, кого еще можно было спасти...

Таким образом, единственным средством оповещения стала изустная народная молва, а основным транспортным средством беженцев — пара ног. Лошадей уже не было (коллективизация), личного автотранспорта еще не было, велосипеды реквизировали «для нужд армии» в первые дни войны. И тем не менее около 1 млн˙ (по другим данным — до 1,5 млн) евреев смогли обогнать наступающую немецкую армию. Спаслись главным образом жители РСФСР и восточных областей Украины — у них было больше времени, к тому же многие были вывезены в организованном порядке как работники эвакуируемых промышленных предприятий. **Порядка 3 млн человек остались на оккупированной территории**, в том числе: 220 тыс. в Литве, 620 тыс. в Западной и 180 тыс. в Восточной Белоруссии, 250 тыс. в Молдавии, 1,5 млн на Украине.

Для уничтожения евреев на территорию СССР было направлено четыре «айнзатцгруппы» СС, общей численностью порядка 3 тыс. человек. Из них не менее 600 человек технического персонала: водители, механики, радисты, переводчики. Для того чтобы такими силами найти, выявить, задержать 3 млн евреев (которые при этом всячески скрывались, подделывали документы, прятались в полях, лесах и болотах), немцам, наверное, потребовалась бы как раз та тысяча лет, которую надеялся просуществовать Третий рейх. Другими словами, и темпы, и сама возможность осуществления «окончательного решения еврейского вопроса» **в огромной степени зависели от отношения к этому делу местных жителей.**

История Холокоста дает примеры самых разных вариантов развития событий. Так, полностью отказались участвовать в реализации гитлеровских планов геноцида

Финляндия, Испания, Болгария — страны, считавшиеся союзниками фашистской Германии. В Италии и Венгрии массовое истребление евреев началось лишь после оккупации этих стран нацистами (соответственно в 1943—1944 гг.). Власти и народ Дании спасли практически всю еврейскую общину своей страны, переправив по морю 8 тыс. человек в нейтральную Швецию.

Во Франции накануне войны проживало 350 тыс. евреев. Порядка 100 тыс. человек укрыли местные жители и католические монастыри, еще 40—50 тыс. евреев тайно переправились в Испанию и Швейцарию. Погибло 83 тыс. человек — менее одной четвертой предвоенного еврейского населения.

Уцелела треть еврейских общин Чехии и Сербии. Смог найти убежище каждый четвертый еврей в Бельгии и Нидерландах — факт удивительный, если принять во внимание размеры этих стран, плотность населения, отсутствие крупных лесных массивов и полные четыре года немецкой оккупации. На оккупированных территориях Советского Союза «пропорция уничтожения» повсеместно превышала 90%. Беспрецедентным по темпам, жестокости, степени вовлеченности местного населения был Холокост в Прибалтике — уничтожено до 96% евреев, оставшихся в оккупации. В общей сложности **от рук оккупантов и их пособников погибло 2 825 тысяч советских евреев**. Большая часть уцелевших приходится на узников гетто в румынской зоне оккупации (так называемая Транснистрия, территория Украины между Днестром и Южным Бугом). В начале войны истребление евреев румынскими войсками и жандармерией носило массовый и крайне изуверский характер (так, 23 октября 1941 г. в помещении артиллерийских складов в Одессе было заживо сожжено 19 тыс. человек). Но после Сталинграда румынское руководство прекратило массовые убийства, а затем и разрешило доставку в гетто продовольственной помощи от международных организаций. Что же касается зоны немецкой оккупации, то там погибли практически все не успевшие эвакуироваться евреи [159, с. 43, 96, 167, 206].

Даже если бы в нашем распоряжении не было никаких других документов и воспоминаний, уже одна только высочайшая «эффективность» и тотальность геноцида, достигнутая на советской земле, неопровержимо свидетельствует о том, что эсэсовские палачи нашли здесь необходимое количество пособников из местного населения. К сожалению, есть и документы, и факты, и чудом выжившие свидетели таких зверств, которые просто не укладываются в человеческое сознание. Именно палачи и изуверы из числа бывших советских граждан внесли в дело «окончательного решения еврейского вопроса» ту страсть, которой были лишены служащие бездушной машины фашистского государства.

4 июля 1941 г. латышские националисты в Риге согнали в синагогу и заживо сожгли 500 человек, 4000 тыс. евреев были забиты ломами или утоплены в Каунасе, 10 июля в западнобелорусском местечке Едвабне (ныне это территория Польши) местные жители после пыток и издевательств заживо сожгли 1600 евреев. Часто местные «полицаи» спешили взяться за такую «работу», от которой на начальном этапе войны отказывались сами немцы. Так, первый массовый расстрел малолетних еврейских детей на Украине был произведен 19 августа под Белой Церковью силами местной полиции. 6 сентября 1941 г. зондеркоманда СС, уничтожив в Радомышле 1100 взрослых евреев, поручила украинской полиции убить 561 ребенка. Садистский энтузиазм был столь велик и заразителен, что 24 сентября командующий группой армий «Юг» фельдмаршал Рундштедт издал приказ, запрещающий военнослужащим вермахта «участвовать в эксцессах местного населения» [159, с. 146, 159].

Но даже не эти ужасающие события следует рассматривать как главное отличие в тактике осуществления Холокоста на советской земле и в Западной Европе. Принципиально важно отметить, что **на Западе геноцид евреев скрывали, а на Востоке — настойчиво демонстрировали**. Почему?

Создание и эксплуатация любой фабрики — в том

числе и «фабрики смерти» — требует денег. Высоченные трубы крематориев надо было построить, печи — обеспечить топливом, газовые камеры — дорогостоящими химикатами. Доставка сотен тысяч жертв в Освенцим и Майданек отвлекала от обеспечения нужд фронта паровозы, вагоны, занимала железные дороги. Летом 1944 г. немцы вывезли в Освенцим 445 тыс. евреев Венгрии. И это при том, что военная обстановка в то лето складывалась для вермахта немногим лучше, чем для Красной Армии, — летом 1941 года! В то же время евреев Советского Союза (за отдельными редкими исключениями) никуда далеко не возили, уничтожали прямо по месту жительства, открыто, на глазах населения и с привлечением всех желающих.

Одним из возможных объяснений этого странного на первый взгляд парадокса можно считать то, что для Западной Европы гитлеровцы так и **не смогли придумать никакого удовлетворяющего общественное сознание объяснения** целесообразности геноцида евреев. Тезис о том, что евреи являются «расово неполноценными недочеловеками», мог только напугать и насторожить француза или венгра («а не объявят ли нас следующими?»). Ну а старая злоба по поводу того, что «евреи Христа распяли», в цивилизованной Европе XX века уже не работала. В результате, дабы не вызывать нежелательные для них настроения среди населения оккупированных стран Западной Европы, нацисты пошли на огромные, крайне обременительные в условиях большой войны расходы.

«Бей жида-политрука, рожа просит кирпича». Текст этой знаменитой листовки, в огромных количествах сыпавшейся с неба на колонны отступающих советских войск, в простой, доступной, запоминающейся форме выразил самую суть дела. Не просто «жида» и не просто «политрука», а именно «жида-политрука». Маленькая черточка (вопреки всем правилам арифметики) стала знаком не вычитания и не сложения, а умножения ненависти. Многократно помянутый нами Пономаренко уже на четвертый день войны докладывал Сталину: *«Вся их агитация, устная и письменная, идет под флагом борьбы с жидами и* коммунистами, что трактуется как синонимы» [112]. Именно на доказательство тождественности понятий «еврей и комиссар», «евреи и советская власть» был направлен весь мощнейший пропагандистский аппарат Третьего рейха. В миллионах листовок, в тысячах газетных публикаций, в бесчисленных устных выступлениях проводилась мысль о том, что именно евреи являются главной действующей силой коммунистического режима, что именно и только они развязали «красный террор», что именно и только из евреев состоит жирующее среди нищей страны начальство.

Соответственно, публичное унижение, а затем и зверское истребление евреев должно было, по замыслу фашистов, «освободить» население оккупированных областей Советского Союза от страха перед советской властью, разжечь ненависть ко всем носителям коммунистической идеологии.

То, что абсолютное большинство жертв геноцида не имели ничего общего с карательной системой НКВД, да и внешне совершенно не походили на «жирующее начальство», не смущало ни гитлеровцев, ни их пособников, ни (что самое главное и трагичное) рядовых обывателей. Советское общество было давно и тщательно психологически подготовлено к таким явлением, как массовый внесудебный террор, наказание без преступления, коллективная ответственность целых групп населения за преступления (часто — вымышленные) отдельных лиц. Разве так называемые «кулаки» были похожи на валяющихся на печи тунеядцев? А много ли так называемых «троцкистов» видели живого Троцкого или хотя бы прочитали какую-нибудь его книгу? Да и зачисление целых народов в разряд «подозрительных элементов» (нашедшее свое выражение в арестах и депортациях корейцев, китайцев, поляков, латышей) было для советских людей не в диковинку.

Надо признать, что фашисты мастерски использовали в своих целях «подготовительную работу», проведенную с населением другим тоталитарным режимом. Особую роль в разжигании ненависти к евреям сыграли массовые расстрелы заключенных, произведенные в ряде мест органами НКВД накануне отхода Красной Армии. Мимо такого «подарка» немцы не прошли. Ответственными за это злодеяние были объявлены евреи (хотя к 41-му году евреи из НКВД были практически полностью «вычищены»). Изуродованные, разлагающиеся трупы раскладывали на площадях, сгоняли население, и в обстановке массового психоза подстрекаемая профессиональными провокаторами толпа начинала еврейский погром. Так у разрытых могил одна кровавая диктатура передавала «эстафетную палочку» преступлений другой...

Разумеется, палачи и их пособники составляли, самое большее, 2—3% от общей численности взрослого населения оккупированных районов. Не следует забывать и о том, что нормальные люди были лишены возможности выразить им хотя бы моральное осуждение — палачи были вооружены и опирались на поддержку всей военной машины гитлеровской Германии. Однако было бы большим и фальшивым упрощением реальной ситуации утверждать, что позиция большей часть населения была нейтральной. И дело не только в том, что отсутствие простого человеческого сочувствия (тем более — насмешки и глумление со стороны недавних соседей, сослуживцев, учеников) буквально ошеломили евреев, лишили многих из них воли к жизни и сопротивлению. Значительная часть населения, хотя и не участвуя непосредственно в убийствах, охотно наживалась на грабеже еврейского имущества, на мародерской «торговле», когда за кусок хлеба выменивали фамильные драгоценности. Появились люди новой профессии — так называемые «шмальцовники». Это были охотники за евреями, которые, обнаружив скрывающихся, вымогали у них выкуп за недонесение. Затем, отобрав у жертвы все, что возможно («вытопив смалец»), они выдавали евреев оккупационным властям [159, с. 295]

Очень яркой иллюстрацией ко всему сказанному может служить такой отрывок из упомянутого в предыдущей

главе отчета К.Ю. Мэттэ — одного из руководителей подполья Могилева:

«...В первые месяцы оккупации немцы физически уничтожили всех евреев. Этот факт вызвал много различных рассуждений (заметьте — не ненависть к палачам, не сострадание к жертвам, а «различные рассуждения»! — М.С.). *Самая реакционная часть населения, сравнительно небольшая, полностью оправдывала это зверство и содействовала им в этом. Основная обывательская часть не соглашалась с такой жестокой расправой, но утверждала, что евреи сами виноваты в том, что их все ненавидят, однако было бы достаточно их ограничить экономически и политически...*

...Остальная часть населения, советски настроенная, сочувствовала и помогала евреям во многом, но очень возмущалась пассивностью евреев, так как они отдавали себя на убой, не сделав ни одной, хотя бы стихийной попытки выступления против немцев в городе или массового ухода в партизаны... просоветски настроенные люди отмечали, что очень многие евреи до войны старались устроиться на более доходные и хорошие служебные места, установили круговую поруку между собой... «И вот теперь евреи тоже ожидают помощи от русских Иванов, а сами ничего не делают», — говорили они...

Учитывая настроение населения, невозможно было в агитационной работе открыто и прямо **защищать евреев... так как это, безусловно, могло вызвать отрицательное отношение к нашим листовкам** (подчеркнуто мной. — М.С.) *даже со стороны наших, советски настроенных людей или людей, близких нам»* [158].

Текст потрясающий. Судя по нему, население воспринимает происходящее как войну между евреями и немцами. Меньшинство активно выступает на стороне немцев, основная масса тихо злорадствует («евреи сами виноваты»). Самые лучшие возмущаются пассивностью евреев, но при этом сами сидят в городе и в партизаны уходить не собираются («немцы же нас не трогают»). Одна только мысль о том, что «русский Иван» должен влезть в эту чужую для него драку, вызывает крайнее раздражение у этих замечательных «советски настроенных людей». Одним словом — монолитное единство и глубокий интернационализм. Стоит отметить, что оккупационные плакаты, вывешенные в Могилеве весной 1943 г., обещали 5 пачек махорки за одного выданного еврея [159]. Дешево, даже по военному лихолетью дешево. Но, видимо, жители города и не старались *«устроиться на более доходные места»*, многих устраивала махорка...

Монолитного единства не было. Среди кровавого безумия нашлись люди, способные на высочайший героизм, мужество, самопожертвование. Несмотря на зверский террор оккупантов (расстрел, причем всей семьи, полагался не только за укрывательство евреев, но и за недонесение), тысячи людей всех национальностей пришли на помощь отверженным. Израильским мемориально-исследовательским центром «Яд ва-Шем» установлено **более 18 тысяч** имен людей, спасавших евреев в годы геноцида. **Среди них 5500 поляков, 1609 украинцев, 488 литовцев, 440 белорусов**.

В белорусском местечке Бреслав спасением евреев занималось 60 семей — простые крестьяне, врачи, православные и католические священники. В городе-герое Бресте из 25 тыс. евреев в живых осталось 19 человек. Шестерых из них спасла, спрятав в своем домике, семья Полины Макаренко.

Житель Умани, ветеран и инвалид Первой мировой войны Александр Дятлов, спрятал в своем доме 12 евреев. Кто-то из соседей донес немцам. Расстреляли всю семью Дятловых, включая трех детей.

Воспитатели детских домов Минска на протяжении трех лет оккупации скрывали от карателей более 500 еврейских детей. 12 детей спасла заведующая детским домом № 2 в Киеве. Капитан вермахта Вилли Шульц вывез на грузовой машине из минского гетто 26 человек. Бургомистр города Кременчуг Синица-Верховский был расстрелян в ноябре 1941 года за то, что выдавал евреям подложные удостоверения личности. Крестьяне села Раковец (Западная Украина) укрыли 33 еврейские семьи. В селе

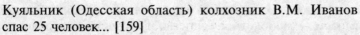

Куяльник (Одесская область) колхозник В.М. Иванов спас 25 человек... [159]

Да и не все евреи «пассивно отдавали себя на убой». История еврейского сопротивления далеко выходит за рамки темы нашей книги. Ограничимся лишь кратким упоминанием нескольких фактов.

В августе 1943 г. началось восстание в еврейском гетто Белостока. Восставшие, на вооружении которых было 130 единиц огнестрельного оружия, сопротивлялись 6 дней — на 2 дня дольше, чем 10-я армия Западного фронта удерживала этот город в июне 1941 г. [159]. В 15 партизанских бригадах Барановичской области Белоруссии воевало 8493 партизана, из которых белорусы составляли 46,8%, евреи — 12,4%. К моменту освобождения республики в июле 1944 г. в лидской партизанской зоне насчитывалось 4852 партизана. Из них: 2404 — из местного населения, 1196 — евреи, бежавшие из гетто, 730 — «окруженцы» и бывшие пленные бойцы Красной Армии, 313 — бывшие «полицаи» [164].

Осенью 1942 г. три крупных восстания произошли на Украине — в Тучине, Мизоче, Луцке. Тщательная подготовка и 60 единиц оружия позволили вырваться из гетто в Тучине 3000 узникам [159].

В конечном итоге чудовищные преступления организаторов Холокоста обернулись против них. Как пишет все тот же товарищ Мэттэ: «*...общий вывод у населения получился таков: как бы немец не рассчитался со всеми так, как с евреями. Это заставило многих призадуматься...*» Это осознание людоедской сущности гитлеровского режима стало важнейшим фактором, приведшим значительную часть населения оккупированных территорий от пассивного безразличия к активному вооруженному сопротивлению захватчикам.

Среди внутренних документов ЦШПД, ставших известными в последнее время, также не обнаружено никаких приказов, направленных на спасение еврейского населения.

Часть 5

КОГДА НАЧАЛАСЬ
ВЕЛИКАЯ ОТЕЧЕСТВЕННАЯ ВОЙНА?

Постановка вопроса

Был ли Советский Союз готов к войне? На этот любимый вопрос советских «историков», который они с большим энтузиазмом жевали и пережевывали в сотнях публикаций и «круглых столов», сегодня уже можно дать исчерпывающий ответ. Стоит ли дальше спорить о «готовности к войне», если, по самым скромным оценкам, больше половины личного состава армии дезертировало или сдалось в плен? После того как были рассекречены архивные документы о пленных и дезертирах, о миллионах брошенных винтовок и десятках тысяч брошенных танков и орудий, непосредственная причина разгрома сомнений уже не вызывает. По крайней мере, таково твердое убеждение автора этой книги.

Союз нерушимый был готов. Подобно снежной лавине, готовой сорваться с горы от одного звука выстрела, сталинская держава была готова к тому, чтобы развалиться после первого же сильного удара извне.

Насколько проста и очевидна непосредственная причина разгрома Красной Армии, настолько же сложен и неоднозначен ответ на другой вопрос: почему страна, армия, народ оказались в таком бессильном, недееспособном состоянии? Как такое могло произойти в государстве, которое и по сей день представляется многим образцом строжайшего порядка и железной дисциплины? Почему мощнейшая машина государственного управления тоталитарной деспотии в считаные дни превратилась в груду хаотично разбросанных «колесиков и винтиков»? Что это — чудо, дьявольское наваждение?

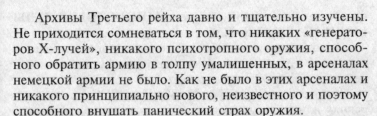

Архивы Третьего рейха давно и тщательно изучены. Не приходится сомневаться в том, что никаких «генераторов Х-лучей», никакого психотропного оружия, способного обратить армию в толпу умалишенных, в арсеналах немецкой армии не было. Как не было в этих арсеналах и никакого принципиально нового, неизвестного и поэтому способного внушать панический страх оружия.

И тем не менее без чуда в 1941 году не обошлось. Но это было рукотворное чудо. То самое, о котором в 1929 г. милейший Н.И. Бухарин с восторгом упоенья писал:

«...ГПУ совершило величайшее чудо всех времен — оно сумело изменить саму природу русского человека» [125, с. 257].

До сего момента автор старался держаться твердой почвы фактов и документов. Это было тем более просто, поскольку наш разговор шел о штуках, километрах, тоннах, номерах дивизий, часах, скоростях и пр. Все. Дальше — тупик. Серьезные ответы на поставленные выше вопросы требуют обращения к совсем другой науке — социальной психологии. Сомнительно даже то, является ли на сегодняшний день эта наука наукой в полном смысле этого слова. Тем более сложным является социально-психологический анализ советского общества сталинской эпохи.

В СССР не было ни честных выборов, ни свободной печати, ни опросов общественного мнения, ни свободы выезда за пределы «большой зоны». Советский человек не мог выразить свое отношение к власти ни избирательным бюллетенем, ни свободным словом в независимой газете, ни даже ногами (т.е. эмиграцией). Как же нам понять, как узнать, с какими мыслями и чувствами слушали советские люди в полдень 22 июня 1941 г. голос товарища Молотова, который из черной тарелки громкоговорителя призвал их *«еще теснее сплотить ряды вокруг нашей славной большевистской партии, вокруг нашего советского правительства, вокруг нашего великого вождя товарища Сталина».*

Точного, удовлетворяющего всех ответа на эти вопросы нет и не будет. Никогда. Мы можем только строить более или менее обоснованные догадки, по-научному говоря — гипотезы. Так вот, в порядке рабочей гипотезы автор

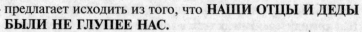

предлагает исходить из того, что **НАШИ ОТЦЫ И ДЕДЫ
БЫЛИ НЕ ГЛУПЕЕ НАС.**

Основанием для выбора именно такого допущения
служит не только похвальное уважение к старшим, но и
некоторые логические аргументы.

Три четверти населения довоенного СССР жило в деревнях или в малых городах. Оно (население) не читало
советских газет ни перед едой, ни после еды. По очень
простой причине: люди в основной своей массе были мало-
грамотны. Вообще, слухи о «культурной революции», со-
творенной большевиками, сильно преувеличены. При пере-
писи населения в 1937 г. выяснилось, что даже среди молодежи 18—19 лет было 8,5% безграмотных, среди тридца-
тилетних неграмотным был каждый четвертый. В 1939 г.
образование в семь классов средней школы и выше имели
8,2% рабочих и только 1,8% колхозников! [74 с., 64] Весной 1936 г. тогдашний командующий Белорусским ВО
командарм 1-го ранга И.П. Уборевич говорил:

*«...каждый призыв бойцов из деревни приносит к нам в
казармы 35 малограмотных на сотню. Но эти «малограмот-
ные», по сути дела, люди совершенно безграмотные: еле пишут фамилию и в час прочтут две страницы. Это люди, которые не знают, кто такой Сталин, кто такой Гитлер,
где запад, где восток, что такое социализм...»* (ВИЖ, 1988,
№ 10)

Главное устройство для «зомбирования» народонасе-
ления еще находилось в стадии лабораторных разработок,
и наркотизирующие телеиглы еще не успели подняться к
небу. Правду сказать, на всех столбах висела черная тарелка репродуктора, но от нее было много треска и мало тол-
ка — как по причине занятости людей изнурительным
трудом, так и вследствие низкого профессионального
уровня тогдашних «пиарщиков».

Все это и позволяет предположить, что «простые советские люди» жили своим умом. Да не шибко развитым
чтением и обучением, не обогащенным культурным бага-
жом прежних эпох — но своим. Простым и ясным, не за-
гаженным «масс-медиа». Вот поэтому автор и предлагает
исходить из того, что отношение рядового советского кол-

хозника (а именно из них и была набрана многомиллионная армия) к жизни, к власти, к начавшейся войне было вполне адекватным. То есть **соответствующим отношению власти к его жизни.**

Воинственные вопли официальной пропаганды только усиливали настроения тоскливой обреченности. Надежды на то, что дурное и перепуганное начальство сможет выпутаться из беды, в которую оно само же и загнало страну, было мало. «Великий вождь и учитель товарищ Сталин» упорно (до 3 июля 1941 г.) молчал, и это оглушительное двенадцатидневное молчание порождало самые мрачные предчувствия. Или же наоборот — самые радужные надежды на скорую смену этой небывалой, людоедской власти.

Давайте вспомним про то, что если для нас июнь 1941 г. — это целых шестьдесят лет назад, то для тех, кто в полдень 22 июня слушал речь Молотова, все происходило всего-то двадцать лет спустя...

Двадцать лет подряд

«11 июня 1921 г., г. Тамбов

Приказ Полномочной Комиссии ВЦИК № 171

...Дабы окончательно искоренить эсеро-бандитские корни, Полномочная Комиссия ВЦИК приказывает:

1. Граждан, отказывающихся называть свое имя, расстреливать на месте без суда...

4. Семья, в которой укрылся бандит, подлежит аресту и высылке из губернии, имущество ее конфискуется, старший работник в этой семье расстреливается на месте без суда.

5. Семьи, укрывающие членов семьи бандита, рассматривать как бандитские и старшего работника этой семьи расстреливать на месте без суда...

Подписи: Антонов-Овсеенко, Тухачевский»

«12 июня 1921 г., г. Тамбов

...Леса, в которых укрываются бандиты, должны быть очищены с помощью удушающих газов. Все должно быть рас-

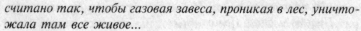

считано так, чтобы газовая завеса, проникая в лес, уничто-
жала там все живое...

Подпись: Тухачевский».

«23 июня 1921 г., г. Тамбов

Приказ Полномочной Комиссии ВЦИК № 216

*...Опыт первого боевого участка показывает большую
пригодность для быстрого очищения от бандитизма известных районов следующего способа чистки... Жителям дается
2 часа на выдачу бандитов и оружия, а также бандитских
семей... Если население бандитов и оружия не указало, по
истечении двухчасового срока взятые заложники на глазах у
населения расстреливаются, после чего берутся новые заложники и собравшимся на сход вторично предлагается вы-
дать бандитов... Каждый должен дать показания, не отго-
вариваясь незнанием. В случае упорства проводятся новые
расстрелы...*

Подписи: Антонов-Овсеенко, Тухачевский».

«10 июля 1921 г.

*Доклад Председателя полномочной «пятерки» товарища
Усконина*

*...3 июля приступили к операции в с. Богословка. Редко
где приходилось видеть столь замкнутое и организованное
крестьянство. При беседе с крестьянами от малого до ста-
рика, убеленного сединами, все как один по вопросу о банди-
тах отговаривались полным незнанием...*

*Были повторены те же приемы, что и в Осиновке: взя-
ты заложники в количестве 58 человек, 4 июля была расстреляна первая партия — 21 человек, 5 июля — 15 человек,
изъято 60 семей бандитских — до 200 человек. В конечном
результате перелом был достигнут, крестьянство бросилось
ловить бандитов и отыскивать скрытое оружие...*

*Что касается деревни Кареевки, где ввиду удобного тер-
риториального положения было удобное место для постоянного пребывания бандитов, «пятеркой» было решено уничтожить данное селение, выселив поголовно все население и кон-
фисковав их имущество... После изъятия ценных
материалов — оконных рам, сеялок и др. — деревня была за-
жжена...»* [128, 129]

«19 марта 1922 г., г. Москва

Письмо членам Политбюро

...именно данный момент представляет из себя не только исключительно благоприятный, но и вообще единственный момент, когда мы имеем 99 из 100 шансов на полный успех разбить неприятеля наголову и обеспечить за собой необходимые для нас позиции на много десятилетий. Именно теперь и только теперь, когда в голодных местностях едят людей и на дорогах валяются сотни, если не тысячи трупов, мы можем (и поэтому должны) провести изъятие церковных ценностей с самой бешеной и беспощадной энергией и не останавливаясь перед подавлением какого угодно сопротивления...

Чем большее число представителей реакционного духовенства и реакционной буржуазии удастся нам по этому поводу расстрелять, тем лучше: надо именно теперь проучить эту публику так, чтобы на несколько десятков лет ни о каком сопротивлении они не смели и думать...

Мы можем обеспечить себе фонд в несколько сотен миллионов золотых рублей (надо вспомнить гигантские богатства некоторых монастырей и лавр). Без этого фонда никакая государственная работа вообще, никакое хозяйственное строительство в частности и никакое отстаивание своей позиции в Генуе в особенности совершенно немыслимы...

Подпись: Ульянов (Ленин)» [«Известия ЦК КПСС, 1990, № 4, с. 192].

Это — война. Беспощадная, многолетняя война. Война без всяких правил, за гранью всего человеческого. Тысячи (на самом деле — миллионы) трупов умерших от голода вызывают взрыв восторга. Награбленные миллионы предполагается потратить на что угодно, но только не на спасение голодающих (советская статистика указывает, что в 1922—1923 г. за границей было закуплено зерна всего на 1 миллион рублей).

Простого подавления открытого протеста большевикам уже мало — крестьяне должны сами ловить повстанцев и выдавать на расправу «членов семьи бандита», т.е. детей и женщин. А всех тех, в ком еще остается капля христианского милосердия, — стрелять на месте. Без суда. Стрелять, конечно же, не ради захвата «ценных материалов» в виде оконных рам и сеялок-веялок, а именно для того, чтобы на десятки лет вперед отучить от самой мысли о возможности сопротивления новой власти. Слово «правительство» велено было писать с большой буквы, слово «Бог» — с маленькой.

Потом, когда власть укрепилась и написала для себя нужные законы, стрелять и сажать стали по суду. 7 августа 1932 г. был принят знаменитый Закон об усилении уголовной ответственности «за кражу и расхищение колхозной собственности» — в народе его назвали «закон о трех колосках». Только с августа 1932 по декабрь 1933 г. по этому закону было арестовано и осуждено 125 тысяч «новых крепостных», из них 5400 человек — расстреляно.

В масштабах большевистского террора цифра вроде бы и невелика — но стоит вспомнить, что в самодержавной, крепостнической царской России за 80 лет (с 1825 по 1905 г.) было вынесено 625 смертных приговоров, из которых были исполнены только 191...

Свирепая жестокость сталинского режима ни в коей мере не была следствием дурных садистских наклонностей новых вождей. Ничего подобного. Головы у них были холодные, светлые, и они отлично понимали, что по-другому — не получится. Даже в относительно благополучные годы нэпа реальная товарность крестьянского хозяйства не превышала 15—20%. Это означало, что прокормить одну семью городского рабочего могли только пять-шесть крестьянских дворов. Могли ли такие пропорции устроить товарища Сталина, задумавшего создать огромную армию и вооружить ее новейшей техникой?

В 1930 г. на Украине государство забрало у колхозов 30% зерна, на Северном Кавказе — 38%. В следующем 1931 г. — соответственно 42 и 47%. План 32-го года превышал показатели 31-го года на 32%. Более того, когда осенью 1932 г. стало очевидно, что выполнить план заготовок не удается даже путем полной конфискации всего зерна (включая семенные фонды), разъяренные кремлевские вожди потребовали конфисковать в колхозах, не вы-

полнивших хлебозаготовительный план, и «незерновые продовольственные ресурсы» — сало, картошку, лук, свеклу, соления [129, 131].

Крайне сомнительно, чтобы при существовавшей тогда инфраструктуре транспортировки, хранения и переработки сельхозпродукции большая часть конфискованной еды попала в заводские столовые. Фактически это был «террор голодом». В очередной раз большевики вспомнили завет своего вождя и учителя: *«проучить так, чтобы на несколько десятков лет они ни о каком сопротивлении и думать не смели...»*

И на Украине, на Дону, затем — в Поволжье и Казахстане начался массовый СМЕРТНЫЙ ГОЛОД. Спасаясь от голодной смерти, миллионы крестьян поехали, пошли, поползли в города.

Власть отреагировала быстро. 22 января 1933 г. за подписями Молотова и Сталина вышло постановление правительства СССР:

«...Центральный комитет и Правительство имеют доказательства того, что массовый исход крестьян организован врагами советской власти, контрреволюционерами и польскими агентами... запретить всеми возможными средствами массовое передвижение крестьянства Украины и Северного Кавказа в города...» [129, с. 170]

Обреченные на голодную смерть районы оцеплялись войсками. За первый же месяц действия этого «карантина» ОГПУ отрапортовало о задержании 219 460 человек!

Итальянский консул в Харькове докладывал своему начальству в Риме [129]:

«...За неделю была создана служба по поимке брошенных детей... В полночь их увозили на грузовиках к товарному вокзалу на Северском Донце... здесь находился медицинский персонал, который проводил сортировку. Тех, кто еще не опух от голода и мог выжить, отправляли в бараки на Голодной Горе или в амбары, где на соломе умирали еще 8000 душ, в основном — дети. Слабых отправляли в товарных поездах за город и оставляли умирать вдали от людей. По прибытии вагонов всех покойников выгружали в заранее выкопанные большие рвы...

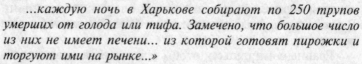

...каждую ночь в Харькове собирают по 250 трупов умерших от голода или тифа. Замечено, что большое число из них не имеет печени... из которой готовят пирожки и торгуют ими на рынке...»

У голодомора 1933 г. было два принципиальных отличия от голода 1921 г.

Во-первых, это был искусственно организованный мор, в то время как голод 1921 г. был вызван «естественными» причинами (если только разорение и упадок народного хозяйства в результате войны, развязанной большевиками, можно считать «естественным» процессом). Урожай 1932 г. был действительно низким, но вовсе не недород послужил причиной гибели миллионов. Так, только на Украине в счет государственных хлебозаготовок было собрано 36,5 млн центнеров зерна [123]. Исходя из того, что на пропитание одного человека достаточно двух центнеров зерна в год, мы приходим к выводу, что одних только украинских госзаготовок было достаточно для того, чтобы обеспечить краюхой хлеба 18 млн голодающих. А сколько зерна просто сгнило из-за недостатка крытых токов и элеваторов, сколько перегнали на водку...

Во-вторых, добрый дедушка Ильич все-таки выделил какие-то крохи на закупку продовольствия за рубежом. Товарищ Сталин ВЫВЕЗ на экспорт из голодающей страны 17,3 млн центнеров зерна в 1932 г. и 16,8 млн центнеров — в 1933 году [132]. В тот самый год, когда в Харькове пекли пирожки с человечиной, из СССР на экспорт было отправлено 47 тыс. тонн мясомолочных продуктов, 54 тыс. тонн рыбы [132], страна людоедов экспортировала муку, сахар, колбасы, подсолнечник...

Точные цифры, характеризующие масштаб этого беспримерного в истории человеческого жертвоприношения, уже не будут названы никогда. По расчетам советского украинского историка С. Кульчицкого (с конца 60-х годов работавшего над анализом демографической статистики), только в 33-м году и только на Украине от голода умерло **3—3,5 миллиона человек** [131]. **С 6 до 3 миллионов человек** сократилось в те годы население Казахстана [74]. В Поволжье «изъятия незерновых ресурсов» не было (т.е. кар-

тошку и соленые огурцы колхозникам все-таки оставили). В результате от голода там умерло «всего лишь» **400 тысяч человек.**

Главным по численности «*неприятелем*», с которым боролись большевики, было крестьянство, составлявшее к 1917 году четыре пятых населения страны. Но и горожан новая власть не забывала.

С февраля 1930 г. по декабрь 1931 г. из крупных городов было депортировано **более 1,8 млн человек** «деклассированных элементов и нарушителей паспортного режима» [129]. Под это определение подпадали не только буржуазные профессора и буржуазные инженеры, не только бездомные крестьяне, бежавшие от колхозного голода в город, но и городские рабочие, которых облава застала на улице без паспорта в кармане. В архивных документах отмечены случаи, когда ловили и людей с паспортом — для численности в отчете; отмечен эпизод, когда из Москвы как «нарушителя паспортного режима» депортировали начальника райотдела милиции.

Тех депортированных, кому крупно повезло, ждали принудительные работы на великих стройках коммунизма. Так, в Магнитогорске в сентябре 1932 г. жило 42 462 спецпоселенца, что составляло две трети населения этого «города мечты». Но такое везение ждало отнюдь не всех.

«*...20 и 30 апреля 1932 г. из Москвы и Ленинграда были отправлены на трудовое поселение два эшелона деклассированных элементов, всего 6144 человек... Прибывши в Томск, этот контингент был пересажен на баржи и доставлен на остров Назино... На острове не оказалось никаких инструментов, никаких построек, ни семян, ни крошки продовольствия... 19 мая выпал снег, поднялся ветер, а затем и мороз... Люди начали умирать. В первые сутки бригада могильщиков смогла закопать 295 трупов. Только на четвертый или пятый день прибыла на остров ржаная мука, которую и начали раздавать по несколько сот грамм. Получив муку, люди бежали к воде и в шапках, портянках, пиджаках и штанах разводили болтушку и ели ее. При этом огромная часть их просто съедала муку, падала и задыхалась, умирая от удушья... Вскоре началось в угрожающих размерах людо-*

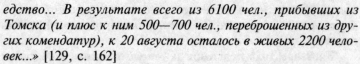
едство... В результате всего из 6100 чел., прибывших из Томска (и плюс к ним 500—700 чел., переброшенных из других комендатур), к 20 августа осталось в живых 2200 человек...» [129, с. 162]

Это строки из отчета инструктора Нарымского горкома партии в Западно-Сибирский крайком ВКП(б). Судя по итоговой статистике, кошмар на острове Назино вовсе не был чем-то из ряда вон выходящим. В ходе первой же перерегистрации «спецпоселенцев», проведенной в январе 1932 г., была выявлена убыль **500 тысяч человек**, умерших или сбежавших (на верную гибель) в тайгу.

Вот почему автор просит тех читателей, которых покоробила фраза про «людоедскую власть», не обижаться зря. Это не метафора, а простая констатация факта. Большевистская власть сознательно и хладнокровно обменяла несколько миллионов человеческих жизней на американские тракторные (танковые) заводы, на французские авиамоторы, на германские станки. В те годы товарищ Сталин и в кошмарном сне не смог увидеть 3 июля 1941 года, когда, звякая дрожащей челюстью по краю стакана с водой, он будет вынужден обратиться к «братьям и сестрам», и именно их — униженных, ограбленных, обманутых — назвать «гражданами» и призвать к оружию...

Массовые репрессии 1929—1933 годов наряду с простыми, прозаическими, «хозяйственными» задачами (обеспечить растущую промышленность сверхдешевой рабочей силой и дармовыми сельхозпродуктами, набрать золото и валюту для закупок западной технологии) имели своей целью и решение одной весьма сложной проблемы. Новый правящий класс сверху донизу был наполнен людьми, имевшими личный опыт. Опыт организации восстаний, переворотов, партизанских отрядов, красно-зеленых «гвардий» и пр. Этот опыт и эти люди не могли не тревожить партийную верхушку.

И только после раскулачивания, коллективизации, голодомора Сталин и компания смогли вздохнуть спокойно. Теперь они знали — для «активистов», выгребавших кашу-затируху из котелка у голодающих, дороги назад, к ограбленному народу, уже нет и не будет никогда. Связан-

ные круговой порукой безмерного злодейства, они теперь могли только покорно брести вдоль по извилистой «линии партии».

В январе 1934 г. горячо любимый нашими «шестидесятниками» Серго Орджоникидзе писал еще более любимому ими С.М. Кирову: «*...кадры, прошедшие через ситуацию 1932—1933 годов и выдержавшие ее, закалились как сталь. Я думаю, что с ними можно будет построить Государство, которого история еще не знала*» [129].

Пророческие слова. Глубоко верные. История России раньше такого не знала. И таких «кадров», которые могли бы ежедневно выгружать опухших от голода детей в голую степь, в старые времена, в старой России еще надо было поискать. К сожалению, ни автор письма, ни его адресат не дожили до июня 41-го и поэтому не увидели, как повели себя эти «закаленные кадры» перед лицом вооруженного неприятеля. А до этого, в условиях «мирной передышки» (которая для простого народа оказалась гораздо страшнее империалистической войны) новая элита «пролетарского государства» не столько закалялась, сколько — говоря языком сталеваров — отпускалась.

«*Вышла я замуж в июне 1929 г... Сказочная жизнь, сказочная... Квартира на Манежной площади, напротив Кремля. Шесть комнат... Я ездила за обедами... Везли в судках — не остывало, это же близко от Кремля, а машине нашей — везде зеленый свет... Обеды были вкусные, повара прекрасные, девять человек были сыты этими обедами на двоих... К обедам давалось всегда полкило масла и полкило черной икры... Вместе с обедом можно было взять гастрономию, сладости, спиртное... Водка красная, желтая, белая. В графинчиках... Чудные отбивные...*» [130, с. 154]

Это воспоминания жены. Жены почти что даже и не начальника — всего лишь сына бывшего члена Политбюро, к тому времени уже опального Каменева. Кремлевские отбивные, как сочную метафору своей будущей судьбы, он ел в узком домашнем кругу. Действующие начальники «морально разлагались» коллективно и с большим блеском.

«*Роскошный зал клуба был погружен в полумрак. Боль-*

шой вращающийся шар, подвешенный к потолку, разбрасывал по залу массу зайчиков, создавая иллюзию падающего снега. Мужчины в мундирах и смокингах и дамы в длинных вечерних платьях или опереточных костюмах кружились в танце под звуки джаза. На многих женщинах были маски и чрезвычайно живописные костюмы, взятые напрокат из гардеробной Большого театра. Столы ломились от шампанского, ликеров и водки... Какой-то полковник погранвойск кричал в пьяном экстазе: «Вот это жизнь, ребята! Спасибо товарищу Сталину за наше счастливое детство!»

Так знаменитый чекист-невозвращенец Орлов (Фельдбин) описывает бал в клубе НКВД, имевший место быть в 1936 году. Скажем честно — товарищ Сталин в костюмах из Большого театра не плясал, да и счастливое «детство» своих полковников видел несколько по-другому. Так, 3 февраля 1938 г. Политбюро приняло очередное постановление, в котором отмечалось, что «*ряд арестованных заговорщиков (Рудзутак, Розенгольц, Антипов, Межлаук, Карахан, Ягода и др.) понастроили себе грандиозные дачи-дворцы в 15—20 комнат, где они роскошествовали и тратили народные деньги, демонстрируя этим свое полное бытовое разложение и перерождение*».

Увы, борьба Сталина с разложенцами и перерожденцами по результативности соответствовала попыткам вытащить себя из болота, потянув за собственные волосы. Если не дачи, не дворцы и не водку, то что же другое мог он предложить своим подельникам? Мечта о мировой революции уехала вместе с Троцким, ну а предложить поднявшимся «из грязи в князи» бывшим деревенским люмпенам идею всеобщего равенства и братства не мог себе позволить даже сам Хозяин. Ему только и оставалось, что стрелять одних «красных бояр» для острастки других. Много лет спустя уцелевшие дети и внуки репрессированных начальников стихами и прозой внушили легковерным потомкам мысль о том, что пик большевистского террора пришелся на 37-й год, а главные жертвы Большой Резни — наркомы и командармы. Если бы...

В 1937—1938 годах органами НКВД было **арестовано 1 345 тыс. человек, из них 681 тыс. расстреляны, 115 тыс.**

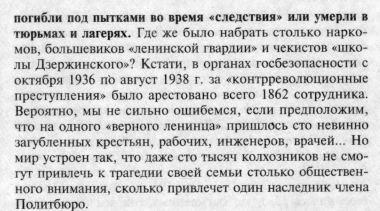

погибли под пытками во время «следствия» или умерли в тюрьмах и лагерях. Где же было набрать столько наркомов, большевиков «ленинской гвардии» и чекистов «школы Дзержинского»? Кстати, в органах госбезопасности с октября 1936 по август 1938 г. за «контрреволюционные преступления» было арестовано всего 1862 сотрудника. Вероятно, мы не сильно ошибемся, если предположим, что на одного «верного ленинца» пришлось сто невинно загубленных крестьян, рабочих, инженеров, врачей... Но мир устроен так, что даже сто тысяч колхозников не смогут привлечь к трагедии своей семьи столько общественного внимания, сколько привлечет один наследник члена Политбюро.

К началу 1939 г. отстрел руководящих работников резко пошел на убыль, а вот репрессии против «подлинных хозяев своей страны» шли по нарастающей. Рекордным по числу осужденных стал 1940 год — 2300 тысяч человек, причем в тот год 57% всех находящихся в ГУЛАГе имели сроки менее 5 лет, а «политические», т.е. осужденные по знаменитой ленинской статье 58 УК, составляли лишь 25—30% от общего числа репрессированных. Руководствуясь нормальной человеческой логикой, можно было бы предположить, что остальные 70% были уголовниками. Но это не так. Разумеется, были и уголовники, но основную массу узников ГУЛАГа составляли люди, которые стали жертвами криминальных методов руководства, узаконенных сталинской бандой. Сажали за 30-минутное опоздание к станку, за сломанное по неопытности (или из-за нереальных норм выработки) сверло, за порванную на испытаниях гусеницу нового танка, за то, что родился в «освобожденной» Восточной Польше или Бессарабии, за то, что дальний зарубежный родственник прислал сдуру почтовую открытку, за невыполнение обязательного минимума трудодней....

И почему же «простые советские люди» должны были разом забыть о всех насилиях, бесчинствах, безумствах большевистского режима? Только потому, что параграф про «нарушения социалистической законности» нашего с вами учебника закончился, а начавшаяся на рассвете воскресного дня новая (третья за два года война) будет описана в другом параграфе, да еще и под названием «отечественная», и не простая, а Великая? Почему мы все еще воспринимаем как сенсационное открытие материалы следственных дел репрессированных в годы войны советских генералов, почти в каждом из которых — донос о том, как в разговорах за рюмкой чая офицеры «*клеветнически утверждали, что бойцы и командиры Красной Армии в боях стойкости не проявляют и не заинтересованы в войне, так как до войны, будучи рабочими и колхозниками, жили плохо*» [124].

Накануне войны, в январе 1941 г. в лагерях ГУЛАГа содержалось 1930 тыс. осужденных, еще 462 тыс. человек находилось в тюрьмах, на «спецпоселении» насчитывалось более 1200 тыс. Итого: 3,6 миллиона. Ну а общий итог предвоенной «семилетки» — 6 миллионов, побывавших за решеткой в период с 1934 по 1941 год [129]. Далеко не каждая европейская страна имела взрослое население такой численности. Об этом и песня была написана: «Я другой такой страны не знаю, где так вольно дышит человек».

Кстати, о песнях. Прервем на время тяжелый разговор о невообразимых ужасах и вспомним про песни и кино.

Не ждали

Читателю, который в послевоенные годы родился и жил на улице Мира, рядом с клубом «Мир», в доме, увешанном плакатами «Миру — мир», под льющуюся из репродуктора песню «Хотят ли русские войны?», очень трудно поверить в то, что было время, когда в Советском Союзе в ходу были совсем другие песни.

Судороги военного психоза сотрясали советское общество с первых дней его существования. «Мы разжигаем пожар мировой» — такими словами начиналась строевая песня, в припеве которой утверждалось, что «от тайги до британских морей Красная Армия всех сильней».

«Необходимо поставить работу высших штабов так, чтобы Красная Армия могла выполнить свои задачи на лю-

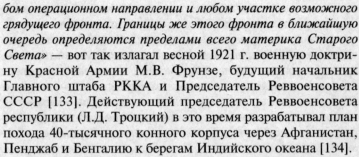

бом операционном направлении и любом участке возможного грядущего фронта. Границы же этого фронта в ближайшую очередь определяются пределами всего материка Старого Света» — вот так излагал весной 1921 г. военную доктрину Красной Армии М.В. Фрунзе, будущий начальник Главного штаба РККА и Председатель Реввоенсовета СССР [133]. Действующий председатель Реввоенсовета республики (Л.Д. Троцкий) в это время разрабатывал план похода 40-тысячного конного корпуса через Афганистан, Пенджаб и Бенгалию к берегам Индийского океана [134].

Бодливой корове бог рогов не дает. В 20-е годы Красной Армии пришлось самоограничиться одними только воинственными песнями. В начале 30-х годов, когда Сталину позарез нужна была западная технология для возрождения военной промышленности, даже и песни такого плана были временно отменены. Но когда Европа, не без влияния ловких интриг кремлевского диктатора, стала погружаться в пучину Большой Войны, кровожадная риторика снова заполнила все поры жизни.

Войну воспевали, о ней мечтали — в стихах и прозе.

«Под Кенигсбергом на рассвете / мы будем ранены с тобой...» Эти строки К. Симонов писал в то самое время, когда с Германией поддерживались нормальные дипломатические и хозяйственные связи, а у Советского Союза даже общей границы с Восточной Пруссией (центром которой является Кенигсберг) еще не было! Самая, наверное, общеизвестная книжка предвоенных лет, повесть А. Гайдара «Тимур и его команда», начиналась такими словами: *«Вот уже три месяца, как командир бронедивизиона полковник Александров не был дома. Вероятно, он был на фронте».* Время действия повести — лето, начало школьных каникул. Год — или 1939-й, или 1940-й (по ходу действия комсомольцы отмечают годовщину боев на Хасане). Никакого «фронта» этим летом не было. На Халхин-Гол бронепоезд, которым командует «полковник Александров», попасть никак не мог. Рельсов там нету. Но так сильно было у детского писателя предвкушение близкой войны, что он придумал этот вожделенный «фронт»...

«Советский народ не только умеет, но и, можно ска-

зать, *любит воевать»*, — кричал с трибуны XVIII съезда
партии нарком обороны К.Е. Ворошилов. «*Вы должны понимать, что основная мысль марксистского учения — при
огромных конфликтах внутри человечества извлекать максимальную пользу для коммунизма... Капиталистический
мир полон вопиющих мерзостей, которые могут быть уничтожены только каленым железом священной войны»*, —
проповедовал глава советского государства товарищ Калинин на собрании работников аппарата Верховного Совета СССР 20 мая 1941 г. [1, с. 444].

Да, конечно, «всесоюзный староста» ничего не решал,
да и держали его только «для приличия» — но это только
подтверждает тот факт, что слова Калинина вполне соответствовали намерениям самого Хозяина.

Главный персонаж эпохальной кинокартины «Великий гражданин» (его прообразом был С.М. Киров) мечтал
«*лет через двадцать, после хорошей войны, выйти да взгля-
нуть на Советский Союз республик эдак из тридцати-со-
рока»*. А скромный майор А.И. Самойлов, выступая на совещании в Политуправлении РККА 14 мая 40-го года,
говорил: «*Наши командиры займут в мире положение британских офицеров. Так должно быть и так будет. Мы будем учить весь мир...»* [1, с. 425]

Товарища Самойлова никто не одернул. Никто не сомневался в том, что «мы будем учить весь мир». Некоторая неясность была в другом вопросе — с чего и как должен начаться Великий Поход?

«*...Мирно протекает жизнь советского города... Неожиданно воздушные силы соседнего государства нападают на
СССР... Советская авиация получает боевое задание. Три
эскадрильи направляются в глубокий тыл вражеской страны... Воздушные силы противника разгромлены, его военная
промышленность парализована* (это тремя-то эскадрилья-
ми? — М.С.)*... Советские наземные силы, используя успех
авиации, прорывают фронт противника... Советские танки
и конница наносят смертельный удар врагу...»*

Это — аннотация к фильму «Глубокий рейд». Мостех-
фильм. Год выпуска — 1937-й.

«*...Советская граница. Внезапный налет вражеской*

438

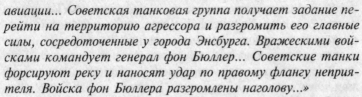

авиации... Советская танковая группа получает задание перейти на территорию агрессора и разгромить его главные силы, сосредоточенные у города Энсбурга. Вражескими войсками командует генерал фон Бюллер... Советские танки форсируют реку и наносят удар по правому флангу неприятеля. Войска фон Бюллера разгромлены наголову...»

«Танкисты». Ленфильм. Год выпуска — 1939-й. Стоит отметить, что в этом году вдоль всей западной границы СССР (тогда это была граница с Польшей, Латвией, Эстонией) не было и быть не могло никаких немецких «бургов», а среди польских генералов трудновато было бы найти «фон Бюллера»...

«...Органами советской разведки перехвачен приказ высшего командования (правильно, нечего дожидаться, пока они нас бомбить начнут. — М.С.) *фашистской Германии о переходе советской границы. Подорвав на минных полях танки вторгнувшегося врага, наши войска переходят в наступление... На бомбежку фашистских аэродромов вылетают тысячи* (вот это дело, а то — три эскадрильи! — М.С.) *советских самолетов...»*

«Эскадрилья № 5». Киевская киностудия. 1939 год. Фашистские аэродромы тогда разбомбили одним махом (как и два года назад в фильме «Глубокий рейд»), да только враг за эти годы стал более коварным и построил подземный аэродром! Вот с ним-то и расправляется героическая эскадрилья № 5...

«Ну и к чему все это? — проворчит сердитый читатель. — Мало ли чего киношники наснимали, разве же этим определяются военные планы государства...»

Недооценивать роль «важнейшего из всех искусств» не следует. Для малограмотной деревенской массы — а именно из этой среды два раза в год в армию вливались сотни тысяч призывников — белая простыня киноэкрана стала основным (если не единственным) окном в «большой мир». И тем не менее стратегия будущей войны зафиксирована совсем в других документах. Например, в совсекретном, никогда не предназначавшемся для «массового потребления» плане прикрытия мобилизации и развертывания Киевского ОВО [ВИЖ, 1996, № 4].

Как известно, предвоенные планы прикрытия западных округов предполагали ведение активных боевых действий уже на этапе отмобилизования, сосредоточения и развертывания Красной Армии.

В частности, перед авиацией Киевского ОВО ставились следующие задачи:

«...а) последовательными ударами боевой авиации по установленным базам и аэродромам, а также действиями в воздухе уничтожить авиацию противника и с первых же дней войны завоевать господство в воздухе...

г) разрушением железнодорожных мостов и узлов Ченстохов, Катовице, Краков, Кельце, а также действиями по группировкам противника нарушить и задержать сосредоточение и развертывание его войск...»

Такие же точно задачи ставились и в планах прикрытия других округов. А в директиве наркома обороны (на основании которой и разрабатывались окружные планы прикрытия) было определено и **количество самолето-вылетов,** которые разрешено совершить в первые 15 дней войны:

«...истребителям — 15 вылетов, ближним бомбардировщикам и разведчикам — 10 вылетов, дальним бомбардировщикам — 7 вылетов...» [ВИЖ, 1996, № 2]

Вот так представляло себе советское командование то напряжение сил, которое потребуется для того, чтобы в войне с Германией «с первых же дней завоевать господство в воздухе», а заодно «нарушить и задержать развертывание войск противника»:

— один боевой вылет в день для истребителя;

— два вылета в три дня для фронтовых бомбардировщиков;

— один вылет в два дня для дальнебомбардировочной авиации.

Вот так они собирались покорять Европу — с чувством, с толком, с расстановкой. По четным — бомбим, по нечетным — в баньке паримся...

Еще более примечательные детали обнаруживаются в декабрьском (1940 г.) «Плане развертывания Юго-Западного фронта» [16]:

«...*1-й день действий. Два последовательных налета по аэродромам противника, расположенным в зоне на глубину 150—160 км. Силы: 46 бомбардировочных, 10 истребительных* полков...

...*на 5, 6, 7-й дни действий наносится удар по мостам через р. Висла и железнодорожным узлам.*

Силы: 37 бомбардировочных и 10 истребительных авиаполков...»

Оцените пропорции — уже **в первый день войны четыре бомбардировщика будут прикрывать всего один истребитель!** Другими словами, серьезное сопротивление со стороны немцев просто не ожидалось.

Столь же крутые планы вынашивались и в штабе Западного ОВО. Маршал авиации Скрипко в своих мемуарах вспоминает, как в начале весны 41-го его (в то время командира 3-го корпуса дальнебомбардировочной авиации) вызвали в Минск на командно-штабную игру.

«...*игра была посвящена действиям ВВС фронта во фронтовой наступательной операции...*

Такой жизненно важный вопрос, как организация взаимодействия дальних и фронтовых бомбардировщиков с истребителями остался незатронутым. По условиям игры мы не решали и бомбардировочных задач, а прикрытие выброски десанта обеспечивалось захватом господства в воздухе...» [50]

Стоит отметить, что по планам Юго-Западного фронта переход в наступление наземных сил планировался только «*с утра 30 дня мобилизации*». Стоит отметить, что и сами планы прикрытия мобилизации и развертывания стали разрабатывать не в октябре 1939 г. — сразу после возникновения общей линии соприкосновения с вермахтом, — а лишь в мае 1941 года! Советские «историки» с особым рвением выпячивали это обстоятельство, видимо не понимая, что отсутствие планов прикрытия мобилизации (при наличии планов наступления на глубину в 300 км) демонстрирует **не особое миролюбие СССР, а запредельную самонадеянность** высшего военно-политического руководства страны. На что же оно рассчитывало? На то, что Гитлер будет терпеливо дожидаться этого самого «*утра 30* *дня мобилизации»* или, заметив начавшееся оперативное развертывание войск Красной Армии, станет писать жалостные письма Сталину и просить подмоги от Лиги Наций?

Разумеется, в формировании именно таких представлений о характере предстоящей войны сказалась общая для всего большевистского мироощущения восторженная самовлюбленность:

«учение Маркса всесильно, потому что оно верно; мы сдвигаем и горы и реки, / время сказок пришло наяву; нет таких крепостей, которые не смогут взять большевики». Бесспорна и личная вина Сталина в такой гибельной недооценке противника. Но по честности и справедливости эту вину с ним должны разделить и его ближайшие приспешники.

Сталина часто сравнивают с Чингисханом. Всякое сравнение хромает. Это хромает сразу на обе ноги. Чингисхан назначил себя вожаком в стае матерых волков. Окружение, которое подобрал себе Сталин, представляло собой невероятный гибрид жирного борова с трусливым зайцем.

Среди нескольких сотен высших командиров армии и НКВД (а у каждого из них была охрана, личное оружие, секретная агентура) не нашлось ни одного, кто решился бы поднять «микромятеж» или хотя бы оказать вооруженное сопротивление при аресте. На пассивное сопротивление — побег — дерзнули ровно три человека: убежали за кордон начальник Дальневосточного НКВД Люшков и резидент НКВД в Испании Орлов (Фельдбин), несколько месяцев скрывался в бегах главный чекист Украины Успенский. Все остальные покорно несли свою голову на плаху, в лучшем случае — пускали себе пулю в лоб.

2 июня 1937 г., выступая на заседании высшего Военного совета, Сталин сказал по поводу застрелившегося Гамарника: *«Я бы на его месте попросил свидания со Сталиным, сначала уложил бы его, а потом бы убил себя».* Что стояло за этими словами? Глумление? Провокация? Крик измученной души незаурядного человека, которого утомило общение с ничтожными людишками?

Кровавый карлик Ежов был снят с поста главы НКВД 25 ноября 1938 г. Долгих 136 дней он беспробудно пил, скулил, жаловался на судьбу, чего-то ждал, пока наконец 10 апреля 1939 г. не был водворен в страшную Сухановскую особую тюрьму НКВД. Любимец всей партии и крупнейший ее теоретик (по крайней мере, именно так характеризовал его Ленин) Н.И. Бухарин написал из тюрьмы Сталину 43 письма. Все письма об одном — о любви. *«Все мои мечты последнего времени шли только к тому, чтобы прилепиться к руководству, к тебе в частности... Я стал к тебе питать такое же чувство, как к Ильичу, чувство родственной близости, громадной любви... я целиком признаю себя твоим...»* Приговоренный к расстрелу за преступления, которых он заведомо не совершал, наш «любимец партии» пишет Хозяину: *«Я стою на коленях перед Родиной, партией и прошу о помиловании...»* [125]

Командарм 1-го ранга, командующий войсками Киевского военного округа Якир в первомайском «праздничном» приказе 1937 года вычеркнул упоминание о Сталине. Через шесть недель после этого из тюремной камеры он прислал Сталину письмо: *«Родной, близкий товарищ Сталин! Я умираю со словами любви к Вам».*

Уважаемый читатель, вам кажется, что мы далеко отклонились от основной темы? Ничуть. Именно многолетнее общение с якирами, ежовыми и прочими бухарчиками в конце концов вызвало у будущего Верховного главнокомандующего тяжелую болезнь — столь осуждаемое им теоретически «головокружение от успехов». То есть на уровне сознания он все понимал и многое делал правильно: создавал огромную, моторизованную армию, лично вникал в проблемы ее технического переоснащения, лично работал с конструкторами и директорами, генералами и разведчиками. Но в глубине души росла уверенность в том, что в целом мире не найдется такой силы, которая попытается навязать свою волю ему — земному полубогу. Сражаясь из года в год с «врагами», способными лишь на жалобный скулеж, **Сталин невольно перенес этот опыт и на свою борьбу с берлинским конкурентом.** Судя по содержанию предвоенных планов, он рассчитывал (точнее говоря — без всякого расчета понадеялся) на то, что ему всегда будет позволено безраздельно «управлять процессом». Увы, Гитлер был параноиком, но не мазохистом, он не стал снимать штаны перед образцово-показательной поркой...

Пагубному самообольщению весьма способствовали польская и финская кампании. Их вредоносное воздействие на Красную Армию было исключительно велико. Усилиями советско-партийной пропаганды почти бескровная «победа» над разгромленной немцами Польшей была представлена в качестве образца, по которому в дальнейшем будет развертываться Великий Поход. А именно: освобожденные народы встречают рабоче-крестьянскую армию цветами, солдаты противника «поворачивают штыки против своего буржуазного правительства», тучи краснозвездных самолетов затмевают своими крыльями небо, ну и так далее. Все как в кино.

«Нам воевать не придется нигде / С теми, кто вырос в борьбе и нужде,» — пророчила со страниц главной армейской газеты («Красная звезда» от 21.09.1939 г.) Маргарита Алигер. Популярнейший в те годы Константин Симонов мечтал о времени

> *«...удивительных освобождений*
> *западных, южных, полярных,*
> *тропических и заокеанских*
> *Белоруссий и Украин...»*

Всеволод Вишневский в восторге пишет кинорежиссеру Е. Дзигану: *«Сейчас перед махиной РККА, превышающей силы Германии в верных три, если не больше раз, многие попятятся»* [139].

Да и чего хотеть от легкомысленных поэтов, если сам нарком обороны Ворошилов 7 ноября 1939 г. в приказе, зачитанном во всех частях и подразделениях, описывал польскую кампанию в таком стиле: *«...стремительным натиском части Красной Армии разгромили польские войска... польское государство, правители которого всегда проявляли так много заносчивости и бахвальства, при первом же военном столкновении разлетелось, как старая сгнившая телега...»*

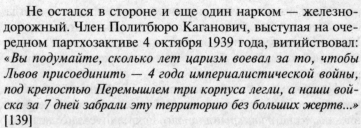

Не остался в стороне и еще один нарком — железнодорожный. Член Политбюро Каганович, выступая на очередном партхозактиве 4 октября 1939 года, витийствовал: *«Вы подумайте, сколько лет царизм воевал за то, чтобы Львов присоединить — 4 года империалистической войны, под крепостью Перемышлем три корпуса легли, а наши войска за 7 дней забрали эту территорию без больших жертв...»* [139]

Правды ради надо отметить, что был все-таки в руководстве такой человек, который старался переломить эти «шапкозакидательские» настроения. Выступая 17 апреля 1940 г. на совещании командного состава РККА, посвященном итогам войны с Финляндией, Сталин говорил [140]:

«...нам страшно повредила польская кампания, она избаловала нас... наша армия не сразу поняла, что война в Польше — это была военная прогулка, а не война... Вот с этой психологией, что наша армия непобедима, с хвастовством, которые страшно развиты у нас, — надо покончить...»

Золотые слова. Да только беда в том, что из опыта финской войны были сделаны еще более опасные для боеспособности армии выводы. Вопреки широко распространенному заблуждению, Сталин был настроен весьма и весьма благодушно и описал позорно провалившийся поход на Хельсинки в самых розовых тонах:

«...почему нельзя было ударить со всех сторон и зажать Финляндию? Мы не ставили такой серьезной задачи, потому что война в Финляндии очень трудная... Мы знали, что Петр I воевал 21 год, чтобы отбить у Швеции всю Финляндию... мы знали, что Екатерина II два года вела войну и ничего особенного не добилась... Всю эту штуку мы знали и считали, что, возможно, война с Финляндией продлится до августа или сентября... война закончилась через 3 месяца и 12 дней только потому, что наша армия хорошо поработала...»

Одним словом — планы партии, оказывается, были выполнены и даже перевыполнены. Память в очередной раз подвела товарища Сталина, и он забыл, что в соответствии с Директивой наркома обороны № 0205 от 17 нояб-

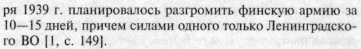
ря 1939 г. планировалось разгромить финскую армию за 10—15 дней, причем силами одного только Ленинградского ВО [1, с. 149].

Далее Сталин любовно, чисто по-отечески, пожурил некоторых товарищей:

«...так как т. Ковалев хороший боец, так как он хороший герой Гражданской войны и добился славы в эпоху Гражданской войны, то ему очень трудно освободиться от опыта Гражданской войны, который совершенно недостаточен...» — и похвалил всю Красную Армию в целом: *«...наша армия стала крепкими обеими ногами на рельсы новой, настоящей советской современной армии. В этом главный плюс того опыта, который мы усвоили на полях Финляндии...»*

Ну а итоговый вывод, который услышали собравшиеся командиры, просто-таки звенел триумфальной медью:

«Главное в нашей победе состоит в том, что мы разбили технику, тактику и стратегию передовых государств Европы, представители которых являлись учителями финнов... Мы победили не только финнов, мы победили их европейских учителей — немецкую оборонительную технику победили, английскую оборонительную технику победили, французскую оборонительную технику победили...» Короче — полный банзай!

Для того чтобы именно такие выводы закрепились в сознании, на армию — прежде всего на ее командный состав — обрушился водопад орденов и медалей, новых званий и новых назначений.

Именно после окончания финской войны, 4 июня 1940 г. были введены генеральские звания. Газеты несколько недель печатали длиннющие списки — всего 949 новоиспеченных генералов! Высшей награды страны — звания Героя Советского Союза — было удостоено 412 человек (в четыре раза больше, чем будет награждено за мужество, проявленное в битве за Москву!). Все должны были понять, что мы победили самого сильного противника, какой только мог быть, и уж теперь-то Красная Армия хоть кого в бараний рог согнет. Безудержное бахвальство дошло до того, что финскую кампанию приказано было

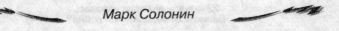

считать самым крупным событием мировой войны, не в пример каким-то там стычкам во Франции или в Северной Африке...

«*Мы должны готовиться не к такой войне, какая идет сейчас, — ведь это же не война, а игра в бирюльки*, — проповедовал 20 мая 1941 г. «всесоюзный староста» Калинин, — *а к такой войне, как, например, война с Финляндией...*» [1, с. 443]

Заносчивость и апломб самовлюбленных выскочек не покидали кремлевских властителей до самой последней минуты. 16 июня 1941 г. они заявили (устами первого заместителя Молотова тов. Вышинского) поверенному в делах Великобритании в СССР, что «*для Советского Союза нет никаких оснований проявлять какое-либо беспокойство. Беспокоиться могут другие*» [69, с. 743]. Несколькими днями раньше другой заместитель Молотова по МИДу, С.А. Лозовский буквально отчитал посла США Штейнгардта, который сунулся было с предложениями об укреплении межгосударственных отношений накануне «*величайшего кризиса, который СССР будет переживать в ближайшие 2—3 недели*». «*Советский Союз относится очень спокойно ко всякого рода слухам о нападении на его границы*, — отчеканил товарищ Лозовский. — *Если бы нашлись такие люди, которые попытались это сделать, то день нападения на СССР был бы самым несчастным в истории напавшей на СССР страны*» [69, с. 727].

Так армию готовили к «такой войне», которую она и начнет, когда захочет, и закончит, как только сочтет это для себя выгодным. Так встреча в июне 1941 г. с вермахтом, который весьма отличался от финской или польской армии и численностью, и технической оснащенностью, стала для бойцов и командиров Красной Армии той самой, парализующей разум и волю, «неожиданностью».

Второй фронт в тылу

У негативных последствий «освободительных походов» была еще одна составляющая. Почти полностью обойденная вниманием отечественных историков, она по

степени влияния на ход боевых действий оказалась гораздо весомей, нежели мифическая «внезапность нападения».

Война началась на чужой земле. Вспомните, уважаемый читатель, географические названия, которые мелькали при описаниях боевых действий в первых трех частях нашей книги: Иматра, Сортавала, Лахденпохья, Алакуртти, Меркине, Алитус, Индура, Сидра, Валпа, Браньск, Крыстынополь, Жолкев, Радзвиллув, Шельвув, Стоянув, Оплуцко... В таких ли местах рязанских крестьян можно было поднять на Отечественную войну? Да и если бы только рязанских...

Сандалов в двух строках своей монографии мимоходом замечает, что на укомплектование 14-го мехкорпуса (т.е. танковых войск, элиты армии) прибыло *«большое количество коренных жителей Среднеазиатских республик, слабо владевших или совсем не знавших русского языка»* [79].

Какое же отечество должны были защищать эти дети гор и степей, волею судьбы заброшенные в болота Восточной Польши, временно (с 39-го по 45-й год) называвшейся «Западной Белоруссией»?

Но «освобожденные территории» — это не только леса, поля и реки. Это многомиллионное, многонациональное местное население, с которым даже за неполные два года (с сентября 1939 г.) партия и НКВД успели проделать огромную воспитательную работу. В ряде случаев эту работу правильнее будет назвать «перевоспитательной». В сентябре 1939 г. Красную Армию встречали цветами. Это не выдумки «красной пропаганды». Украинское население Галиции и Волыни, оказавшееся в довоенной Польше на положении людей второго сорта на родной земле, с радостью и надеждой восприняло воссоединение со своими единокровными братьями из восточных земель. Что же касается народной молвы о массовых расстрелах и голодоморе 1933 года, то она казалась многим жителям Западной Украины слишком страшной для того, чтобы быть правдивой.

С не меньшим волнением присматривались к новой действительности и чекисты. Судоплатов без тени стесне-

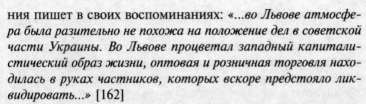

ния пишет в своих воспоминаниях: «*...во Львове атмосфера была разительно не похожа на положение дел в советской части Украины. Во Львове процветал западный капиталистический образ жизни, оптовая и розничная торговля находилась в руках частников, которых вскоре предстояло ликвидировать...*» [162]

Ликвидировали быстро и решительно. Насильственная коллективизация в деревне, «национализация» (т.е. внесудебная реквизиция частной собственности) в городах, роспуск всех и всяческих политических, общественных, культурно-просветительских организаций, гонения на церковь и верующих (в особенности на связанных с Западом католиков и униатов). Бдительность «чекистов» дошла до того, что они не поленились перечитать тысячи сочинений выпускников польских школ — на предмет выявления «шибко умных и грамотных» — семьи которых первыми загрузили в товарные вагоны, уходящие в Сибирь [129]...

По самым минимальным оценкам, более 400 тысяч жителей присоединенных территорий были высланы в Сибирь и Казахстан просто по решению местных «административных органов». Иногда — надо полагать, в порядке черного юмора — уроженцев Польши, ни сном ни духом ни слыхавших про Троцкого, увозили из родных домов на основании Приказа НКВД СССР от 30 июля 1937 г. как «членов семей троцкистов и диверсантов» [161].

Сосланным в Сибирь, можно сказать, повезло. Большая часть их осталась в живых. От нечеловеческих условий транспортировки и проживания в гиблых местах погибло «только» 16% депортированных. Судьба других была гораздо трагичней. Так, специальным постановлением Политбюро ЦК ВКП (б), за личными подписями Сталина, Ворошилова, Молотова, Микояна, Калинина и Кагановича, в марте 1940 г. были заочно, «*без вызова арестованных и без предъявления обвинения*», приговорены к смерти без малого 25 тыс. человек: пленные офицеры польской армии (большинство которых не сделали ни одного вы-

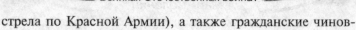

стрела по Красной Армии), а также гражданские чиновники Восточной Польши.

Основание: «...*находясь в лагерях, они ведут антисоветскую агитацию* (на польском языке? среди вертухаев? — М.С.). *Каждый из них только и ждет освобождения, чтобы иметь возможность активно включиться в борьбу против советской власти...*» [16]

Всего с сентября 1939 по февраль 1941 г. в западных областях Украины и Белоруссии органами НКВД/НКГБ было арестовано 92 500 человек. Среди них: 41 тысяча поляков, 23 тысячи евреев, 21 тысяча украинцев, 7,5 тысячи белорусов [160]. Дискриминации по национальному признаку не было, «досталось» всем. В частности, в Западной Белоруссии чекисты ухитрились выявить некую «еврейско-фашистскую организацию проанглийской направленности»...

По тому же сценарию, но только в еще более сжатые сроки, происходила советизация Прибалтики. Единственное отличие было в том, что если в оккупированной Восточной Польше от «глубоких социальных преобразований» пострадало главным образом зажиточное меньшинство, то в странах Балтии переход на советские деньги, советские цены и советские зарплаты привел к обнищанию большинства рабочих, ремесленников, служащих, крестьян.

За несколько недель до войны масштаб репрессий значительно вырос. К июню 41-го общее число арестованных в западных областях Украины и Белоруссии выросло до 107 тыс. человек. В двухмиллионной Латвии только за 14—17 июня 1941 г. было репрессировано (арестовано или выслано) 9156 человек, а всего из трех стран Прибалтики было депортировано 49 331 человек [155, 160, 161]. Заметим, что и эти цифры — минимальные из встречающихся в литературе.

В результате столь тщательной «зачистки» **тыловой район будущих военных действий начал превращаться в действующий фронт**, причем еще ДО 22 июня 1941 года.

«*С наступлением весны 1941 г. обстановка у границы резко обострилась в связи с частыми инцидентами. Без ору-*

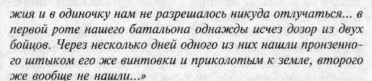
жия и в одиночку нам не разрешалось никуда отлучаться... в первой роте нашего батальона однажды исчез дозор из двух бойцов. Через несколько дней одного из них нашли пронзенного штыком его же винтовки и приколотым к земле, второго же вообще не нашли...»

Это строки из уже цитированных выше воспоминаний Л.В. Ирина, курсанта учебной роты Гродненского укрепрайона. А вот Герой Советского Союза Ф.Ф. Архипенко (в те дни — молодой летчик 17-го ИАП) вспоминает, как *«весной 1941 года по заданию комиссара в одной из деревень под Ковелем мне довелось прочитать доклад, посвященный дню Красной Армии... Во время доклада под окнами раздалось несколько выстрелов... Атмосфера вокруг была довольно напряженной, и пришла мысль, что неплохо бы быстрее уехать отсюда, пока жив. Хотя меня оставляли ночевать, я настоял на отъезде и на извозчике уехал в Ковель, всю дорогу держа пистолет в готовности за пазухой... перед войной в тех местах нередко пропадали командиры из других частей и, находясь вне воинской территории, приходилось быть бдительным...»* [59]

В отчетах штабов внутренних войск НКВД предвоенного периода говорится о десятках разгромленных (или находящихся в «оперативной разработке») вооруженных бандформирований, о практически постоянных перестрелках, диверсиях, изъятиях оружия и взрывчатки. Особенно напряженной была обстановка в западных областях Украины, где действовали партизанские отряды ОУНа (Организация украинских националистов, создана в 1929 г.), накопившие за годы террористической борьбы с польскими властями немалый боевой опыт. Примечательно, что наибольшая активность бандеровцев наблюдалась в Тарнопольской области, т.е. именно там, где предстояло развернуть полевой командный пункт штаба Юго-Западного фронта!

Активно готовились нанести удар по тылам Красной Армии латышская военизированная организация «Айзсарги» (создана еще в 1919 году, к 1940 году насчитывала в своих рядах до 40 тыс. человек), боевые группы «гвардии обороны Литвы», эстонский «Кайтселиит» и другие. В до-

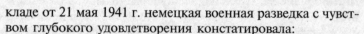
кладе от 21 мая 1941 г. немецкая военная разведка с чувством глубокого удовлетворения констатировала:

«Восстания в странах Прибалтики подготовлены, и на них можно надежно положиться. Подпольное повстанческое движение в своем развитии прогрессирует настолько, что доставляет известные трудности удержать его участников от преждевременных акций...» [155]

Тщательно изготовленная **совместными усилиями сталинцев и гитлеровцев** «мина замедленного действия» взорвалась 22 июня 1941 года.

Маршал Москаленко пишет в своих мемуарах, что первыми выстрелами войны для него стали выстрелы украинских националистов, которые в г. Луцке обстреляли его машину на рассвете 22 июня. А.Т. Ильин (в то время — младший лейтенант, 5-я танковая дивизия, 3-й МК) вспоминает, как ранним утром 22 июня его послали для выяснения обстановки в штаб дивизии, в литовский город Алитус:

«...толпа раздвинулась в обе стороны, и мы проехали на полном ходу. Но когда мы проехали, то из толпы стали стрелять в нас из автоматов и уже против казарм подбили наш мотоцикл...» [83]

В первые же минуты войны боевики антисоветского подполья взорвали телефонную станцию в Белостоке (а через этот коммутатор шли основные линии связи 10-й армии), электростанцию в Кобрине, отключили свет и воду в Бресте [79]. Все участники первых боев в Белоруссии в один голос свидетельствуют, что немецкая авиация наносила прицельные удары по командным пунктам, складам, эшелонам с новейшей техникой. Надо ли доказывать, что такое стало возможным только потому, что немецкой разведке помогали сотни информаторов из числа местных жителей?

Обстановку, сложившуюся в первые дни войны в Прибалтике, нельзя назвать ничем иным, как **широкомасштабным вооруженным мятежом.** Уже 24 июня 1941 года, раньше, чем в Каунас вошли передовые части вермахта, контроль над городом установила некая «литовская комендатура» во главе с полковником бывшей литовской ар-

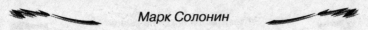

мии Бобялисом. Один из очевидцев событий свидетельствует:

«...*руководители Литвы поспешили удрать на машинах первыми, а за ними потянулись милицейские органы, тем самым развязав руки контреволюционным бандам в Литве... Каунас и вся Литва вообще в течение нескольких дней находились без гражданских властей. 23 и 24 июня контрреволюция организовала боевые дружины, привлекая даже гимназистов 5-го класса...*» [155, с. 386]

Убежать куда-либо из Риги сложнее — город стоит на берегу морского залива. Возможно, поэтому в столице Латвии разгорелись настоящие уличные бои. В «Кратком описании боевых действий 5-го мотострелкового полка войск НКВД» обстановка в городе выглядит следующим образом:

«...*враждебные элементы наводили панику в тылу армии, деморализовали работу штабов, правительственных и советских учреждений... Враги установили на колокольнях церквей, башнях, чердаках и в окнах домов пулеметы, автоматы и вели обстрел улиц, зданий штаба Северо-Западного фронта, ЦК Компартии Латвии, телеграфа, вокзала... Я повел жестокую борьбу с «пятой колонной», на каждый произведенный выстрел отвечал огнем пулеметов и танковых пушек*» (подчеркнуто мной. — М.С.)...

В ночь на 24 июня (войска немецкой группы армий «Север» заняли Ригу только 30 июня) группа мятежников ворвалась в дом, где проживали работники ЦК Компартии Латвии. О масштабе этого ночного боя можно судить по тому, что «*в ходе боя 128 человек нападавших было убито, 457 взято в плен*» [155, с. 404].

Пожар мятежа бушевал на Украине. Причем не только в западных ее областях. Так, в описании боевых действий 32-й танковой дивизии читаем: «...*к вечеру 6.7.41. дивизия подошла к Староконстантинову, но в город войти не удалось, так как в городе паника и беспорядки*» [8]. Староконстантинов находится в Проскуровской (ныне Хмельницкая) области. Это «старая советская» часть Украины. И даже там «беспорядки» оказались такой силы, что командир танковой (!) дивизии не рискнул войти в город.

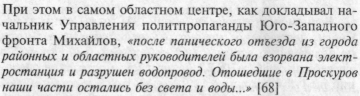

При этом в самом областном центре, как докладывал начальник Управления политпропаганды Юго-Западного фронта Михайлов, «*после панического отъезда из города районных и областных руководителей была взорвана электростанция и разрушен водопровод. Отошедшие в Проскуров наши части остались без света и воды...*» [68]

Главные события разворачивались во Львове — историческом центре Галиции. Бои в городе начались практически в первый же день войны. Вот как описывает события 24 июня комиссар 8-го мехкорпуса Н.К. Попель:

«*Мотоциклетному полку пришлось выполнять не свойственную ему задачу — вести бои на чердаках. Именно там были оборудованы наблюдательные и командные пункты вражеских диверсионных групп* (так, подчиняясь внутренней самоцензуре, Попель называет бандеровцев. — М.С.), *их огневые точки и склады боеприпасов. Противник контролировал каждое наше движение, мы же его не видели, и добраться до него было нелегко. Схватки носили ожесточенный характер... Понять, где наши, где враги, никак нельзя — форма на всех одинаковая, красноармейская. Нелегко было навести порядок и на центральной магистрали Львова. Стихия бегства владела людьми...*» [105]

Утром 30 июня 1941 г. вооруженные отряды украинских националистов, поддержанные частями 17-й армии вермахта, полностью овладели городом. В тот же день прибывшие во Львов руководители ОУНа С. Бандера и Я. Стецько объявили о создании «независимой соборной Украины». Правда, очень скоро выяснилось, что оуновцы нужны немцам так же, как Гришка Отрепьев был нужен польской шляхте — лишь в качестве «предлога раздоров и войны». Взбешенный «самоуправством» украинских лидеров, Гитлер приказал арестовать Бандеру и Стецько. Большая группа руководителей самопровозглашенной республики была немцами расстреляна. Обозначившийся еще в 1940 г. раскол ОУНа на «бандеровцев» и «мельниковцев» усилился. Сторонники Бандеры начали партизанскую войну против оккупантов, в то время как отрядам Мельника немцы доверили в первых рядах наступающих частей вермахта войти в Киев. Но это уже другая история...

Вернемся в трагический июнь 1941 года. Одним из не-многих дел, которое «чекисты» успели сделать, несмотря на овладевшую всеми «стихию бегства», было то, что в служебных отчетах НКВД называлось «проведение операций по 1-й категории». 12 июля 1941 года начальник тю-ремного управления НКВД Украины капитан госбезопас-ности А.Ф. Филиппов докладывал в Москву:

«...из тюрем Львовской области убыло по 1-й категории 2466 человек... Все убывшие по 1-й категории заключенные погребены в ямах, вырытых в подвалах тюрем, в городе Зло-чеве — в саду».

В докладе были вскрыты и отдельные недостатки в ра-боте (вероятно, вызванные все той же «стихией бегства»), а именно:

«...местные органы НКГБ... проведение операций по 1-й категории в большинстве возлагали на работников тюрем, оставаясь сами в стороне, а поскольку это происходило в момент отступления под огнем противника, то не везде ра-ботники тюрем смогли более тщательно закопать трупы и замаскировать внешне» [158].

Закапывали очень небрежно. Жуткий смрад разлагаю-щихся на 30-градусной жаре трупов висел над Львовом. В районе тюрьмы работать без противогазов было и вовсе невозможно. Ведомство Геббельса выпустило позднее це-лую книгу писем немецких солдат, в которых они расска-зывали о прибитых гвоздями к стенам, изуродованных, четвертованных телах, обнаруженных внутри Львовской тюрьмы. Затем советская пропаганда пять десятилетий подряд яростно отрицала сам факт убийства узников...

Тюрьмы Львовской области не были исключением из общего правила. Массовое истребление заключенных (в том числе — подследственных, вина которых перед совет-ской властью даже по действовавшим тогда законам не была доказана!) было повсеместным. Так, судя по отчету капитана Филиппова, в Дрогобычской области по 1-й ка-тегории «убыли» 1101 человек, в Станиславской — 1000, в Тарнопольской — 674, в Ровенской — 230, в Волын-ской — 231... [158]

В западных областях Белоруссии провести столь мас-

совую резню не успели — вермахт наступал там слишком
быстро. Но к востоку от Минска НКВД продолжало работать. Уже известный читателю военный прокурор Витебска товарищ Глинка пишет в своем докладе:

*«...сержант госбезопасности, член ВКП(б) Приемышев
24 июня вывел из Глубокской тюрьмы в г. Витебск 916 заключенных* (оцените количество заключенных в тюрьме за-
холустного уездного городка. — М.С.), *из которых более
500 человек являлись подследственными. По дороге этот
Приемышев в разное время в два приема перестрелял 55 человек, а в местечке около Уллы во время налета самолета
противника* (так в тексте — одного самолета. — М.С.) *он
дал распоряжение конвою, которого было 67 человек, перестрелять остальных...Свои действия объясняет тем, что
якобы заключенные хотели бежать и кричали: «Да здравст-
вует Гитлер!»* [68].

И вот среди этого кровавого безумия оказались в первые дни и часы войны семьи командиров Красной Армии.

Семьи командного состава. Одна из самых страшных
страниц начала войны. О заблаговременной организован-
ной эвакуации никто не позаботился. Более того, партия
«позаботилась» о том, чтобы пресечь и всякие проявления
личной инициативы в этом вопросе.

*«...На бюро обкома партии мы рассматривали решения
некоторых приграничных райкомов партии об исключении из
ВКП(б) тех, кто начал отправлять свои семьи в наши тыловые объекты...»* Это строки из воспоминаний Бельченко — бывшего начальника Управления НКГБ г. Белостока
[62].

Остановимся. Оценим. Постараемся вспомнить, что
это такое — быть исключенным из партии в эпоху «неук-
лонного обострения классовой борьбы». А за что, дорогие
товарищи? Разве в уставе есть хоть одна строчка, запре-
щающая члену партии отправить ребенка летом, в кани-
кулы к бабушке в Тамбов? И тем не менее подобные же-
лания решительно пресекались. И не только в Белостоке.
Открываем еще раз книгу Сандалова:

*«...19 июня 1941 г. состоялся расширенный пленум обла-
стного комитета партии... На пленуме первый секретарь*

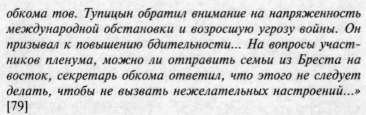

обкома тов. Тупицын обратил внимание на напряженность международной обстановки и возросшую угрозу войны. Он призывал к повышению бдительности... На вопросы участников пленума, можно ли отправить семьи из Бреста на восток, секретарь обкома ответил, что этого не следует делать, чтобы не вызвать нежелательных настроений...» [79]

Вот так вот. Война — на пороге, но «на первый же удар врага несокрушимая Красная Армия ответит тройным уничтожающим ударом». А тот, кто хоть на секунду усомнился в этом, тот трус, паникер и враг. Таких не берут в коммунисты. Впрочем, партийное начальство во всем винило начальство армейское. Секретарь ЦК КП(б) Латвии Я. Калберзин докладывал в Москву, что *«благодаря недопустимому и непонятному поведению штаба Прибалтийского Особого военного округа семьи партийных и советских работников были эвакуированы в самый последний момент, когда уже выступила «пятая колонна» и на улицах шла ружейная и пулеметная стрельба»* [112].

Все это долгое предисловие ведется не к тому, чтобы оправдать нарушение присяги и фактическое дезертирство. Бог им всем судия, но вышло так, что повсеместно командиры Красной Армии **бросили своих солдат и занялись спасением своих жен и детей.** Оправдать это нельзя — каждый бросивший свою часть командир обрекал на гибель или позор плена тысячи своих подчиненных. Но как не понять людей, чьи близкие оказались в городах и поселках, охваченных «беспорядками» такой силы, что даже танковые дивизии с трудом могли вырваться оттуда. Обе стороны войны, начавшейся на рассвете 22 июня, действовали за гранью милосердия. Террор бандеровцев и «айзсаргов» по своей жестокости ничуть не уступал террору энкаведэшников. И те и другие не желали различать вооруженного противника от малолетнего ребенка. А уж бомбы, в изобилии сыпавшиеся с почерневшего неба на казармы и военные городки, тем более не различали правых и виноватых.

В то окаянное время, при отсутствии общего и ясного порядка эвакуации, каждый командир, каждый советский работник действовал в меру своей совести и своих возможностей. Кто-то ограничился тем, что «проскочил проверить тылы», посадил жену с ребенком в уходящий на восток товарняк и вернулся в часть. Кто-то грузил в машину, предназначенную для перевозки боеприпасов, *высоченный черного дерева буфет».* Председатель Витебского горсовета, как помните, грузил в свою машину пиво бочками...

Не сомневаюсь — добровольные адвокаты Сталина и в этом случае скажут, что своевременная эвакуация семей комсостава из зоны будущих боевых действий не была проведена, дабы «не дать Гитлеру повода к нападению». Спорить на эту тему глупо и, честно говоря, надоело. Десятки тысяч вагонов с людьми, танками, орудиями, боеприпасами мчались на запад, срывая графики движения по всем железным дорогам Советского Союза. Какие еще «поводы» нужны были Гитлеру? Масштаб начавшегося стратегического развертывания Красной Армии был настолько велик, что Сталин даже не пытался его скрыть. Вместо этого 13 июня 1941 года, в знаменитом «Сообщении ТАСС», была сделана весьма неуклюжая, на дурачка рассчитанная попытка дать успокоительное для Гитлера объяснение происходящего:

«...проводимые сейчас летние сборы запасных Красной Армии и предстоящие маневры имеют своей целью не что иное, как обучение запасных и проверку работы железнодорожного аппарата...»

В такой обстановке отъезд на восток (а можно было и на юг — на курорты Крыма и Кавказа) нескольких тысяч женщин и детей ничего бы не добавил и не убавил. Нет, здесь проявилось обычное для сталинского режима безразличие к судьбам и чувствам людей. Хотя Сталина тоже можно понять: сам он похоронил двух безвременно ушедших из жизни жен, первая жена «всесоюзного старосты» Калинина и вторая жена маршала Буденного сидели в лагерях, родной брат Л. Кагановича принужден был к самоубийству — и ничего, оставшиеся на свободе работали не покладая рук. И если Сталин не щадил своих ближайших

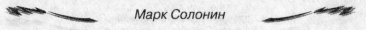

соратников, то с чего бы он стал заботиться о семьях каких-то полковников с капитанами?

Так, благодаря диалектическому взаимодействию мудрой внутренней и неизменно миролюбивой внешней политики советского государства, **занятые в 1939—1940 гг. территории Восточной Польши, Литвы, Латвии превратились для Красной Армии в ловушку.** Не случайно в воспоминаниях участников первых боев звучит этот постоянный мотив: «*Всем хотелось как можно быстрее пересечь нашу старую государственную границу 1939 года... почему-то казалось, что за ней будет безопаснее, так как немцы не рискнут продвигаться дальше*».

Увы, немцы «рискнули», а Красная Армия отошла за «старую границу», потеряв почти половину кадровых стрелковых дивизий, большую часть танковых войск, лучшую, наиболее боеспособную часть авиации.

«И вы все, дураки, пойдете...»

Говоря о «готовности», а точнее — о причинах психологической неготовности страны и армии к большой войне, нельзя не вспомнить и про дикие «загогулины» внешней политики СССР. Задолго до того, как был написан знаменитый роман Д. Оруэлла, сталинское руководство наглядно продемонстрировало всему миру такие свои фундаментальные принципы, как «мир — это война, правда — это ложь» и т.д.

После прихода Гитлера к власти в Германии тема фашистской угрозы стала доминирующей во всей официальной пропаганде. К слову говоря, именно «в связях с гестапо» обвинялись и партийные боссы, и военачальники, выведенные Сталиным на знаменитые «московские процессы» 1936—1937 годов. 31 июля 1939 г. «Правда» писала: «*Виновники и поджигатели второй империалистической войны налицо. Это фашизм — преступное и грязное порождение послевоенного империализма...*»

Преступное и грязное...

Ровно через 52 дня после публикации этой статьи, 22 сентября 1939 г. в захваченном немцами Бресте проходит

совместный парад Красной Армии и вермахта, который принимают генерал Гудериан и комбриг Кривошеев (боец интербригад и к тому же еврей по национальности). 31 октября 1939 г. глава правительства СССР В.М. Молотов заявил с трибуны Верховного Совета дословно следующее:

«...идеологию гитлеризма, как и всякую другую идеологическую систему, можно признавать или отрицать, это — дело политических взглядов... не только бессмысленно, но и преступно вести такую войну, как война за уничтожение гитлеризма, прикрываемая фальшивым флагом борьбы за демократию...» Вот так. Бессмысленно и преступно бороться против гитлеризма. На дворе была поздняя осень 1939 года. К этому времени все уже знали — что бывает с теми, кто преступно отступает от линии партии... 7 ноября 1939 г. во всех ротах, батареях и на кораблях был зачитан (и во всех газетах опубликован) праздничный приказ наркома обороны СССР № 199:

«...англо-французские агрессоры, не проявляя воли к миру, все делают для усиления войны, для распространения ее на другие страны... Договор о дружбе и границе между СССР и Германией построен на прочной базе взаимных интересов, и в этом его могучая сила...»

Наконец, 30 ноября 1939 г. в форме «ответа на вопросы редактора газеты «Правда» сам Хозяин разъяснил: с кем и против кого мы теперь дружим. В своей излюбленной манере — жестко, с постоянными повторами — Сталин отчеканил:

«...не Германия напала на Францию и Англию, а Франция и Англия напали на Германию, взяв на себя ответственность за нынешнюю войну... правящие круги Англии и Франции грубо отклонили как мирные предложения Германии, так и попытки Советского Союза добиться скорейшего окончания войны. Таковы факты...»

Не успели еще трудящиеся Страны Советов опомниться от таких «пируэтов» в неизменно миролюбивой внешней политике родной партии — как началась новая война.

С середины ноября 1939 г. во всех газетах поднялся

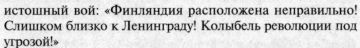

истошный вой: «Финляндия расположена неправильно! Слишком близко к Ленинграду! Колыбель революции под угрозой!»

26 ноября в расположении советской погранзаставы у деревни Майнила разорвалось шесть артиллерийских снарядов, в результате чего четверо военнослужащих погибли и 9 были ранены.

27 ноября финская сторона передала советскому руководству ответную ноту, в которой сообщалось, что, по данным наблюдения финских пограничников, стрелявшее орудие находилось на советской территории. В полном соответствии с духом и буквой международного права Финляндия предлагала создать совместную двухстороннюю комиссию для расследования обстоятельств этого инцидента.

Что тут началось...

«Уничтожить гнусную банду!»

«Взбесившиеся собаки будут уничтожены!»

«Смести с лица земли финских авантюристов!»

Это — заголовки «Правды» и «Известий». Так сказать, проза. Печатались и стихи:

«Кровавые шуты! Довольно вам кривляться!

Пришла пора закрыть ваш гнусный балаган!

Мы не позволим вам по-хамски издеваться

Над трупами рабочих и крестьян!» [«Известия», 29.11.1939]

30 ноября 1939 г. Красная Армия перешла советско-финскую границу. В тот же день советская авиация обрушила бомбовый удар на центральные районы Хельсинки. Горел вокзал, горел столичный университет. Было много трупов убитых финских рабочих и служащих.

На следующий день газета «Правда» писала:

«...Красная Армия сумеет нанести сокрушительный удар не только финляндской козявке, но и тем, за чьей спиной эта козявка прячется...»

2 декабря со стыдливой пометкой — «радиоперехват, перевод с финского» — в той же «Правде» была опубликована огромная, на целую полосу, «Декларация Народного правительства Финляндской Демократической республи-

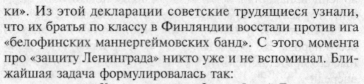

ки». Из этой декларации советские трудящиеся узнали, что их братья по классу в Финляндии восстали против ига «белофинских маннергеймовских банд». С этого момента про «защиту Ленинграда» никто уже и не вспоминал. Ближайшая задача формулировалась так:

«...внести в Хельсинки знамя Финляндской Демократической республики и водрузить его на крыше президентского дворца — на радость трудящимся и на страх врагам народа».

3 декабря «Правда» уже не призывала бить «финскую козявку». Она изовралась до заявлений о том, что никакой войны попросту нет:

«...СССР не ведет войну против Финляндии, а, выполняя договор о взаимопомощи с Народным правительством Финляндии, борется против белогвардейского правительства Хельсинки...

Красная Армия выполнит свою освободительную задачу и поможет трудящимся Финляндии в короткий срок восстановить мир и спокойствие в стране...»

Примечательно, что эта фраза почти дословно повторяла текст совместного германо-советского коммюнике от 18 сентября 1939 г., в котором утверждалось, что «*задача советских и германских войск состоит в том, чтобы восстановить в Польше порядок и спокойствие, нарушенные распадом польского государства, и помочь населению Польши...*» [«Правда», 19.09.1939]

Дальнейшее хорошо известно. В короткий срок — не удалось. Отчаянное сопротивление финской армии, страшные морозы, жесткая реакция Запада заставили досрочно прекратить боевые действия. И что же? 29 марта 1940 г. товарищ Молотов, не моргнув и глазом, заявил на сессии Верховного Совета СССР: «*В связи с соглашением между СССР и Финляндией* (т.е. «белогвардейским правительством Хельсинки». — М.С.) *встал вопрос о самороспуске Народного правительства, что им и было осуществлено...»*

Повезло же Молотову с этим «правительством». Надо было — самопровозгласилось, стало лишним — немедленно самораспустилось. Ну а люди? Десятки тысяч красно-

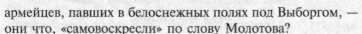

армейцев, павших в белоснежных полях под Выборгом, — они что, «самовоскресли» по слову Молотова?

Весь этот *«гнусный балаган»* происходил на глазах у всего народа. Не будем говорить за весь народ, но отдельные его представители уже отлично поняли — что их ждет впереди.

«Когда СССР будет готов к войне, то объявят вам, дуракам, — пойдем освобождать братьев Англии и Германии — и вы все, дураки, пойдете».

Вот так — просто, образно, точно — выразил свое понимание «текущего момента» красноармеец Зюзин, рядовой 337-го отдельного зенитно-артиллерийского дивизиона Архангельского ВО. Было это за 37 дней до начала большой войны, 15 мая 1941 г. [1, с. 450].

И вы все, дураки, пойдете...

Почему же мы так удивляемся, когда натыкаемся на факты, свидетельствующие о том, что **не все были дураками, не все спешили идти на убой ради «извлечения максимальной пользы для коммунизма»,** не все мечтали о «хорошей войне» за освобождение очередных «братьев» от нормальной, человеческой жизни?

Таким ли невероятным является предположение о том, что среди бойцов и командиров конно-механизированной группы Болдина (о фантастическом разгроме которой шла речь в части 2) были и участники того сентябрьского (1939 г.) «парада дружбы» в Бресте? Разве не могли прийти им в голову такие простые вопросы: «А какое нам дело до этой новой драки за передел добычи между Гитлером и Сталиным? И долго ли враг, которого надо разбить в борьбе за очередное правое дело, будет считаться врагом — или Молотов через пару недель опять передумает?»

На эти вопросы простым советским людям предстояло отвечать не в рамках телевизионного «ток-шоу», не на диспуте и не в кабине для тайного голосования. Вконец изоровавшаяся, обдурившая саму себя власть требовала от них отдать жизнь. Единственную и неповторимую. Отдать немедленно и навсегда.

Любой ценой

Ветеран войны полковник Т.Г. Ибатуллин в своей книге [74] пишет:

«Моральное состояние участника боевых действий зависит от ответа прежде всего на три вопроса:

— в чем смысл войны, справедлива и законна ли она?

— способен ли мой командир организовать бой так, чтобы с минимальными потерями выполнить задачу?

— уверен ли я в своей собственной подготовке к действиям в боевой обстановке?»

Ответ на первый вопрос определяется внутренней и внешней политикой, проводимой высшим руководством страны. Об этой политике и ее морально-психологических результатах мы подробно говорили в предыдущих главах. А вот ответы на второй и третий вопрос зависят не от «высоких правительственных сфер», а от ротного старшины, от комбата и комдива. Да, и на третий вопрос тоже, так как подготовиться к участию в боевых действиях в условиях родного колхоза нельзя. Именно обучение личного состава является важнейшей составляющей уставных обязанностей армейских командиров всех уровней. Способен ли был командный состав РККА образца 1941 г. к выполнению этих своих обязанностей?

Уровень профессиональной подготовки командного состава Красной Армии, качество военного обучения рядовых бойцов — все это тема для отдельного, серьезного исследования. Специалисты, которые возьмут на себя труд глубоко и беспристрастно исследовать эту проблему, внесут тем самым огромный вклад в реалистичное понимание того, что произошло в 1941-м и в последующих годах.

Отнюдь не считая себя компетентным в таких сугубо военных вопросах, автор данной книги считает уместным отметить лишь несколько моментов, лежащих, что называется, на поверхности. Один из самых распространенных мифов состоит в том, что к середине 30-х годов были подготовлены высокопрофессиональные и (что уже совсем необъяснимо) «опытные» военные кадры, и лишь «ре-

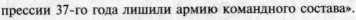

прессии 37-го года лишили армию командного состава».
Спорить по данному вопросу не о чем.

Надо просто знать факты. За два года (1938—1939)
Красная Армия получила 158 тысяч командиров, политработников и других военных специалистов. За три предвоенных года (1939—1941) военные училища окончили 48
тыс. человек, а курсы усовершенствования — 80 тысяч.
В первой половине 1941 г. из училищ и академий в войска
было направлено еще 70 тыс. офицеров. Всего на 1 января
1941 г. списочная численность командно-начальствующе-
го состава армии и флота составляла 579 581 человек.
Кроме того, за четыре года (с 1937-го по 1940-й) было
подготовлено 448 тыс. офицеров запаса [150].

Арестовано же было (по данным разных авторов) никак не более 10 тысяч командиров и политработников [1,
с. 368]. Что же касается именно погибших в годы репрессий офицеров, то наиболее полный поименный перечень,
составленный О. Сувенировым, состоит из 1634 фамилий
[149]. Не 40 тысяч, как привычно повторяют авторы «пе-
рестроечных разоблачений», а одна тысяча шестьсот тридцать четыре! Нетрудно убедиться, что если бы все они
остались в живых, то число командиров Красной Армии
выросло всего лишь на 0,3 процента. Нетрудно понять,
что некоторый некомплект командного состава (13% на 1
января 1941 г.) был обусловлен вовсе не репрессиями, а
троекратным за три года ростом численности и огромным
ростом технической оснащенности Вооруженных Сил.
Наконец, следует вспомнить и о том, что пресловутый
«некомплект» — это всего лишь несоответствие фактиче-
ской и штатной численности. А штаты могут быть самые
разные. Например, в вермахте на одного офицера по
штатным нормам приходилось 29 солдат и унтер-офицеров (сержантов), во французской — 22, в японской —19.
А штаты Красной Армии предполагали наличие одного
офицера (политработника) на 6 солдат и сержантов [1, с.
365].

Ни на чем, кроме голословных измышлений, не осно-
ван и тезис о том, что «расстреляли самых лучших, а на их
место назначили бездарей и проходимцев». Если судить

по такому формальному критерию, как уровень образования, то с 37-го по 41-й годы число офицеров с высшим и средним военным образованием не только не сократилось, но **значительно выросло!** В два раза. Со 164 до 385 тыс. человек. На должностях от командира батальона и выше доля комсостава без военного образования составляла накануне войны всего лишь 0,1% [1, с. 366]. Среди командиров дивизий по состоянию на 1 января 1941 г. высшее военное образование имело 40%, среднее военное — 60%. Среди командиров корпусов соответственно 52 и 48 [68].

Другой вопрос — каков был «коэффициент полезного действия» этого обучения, если в Военную академию им. Фрунзе принимали командиров с двумя классами церковно-приходской школы. К сожалению, в этих словах нет преувеличения. Именно с таким «образованием» поднялись на самый верх военной иерархии нарком обороны Ворошилов и сменивший его на посту наркома Тимошенко, командующий самым мощным, Киевским военным округом Жуков и сменивший его на этом посту Кирпонос. На таком фоне просто неприлично интеллигентно смотрится предшественник Жукова на должности начальник Генштаба Мерецков — у него было четыре класса сельской школы и вечерняя школа для взрослых в Москве.

Отнюдь не репрессии 37-го года стали причиной такого грустного положения дел. Привлечение полуграмотных, но зато «социально близких» кадров было основой кадровой политики и в 20-х, и в 30-х, и в 40-х годах. Точно такая же ситуация была и на «гражданке». В середине 30-х годов среди секретарей райкомов и горкомов ВКП(б) 70% имели лишь начальное образование. Наркомом оборонной (а затем и авиационной!) промышленности трудился М. Каганович, в биографии которого вообще не обнаруживаются следы какого-либо образования. Приведем еще один пример из более позднего периода. В апреле 1948 года среди 171 военного коменданта в Восточной Германии (а на такую должность, надо полагать, подбирались наиболее «солидные» во всех отношениях офицеры)

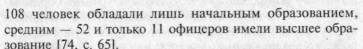
108 человек обладали лишь начальным образованием, средним — 52 и только 11 офицеров имели высшее образование [74, с. 65].

При всем при этом «выучиться на полководца» нельзя. Полководцем надо родиться. Были ли расстрелянные командиры талантливее тех, кто их сменил? Чем и как можно доказать (или опровергнуть) такой тезис? Условно «молодые» командующие Ленинградским и Киевским округами (соответственно Северным и Юго-Западным фронтами) Попов и Кирпонос порученное им дело провалили. Это факт. Но на чем основано предположение, что их предшественники (Дыбенко и Якир) разгромили бы немцев? Ни тот, ни другой ничем, кроме карательного рвения в годы Гражданской войны, себя не проявили. К новой войне оба готовились главным образом в нетрезвом состоянии, из коего их вывел арест и расстрел.

Кстати, о подготовке и самоподготовке. 7 октября 1930 г. командарм И.П. Белов, побывавший в служебной командировке в Германии, писал оттуда наркому обороны Ворошилову:

«...когда смотришь, как зверски работают над собой немецкие офицеры от подпоручика до генерала, как работают над подготовкой частей, каких добиваются результатов, болит нутро от сознания нашей слабости. Хочется кричать благим матом о необходимости самой напряженной учебы — решительной переделке всех слабых командиров...» [71, с. 272]

Почему-то принято забывать о том, что немалое число так называемых «опытных военачальников, героев Гражданской войны» благополучно пережили 37-й год и встретили год 41-й в самых высоких званиях. Это нарком обороны маршал Тимошенко, его заместители маршалы Буденный и Кулик, главком Северо-Западного направления маршал Ворошилов, командующий Южным фронтом генерал армии Тюленев, главком кавалерии генерал-полковник Городовиков. Все они — люди того же поколения, той же политической и жизненной «школы», что и репрессированные Блюхер, Егоров, Тухачевский, Федько. Все они так «славно» проявили себя, что уже через полгода-год после начала войны Сталину пришлось отправить их, от греха подальше, в глубокий тыл. На завершающем, победном этапе войны этих горе-командиров в действующей армии уже мало кто и помнил. **Почему же, зная о том, как проявили себя уцелевшие, мы продолжаем строить иллюзии по поводу расстрелянных?** Почему принято считать, что расстрел Тухачевского деморализовал армию в большей степени, нежели массовые расстрелы тамбовских крестьян, произведенные по приказам самого Тухачевского?

Судя по всему, товарищ Сталин очень быстро понял, что крупно ошибся в деликатном деле подбора, расстановки и истребления кадров, и очень старался исправиться. Но как? Подобно зэку на пересылке, обшаривающему всю камеру в надежде найти затерявшийся «бычок» с остатками махорки, он все тасовал и перетасовывал генералов в надежде найти наконец того, кто совершит чудо, превратит камни в хлеба и заставит нищих колхозников воевать за родную партию и ее вождя.

За первые четыре месяца войны на главном стратегическом направлении командующего Западным фронтом поменяли **семь раз** (Павлов, Еременко, Тимошенко, снова Еременко, снова Тимошенко, Конев, Жуков). Командующего 21-й армией (на том же самом западном направлении, за тот же срок) меняли шесть раз (Герасименко, Кузнецов Ф.И., Ефремов, Гордов, Кузнецов В.И., снова Гордов).

Немногим лучше обстояли дела у соседей 21-й армии. Пять командиров в 20-й армии (Ремезов, Курочкин, Лукин, Ершаков, Власов), четыре командира в 13-й (Филатов, Ремезов, Голубев, Городнянский), по три командира сменилось за лето-осень 1941 г. в 19-й и 22-й армиях. Командармы появлялись и исчезали, не успевая даже познакомиться со своими новыми подчиненными. Довольно быстро в этой чехарде выработалось некое универсальное правило. Оно не требовало ни знакомства с подчиненными, ни разведки противника, ни знания военной техники. Оно полностью заменяло собой все тонкости тактики и

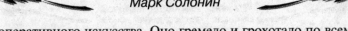

оперативного искусства. Оно гремело и грохотало по всем штабам, окопам и блиндажам.

ЛЮБОЙ ЦЕНОЙ!

А в довесок к этому правилу — лукавое самооправдание: «Война все спишет».

Все и списали. Или даже возвели в образец «несгибаемого мужества и героизма». Как, например, печально знаменитый «Невский пятачок». А ведь это действительно — ярчайший образец. Только чего?

Осенью 1941 года, после установления блокады Ленинграда, в наших руках остался крохотный плацдарм на левом (южном) берегу Невы. Клочок земли площадью 2 на 3 км. Удержание плацдарма (пусть даже и ценой больших потерь) имеет оперативный смысл только в том случае, если с его территории планируется в ближайшее время начать наступление крупными силами. Плацдарм в переводе с французского как раз и означает «место для армии». На «Невском пятачке» можно было развернуть стрелковый батальон, от силы — полк. Да и прорывать кольцо окружения предстояло главным образом ударом извне, а не со стороны умирающего от голода города. «Невский пятачок» не мог иметь (и фактически не сыграл) никакой существенной роли при прорыве блокады в январе 1943 года. Тем не менее этот «плацдарм» приказано было удержать. Любой ценой. Его и удерживали. 400 дней подряд. Немецкая артиллерия простреливала каждый метр этой огромной братской могилы. Общее количество истребленных на этом проклятом месте солдат оценивается разными исследователями в 200—300 тыс. человек. Для справки: за первые шесть месяцев войны (к 31 декабря 1941 г.) вермахт потерял на Восточном фронте убитыми и пропавшими без вести 209 595 солдат и офицеров [74, с. 97; 12, с. 161].

Скажем честно — порой даже высшее руководство выражало свое возмущение такой практикой растранжиривания «людских контингентов». Сам Сталин как-то раз потребовал от своих генералов *научиться воевать малой кровью, как это делают немцы* (телеграмма командованию Юго-Западного направления от 27 мая 1942 г.). И даже кровавый маршал Жуков (в ту пору командующий Западным фронтом) подписал 30 марта 1942 г. директиву, которая начиналась такими словами: *«В Ставку Верховного главнокомандования и Военный совет фронта поступают многочисленные письма от красноармейцев, командиров и политработников, свидетельствующие о преступно халатном отношении к сбережению жизней красноармейцев пехоты. В письмах и рассказах приводятся сотни примеров, когда* **командиры частей и соединений губят сотни и тысячи людей** *при атаках на неуничтоженную оборону противника и неуничтоженные пулеметы, на неподавленные опорные пункты, при плохо подготовленном наступлении. Эти жалобы,* **безусловно, справедливы и отражают только часть** (подчеркнуто автором) *существующего легкомысленного отношения к сбережению пополнения...»* [117, с. 269, 238]

Увы, толку от таких директив было мало — прежде всего потому, что сам Жуков и его ближайшие соратники и до и после отдания этой директивы губили людей десятками и сотнями тысяч «при плохо подготовленном наступлении». Вот как описывает в своих воспоминаниях полковник А.К. Кононенко визит заместителя командующего Западным фронтом (т.е. заместителя Жукова) генерала Г.Ф. Захарова в штаб 1-го Гвардейского кавкорпуса (это легендарный и прославленный корпус Белова):

«Злоба туманила его и так не весьма ясный рассудок. Захаров говорил то повышая тон, то снижая его до шепота с каким-то змеиным присвистом, злоба кипела и клокотала в нем...

«Меня прислали сюда, — сказал Захаров, — чтобы я заставил выполнить задачу любыми средствами, и я заставлю вас ее выполнить, хотя бы мне пришлось для этого перестрелять половину вашего корпуса. Речь может идти лишь о том, как выполнить задачу, а не о том, что необходимо для ее выполнения»...

Он по очереди вызывал к телефону командиров полков и дивизий, атаковавших шоссе, и, оскорбляя их самыми отборными ругательствами, кричал: «Не прорвешься сегодня через шоссе — расстреляю!»

Он приказал судить и немедленно расстрелять пять

командиров, бойцы которых не смогли прорваться через шоссе... Этот человек, который по ошибке стал военачальником, природой предназначался на роль палача или пациента нервно-психиатрической клиники...» [163]

Коммунистические историки-пропагандисты (которых природа тоже к чему-то предназначала) еще задолго до того, как стала возможна публикация таких документов и воспоминаний, успели сочинить для жуковых и захаровых очень благозвучное оправдание: «Страна была на грани гибели, решались судьбы всего мира, вынужденная безжалостность к своим солдатам была оправданна и необходима...»

Вероятно, настало время задаться встречным вопросом — **не эта ли бездумная безжалостность командования подтолкнула миллионы солдат к дезертирству и сдаче в плен врагу**? Не она ли поставила страну на грань гибели? Не скрывались ли за этой озабоченностью «судьбами мира» другие, гораздо более низменные мотивы?

Возьмем еще два документа. Это приказы маршалов Конева и Жукова, отданные в один и тот же день апреля 1945 года. Страна уже не стояла на грани гибели. Она была на пороге величайшего триумфа.

Не только «судьбы мира», но и послевоенные границы в Европе уже были начерчены и согласованы в Тегеране и Ялте. В такой обстановке 20 апреля Конев пишет приказ:

«Командующим 3-й и 4-й гв. танковыми армиями. Войска маршала Жукова в 10 км от восточной окраины Берлина. Приказываю обязательно сегодня ночью ворваться в Берлин первыми. Исполнение донести».

Приказ Жукова чуть подробнее:

«Командующему 2-й гв. танковой армией. Пошлите от каждого корпуса по одной лучшей бригаде в Берлин и поставьте им задачу: не позднее 4 часов утра 21 апреля любой ценой прорваться на окраину Берлина и немедля донести для доклада т. Сталину и объявления в прессе» [74].

Зачем посылать всего лишь по одной бригаде от корпуса? А так быстрее удастся «донести для доклада т. Сталину» и войти в историю как «великому маршалу победы». Почему быстрее? Потому что корпуса и танковая армия в целом «отягощены» артиллерией, саперными подразделениями, мотопехотой. Они тормозят движение. Поэтому две лучшие бригады Жуков заведомо посылает на убой, на «неподавленные опорные пункты», на минные поля, под огонь засевших на чердаках фаустников. Зачем? Их, лучших, дошедших до Берлина, — за что?

Бездушное и безжалостное расходование «живой силы» естественным образом дополнялось диким, полупервобытным стилем взаимоотношений внутри командной верхушки армии.

«...Еременко, не спросив ни о чем, начал упрекать Военный совет в трусости и предательстве Родины.

На мои замечания, что бросать такие тяжелые обвинения не следует, Еременко бросился на меня с кулаками и несколько раз ударил по лицу, угрожая расстрелом. Я заявил — расстрелять он может, но унижать достоинство коммуниста и депутата Верховного Совета не имеет права. Тогда Еременко вынул «маузер», но вмешательство Ефремова помешало ему произвести выстрел. После этого он стал угрожать расстрелом Ефремову. На протяжении всей этой безобразной сцены Еременко истерически выкрикивал ругательства. Несколько остыв, Еременко стал хвастать, что он, якобы с одобрения Сталина, избил несколько командиров корпусов, а одному разбил голову...»

Цитируемое письмо Сталину было написано 19 сентября 1941 г. Безобразная сцена происходила в штабе 13-й армии, куда приехал командующий Брянским фронтом. Но, может быть, Ефремов и автор письма, член Военного совета армии Ганенко, и вправду провинились так, что заслуживали расстрела (пусть и в более правовой форме, через трибунал)? Нет, судя по дальнейшим событиям, Еременко тут же решил помириться с «предателями Родины».

«Сев за стол ужинать, Еременко заставлял пить с ним водку Ефремова, а когда последний отказался, с ругательствами стал кричать, что Ефремов к нему в оппозиции, и быть у него в заместителях больше не может...» [117, с. 162].

Сталин почему-то любил генерала Еременко. Он про-

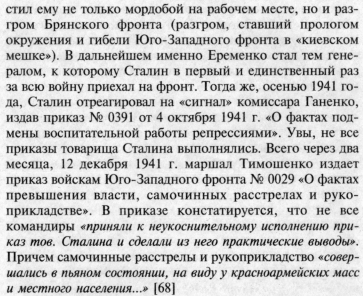

стил ему не только мордобой на рабочем месте, но и разгром Брянского фронта (разгром, ставший прологом окружения и гибели Юго-Западного фронта в «киевском мешке»). В дальнейшем именно Еременко стал тем генералом, к которому Сталин в первый и единственный раз за всю войну приехал на фронт. Тогда же, осенью 1941 года, Сталин отреагировал на «сигнал» комиссара Ганенко, издав приказ № 0391 от 4 октября 1941 г. «О фактах подмены воспитательной работы репрессиями». Увы, не все приказы товарища Сталина выполнялись. Всего через два месяца, 12 декабря 1941 г. маршал Тимошенко издает приказ войскам Юго-Западного фронта № 0029 «О фактах превышения власти, самочинных расстрелах и рукоприкладстве». В приказе констатируется, что не все командиры *«приняли к неукоснительному исполнению приказ тов. Сталина и сделали из него практические выводы».* Причем самочинные расстрелы и рукоприкладство *«совершались в пьяном состоянии, на виду у красноармейских масс и местного населения...»* [68]

Мы не случайно разместили эту главу почти в самом конце текста книги. Хотя ряд исследователей и многие ветераны-фронтовики считают, что именно с этого, с разговора об «отцах командирах» и должно начинаться выяснение подлинных причин наших поражений и чудовищных потерь. Но не будем упрощать. Если в армии бойцы пропадают без вести миллионами, а танки и орудия бросают на обочинах десятками тысяч, то едва ли одной только «воспитательной работой» можно навести в ней должный порядок. С другой стороны, пьяные вопли, подкрепляемые «маузером» и кулачной расправой, только лишь усиливали отчуждение командиров от солдатской массы, усиливали губительное для армии взаимное недоверие тех, кто отдавал приказы, и тех, кому ценой своей жизни предстояло эти приказы исполнять.

У всякой палки есть два конца. Укоренившееся в сознании многих командиров отношение к людям как к самому дешевому «расходному материалу» вполне адекватно дополнялось безразличным отношением красноармейцев к уставной обязанности оберегать командира в бою. К со-

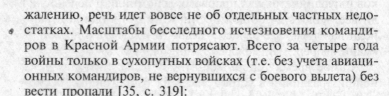

жалению, речь идет вовсе не об отдельных частных недостатках. Масштабы бесследного исчезновения командиров в Красной Армии потрясают. Всего за четыре года войны только в сухопутных войсках (т.е. без учета авиационных командиров, не вернувшихся с боевого вылета) без вести пропали [35, с. 319]:

— **163 командира дивизии (бригады)**;
— **221 начальник штаба дивизии (бригады)**;
— **1114 командиров полков**.

Даже к началу 90-х годов (полвека спустя) не были известны места захоронений **сорока четырех генералов** Красной Армии [126]. Это не считая тех, кто был расстрелян или умер в тюрьмах и лагерях, не считая погибших в плену! Сорок четыре генерала — среди них два десятка командиров корпусного и армейского звена — разделили судьбу рядовых солдат, бесследно сгинувших в пучине страшной войны.

Солдат было много, в Красной Армии счет шел на миллионы. Солдат часто воюет в одиночку и гибнет без свидетелей. Вот почему многочисленность непогребенных по-людски солдат если и не оправдана, то, по меньшей мере, объяснима. Но как же может пропасть без вести генерал, командир корпуса или дивизии?

Командир в одиночестве не воюет. Командование и штаб дивизии имели численность (по штату апреля 1941 г.) 75 человек. Это не считая личного состава политотдела, трибунала и комендантского взвода. В штабных структурах корпуса и армии людей еще больше. До каких же пределов должны были дойти хаос, паника, дезертирство, чтобы погибшие генералы оставались брошенными в чистом поле, без приметы и следа...

Бочка и обручи

Долгие годы любое обсуждение черт сходства сталинского и гитлеровского режимов было абсолютно запретной темой. Даже в немногих цветных кинофильмах «про войну» нельзя было увидеть фашистский флаг в его реальном, т.е. красном цвете. Затем, с конца 80-х годов историков и публицистов как прорвало: вспомнили и перечислили все, вплоть до общей песни, которую в одной стране пели на слова «все выше, и выше, и выше», а в другой — «майн фюрер, майн фюрер, майн фюрер»...

Самое время теперь вспомнить и обсудить два важнейших различия в устройстве этих тоталитарных деспотий.

Гитлер пришел к власти на волне националистического подъема (им же и организованного). «Германия превыше всего» — вот главный лозунг, который в деле восхождения Гитлера к власти выполнил роль гениального ленинского «грабь награбленное». Грабить своих, единокровных немцев нацисты категорически не разрешали. Они стремились сплотить нацию, в то время как большевики только тем и были озабочены, чтобы натравить рабочих на работодателей, солдат — на офицеров, батраков — на крестьян, казаков — на «иногородних», левых — на правых, правых — на левых...

Немцам не пришлось пережить ни «раскулачивания», ни разоблачения миллионов «вредителей». Весь необходимый для функционирования тоталитарной диктатуры заряд массовой ненависти был направлен не вовнутрь, а наружу — на внешних врагов Германии. Результат превзошел все ожидания. До самых последних дней войны немецкий солдат готов был проливать кровь ради спасения фатерлянда от «азиатских орд большевиков» и «наемников еврейской плутократии Запада».

На этом фоне идеология и практика большевизма смотрятся редкостным идиотизмом.

Признавая неизбежность (более того — желательность) все новых и новых, мировых и европейских войн, «самый человечный человек» и его приспешники объявили патриотизм опасным и вредным пережитком мелкобуржуазного сознания и во время мировой войны (которую официальная пропаганда именовала тогда «второй Отечественной») призывали брататься с солдатами противника.

Захватив власть, большевики даже из названия своей

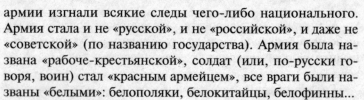

армии изгнали всякие следы чего-либо национального. Армия стала и не «русской», и не «российской», и даже не «советской» (по названию государства). Армия была названа «рабоче-крестьянской», солдат (или, по-русски говоря, воин) стал «красным армейцем», все враги были названы «белыми»: белополяки, белокитайцы, белофинны...

Ленина еще понять можно. Проведя лучшие годы жизни в эмигрантских кофейнях Парижа и Цюриха, в узком кругу сектантов-фанатиков, он оторвался от реалий российской жизни и всерьез поверил в то, что русский мужик пойдет на войну, «чтоб землю в Гренаде крестьянам отдать». Но товарищ Сталин — беспринципный прагматик и холодный реалист, как он мог пойти таким путем? Да, конечно, потом он опомнился, разогнал Коминтерн, достал из запасников светлые образы «царских генералов», Александр Невский занял в «красном уголке» место создателя Красной Армии Льва Троцкого... Но все это будет потом. А на войне опаздывать смертельно опасно.

Еще более значимым для темы нашего исследования является другое различие между большевистской и фашистской диктатурами.

Гитлеровский режим держался на лжи и демагогии. И терроре.

Сталин поставил в основание своей власти один только террор. Никакой демагогии (т.е. тонкой, хитрой, тщательно выверенной смеси из лести, полуправды и дозированной истерики) в Советском Союзе 30-х годов и в помине не было. Ну можно ли, в самом деле, отнести к «высокому искусству» демагогии ситуацию, когда измученным, обнищавшим, согнанным с родных мест людям вдруг объявили, что «жить стало лучше, жить стало веселей»? Неужели можно тупое бормотание товарища Молотова (который откровенно держал своих слушателей за страдающих беспамятством идиотов) называть «демагогией»?

И это фундаментальное различие в технологии власти вовсе не было случайным.

К моменту начала советско-германской войны Гитлер выполнил большую часть своих обещаний. **Сталин и большевики надули доверившихся им простаков буквально во всем.**

Гитлер объединил всех немцев в одном государстве, дал каждому рабочему работу и достойную зарплату, создал впечатляющую систему социальной поддержки материнства и детства, многократно расширил территорию рейха, провел немецкую армию под триумфальной аркой Парижа, не обидел никого из тех представителей старой элиты Германии, кто согласился работать с новой властью. Вот поэтому работа у ведомства Геббельса была очень простой: раздуть до небес реальные достижения гитлеровского режима. А на долю гестапо оставалось только изолировать тех малочисленных «умников», которые задавали вопрос — долго ли продержится этот «замок», построенный на песке и крови порабощенных народов.

Большевики выполнили только одно из множества своих обещаний: обещали вырезать всех «господ» под корень — и вырезали. Причем с большущим перебором. Во всем остальном обман был полный.

Делить экспроприированное у экспроприаторов, проще говоря, награбленное — они ни с кем не стали. Несмотря на астрономические суммы, изъятые у царской семьи, аристократии, церкви, частного капитала, реальный уровень жизни большей части населения богатейшей страны мира оставался таким же нищенским, каким он был и до революции.

Вместо обещанного равенства появилась новая знать, которая в стране нищих и людоедов летала на самолетах, каталась на лакированных «Паккардах», жила в имениях великих князей, отдыхала на императорских пляжах, одним словом — наслаждалась жизнью по стандартам американских миллионеров.

Обещания переселить семьи рабочих из бараков во дворцы закончились тем, что немногие уцелевшие дворцы были превращены в перенаселенные, загаженные коммунальные ночлежки.

Обещания отдать «заводы — рабочим» закончились тем, что бывшие вольнонаемные рабочие были превращены в крепостных, лишенных даже права уволиться с завода, на котором они работали в три смены за жалкие гроши, но получали полновесный лагерный срок за получасовое опоздание.

Помещичьи земли, захваченные крестьянами в 1917 году, у них отобрали. Вместе со всем нажитым горбом и потом имуществом, вместе со свободой, а у многих — и вместе с жизнью. Нищета, в которой прозябал смоленский или новгородский колхозник, потрясла немецких солдат, которые просто не могли поверить, что люди в Европе могут жить так.

За редчайшими исключениями все военные, инженеры, экономисты, дипломаты старой России, которые добровольно пошли на службу к большевикам, до июня 1941 г. не дожили — их расстреляли или стерли в лагерную пыль.

Какая же демагогия могла восполнить такой обман, такой крах надежд и ожиданий миллионов людей?

Вот поэтому товарищ Сталин и не был демагогом, вот поэтому за тридцать лет своей власти он так и не съездил ни в один колхоз, не посетил ни одного заводского цеха и хороводы с ребятишками не водил. Он не искал любви народных масс, да и вряд ли верил в ее существование. Ему нужна была одна только покорность — абсолютная и нерассуждающая, — и он добивался ее одним известным и доступным ему способом. Террором. Массовым и чудовищно жестоким. Он был убежден, что всеобщий страх — это и есть тот камень, на котором будет покоиться его незыблемая власть, и «врата ада не смогут одолеть ее»...

Это и была главная ошибка его жизни.

Что и говорить — страх наказания является мощнейшим инструментом воздействия на поведение человека. Отрицать это бессмысленно. Но **еще более абсурдными были надежды товарища Сталина на то, что задавленный террором народ можно поднять на Великую Отечественную войну.** Малообразованный сын пьяного сапожника так и

478

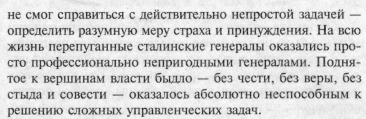

не смог справиться с действительно непростой задачей — определить разумную меру страха и принуждения. На всю жизнь перепуганные сталинские генералы оказались просто профессионально непригодными генералами. Поднятое к вершинам власти быдло — без чести, без веры, без стыда и совести — оказалось абсолютно неспособным к решению сложных управленческих задач.

Многие годы безраздельно и бесконтрольно управляя Россией, Сталин так и не понял смысл мудрой русской поговорки: «Клин клином выбивают». Мощнейший удар, нанесенный вермахтом, разрушил старый страх новым страхом, а «наган» чекиста как-то потускнел и затерялся среди грохота десятков тысяч орудий, среди лязга гусениц тысяч танков. Самое же главное было в том, что неведомо куда подевалось и само военное, штатское, партийное и всякое прочее начальство.

С утра 22 июня сталинская номенклатура оказалась даже не между двух, а меж трех огней.

С запада наступали гитлеровцы, своих намерений по отношению к коммунистам не скрывавшие.

С востока, из Кремля и с Лубянки, летели приказы, один расстрельнее другого. Самый многочисленный враг был рядом — и та безрассудная решимость, с которой большевики когда-то сожгли все мосты между собой и обманутым, замордованным народом, обернулась теперь против них. Вот и пришлось их женам хватать горшок с фикусом и в панике бежать куда глаза глядят.

Последствия массового бегства руководителей оказались фатальными. Любая система выходит из строя после разрушения центра управления. Любая армия временно (а то и навсегда) теряет боеспособность в случае потери командиров. Но у нас-то была не «любая», а очень даже специфическая система: система, скрепленная террором и террором управляемая.

Вместе со сбежавшим начальством ушел страх — и Красная Армия, великая и ужасная, стала стремительно и неудержимо разваливаться.

Как бочка, с которой сбили обручи.

Все очень непросто

Не будем упрощать. Жизнь многомиллионного человеческого сообщества бесконечно сложнее любой схемы. Были и энтузиазм, и патриотический подъем, и сотни тысяч добровольцев. Фраза — «как один человек, весь советский народ» — годится только для песни. Советское общество было весьма и весьма неоднородно.

Были мальчишки-старшеклассники, которые мечтали о подвигах и очень боялись «опоздать на войну». Были. Именно о них наши «инженеры человеческих душ» и написали груды душещипательных книжек, тонко и незаметно подводящих читателя к представлению о том, что вот эти настроения оглушенных пропагандой подростков и есть «глас народа».

Были офицеры и генералы (виноват — красные командиры, «офицерами» они стали чуть позже), которые стремились (так же как и их коллеги во всех странах и во все времена) к славе, почестям, званиям и орденам. Для них война, любая война — с «финляндской козявкой», с «белокитайцами», вместе с вермахтом, против вермахта — была почетной работой.

Было разнообразное и многоликое начальство — парторги и директора, писатели и председатели, завкомы и завхозы, которых Хозяин приучил не просто соглашаться, но и искренне верить в то, что написано в передовице очередного номера «Правды». А так как в империи Сталина «теплое место» терялось обычно вместе с головой, то у тех, кто вылез «из грязи в князи», и выбора-то практически не было: только любить родную партию, любить до самой смерти.

Наконец, были у нас «выдвиженцы». Энергичная, честолюбивая молодежь, дети дворников и сторожей, которым революция открыла дорогу к вершинам социальной пирамиды. К 1940 г. из 170 тысяч студентов, получивших высшее образование в годы первой пятилетки, руководящие посты занимали 152 тысячи, из 370 тысяч инженеров, закончивших вуз во вторую пятилетку, — 266 тысяч (т.е. 2 из 3 получали назначение на руководящую должность че-

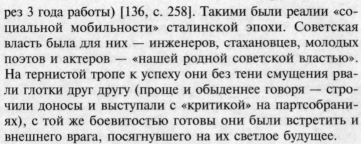

рез 3 года работы) [136, с. 258]. Такими были реалии «социальной мобильности» сталинской эпохи. Советская власть была для них — инженеров, стахановцев, молодых поэтов и актеров — «нашей родной советской властью». На тернистой тропе к успеху они без тени смущения рвали глотки друг другу (проще и обыденнее говоря — строчили доносы и выступали с «критикой» на партсобраниях), с той же боевитостью готовы они были встретить и внешнего врага, посягнувшего на их светлое будущее.

Эти четыре категории граждан составляли порядка 5—10% взрослого населения страны. Что совсем и не мало. По крайней мере, в средние века в любой стране Европы численность военного сословия (дворян-рыцарей) выражалась в еще меньших процентах. По крайней мере, огромный резерв для восполнения потерь в командном составе армии и промышленности у Сталина был.

Наконец, автор вовсе не предлагает свести всю историю войны только лишь к описанию психологических эффектов и аффектов.

«Но знаешь ли, чем сильны мы, Басманов?/ Не войском, нет, не польскою помогой,/ А мнением; да! мнением народным», — говорит один из персонажей пушкинского «Бориса Годунова». Золотые слова, но не стоит забывать о том, что армия держится не только на «мнении народном», но еще на приказе и дисциплине. Роль военачальника огромна, и там, где командиры и комиссары смогли сохранить порядок и управляемость, смогли уберечь своих солдат от заражения всеобщей паникой, — там враг получил достойный отпор уже в первых боях.

Такие дивизии, полки, батальоны, эскадрильи, батареи нашлись на каждом участке фронта. Вспомним поименно хотя бы некоторых из многих тысяч героев.

Трижды выбивала немцев из пограничного Перемышля 99-я стрелковая дивизия полковника Н.И. Дементьева. Только 28 июня, в тот день, когда немцы уже заняли Минск и Даугавпилс, дивизия Дементьева отошла от берегов пограничной реки Сан.

На самом острие немецкого танкового клина, рвавшегося к Луцку и Ровно, встала 1-я противотанковая бригада

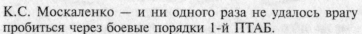

К.С. Москаленко — и ни одного раза не удалось врагу пробиться через боевые порядки 1-й ПТАБ.

На подступах к Дубно в первые же дни войны гнали и громили гитлеровцев 43-я и 34-я танковые дивизии под командованием полковников Цибина и Васильева.

До конца июня встречали врага огнем гарнизоны ДО-Тов Гродненского, Брестского, Струмиловского, Рава-Русского пограничных укрепрайонов. Оказавшиеся во вражеском тылу, без связи, без продовольствия и воды, они сражались до последнего патрона и последнего человека.

На северных подступах к Минску 25 июня 1941 г. заняла оборону 100-я стрелковая дивизия генерал-майора И.Н. Руссиянова. Накануне, вследствие неразберихи среди вышестоящего командования, вся артиллерия дивизии, до батальонной включительно, была из дивизии изъята и передана на другой, пассивный участок фронта, откуда ее удалось вернуть только во второй половине дня 27 июня. Вот в таком, практически безоружном состоянии, бойцы дивизии Руссиянова встретили удар 39-го танкового корпуса немцев. Три дня удерживали они свой рубеж обороны, стеклянными фляжками с бензином жгли вражеские танки, уничтожили до полка мотопехоты, в ночном бою разгромили штаб 25-го танкового полка вермахта.

2 июля 1941 г. по переправлявшимся через Березину у г. Борисова немецким танковым частям нанесла внезапный удар 1-я мотострелковая Московская Пролетарская Краснознаменная дивизия полковника Я.Г. Крейзера. Удар был такой силы, что двое командующих немецкими танковыми группами, Гот и Гудериан, не сговариваясь отмечают в своих мемуарах и этот бой, и то, что «*здесь впервые появились танки Т-34*».

Последнее замечание дважды удивительно. Во-первых, на вооружении мотострелковой дивизии по штату должны были быть только легкие танки (в 1-й Московской это были новейшие БТ-7М). Никаких «тридцатьчетверок» мотодивизии не полагалось. Во-вторых, на вооружении 6-го и 11-го мехкорпусов Западного фронта числилось 266 танков Т-34. Что же, выходит, немцы их даже не заметили? И тем не менее Гот с Гудерианом в данном случае не врут. Дело в том, что во время выдвижения дивизии от Смоленска к Березине Крейзер обнаружил на станции Орша 30 бесхозных «тридцатьчетверок». Эти-то тридцать танков, водители которых первый раз в жизни сели за рычаги Т-34, и произвели на немцев «впечатление» гораздо более сильное, нежели сотни танков 6-го и 11-го мехкорпусов.

На крайнем северном фланге войны, в далеком Заполярье героически сражалась 14-я армия под командованием генерал-лейтенанта В.А. Фролова. Не будет лишним еще раз повторить, что эта армия выполнила поставленную ей довоенными планами прикрытия задачу, остановила уже в приграничной полосе наступление врага, фактически обескровила и разгромила элитный горно-егерский корпус Дитля.

То, что мы здесь упомянули, — это только несколько эпизодов только первых двух недель войны. Эти эпизоды связаны с боевыми действиями крупных соединений (дивизия, армия) и поэтому достаточно подробно описаны в военно-исторической литературе. Тысячи героев 1941-го года сражались почти в одиночку, оставшись в хаосе всеобщего бегства без соседей, без связи — и без надежды остаться в живых...

Самое же трагичное заключается в том, что война в одном отношении очень сильно отличается от других человеческих занятий. Если из 12 гребцов весельной лодки 10 отдыхают и только двое гребут, то лодка все равно движется. Медленнее, чем могла бы, но — движется. Когда же из 120 гарнизонов Брестского укрепрайона 20 бьются до последнего патрона, а 100 — «отходят в Бельск», то укрепрайон как оперативная единица просто перестает существовать. Ну не были немецкие командиры столь глупы, чтобы заваливать трупами своих солдат амбразуры сражающегося ДОТа, если его можно было преспокойно обойти — хоть слева, хоть справа. Практически на каждом участке огромного фронта начавшейся 22 июня войны находились те, кто среди общего хаоса и панического бегства стоял насмерть. Но, как ни горько такое писать, если *«сопротивление противнику оказывали отдельные части, а не какая-то организованная армия»*, то и самопожертвование безымянных героев не могло изменить общую обстановку, не могло остановить продвижение врага в глубь страны, не могло даже спасти бегущие толпы от плена и гибели.

«Глупая политика Гитлера...»

Спасение пришло оттуда, откуда Сталин и ожидать-то его не мог. Это чудесное избавление от неминуемой гибели так потрясло вождя народа, что он не смог сдержаться и заявил об этом во всеуслышание. Правда, потом быстро опомнился и больше ТАКОГО вслух не говорил. Но в ноябре 1941 г., выступая с докладом на торжественном собрании, посвященном очередной годовщине большевистского переворота, Сталин вдруг сказал правду:

«...глупая политика Гитлера превратила народы СССР в заклятых врагов нынешней Германии» [И. Сталин. «О Великой Отечественной войне». М., Политиздат, 1949 с. 59].

В этих словах почти точно сформулирована главная причина того, почему **драка за передел разбойничьей добычи между двумя кровавыми диктатурами превратилась в конце концов в Великую Отечественную войну советского народа.** Ну а оговорка «почти» относится к тому, что людоед Гитлер и не мог действовать иначе. Параноик, одержимый бредовыми идеями расовой исключительности, самовлюбленный изувер, считавший себя орудием «провидения», — мог ли он не совершить те «глупости», которые имел в виду товарищ Сталин?

Поэтому не имеет никакого разумного содержания даже обсуждение вопроса о том, что было бы, если бы гитлеровцы:

— провозгласили независимость Украины, а не отправили С. Бандеру со товарищи в концлагерь;

— распустили по домам всех военнопленных, а тех, у кого дом еще оставался по другую сторону фронта, кормили бифштексами из «трофейных» коров по три раза в день;

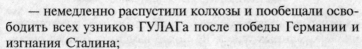

— немедленно распустили колхозы и пообещали освободить всех узников ГУЛАГа после победы Германии и изгнания Сталина;

— создали антибольшевистскую русскую добровольческую армию и альтернативное русское правительство.

На многочисленные предложения генералов вермахта (которые видели ситуацию в СССР с близкого расстояния) Гитлер сначала отвечал, что он не нуждается в союзе со славянскими «недочеловеками», и от генералов требуется разгромить Россию, а не освобождать ее. Потом и отвечать перестал. Когда командующий группой армий «Центр» генерал-фельдмаршал фон Бок отправил в Берлин проект создания «освободительной армии» из 200 тысяч добровольцев и формирования русского правительства в Смоленске, то его доклад был возвращен в ноябре 1941 с резолюцией Кейтеля: «Такие идеи не могут обсуждаться с фюрером».

Пленных сгоняли, как скот, на огромные, опутанные колючей проволокой поляны и морили там голодом и дизентерией. Раненых добивали на месте, часто вместе с медперсоналом госпиталей. Начатое было по инициативе армейского командования освобождение пленных ряда национальностей было 13 ноября 1941 г. запрещено [35]. А затем пришла ранняя и очень холодная в том году зима, в которую погибло от холода, голода и болезней две трети пленных 1941 года.

Колхозную систему, как форму организации подневольного труда, оккупанты даже укрепили палочной (точнее говоря — расстрельной) дисциплиной. Новый порядок оказался еще проще старого — расстрел на месте за любой проступок. С вызывающей откровенностью народу объясняли, что обслуживание представителей «высшей расы» отныне становится занятием для тех, кому разрешат жить.

Разрешали не всем. Кошмарные сцены геноцида евреев, массовая гибель военнопленных, расстрелы заложников, публичные казни — все это потрясло население оккупированных областей. И даже те, кто летом 1941 г. встретил немецкое вторжение с ожиданием перемен к

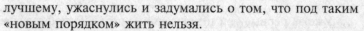
лучшему, ужаснулись и задумались о том, что под таким «новым порядком» жить нельзя.

Да, на первых порах фашисты совсем не афишировали свои зверства. Напротив, листовки, которые в миллионных количествах сыпались с немецких самолетов, обещали солдатам Красной Армии хорошую кормежку в плену и возвращение домой после окончания войны. Но «беспроволочный телефон» людской молвы работал — и работал с удивительной эффективностью. Так с каждым днем и месяцем все новые и новые миллионы людей начинали осознавать, что война, на которой им приходится воевать и умирать, идет уже не ради освобождения очередных «братьев по классу» в Занзибаре, не ради окончательного торжества вечно живого учения карлы-марлы, а просто для того, чтобы они, их семьи, их дети могли жить и надеяться на лучшее будущее.

Вот тогда и началась Великая Отечественная война советского народа.

Глубинный переворот в сознании огромного народа не мог произойти одномоментно и повсеместно. Переход от развала, паники и массового дезертирства к всенародной Отечественной войне был непростым и длительным. А во многих частях и соединениях — как мы и говорили в предыдущей главе — десятки тысяч бойцов и командиров Красной Армии вступили в Великую Отечественную войну уже на рассвете 22 июня 1941 г.

«На миру и смерть красна». Безымянным героям начала войны не досталось и этого скромного утешения. Им предстояло погибнуть в безвестности, так и не узнав, удалось ли им приблизить ценой своей жизни одну общую Победу. Большинству из них не досталось ни орденов, ни славы, ни даже надгробного камня. Но именно они своим жертвенным подвигом спасли страну. Это сопротивление, эти не сдающиеся ДОТы, батареи, батальоны снова и снова заставляли немцев разворачиваться из походного порядка в боевой, сбивали темп, сбивали спесь.

Впрочем, ущерб, нанесенный врагу, не ограничивался одной только сбитой спесью.

Уже за первые три недели войны с СССР люфтваффе потеряло безвозвратно 550 боевых самолетов, и еще 336 машин нуждались в длительном ремонте [60]. В скобках заметим, что это самые минимальные цифры из известных автору. Потерять 886 самолетов — это очень мало. Если сравнивать с потерями советских ВВС. Но для немцев такие потери означали, что каждый третий самолет, с которым они начали войну, уже отлетался. Уже в конце первого месяца боев, к 22 июля 1941 года, в истребительной эскадре JG54 погибло или пропало без вести 37 летчиков из числа тех 112, которые были в строю утром 22 июня. Заметим, что эскадра JG54 отличилась самыми малыми потерями среди всех истребительных эскадр люфтваффе за всю войну.

Потери немецких танковых групп были очень малы — в сравнении с астрономическими цифрами брошенных советских танков. И тем не менее уже к 10 июля 1941 г. немцы потеряли безвозвратно 350 танков. Каждый десятый. Этого, конечно, было мало — для того, чтобы остановить наступление вермахта. Но этого, надо полагать, оказалось достаточно для того, чтобы каждый из девяти оставшихся экипажей посмотрел на обугленные трупы своих однополчан и задумался о том, что победный марш на Москву перестает быть легкой прогулкой. Ну а к концу года безвозвратные потери выросли до 2765 танков — пять из шести танков, переправившихся 22 июня 1941 г. через пограничную реку, уже превратились в груду металлолома.

Наконец, не будем сбрасывать со счетов и природно-географический фактор. Его не следует абсолютизировать (как это принято в западной историографии), но и забывать о том, что огромные пространства России поглощали и растворяли армию захватчиков, тоже нельзя.

Наполеону было легко. Его армия, вытянувшись в нитку, шла колонной на Москву. Вермахт начал наступление на фронте от Каунаса до Перемышля (чуть меньше 700 км по прямой), а к концу года бои шли уже на фронте от Тихвина до Ростова-на-Дону (1600 км по прямой). Коммуникации немецкой армии непрерывно растягивались. Каждый снаряд и каждый литр бензина должен был преодолеть гигантское расстояние в полторы-две тысячи километров, прежде чем дойти до фронта. Эти линии коммуникаций надо было охранять, обеспечивать противовоздушной обороной, гарнизонами, дорожно-восстановительной службой.

То, что в России называлось дорогами, производило на немцев впечатление специально созданных препятствий. Уже 13 июля 1941 г. командующий 3-й танковой группой Г. Гот докладывал личному адъютанту Гитлера, что «*моральный дух личного состава подавлен огромной территорией и пустынностью страны, а также плохим состоянием дорог и мостов, не позволяющим использовать все возможности подвижных соединений*» [13]. Это в сухом и жарком июле, на песчаной почве Витебской и Смоленской областей их уже не устраивало состояние дорог! А впереди были осенние дожди, превратившие грунтовые дороги центра России в сплошное море непролазной грязи.

Поэтому, когда мы говорим, что «немцы дошли до Москвы», мы совершаем большую ошибку. Измотанные и обескровленные многомесячными боями дивизии вермахта не дошли, а на последнем издыхании доползли до Москвы. Здесь их и встретили 30-градусные морозы и 40 свежих дивизий из Сибири и Дальнего Востока.

Вот так, множество разных по значению и происхождению факторов, **главным** из которых было, конечно же, не пустое «пространство», а **героическое сопротивление** целого ряда частей и соединений Красной Армии, привело в конечном итоге к тому, что «блицкриг» не удался. А затяжная война оказалась для вермахта губительной. И не только потому, что ресурсы Германии не шли ни в какое сравнение с объединенной мощью трех крупнейших держав мира (СССР, США, Британская империя). Само время способствовало росту боевой, тактической, психологической подготовки солдат армий антигитлеровской коалиции.

Восточный фронт стабилизировался (за шесть месяцев с ноября 1941 г. по май 1942 г. немцы практически нигде

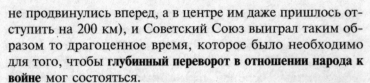

не продвинулись вперед, а в центре им даже пришлось отступить на 200 км), и Советский Союз выиграл таким образом то драгоценное время, которое было необходимо для того, чтобы **глубинный переворот в отношении народа к войне** мог состояться.

Наше повествование подошло к завершению. Нам осталось только ответить на вопрос, что вынесен в название последней части книги. Разумеется, не может быть и речи про установление какой-то «точной даты», но некоторые вполне рациональные критерии и обоснованные временные рамки указать можно и нужно. Для этого еще раз откроем статистический сборник «Гриф секретности снят». На этот раз — на странице 152. Там приведена таблица безвозвратных и санитарных (раненые и больные) потерь личного состава действующей армии с разбивкой по кварталам каждого года войны.

Печальный опыт великого множества военных конфликтов XX века показывает, что есть некое, весьма стабильное, соотношение числа убитых и раненых в боевых действиях. Вероятно, оно отражает какое-то фундаментальное соотношение между «прочностью» человеческого организма и поражающим воздействием оружия той эпохи.

Это соотношение — 1:3. На одного убитого приходится трое раненых. К слову говоря, именно в таких пропорциях сложились и потери вермахта в 1941 г. (см. выше).

Другими словами, в обстановке «нормальной войны» (простите за такое циничное выражение) доля санитарных потерь должна составлять 75% от общего числа потерь. Точнее говоря, она должна быть даже больше 75%, так как, кроме раненых, есть еще и заболевшие, и их бывает не так уж мало среди людей, живущих месяцами в залитых грязью окопах.

А что же показывает нам таблица № 72?

В третьем квартале 1941 г. (т.е. за первые три месяца войны) доля санитарных потерь составила всего **24,66%** от всех потерь. Это очень мрачное «чудо». За ним стоит огромное число пленных и дезертиров (которые и составили основную часть безвозвратных потерь Красной Ар-

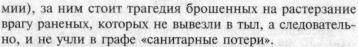

мии), за ним стоит трагедия брошенных на растерзание врагу раненых, которых не вывезли в тыл, а следовательно, и не учли в графе «санитарные потери».

В четвертом квартале 1941 г. доля санитарных потерь увеличилась почти в два раза — **40,77%**. Такие пропорции еще очень далеки до ситуации в нормальной, воюющей армии, но тем не менее перемены очевидны.

В первом квартале 1942 г. — уже **65, 44%**.

Во втором и третьем квартале — соответственно **47, 48% и 52, 79%**. Немцы перезимовали, восстановили силы и снова погнали многотысячные колонны пленных из «котлов» у Керчи и Харькова. Но, заметим, чудовищная ситуация лета 1941 г. более не повторилась!

К концу 1942 г. доля санитарных потерь возрастает почти до «нормальной» величины в **67, 25%**. Далее, вплоть до победного мая 1945 г., идут такие цифры: **79, 75, 76, 77, 79, 78**...

Простите меня. Поверьте, я понимаю всю кощунственность «игры в проценты», когда за этими процентами — миллионы убитых и изувеченных людей. Но что делать — работа военного историка немногим привлекательнее работы патологоанатома. Поверьте, историк и патологоанатом делают то, что они делают, не из-за нездорового пристрастия к трупному смраду, а для того, чтобы установить окончательный, всегда запоздалый, но максимально точный диагноз.

Разумеется, все эти цифры могут рассматриваться лишь как один из возможных подходов к оценке ситуации. Но даже с учетом всех этих оговорок **факт принципиального, качественного изменения в поведении основной массы армии очевиден и бесспорен**. Столь же бесспорен и факт радикального изменения обстановки на оккупированных территориях, стремительного роста партизанского движения, обозначившихся в начале 1943 года.

Некоторые ориентировочные временные рамки, в которых состоялся этот «великий перелом», можно определить так: **осень 1942 — весна 1943 гг.**

В переводе на общепринятую хронологию войны — от Сталинградской битвы до Курской дуги.

Эпилог

«Всемирно-историческое значение победы советского народа в Великой Отечественной войне». Этот вопрос среди школьников и студентов всегда считался очень простым. Удачным.

Не надо заучивать даты, запоминать названия фронтов — знай себе трещи про «создание мировой системы социализма», «укрепление авторитета на арене», «ликвидацию враждебного окружения»...

Конечно, рост военно-технического могущества коммунистического режима, огромное увеличение его возможностей заставлять дрожать от страха весь мир были потрясающими. Из поверженной Германии вывозились сотни тонн технической документации. Были вывезены целые научно-исследовательские, конструкторские коллективы. У бывших союзников всеми правдами и неправдами покупали, добывали, воровали новейшие военные технологии.

Добыча была огромной: реактивные двигатели, турбовинтовые двигатели (один из них по сей день работает в небе), зенитные ракеты, радиолокаторы, инфракрасные системы самонаведения, стратегический бомбардировщик (скопированный один к одному под названием Ту-4), крылатые ракеты, баллистические ракеты, парогазовые турбины для подводных лодок, планирующие бомбы, жаропрочные сплавы. И наконец, вершина всех усилий — тысячи страниц технического описания американской атомной бомбы.

К тому моменту, когда Сталин умер — или был отравлен своими товарищами по Политбюро, — Советский Союз был вооружен и очень опасен. Как никогда. Но не для этого миллионы людей приняли мученическую смерть. Не для этого. Даже в тех немыслимо тягостных условиях, которые были созданы многолетним произволом преступного сталинского режима, именно советский народ, именно его многонациональная Красная Армия спасли Европу от фашистского порабощения. Снова, как и в 1812—1814 годах, подневольный русский мужик распах-

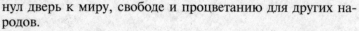

нул дверь к миру, свободе и процветанию для других народов.

Какими же оказались глубинные, долговременные последствия Великой Отечественной войны для самой России?

Как сказалась гибель миллионов самых лучших, самых честных, самых смелых на нравственных устоях, на самом генофонде нации?

Не надорвались ли духовные силы народа на сверхчеловеческом напряжении тех четырех лет?

Не оказалась ли та ярчайшая вспышка массового героизма, массового самопожертвования, которые явил изумленному миру советский народ, последним приливом сил умирающего?

Вот вопросы, ответ на которые сможет дать только сама жизнь, и перед лицом которых историку остается только замолчать и поставить последнюю точку.

Структура Вооруженных Сил,
принятые термины и сокращения

1. Структура сухопутных войск

Основой вооруженных сил СССР и Германии являлись сухопутные войска. Применительно к Германии они обозначаются словом «вермахт». Что касается Советского Союза, то термин «Красная Армия» (Рабоче-Крестьянская Красная Армия, РККА) может относиться как ко всем Вооруженным Силам, так и только к сухопутным войскам.

1.1. Части и соединения

Первичной «ячейкой» военной структуры является полк. Это воинская часть, имеющая свой индивидуальный номер и свое знамя. Структурные подразделения внутри полка не имеют своих «персональных» номеров и обозначаются порядковыми числительными, например: «третий взвод второй роты первого батальона 486-го стрелкового полка» или «вторая батарея первого дивизиона 265-го артиллерийского полка».

В Красной Армии существовали стрелковые полки (сп), мотострелковые полки (мсп), танковые полки (тп). Артиллерийские полки, в зависимости от типа используемого вооружения, обозначались как «пушечный артиллерийский полк» (пап) или «гаубичный артиллерийский полк» (гап).

Несколько полков объединялись в дивизию. Так, в стрелковой дивизии (сд) Красной Армии было три стрелковых и два артиллерийских полка, 14 483 человека личного состава. Несколько дивизий объединялись в стрелковый корпус (СК). Фиксированной численности стрелковый корпус РККА не имел и мог включать в себя от двух до пяти стрелковых дивизий.

Применительно к вермахту используются те же самые термины и сокращения, только вместо термина «стрелковый» используется термин «пехотный»: пехотный полк (пп), пехотная дивизия (пд). Пехотная дивизия вермахта насчитывала 16 589 человек личного состава, включая в себя три пехотных и один артиллерийский полк, несколько отдельных батальонов. Аналог стрелкового корпуса в вермахте обозначается термином «армейский корпус» (АК).

Несколько корпусов (как правило, два-три стрелковых, один механизированный) объединялись в крупное воинское соединение — Армию. В тексте книги они обозначаются так: 5А, 10А, 23А...

Если на уровне стрелковых (пехотных) полков — дивизий — корпусов РККА и вермахт имели примерно равную численность личного состава и вооружения, то армия в вермахте была, как правило, раза в два более многочисленной (за счет большего числа входящих в нее корпусов и отдельных дивизий).

1.2. Фронты и группы Армий

В мирное время Армия была самым крупным соединением в составе РККА. Во время войны (или накануне планируемой войны) несколько армий, отдельных дивизий и корпусов объединялись в самое мощное соединение — фронт. Так, перед началом войны с Германией было развернуто пять фронтов:

— Северный фронт (С. ф.) в районе Ленинград — Мурманск;

— Северо-Западный фронт (С-З. ф.) в Прибалтике;

— Западный фронт (З. ф.) в Белоруссии;

— Юго-Западный фронт (Ю-З. ф.) на Украине;

— Южный фронт (Ю. ф.) в Молдавии и Одесской области.

Эти фронты были созданы на базе частей и соединений Ленинградского военного округа (ЛенВО), Прибалтийского Особого военного округа (ПрибОВО), Западного Особого военного округа (ЗапОВО), Киевского Особого военного округа (КОВО), Одесского военного округа (ОдВО).

В вермахте аналогом «фронта» было крупное соединение под названием группа армий. Для вторжения в Советский Союз были развернуты три группы армий: «Север» (с задачей наступления через Прибалтику на Ленинград), «Центр» (для наступления на Минск — Смоленск) и «Юг» (для захвата Украины и, во взаимодействии с румынской армией, Молдавии).

1.3. Танковые (моторизованные) войска

Применительно к РККА и вермахту для обозначения этого рода войск используются термины «танковые войска», «подвижные части», «мотомехчасти», «механизированные соединения».

Структура моторизованных войск Красной Армии и вермахта не во всем совпадала, поэтому прямые сопоставления могут привести к ошибочным выводам.

Танковая дивизия (тд) Красной Армии имела в своем составе два танковых, один гаубичный и один мотострелковый полки. Штатная численность танков — 375 единиц.

Танковая дивизия вермахта, при примерно равной с тан-

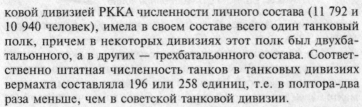

ковой дивизией РККА численности личного состава (11 792 и 10 940 человек), имела в своем составе всего один танковый полк, причем в некоторых дивизиях этот полк был двухбатальонного, а в других — трехбатальонного состава. Соответственно штатная численность танков в танковых дивизиях вермахта составляла 196 или 258 единиц, т.е. в полтора-два раза меньше, чем в советской танковой дивизии.

С другой стороны, в составе танковой дивизии вермахта был противотанковый артиллерийский дивизион и два мотоциклетных батальона, чего в танковой дивизии Красной Армии не было.

Моторизованная дивизия (мд) вермахта не имела на своем вооружении ни одного танка и представляла собой обычную пехотную дивизию, оснащенную большим числом автомашин и мотоциклов для перевозки личного состава и вооружения. Мотострелковая дивизия (мсд) Красной Армии по численности личного состава была значительно меньше немецкой моторизованной (11,5 тыс. против 16,5 тыс.), но имела в своем составе, наряду с двумя мотострелковыми и одним артиллерийским полками, еще и танковый полк и по штатной численности танков (275 единиц) превосходила любую немецкую танковую дивизию.

В следующем, корпусном звене различия в структуре и вооружении моторизованных войск Красной Армии и вермахта еще более возрастали. Немецкие танковые корпуса (ТК) имели самую разнородную структуру: в них могло быть и две и четыре дивизии, в том числе одна или две танковые. Например, в составе 14-й ТК (группа армий «Юг») была только одна танковая дивизия (9-я тд), в которой было два танковых батальона, всего 143 танка.

В то же время 39-й ТК (группа армий «Центр») имел в своем составе две моторизованные и две танковые дивизии (7-ю тд и 20-ю тд), танковые полки которых состояли из трех батальонов каждый. Всего в 39-м ТК было 494 танка.

Механизированные корпуса (МК) Красной Армии имели строго стандартную структуру: две танковые и одна мотострелковая дивизия, отдельный мотоциклетный полк, противотанковый артиллерийский дивизион и другие вспомогательные подразделения. Штатная численность — 1031 танк и 36 080 человек личного состава.

Соединений более высокого уровня, нежели мехкорпус, в танковых войсках Красной Армии не было. В вермахте же бы-

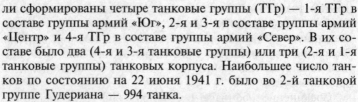

ли сформированы четыре танковые группы (ТГр) — 1-я ТГр в составе группы армий «Юг», 2-я и 3-я в составе группы армий «Центр» и 4-я ТГр в составе группы армий «Север». В их составе было два (4-я и 3-я танковые группы) или три (2-я и 1-я танковые группы) танковых корпуса. Наибольшее число танков по состоянию на 22 июня 1941 г. было во 2-й танковой группе Гудериана — 994 танка.

Таким образом, по количеству основного вида боевой техники (танков) немецкий танковый корпус, как правило, уступал танковой дивизии Красной Армии, а танковая группа вермахта соответствовала советскому мехкорпусу. С другой стороны, по численности личного состава, мотопехоты и артиллерии танковая группа вермахта в два-три раза превосходила мехкорпус Красной Армии.

2. Военная авиация

Военная авиация (люфтваффе) гитлеровской Германии представляла собой строго централизованную структуру. В состав люфтваффе входили не только все авиационные части, но и части территориальной ПВО (зенитная артиллерия, прожекторные части и пр.).

Напротив, в Советском Союзе существовало, по сути дела, несколько разных «авиаций»: войсковая авиация (части и соединения которой находились в оперативном подчинении командующих общевойсковых армий и фронтов), авиация Военно-Морского флота, дальнебомбардировочная авиация, которая подчинялась непосредственно Главному командованию РККА, авиация противовоздушной обороны (ПВО).

Основной тактической единицей боевой авиации был авиационный полк (авиационная группа в люфтваффе). Советский авиаполк состоял из пяти эскадрилий по 12 экипажей в каждой и командного звена, всего 62—64 экипажа. В составе авиагруппы люфтваффе было только три эскадрильи («штаффеля») по 12 экипажей и штабное звено, всего — 40 экипажей.

И в советской авиации, и в люфтваффе полки (группы) вооружались, как правило, самолетами одного типа для того, чтобы упростить обслуживание, изучение и ремонт техники. В составе советской авиации формировались истребительные авиаполки (ИАП), бомбардировочные (БАП), штурмовые (ШАП) и разведывательные (РАП). Иногда в названии бомбардировочных полков указывалось их «функциональное» назначение: дальнебомбардировочный (ДБАП), скоростной бомбардировочный (СБАП), ближнебомбардировочный

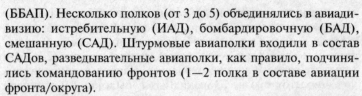

(ББАП). Несколько полков (от 3 до 5) объединялись в авиадивизию: истребительную (ИАД), бомбардировочную (БАД), смешанную (САД). Штурмовые авиаполки входили в состав САДов, разведывательные авиаполки, как правило, подчинялись командованию фронтов (1—2 полка в составе авиации фронта/округа).

Соединение люфтваффе, сходное с советской авиадивизией, называлось эскадрой.

За несколькими исключениями, в состав каждой эскадры входили только три авиагруппы.

В литературе приняты следующие обозначения: JG (истребительная), KG (бомбардировочная), StG (штурмовая) эскадры. Соединения, оснащенные многоцелевыми истребителями-бомбардировщиками «Мессершмитт-110», обозначались как ZG или SKG.

Если в советской авиации каждый полк имел свой «персональный» номер (например, 123-й ИАП, 40-й БАП), то в люфтваффе каждая группа обозначалась как составная часть эскадры.

Например, II/ KG 53 — это вторая группа 53-й бомбардировочной эскадры.

Несколько эскадр люфтваффе (от 4 до 6) сводились в авиационный корпус. С учетом того, что многие эскадры прибыли на Восточный фронт не в полном составе, авиакорпус включал в себя от 8 до 16 групп, а по числу самолетов и экипажей авиакорпус люфтваффе соответствовал 1—2 советским авиадивизиям.

Всего на Восточном фронте действовало пять авиационных корпусов, в составе трех Воздушных флотов (В. ф.). Действия группы армий «Север» поддерживал 1-й В. ф. (1-й авиакорпус), 2-й В. ф. (2-й и 8-й авиакорпуса) воевал над Белоруссией, два авиакорпуса 4-го В. ф. действовали, соответственно, на Украине (5-й корпус), в Молдавии и в Причерноморье (4-й корпус).

В советской авиации корпусное звено существовало только в дальнебомбардировочной авиации, в составе которой было развернуто четыре авиакорпуса, по две бомбардировочной дивизии в каждом. В первые дни войны они дислоцировались: 1-й ДБАК в районе Новгорода, 3-й ДБАК в районе Смоленска, 2-й ДБАК в районе Курска, 4-й в районе Запорожья, отдельная 18-я ДБАД в районе Киева.

Накануне войны (19 июня 1941 г.) было принято решение о развертывании трех авиационных истребительных корпусов ПВО (6-й в Москве, 7-й в Ленинграде и 8-й в Баку), причем дивизий в этих корпусах не должно было быть, а входящие в состав корпуса 10—12 истребительных полков подчинялись непосредственно командованию корпуса и зоны ПВО. Формирование истребительных корпусов ПВО было завершено уже в ходе войны.

Приложение 2

Состав и вооружение танковых войск вермахта и Красной Армии

Группа армий «Север»	Северо-Западный фронт
4-я танковая группа	
41-й ТК (1-я тд, 6-я тд) 390/90/155/121/ **56-й ТК** (8-я тд) 212/49/118/30/	**12-й МК** (23-я тд, 28-я тд, 202-я мсд) 730/0/ **3-й МК** (2-я тд, 5-я тд, 84-я мсд) 672/110/ **1-й МК** (3-я тд, 163-я мсд) 666/5/ **21-й МК** (42-я тд, 46-я тд, 185-я мсд) 120/0/
всего танков: 602	2188
Группа армий «Центр» **Западный фронт**	**Западный фронт**
3-я танковая группа	
39-й ТК (7-я тд, 20-я тд) 494/128/288/61/ **57-й ТК** (12-я тд, 19-я тд) 448/150/219/60/	**11-й МК** (29-я тд, 33-я тд, 204-я мсд) 414/20/ **6-й МК** (4-я тд, 7-я тд, 29-я мсд) 1131/452/ **13-й МК** (25-я тд, 31-я тд, 208-я мсд) 282/0/
2-я танковая группа	
47-й ТК (17-я тд, 18-я тд) 420/112/99/187/ **46-й ТК** (10-я тд) 182/45/0/125/ **24-й ТК** (3-я тд, 4-я тд) 392/102/60/207/	**14-й МК** (22-я тд, 30-я тд, 205-я мсд) 518/0/ **7-й МК** (14-я тд, 18-я тд, 1-я мсд) 959/103/ **5-й МК** (13-я тд, 17-я тд) 861/17/ отдельная 57-я тд 200/0/
всего танков: 1936	4365

Группа армий «Юг»	Юго-Западный и Южный фронты
1-я танковая группа	
3-й ТК (13-я тд, 14-я тд) 296/90/42/140/ **48-й ТК** (11-я тд, 16-я тд) 289/89/47/135/ **14-й ТК** (9-я тд) 143/40/11/80/	**22-й МК** (19-я тд, 41-я тд, 215-я мсд) 712/31/ **15-й МК** (10-я тд, 37-я тд, 212-я мсд) 749/136/ **4-й МК** (8-я тд, 32-я тд, 81-я мсд) 979/414/ **8-й МК** (12-я тд, 34-я тд, 7-я мсд) 899/171/ **9-й МК** (20-я тд, 35-я тд, 131-я мсд) 316/0/ **19-й МК** (40-я тд, 43-я тд, 213-я мсд) 453/5/ **16-й МК** (15-я тд, 39-я тд, 240-я мсд) 478/76/ **24-й МК** (45-я тд, 49-я тд, 216-я мсд) 222/0/ 109мсд (**5-й МК**) 209/0/ **2-й МК** (11-я тд, 16-я тд, 15-я мсд) 527/60/ **18-й МК** (44-я тд, 47-я тд, 218-я мсд) 282/0/
всего танков: 728	**5826**
ИТОГО: **3266 танков** в том числе 895 танкеток 1039 легких танков 1146 средних танков	ИТОГО: **12 379 танков** в том числе 1600 Т-34 и КВ

Примечания

1. Количество танков в соединениях вермахта указано следующим образом: всего танков в корпусе / танкетки / легкие танки / средние танки /.

2. Суммарная численность танков вермахта больше числа танкеток, легких и средних, т.к. в каждой дивизии было по 10—15 так называемых «командирских танков».

3. К категории «танкеток» отнесены PZ-I и PZ-II, к числу «легких танков» — чешские PZ-38(t) и PZ-III первых серий с 37-мм орудием, к «средним танкам» — PZ-III с 50-мм пушкой и PZ-IV. Подробнее об этом см. главу 3.3.

4. Количество танков в мехкорпусах Красной Армии указано следующим образом: всего танков в мехкорпусе / в том числе Т-34 и КВ /.

5. В составе танковых войск Красной Армии приведены только те соединения, которые были введены в бой в первые 15—20 дней войны.

6. Численность 1-го МК указана без учета 1-й тд, находившейся до конца июля 1941 г. в Заполярье.

7. В таблице не учтены 17-й МК и 20-й МК Западного фронта, находившиеся в стадии формирования и действовавшие как стрелковые соединения.

8. В соответствии с фактическим ходом боевых действий 109-я мсд (5-й МК) включена в состав войск Юго-Западного фронта, соответственно количество танков в 5-м МК указано без учета численности 109-й мсд.

Приложение 3

Ожидаемая и фактическая группировка противника

Маршал Г.К. Жуков (занимавший с февраля 1941 г. должность начальника Генерального штаба РККА) в качестве одной из главных причин разгрома советских войск называет то, что *«внезапный переход в наступление в таких масштабах, притом сразу всеми имеющимися и заранее развернутыми на важнейших стратегических направлениях силами... нами не предполагался. Ни нарком обороны, ни я, ни мои предшественники Шапошников и Мерецков не рассчитывали, что противник сосредоточит такую массу бронетанковых и моторизованных войск и бросит их в первый же день мощными компактными группировками на всех стратегических направлениях с целью нанесения сокрушительных рассекающих ударов».*

Долгое время нам оставалось только гадать о том, какие силы противника, в каких «*масштабах*», с участием какой «*массы бронетанковых и моторизованных войск*» ожидало встретить в первых боях высшее военно-политическое руководство Советского Союза. После опубликования в начале 90-х годов некоторых документов советского военного планирования на эти вопросы можно уже дать вполне конкретный ответ.

Предполагаемая численность войск, которые Германия сможет выставить для войны с Советским Союзом, указанная в следующих документах:

	пд	тд	мд	танки	само- леты
1. «Соображения об основах страте- гического развертывания Вооружен- ных Сил СССР», 18 сентября 1940 года	145	17	8	10 000	13 000
2. «Уточненный план стратегиче- ского развертывания Вооруженных Сил СССР», 11 марта 1941 года	165	20	15	10 000	10 000
3. «Соображения по плану стра- тегического развертывания сил Советского Союза на случай вой- ны с Германией и ее союзника- ми», 15 мая 1941 года	141	19	15	—	—
Фактический состав групп армий «Север», «Центр», «Юг» 22 июня 1941 года	91	17	9	3628	2500

Наиболее фантастическое представление имели совет- ская разведка и Главное командование о боевом составе люф- тваффе:

	истреби- тели	бомбарди- ровщики	пикиров- щики
По данным «Спецсообщения Разведуправления Генштаба РККА» от 11 марта 1941 года	3820	4090	1850
Фактическое число боеготовых самолетов на всех фронтах по состоянию на 24 июня 1941 года	1151	1059	260

Примечания:

1. В общее число «91 пехотная дивизия» включены 4 легкопехот- ные, 1 кавалерийская, 4 горнопехотные и 5 боевых дивизий СС.

2. В общее число «3628 танков» включены 3266 танков, состояв- шие на вооружении танковых дивизий, 246 штурмовых (самоходных) орудий и 112 огнеметных танков.

3. Многоцелевые Ме-110 отнесены к числу истребителей или бомбардировщиков в соответствии с предназначением авиагрупп, в состав которых они входили.

4. К числу «пикировщиков» отнесены только одномоторные Ju-87, двухмоторные Ju-88 учтены в категории «бомбардировщики».

Список использованной литературы

1. Мельтюхов М.И. Упущенный шанс Сталина. М.: Вече, 2000.

2. Хорьков А.Г. Грозовой июнь. Трагедия и подвиг войск приграничных округов. М., Воениздат, 1991.

3. «1941 год — уроки и выводы». М.: Воениздат, 1992.

4. Кояндер В.Д. Я — Рубин. Приказываю. М.: Воениздат, 1978.

5. Русский архив. Великая Отечественная. Ставка ВГК. Документы и материалы, 1941 год. Т.16. М.: Издательство ТЕРРА, 1996.

6. Россия — XX век. Документы. 1941 год. Книга 2. М.: Международный фонд «Демократия», 1998.

7. Сборник «Танкисты в сражении за Ленинград». Л.: Лениздат, 1987.

8. Интернет-сайт «Механизированные корпуса РККА», www.mechcorps.rkka.ru

9. Голушко И.М. Танки оживали вновь. М.: Воениздат, 1977.

10. Jentz Thomas I. Panzer Truppen. Shiffer Military History. Atglen, PA.

11. Мюллер-Гиллебранд Б. Сухопутная армия Германии 1933—1945. М.: Изографус, 2002.

12. Гальдер Ф. Военный дневник. Т.3. М.: Воениздат, 1971.

13. Гот Г. Танковые операции. Смоленск: Русич, 1999.

14. Русский архив. Великая Отечественная. Накануне войны. Материалы совещания высшего руководящего состава РККА 23—31 декабря 1940 г. М.: ТЕРРА, 1993.

15. Жуков Г.К. Воспоминания и размышления. М.: АПН, 1969.

16. Россия — XX век. Документы. 1941 год. Книга 1. М.: Международный фонд «Демократия», 1998.

17. Журнал боевых действий 21-й танковой дивизии. Интернет-сайт «Мехкорпуса РККА».

18. Мерецков К.А. На службе народу. М.: Политиздат, 1988.

19. Швабедиссен В. Сталинские соколы. Анализ действий советской авиации 1941—1945 гг. Минск: Харвест, 2001.

20. Свердлов Ф.Д. Советские генералы в плену. М.: Фонд Холокост, 1999.

21. Куницкий П.Т. Восстановление прорванного стратегического фронта обороны в 1941 году. «Военно-исторический журнал». 1988, № 7.

22. Лелюшенко Д.Д. Москва — Сталинград — Берлин — Прага. М.: Наука, 1985.

23. Сборник документов «Советская авиация в ВОВ в цифрах». 1962. Интернет-сайт «РККА».

24. Price Alfred. Luftwaffe Data Book. 1997.

25. Корнюхин Г.Ф. Советские истребители в Великой Отечественной войне. В книге: «Асы союзников». Смоленск: Русич, 2000.

26. Йокипии Мауно. Финляндия на пути к войне. Пер. с финск. Петрозаводск: Карелия, 1999.

 *Марк Солонин*

27. Кожевников М.Н. Командование и штаб ВВС Советской Армии в Великой Отечественной войне 1941—1945 гг. М.: Наука, 1985.

28. Интернет сайт The Finnish Army in the Second World War http/www.lysator.liu.se/nordic/mirror/sa

29. Вайну Х. Многоликий Маннергейм. Новая и новейшая история, 1997, № 5.

30. Савельев В. На северных подступах к Ленинграду. Интернет-сайт «РККА».

31. Сеппяля Х. Финляндия как оккупант. Журнал «Север», 1995.

32. Пиэтола Э. Военнопленные в Финляндии 1941—1944. Пер. с финск. Журнал «Север». 1990, № 12.

33. Журнал «Вопросы истории». 1989, №7, с. 66.

34. Кемппайнен. Маннергейм — маршал и президент. Журнал «Звезда». 1999, № 10.

35. «Гриф секретности снят». Статистическое исследование./Под ред. Г.Ф. Кривошеева. М.: Воениздат, 1993.

36. Balke U. «KG 2 Unit History».

37. Balke U. Der Luftkrieg im Europa. Kublenz, 1989.

38. Groehler O. Geschichte des Luftkrieges 1910 bis 1980. Berlin, 1985.

39. Новиков А.А. В небе Ленинграда. М.: Наука, 1970.

40. Анфилов В.А. Дорога к трагедии сорок первого года. М.: Издатель Акопов, 1997.

41. Федоров А.Г. Авиация в битве под Москвой. М.: Наука, 1971.

42. «Известия ЦК КПСС», 1990, № 1.

43. «Бои в Финляндии». Сборник статей. М.: Изд. Наркомата обороны, 1941.

44. «Буг в огне». Сборник статей. Минск: Беларусь, 1977.

45. Иванов С.П. Штаб армейский, штаб фронтовой. М., Воениздат, 1990.

46. Лиддел Гарт Б.Г. Вторая мировая война. М., АСТ, 1999.

47. Итоги Второй мировой войны. Сборник статей. Пер. с нем. М., Иностранная литература, 1957.

48. Емельяненко В.Б. В военном воздухе суровом. М., Молодая гвардия, 1972.

49. Полынин Ф.П. Боевые маршруты. М., Воениздат, 1972.

50. Скрипко Н.С. По целям ближним и дальним. М., Воениздат, 1981.

51. Иноземцев И.Г. Под крылом — Ленинград. М., Воениздат.

52. Алексеенко В.И. Советские ВВС накануне и в годы Великой Отечественной войны. Журнал «Авиация и космонавтика — вчера, сегодня, завтра», 2000, № 2, 3.

53. Тимохович И.В. В небе войны. М., Воениздат, 1986.

54. Рытов А.Г. Рыцари пятого океана. М., Воениздат, 1968.

55. Захаров Г.Н. Я — истребитель. М., Воениздат, 1985.

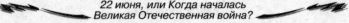

56. Хазанов Д.Б. Вторжение. Начало воздушной войны на советско-германском фронте. Журнал «Авиация и время», 1996, № 3, 4, 5.

57. Степанов А.С Пиррова победа люфтваффе на Западе. Журнал «История авиации», 2000, №3.

58. Гуляс И.А «Победы советских летчиков первого дня войны», журнал «Аэрохобби», 1994, №1.

59. Архипенко Ф.Ф. Записки летчика-истребителя. Харьков: Дельта, 1999.

60. Литвин Г.А. Сломанные крылья люфтваффе. Журнал «Авиация и космонавтика — вчера, сегодня, завтра», 1998, № 7, 8.

61. «Первые дни войны в документах». «Военно-исторический журнал», 1989, № 5, 6, 7, 8, 9.

62. Попов А. 15 встреч с генералом КГБ Бельченко. М., «Олма-пресс», 2002.

63. Хазанов Д.Б. Вернер Мельдерс. Журнал «Авиамастер», 1997, № 4, 5.

64. Цупко П.И. Пикировщики. М., Политиздат, 1987.

65. Гудериан Г. Воспоминания солдата. Ростов-на-Дону, Феникс, 1998.

66. Тимин М.В. На острие главного удара. Причины поражения ВВС ЗапВО. Ульяновск, 2001.

67. Материалы следствия и суда над генералом Д.Г. Павловым. Сборник документов «Неизвестная Россия, XX век». Книга 2. М., Историческое наследие, 1992.

68. «Скрытая правда войны». Сборник документов под ред. П.Н. Княшевского. М., «Русская книга», 1992.

69. «Документы внешней политики». Т.23. Книга 2. М., Историко-документальный департамент МИД России, 1995.

70. «СССР — Германия, 1939—1941». Документы и материалы, (перевод сборника «Nazi-Soviet Relations». Department of State, 1948). Вильнюс: Мокслас, 1989.

71. Дьяков Д.Л., Бушуева Т.С. Фашистский меч ковался в СССР. М., Советская Россия, 1992.

72. Черчилль Уинстон С. Вторая мировая война. Т.3, М., ТЕРРА, 1998.

73. «Великая Отечественная война Советского Союза, 1941—1945». Краткая история. М., Политиздат, 1970.

74. Ибатуллин Т.Г. Война и плен. СПб., 1999.

75. Москаленко К.С. На юго-западном направлении. Книга 1. М., «Наука», 1975.

76. Спик Майк. Асы люфтваффе. Смоленск: Русич, 1999.

77. Спик Майк. Асы люфтваффе. Смоленск: Русич, 2000.

78. Семидетко В.А. Истоки поражения в Белоруссии. «Военно-исторический журнал», 1989, № 4.

79. Сандалов Л.М. Боевые действия войск 4-й армии. М., Воениздат, 1961. Цит. по: ВИЖ 1988, № 10,11,12; 1989, № 2, 6, 7.

80. Болдин И.В. Страницы жизни. М.: Воениздат, 1961.

81. Бобренцев В.А., Рязанцев В.Б. Палачи и жертвы. М., Воениздат, 1993.

82. Сандалов Л.М. Пережитое. М.: Воениздат, 1966.

83. Интернет-сайт «Рабоче-Крестьянская Красная Армия», www. rkka. ru

84. Широкорад А. Авиационные пушки. Журнал «Техника и оружие» (спецвыпуск), 1996, № 11—12.

85. Журнал «Техника и вооружение», 2001, № 7.

86. Журнал «Авиация и космонавтика», 2001, № 5-6.

87. Интернет-сайт «The Russian Battlefield», www. battlefield.ru

88. Медведь А., Хазанов Д. Дальний бомбардировщик Ер-2. Журнал «Авиамастер», 1999, № 2

89. Шумихин В.С. Советская военная авиация 1917—1941. М.: Воениздат, 1986.

90. Интернет-сайт «ВВС России», www.airforce. ru

91. Маслов М.А. Истребитель И-16. М.: Экспринт НВ, 1997.

92. Владимирский А.В. На киевском направлении. По опыту ведения боевых действий войсками 5-й армии Юго-Западного фронта в июне—сентябре 1941 г. М.: Воениздат, 1989.

93. «Артиллерийское вооружение советских танков 1940—1945». Журнал «Армада», 1999, № 4.

94. Барятинский М. Средний танк Panzer-IV. Журнал «Бронеколлекция», 1999, № 6.

95. Шмелев И. Танк Т-34. Журнал «Техника и вооружение», 1998, №11, 12.

96. Барятинский М. Средний танк Т-34. Журнал «Бронеколлекция», 1999, № 3.

97. Желтов И., Павлов И., Павлов М. Танки БТ. В 3-х частях. Журнал «Армада», 1989, № 9; 1999 № 15.

98. Историко-технический журнал «Полигон», ISSN 1680—0680, www. weapon.df.ru

99. Энциклопедия танков. — Составитель Холявский Г.Л. Минск: «Харвест», 1999.

100. Барятинский М. Танки вермахта. М.: Аскольдъ, 1993.

101. Барятинский М., Павлов М. Средний танк Т-28. М.: Аскольдъ, 1993.

102. Астров Н.Л. Начало войны: от Т-40 к Т-70. Журнал «За рулем», 1989, № 10.

103. Гуров А.А. Боевые действия советских войск на юго-западном направлении в начальном периоде войны. «Военно-исторический журнал», 1988, № 8.

104. Золотов Н.П., Исаев С.И. Боеготовы были... «Военно-исторический журнал», 1993, № 11.

105. Попель Н.К. В тяжкую пору. М.: АСТ, 2001.

106. Бирюзов С.С. Когда гремели пушки. М.: Воениздат, 1962.

107. Суворов В. День-М. М.: АО «Все для вас», 1994.

108. Бобылев П.Н. Репетиция катастрофы. «Военно-исторический журнал», 1993, № 6, 7, 8.

109. Архипов В.С. Время танковых атак. М.: Воениздат, 1981.

110. Баграмян И.Х. Так начиналась война. М.: Воениздат, 1971.

111. Рокоссовский К.К. Солдатский долг. М.: Воениздат, 1997.

112. «Известия ЦК КПСС», 1990, № 7.

113. Рябышев Д.И. Об участии 8-го механизированного корпуса в контрударе Юго-Западного фронта. Интернет-сайт «The Russian Battlefield».

114. «Известия ЦК КПСС», 1990, № 6.

115. Якобсен Г-А. 1939—1945. Вторая мировая война. Хроника и документы. В сб. Вторая мировая война: два взгляда. М.: Мысль, 1995.

116. Тейлор А. Вторая мировая война. В сб. Вторая мировая война: Два взгляда. М., Мысль, 1995.

117. Соколов Б.В. Тайны Второй мировой. М.: Вече, 2001.

118. Яковлев А.Н. По мощам и елей. М.: Евразия, 1995.

119. Дробязко С.И. Восточные легионы и казачьи части в вермахте. М.: АСТ, 1999.

120. Антилевский М. Авиация генерала Власова. Журнал «История авиации», 2000, № 2.

121. Рутыч Н. Между двумя диктатурами. Журнал «Родина», 1991, № 6, 7.

122. Маркс К., Энгельс Ф. Сочинения. Т.11. М.: Политиздат, 1958.

123. Журнал «Известия ЦК КПСС», 1990, № 9.

124. Решин Л.Е., Степанов В.С. Судьбы генеральские. «Военно-исторический журнал», 1993, № 10, 11, 12.

125. Радзинский Э.С. Сталин. М.: Вагриус, 1997.

126. «Отдали жизнь за Родину». Краткие биографические данные генералов Советской Армии, погибших, умерших и пропавших без вести в период Великой Отечественной войны. «Военно-исторический журнал», 1991, 1992, 1993, 1999.

127. Типпельскирх К. История Второй мировой войны 1939—1945. М.: АСТ, 2001.

128. Данилов В., Шанин Т. Крестьянское восстание в Тамбовской губернии в 1919—1921 гг. Тамбов, 1994.

129. Черная книга коммунизма. Сборник статей. М.: Три века истории, 2001.

130. Васильева Л. Кремлевские жены. Харьков: Эврика-дефант, 1992.

131. Кульчицкий С. Сколько нас погибло от голодомора. Интернет-журнал «Зеркало недели», www. mirror.kiev.ua

132. Внешняя торговля СССР за 1918—1940 гг. Статистический обзор. М.: Внешторгиздат, 1960.

133. Журнал «Красная новь», 1921, № 1.

134. Зенькович Н.А. Самые закрытые люди. Энциклопедия биографий. М.: ОЛМА-ПРЕСС Звездный мир, 2002.

135. Герои Советского Союза. Краткий биографический словарь. М.: Воениздат, 1987.

136. Верт Н. История Советского государства. М., 1995.

137. Судоплатов П.А. Спецоперации. Лубянка и Кремль. М.: ОЛМА-ПРЕСС, 1997.

138. Советские художественные фильмы. Аннотированный каталог. М.: Искусство, 1961.

139. Токарев В.А. Советское общество и польская кампания 1939 года. Магнитогорск: Магнитогорский госуниверситет, 2000.

140. Зимняя война 1939—1940. В 2-х томах/Под ред О.А. Ржешевского, Е.Н. Кулькова. Т.2, М.: Наука, 1998.

141. Журнал «Мир авиации», 1992, № 1, с. 26.

142. Интернет-журнал «Дуэль» от 13 июля 1999, № 28(119), www.duel.ru

143. Фронтовики ответили так. Пять вопросов Генерального штаба/Под ред. В.П. Крикунова, «Военно-исторический журнал», 1989, № 5.

144. Макдональд Ч. Тяжелое испытание. Американские вооруженные силы на Европейском ТВД во время Второй мировой войны. Пер. с англ. М.: Воениздат, 1979.

145. Урланис Б.Ц. Войны и народонаселение Европы. М. 1960.

146. Суворов В. Очищение. М.: АСТ, 1998.

147. Канун и начало войны. Документы и материалы. Составитель Л.А. Киршнер. Лениздат, 1991.

148. Журнал «Бронеколлекция», 2002, №3.

149. Сувениров О.Ф. Трагедия РККА. 1937—1938. М., 1998.

150. Комал Ф.Б. Военные кадры накануне войны. «Военно-исторический журнал», 1990, № 2.

151. Боярский В.И. Партизаны и армия. Минск: Харвест, 2001.

152. Маннергейм К.Г. Мемуары. М.: Вагриус, 2003.

153. Александров К.М. Офицерский корпус армии генерал-лейтенанта Власова. Русско-Балтийский информационный центр «Блиц». СПб., 2001.

154. Дробязко С. Восточные добровольцы в вермахте, полиции и СС. М.: АСТ, 2000.

155. Чуев С. Проклятые солдаты. М.: Яуза-ЭКСМО, 2004.

156. Ткаченко С.Н. Повстанческая армия. Тактика борьбы. Минск: Харвест; М., АСТ, 2000.

157. Партизаны и каратели. Составитель Егерс Е.В. Рига: Торнадо, 1998.

158. Соколов Б.В. Оккупация. Правда и мифы. М.: АСТ-ПРЕСС КНИГА, 2002.

159. Альтман И.А. Холокост и еврейское сопротивление на оккупированной территории СССР. М.: Фонд «Холокост», 2002.

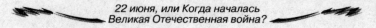
160. Репрессии против поляков и польских граждан. Составитель А.Э. Гурьянов. М.: Звенья, 1997.

161. Семиряга М.И. Тайны сталинской дипломатии. М.: Высшая школа, 1992.

162. Судоплатов П.А. Спецоперации. Лубянка и Кремль, 1930—1950 годы. М.: ОЛМА-Пресс, 1997.

163. Свердлов Ф.Д. Ошибки Г.К. Жукова (год 1942-й). М.: Монолит, 2002.

164. Смиловицкий Л. Катастрофа евреев в Белоруссии. Тель-Авив, 2000.

165. Гунгак Т. Україна, перша половина XX століття. Киев: Либідь, 1993.

166. Исаев А.В. От Дубно до Ростова. М.: АСТ, 2004.

167. Советско-финляндская война 1939—1940 гг. В 2 тт./Сост. П.В. Петров, В.Н. Степанов. СПб.: Полигон, 2003.

СОДЕРЖАНИЕ

Марк Солонин

**22 ИЮНЯ, ИЛИ КОГДА НАЧАЛАСЬ
ВЕЛИКАЯ ОТЕЧЕСТВЕННАЯ ВОЙНА?**

Издано в авторской редакции
Художественный редактор *П. Волков*
Компьютерная верстка *И. Белов*
Корректор *Н. Хаустова*

ЛР № 065715 от 05.03.1998. ООО «Издательство «Яуза»
109507, Москва, Самаркандский б-р,15, к. 4.
Для корреспонденции: 127299, Москва, ул. Клары Цеткин, 18, к. 5.
Тел. (495) 745-58-23

Подписано в печать 19.06.2008.
Формат 84×108 $^1/_{32}$. Гарнитура «Таймс». Печать офсетная.
Бум. тип. Усл. печ. л. 26,88.
Тираж 4000 экз. Заказ № 1976

Отпечатано с электронных носителей издательства.
ОАО "Тверской полиграфический комбинат". 170024, г. Тверь, пр-т Ленина, 5.
Телефон: (4822) 44-52-03, 44-50-34, Телефон/факс: (4822)44-42-15
Home page - www.tverpk.ru Электронная почта (E-mail) - sales@tverpk.ru

Оптовая торговля книгами «Эксмо»:
ООО «ТД «Эксмо». 142700, Московская обл., Ленинский р-н, г. Видное,
Белокаменное ш., д. 1, многоканальный тел. 411-50-74.
E-mail: **reception@eksmo-sale.ru**

По вопросам приобретения книг «Эксмо»
зарубежными оптовыми покупателями обращаться в ООО «Дип покет»
E-mail: **foreignseller@eksmo-sale.ru**

International Sales:
International wholesale customers should contact «Deep Pocket» Pvt. Ltd. for their orders.
foreignseller@eksmo-sale.ru

По вопросам заказа книг корпоративным клиентам,
в том числе в специальном оформлении,
обращаться по тел. 411-68-59 доб. 2115, 2117, 2118.
E-mail: **vipzakaz@eksmo.ru**

Оптовая торговля бумажно-беловыми
и канцелярскими товарами для школы и офиса «Канц-Эксмо»:
Компания «Канц-Эксмо»: 142702, Московская обл., Ленинский р-н, г. Видное-2,
Белокаменное ш., д. 1, а/я 5. Тел./факс +7 (495) 745-28-87 (многоканальный).
e-mail: **kanc@eksmo-sale.ru**, сайт: **www.kanc-eksmo.ru**

Полный ассортимент книг издательства «Эксмо» для оптовых покупателей:
В Санкт-Петербурге: ООО СЗКО, пр-т Обуховской Обороны, д. 84Е.
Тел. (812) 365-46-03/04.
В Нижнем Новгороде: ООО ТД «Эксмо НН», ул. Маршала Воронова, д. 3.
Тел. (8312) 72-36-70.
В Казани: ООО «НКП Казань», ул. Фрезерная, д. 5. Тел. (843) 570-40-45/46.
В Ростове-на-Дону: ООО «РДЦ-Ростов», пр. Стачки, 243А.
Тел. (863) 220-19-34.
В Самаре: ООО «РДЦ-Самара», пр-т Кирова, д. 75/1, литера «Е».
Тел. (846) 269-66-70.
В Екатеринбурге: ООО «РДЦ-Екатеринбург», ул. Прибалтийская, д. 24а.
Тел. (343) 378-49-45.
В Киеве: ООО ДЦ «Эксмо-Украина», ул. Луговая, д. 9.
Тел./факс: (044) 501-91-19.
Во Львове: ТП ООО ДЦ «Эксмо-Украина», ул. Бузкова, д. 2.
Тел./факс (032) 245-00-19.
В Симферополе: ООО «Эксмо-Крым» ул. Киевская, д. 153.
Тел./факс (0652) 22-90-03, 54-32-99.
В Казахстане: ТОО «РДЦ-Алматы», ул. Домбровского, д. 3а.
Тел./факс (7272) 251-59-90/91. gm.eksmo_almaty@arna.kz

Мелкооптовая торговля книгами «Эксмо» и канцтоварами «Канц-Эксмо»:
127254, Москва, ул. Добролюбова, д. 2. Тел.: (495) 780-58-34.

Полный ассортимент продукции издательства «Эксмо»:
В Москве в сети магазинов «Новый книжный»:
Центральный магазин — Москва, Сухаревская пл., 12. Тел. 937-85-81.
Волгоградский пр-т, д. 78, тел. 177-22-11; ул. Братиславская, д. 12, тел. 346-99-95.
Информация о магазинах «Новый книжный» по тел. 780-58-81.
В Санкт-Петербурге в сети магазинов «Буквоед»:
«Магазин на Невском», д. 13. Тел. (812) 310-22-44.

По вопросам размещения рекламы в книгах издательства «Эксмо»
обращаться в рекламный отдел. Тел. 411-68-74.